Mağaradaki Zihir

Bilinç ve Sanatın Köken

James David Lewis-Williams Güney Afrikalı arkeolog. 1̇ ....aa dogdu. Çalışmalarını kaya sanatı üzerinde yoğunlaştırdıktan sonra Rock Art Research Institute'yü kurdu. Bilişsel arkeoloji alanında The Witwatersrand Üniversitesi'nde (WITS) ders veren Lewis-Williams'ın *A Cosmos in Stone: Interpreting Religion and Society Through Rock Art* (Altamira, 2002), *Inside the Neolithic Mind* (David Pearce ile birlikte, Thames and Hudson, 2009) ve *The Shamans of Prehistory* (Jean Clottes ile birlikte, Harry N. Abrams, 1998) gibi kitapları bulunmaktadır.

Tolga Esmer 1966'da İstanbul'da doğdu. Boğaziçi Üniversitesi'ndeki İnşaat Mühendisliği eğitiminden sonra, İtalya'da Bocconi Üniversitesi'nde Uluslararası Ekonomi ve İşletme dalında yüksek lisans yaptı. Bir süre İtalya'da yönetim danışmanı olarak çalıştı. İstanbul Bilgi Üniversitesi İletişim Fakültesi ile Marmara Üniversitesi Fransızca Kamu Yönetimi bölümünde ders verdi. Özel ilgi alanı olan farklı kültürler ve Akdeniz bağlamında çeşitli kitapları Türkçeye kazandırdı.

JAMES DAVID LEWIS-WILLIAMS

Mağaradaki Zihin
Bilinç ve Sanatın Kökenleri

Çeviren
Tolga Esmer

YKY
YAPI KREDİ YAYINLARI

Yapı Kredi Yayınları - 5444
Sanat - 259

Mağaradaki Zihin / David Lewis-William
Özgün adı: The mind in the Cave
Çeviren: Tolga Esmer

Kitap editörü: Korkut Erdur
Düzelti: Korkut Tankuter

Kapak tasarımı: Nahide Dikel
Sayfa tasarımı: Mehmet Ulusel
Grafik uygulama: Arzu Yaraş

Baskı: Elma Basım Yayın İletişim Hizmetleri San. Tic. Ltd. Şti.
Tevfikbey Mah. Halkalı Cad. No: 162/7 Küçükçekmece / İstanbul
Telefon: (0 212) 697 30 30
Sertifika No: 12058

Çeviriye temel alınan baskı: Thames & Hudson, 2004
1. baskı: İstanbul, Eylül 2019
ISBN 978-975-08-4563-5

Yapı Kredi Kültür Sanat Yayıncılık Ticaret ve Sanayi A.Ş.
İstiklal Caddesi No: 161 Beyoğlu 34433 İstanbul
Telefon: (0 212) 252 47 00 Faks: (0 212) 293 07 23
http://www.ykykultur.com.tr
e-posta: ykykultur@ykykultur.com.tr
facebook.com/YapiKrediKulturSanatYayincilik
twitter.com/YKYHaber
instagram.com/yapikrediyayinlari

Yapı Kredi Kültür Sanat Yayıncılık
PEN International Publishers Circle üyesidir.

İÇİNDEKİLER

ÖNSÖZ

İnsanlık kendi önüne, ancak çözüme bağlayabileceği sorunları koyar, çünkü yakından bakıldığında, her zaman görülecektir ki, sorunun kendisi, ancak onu çözüme bağlayacak olan maddi koşulların mevcut olduğu ya da gelişmekte bulunduğu yerde ortaya çıkar.

Karl Marx, *Ekonomi Politiğin Eleştirisine Katkı.*[*]

Bu kitabın yayımlanması Üst Paleolitik [Geç Yontma Taş] dönem sanatının araştırılmasında bir yüzyılın bitişi ve yeni bir yüzyılın başlangıcına denk geliyor. Fransız ve İspanyol mağaralarındaki buluntuların özgünlüğünü şiddetle reddetmiş olan ünlü Fransız arkeolog Émile Cartailhac, fikrini değiştirip meşhur *Mea Culpa d'un Sceptique* [Bir Kuşkucunun Özrü] başlıklı makalesini yayımladığında yıl 1902 idi. Üst Paleolitik dönem insanlarının sanat üretebileceğini reddeden, kesin olmasa da yaygın olan kuşku bir anda ortadan kalktı. Üst Paleolitik dönem sanat araştırmaları bir çırpıda saygınlık kazandı ve yeni bir akademik alan doğmuş oldu.

Yaklaşık bir yüzyıl sonra bugün, Cartailhac'ın fikrini değiştirmesinden bu yana neler öğrendiğimizi sorguluyoruz. Üst Paleolitik dönem sanatının olguları hakkındaki bilgimiz kesinlikle büyük ölçüde arttı. Gerek yeraltında gerek açık havada daha fazla arkeolojik alan hakkında bilgi sahibiyiz; önemli bölgelerin çoğundaki imgelerin ayrıntılı dökümleri elimizde bulunuyor; pek çok mağaranın haritaları çıkarıldı, her bir imgenin teker teker nerede bulunduklarını gösteren haritalarımız var; imgelerin çoğunun ne zaman yapıldıklarını biliyoruz; çok güzel yapılmış taşınabilir sanat ürünlerinin olduğu devasa koleksiyonlarımız var; mağaralar ve kaya kovuklarındaki barınaklar titizlikle kazıldı; hatta kadim ressamların kullandığı bazı boyaların içeriğini bile biliyoruz. Yine de o dönem insanlarının –gün ışığı alan bölgelerde, taş, kemik, fildişi ve geyik boynuzu üzerine yaptıkları taşınabilir olanlara ek olarak– zifiri karanlıkta imgeler çizmek için Fransa ve İspanya'daki kireçtaşı mağaralarına neden girdiklerini bilmekten uzak gibiyiz. Bu imgelerin, onları yapanlar ve görenler için ne ifade ettiğini bilmiyoruz. En azından bu temel konularda bir fikir birliği yok ve arkeolojinin en büyük bilmecesi –nasıl in-

---

*   Karl Marx, *Ekonomi Politiğin Eleştirisine Katkı*, Çev. Sevim Belli, Sol Yayınları, İstanbul, 2005 (ç.n).

san olduk ve bu süreçte sanat üretmeye nasıl başladık sorusu– hâlâ zihinleri kurcalamaya devam ediyor.

Özellikle Fransa ve İspanya'dan çok sayıda araştırmacı "kuram geliştirebilmek" için daha fazla "olgu" gerektiğine inanıyor. Peki açıklama işine girişmek için elimizde "yeterli" veri olup olmadığını nasıl bileceğiz? Verilerimiz kritik bir kütleye ulaşıp birden çökecek ve kendiliğinden bir açıklama olarak kendini yeniden mi biçimlendirecektir? Hiç sanmıyorum. Ya da sorun veri miktarı değil de biriken diğer tüm verilerin yerli yerine oturmasını sağlayacak ve bize ikna edici bir açıklama sunacak çok önemli bir bilgi parçası, mağaralarda henüz yapılmamış sıra dışı zekice bir gözlem midir? İsa'nın kutsal kâsesini arasak daha iyi olur.

Her ne kadar Karl Marx bu önsözün girişindeki alıntıda fazlasıyla iyimser olsa da, yüzyıllık bir araştırmanın bize gerçekten Üst Paleolitik dönem sanatının –her şeyiyle değil ama– önemli bir kısmını ikna edici ve genel bir biçimde açıklanmasını sağlayacak, dahası şimdiye dek açıklanamayan özelliklerini ve genellikle tuhaf olan bağlamlarını açıklayacak "yeterli" veri ve "maddi koşul" sunduğuna inanıyorum. Şu an için ihtiyacımız (her zaman memnuniyetle karşılasak da) daha fazla veri değil, halihazırda bildiklerimizi kökten yeniden düşünmektir.

Bu, her sorunun yanıtlanacağı anlamına gelmez; *bir şeyi açıklamak için her şeyi açıklamamız gerekmez.* Buna karşılık Üst Paleolitik dönemde yaşayanların neden imgeler yarattığı, özellikle de gizli imgeler çizmek için onları karanlık mağaralara çeken şeyin ne olduğuyla ilgili genel bir fikir oluşturabiliriz. Hatta daha da ileri gidebilir, buna benzer genellemelerin ötesine geçerek mağaralar ve imgelerle ilgili bazı kesin ayrıntıları anlayabiliriz. Öte yandan, tekrarlayayım, hâlâ çözülmesi gereken çok şey var. Bu kitap sorulabilecek soruların hepsine birden yanıt bulmaya çalışmıyor. Önerdiğim açıklama Üst Paleolitik dönem sanatı araştırmalarına nokta koymuyor. Aksine, bölümden bölüme açıklığa kavuşturacağım gibi yeni ve daha çok sayıda soru ortaya atacak.

Bugün eksik olan şey, büyük bir bilgi birikimi veya bir yapbozun önemli ama eksik bir parçası değildir. Elimizdeki verilerden bir anlam çıkaracak bir *metoda* ihtiyacımız var. Burada can alıcı konu metot bilimi, metodolojidir. Metotlar, radyo-karbon tarihleme, bilgisayarlı analiz veya imgelerin asıllarına uygun kopyalanmaları gibi tekniklerle karıştırılmamalıdır. Metot bir araştırmacının açıklayıcı ifadelere ulaşmak için kullandığı çıkarsama yöntemidir. Bugün araştırmacıların hepsi kesin tarihleme tekniklerine ihtiyaç duyulduğu konusunda hemfikir olsa da inandırıcı bir sonuca hangi düşünce biçiminin ulaşmasının daha olası olduğu konusunda anlaşamaz. Bu nedenle de Üst Paleolitik dönem sanatı olgusunu açıklamaya çalışan araştırmacılar arasındaki iletişim en alt düzeydedir. Bol miktarda yanlış anlaşılma söz konusudur, bunlar da birikince iş hakarete dek varır. Bugün çok sayıda araştırmacının ateşli birer agnostik olması pek de şaşılacak şey değildir. Açıklama getirenlerle aralarına mesafe koyarak veri toplamaya odaklanırlar.

Üst Paleolitik dönem sanatı araştırmalarındaki metot eksikliği öncelik sıralamasında bir karışıklığa yol açtı. Başka soruları çözmeye başlamadan önce hangi soruların yanıtlanması gerektiği konusunda net bir fikrimizin olması gerekir; hangi soruların, ne kadar heyecan verici olurlarsa olsunlar, açıklama sürecimizi engellemeden rahatlıkla bir kenarda tutulabileceğini bilmeliyiz. Bu kitapta da yapmaya çalıştığım şey bu: Tartışmanın karaya oturmasına neden olan kayalıkların çevresinden dolaşarak rotayı, yanıtlayabileceğimiz temel sorulara yönelteceğim.

On dokuzuncu yüzyıldaki Üst Paleolitik dönem sanatı keşifleri ile Charles Darwin'in evrim hakkındaki çalışmalarının muazzam etkisinin, kendimiz ve doğa ve tarih içindeki yerimiz hakkındaki düşüncelerimizi temelden nasıl değiştirdiğini özetleyerek başlayacağım (1. Bölüm). Gerçekten de bu değişimlerin Batı düşüncesindeki etkilerini ne kadar vurgulasak azdır. Bununla birlikte, sonraki bölümlerde tekrar tekrar göstereceğim gibi, Darwin öncesi akıl yürütme yöntemleri ile maddi olmayan bir âleme inanma, büyük ölçüde azalmalarına karşın yok olmadı. Kabaca, hâlâ bildiğimiz şekliyle dünyadaki bütün yaşamın Tanrı buyruğuyla yaratıldığı, tek ve mucizevi bir ânın olduğunu öne süren yaradılışçılar var. Modern düşüncedeki bu rahatsızlık verici bölünmenin açıklamasının insan beyninin derinliklerinde yattığını öne süreceğim.

Beynin işleyişi hakkındaki tartışmaya hazırlık olarak, Üst Paleolitik dönem sanatının keşfinden (2. Bölüm) ve dönemin oldukça ateşli tartışmalarının bazılarından söz edeceğim. Bu anlaşmazlıkların çok uzun süren kötü etkileri oldu. Daha sonra, yazarların bu sanatı açıklamak için ortaya attıkları bir dizi açıklamayı inceleyeceğim (3. Bölüm). Her biri, bir anlamda, içinde yaşadığımız toplumsal ve düşünsel bağlamdan kurtulmak çok kolay olmadığı için, kendi dönemlerine özgüydü. Hiç şüphe yok ki bu bağlamsallık benim öne sürdüğüm açıklama için de geçerli. Ama gerçekten olduğu gibi yaşanmış olan bir geçmişe gitgide daha çok yaklaşma olasılığını reddeden, bugün kimi çevrelerde yaygın olan görelilik biçimlerine karşıyım.

İnsanlar belirli bir biçimde evrildi, başka biçimlerde değil; bazı nedenlerle sanat yapmaya başladılar, başka nedenlerle değil. Geçerli savları anlamsız savlardan ayırabilmek için tarih öncesinde aklın ve bilincin rolü üzerinde duracağım (4. Bölüm). Çoğu araştırmacının insan bilincinin bütün karmaşıklığını sürekli göz ardı edip bilincin sadece bir dilimine odaklandıklarını ve o dilimi de anatomik ve bilişsel olarak tam anlamıyla modern bir insan olmanın belirleyici özelliği haline getirdiklerini öne süreceğim. Bu noktada zihinsel etkinlik ile toplumsal bağlamın etkileşimlerini inceleyeceğim: Bir topluluk tarafından paylaşılan insani deneyim hakkındaki kavramların bireylerin zihinsel etkinliklerini nasıl etkilediğini ve bazı zihinsel durumlara toplumsal kontrol altında ulaşmanın nasıl toplumsal ayrımcılığın temeli olduğunu sorgulayacağım.

İlk dört bölümün ulaştığı sonuçları pekiştirmek için zihinsel imgelemin kaya sanatına dönüştürülme yöntemlerinin incelendiği iki vaka çalışması örneği vereceğim. Bu iki örnek Güney Afrika'daki San kabilesi ile Kuzey Amerika'nın uzak batısındaki ilk halklar hakkındadır (5. ve 6. bölümler). Metodumun bu vaka çalışmalarından yola çıkıp benzetme yoluyla Batı Avrupa Üst Paleolitik dönem sanatı hakkında savlar öne sürmek olmadığını belirtmem önemli; tersi, bazı araştırmacıların daha önce düştüğü tuzağa düşmek olurdu. Güney Afrika ve Kuzey Amerika, zihinsel imgelemin mağaralardaki kayalar üzerinde görsel imgelere dönüştüklerinde neler olabileceğinin aydınlatıcı örnekleri, o kadar.

7. Bölüm Üst Paleolitik dönem insanlarının değişen bilinç durumu adını verdiğimiz şeyden toplumlarını değiştirmek için yararlanmış olma ve imgelemin toplumsal ilişkileri belirleyici ve tarif edici olarak kullanılmış olma olasılığını inceleyecek. Bu noktada iki tür bilinç söz konusu olacak: Birincil bilinç ve üst düzey bilinç. Üst düzey bilincin imge yaratımını –kaçınılmaz değil ama– mümkün kıldığını öne süreceğim. Batı Avrupa'da imge üretimi, din ve toplumsal ayrımlar bu dönemde görülmeye başladı: İmge yaratımı, din ve toplumsal ayrımcılık tam da bu belirli zamanda ve yerde ortaya çıktı (bu kitap bütün dünyayı kapsamıyor).

8. Bölüm Üst Paleolitik dönem mağara sanatının son derece gizemli özelliklerine değinmek için önceki bölümlerde geliştirilmiş görüşlerden yararlanacak. Bu sanatın bilmecelerinin, ilk bakışta öyle görünseler bile, birbirlerinden apayrı gizemler olmadığını göstereceğim. Bunlar daha çok iç içe geçmiş, çok bileşenli olmakla birlikte birleşik bir ortak açıklamaya uygun bilmeceler. Bu açıklamanın etkili olduğunu göstermek için Üst Paleolitik dönem sanatının geniş kapsamını dikkate alacağım. Ancak böyle genellemeler nihai bir yanıt sunamaz.

Bu nedenle 9. Bölüm'de iki farklı mağaraya göz atıp bunların topografyalarını ve insanların bambaşka galerilere, geçitlere ve çıkmazlara nasıl tepki verdiklerini inceleyeceğim. Bu noktada süslenmiş mağaraların Üst Paleolitik dönem toplumunun ve düşünce yapısının basit birer yansıması olmadıklarını göreceğiz. Aksine, bu mağaralar o dönemde yaşamın biçimlendirilmesi için kullanılıyordu.

Son olarak 10. Bölüm madalyonun diğer yüzünü inceleyecek: Toplumun, anlaşmazlığa düşmeden, var olan düzene karşı çıkan bireyler olmadan gelişemeyeceği, evrilemeyeceği kavramını. Burada insan toplumunun kökenini, gerilimlerini ve ayrımcılıklarını ele alacağız. Üst Paleolitik dönem, kovulduğumuz cennet değildi. Atalarımız yasak meyvenin tadına insan öncesi olmayı bırakıp tam anlamıyla insan olduğunda bakmıştı.

Bana göre Batı Avrupa'da yer alan Üst Paleolitik dönem yeraltı sanatından daha büyük bir arkeolojik bilmece yok. Yeraltında, dar ve zifiri karanlıkta bir kilometreden fazla çömelip sürünmüş, çamur yatakları boyunca kaymış, karanlık göller ve saklı nehirlerden güçlükle geçip böylesine tehlikeli bir yolculuk sonunda nesli tükenmiş bir tüylü mamut ya da güçlü bir hörgüçlü bizon resmiyle karşılaşan biri asla eskisi gibi olmayacaktır. Çamurla kaplı ve bitkin düşmüş araştırmacı, kendini insan zihninin keşfedilmemiş topraklarına bakarken bulacaktır.

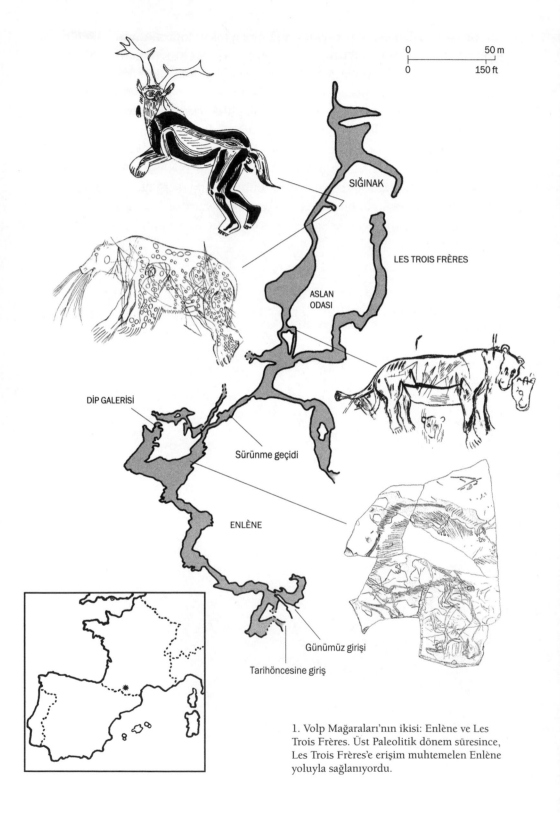

SIĞINAK

LES TROIS FRÈRES

ASLAN ODASI

DİP GALERİSİ

Sürünme geçidi

ENLÈNE

Günümüz girişi

Tarihöncesine giriş

0   50 m
0   150 ft

1. Volp Mağaraları'nın ikisi: Enlène ve Les Trois Frères. Üst Paleolitik dönem süresince, Les Trois Frères'e erişim muhtemelen Enlène yoluyla sağlanıyordu.

ÜÇ MAĞARA:
ÜÇ ZAMAN KESİTİ

ZAMAN KESİTİ I

ZAMAN: 13.000-14.000 yıl önce
YER: Volp Mağaraları (Enlène ve Les Trois Frères), Ariège, Fransa

Bir adam kireçtaşından oluşma mağaranın girişinden içeri girer. Titrek bir ışık saçan yağ kandili ile küçük ve değerli bir nesneyi sımsıkı tutarak karanlıkta derinliklere doğru yavaşça ilerler. Kısa süre sonra kalın bir duman ile yanan hayvan kemiklerinin dayanılmaz kokusunu fark eder. Karanlığın içinden yankılanan tuhaf sesler işitir. O dumanın içinde insanların küçük taş parçalarına hayvan imgeleri kazıdıklarını ve bu resimlere çentik attıklarını bilir.

Kandilinin titrek ışığı dışında ortalık zifiri karanlıktır. Dipsiz gibi görünen ve içinden hızla akan bir akarsuyun sesinin yükseldiği bir çukurun yanından geçer. Sonra çömelerek sağa doğru döner ve alçak bir tünel boyunca sürünmeye başlar. Birdenbire yüksek tavanlı bir odaya çıkar. Kandilinin ışığı uzaktaki karanlık bölgelere ulaşmaz; karanlığın içinde asılı duran soluk bir ışık adası içinde durur.

Derinlere doğru el yordamıyla giderken küçük bir yan oda bulur. Orada bir aslanla burun buruna gelir. Hayvan, üzerine kazındığı duvardan fırlayacak gibidir. Değerli nesnesini –bir mağara ayısı dişini– dikkatlice duvarın içindeki bir oyuğun içine sıkıştırır. Görevinin bir bölümü tamamlanmıştır ama hâlâ yapması gereken başka şeyler vardır.

Daha aşağıya, mağaranın ana geçidinin derinliklerine doğru iner. Çamurlu, kaygan bir eğimin eteğinde hayvan imgeleri ve kazınmış çizgilerle kaplı bir duvar bulur. Karmakarışık imgeleri çözmeyi denedikten sonra kandilini başının üzerine kaldırıp yukarı bakar; orada, kendinden oldukça yüksekteki bir çıkıntıda, iki yana açılmış geyik boynuzlarıyla belli belirsiz bir yarı hayvan yarı insan figürü görülmektedir.

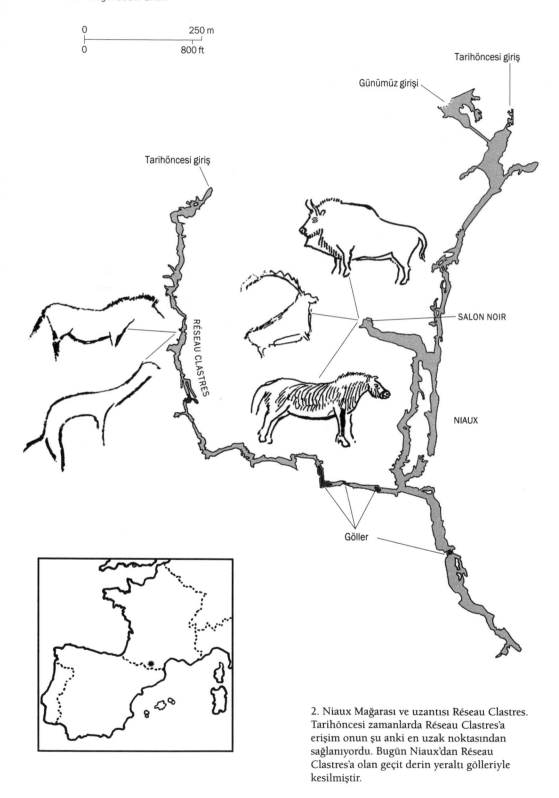

0   250 m

0   800 ft

Tarihöncesi giriş

Günümüz girişi

Tarihöncesi giriş

RÉSEAU CLASTRES

SALON NOIR

NIAUX

Göller

2. Niaux Mağarası ve uzantısı Réseau Clastres. Tarihöncesi zamanlarda Réseau Clastres'a erişim onun şu anki en uzak noktasından sağlanıyordu. Bugün Niaux'dan Réseau Clastres'a olan geçit derin yeraltı gölleriyle kesilmiştir.

ZAMAN KESİTİ II

ZAMAN: MS. 1660
YER: Niaux Mağarası, Ariège, Fransa

Ruben de la Vialle ile arkadaşları Tarascon köyü yakınlarında derin bir mağaraya girer. Bu büyük mağara yerel bir çekim merkezi, bir doğa harikasıdır. De la Vialle 450 metre uzunluğundaki yüksek tavanlı bir geçide girip bir yan galeriye sapar ve 200 metre boyunca tırmanarak bugün *Salon Noir* olarak bilinen odaya varır.

Geçit orada sona ermektedir, o da ziyaretinin anısına adını ve günün tarihini odanın bir duvarına kazır. Bugün hâlâ görülebilen gösterişli yazıtı ile çok iyi korunmuş ve olağanüstü çarpıcı siyah renkte bizon ve dağ keçisi resimleri arasındaki uzaklık bir metreden bile azdır. Mağaranın bu bölümündeki her kıvrım, bir başka imge topluluğunu ortaya çıkarır: Bazıları mızrakla delinmiş gibi görünen bizonlar, kalın çeneli atlar, büyük ve kıvrık boynuzlu dağ keçileri ve çarpıcı boynuzlarıyla bir erkek geyik.

Bununla birlikte ne De la Vialle ne de bir başkası o zamanlar imgelere pek dikkat etmiş gibidir.

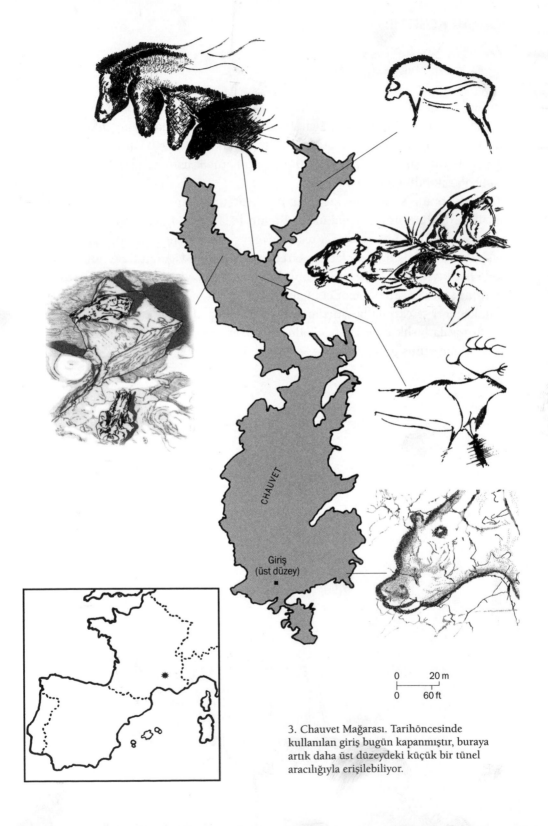

CHAUVET

Giriş
(üst düzey)

| 0 | 20 m |
| 0 | 60 ft |

3. Chauvet Mağarası. Tarihöncesinde kullanılan giriş bugün kapanmıştır, buraya artık daha üst düzeydeki küçük bir tünel aracılığıyla erişilebiliyor.

ZAMAN KESİTİ III

ZAMAN: MS 1994
YER: Chauvet Mağarası, Ardèche, Fransa

Üç arkadaş Üst Paleolitik dönem sanatı araştırmaları yapmaktadır. 18 Aralık'ta Jean-Marie Chauvet, Eliette Brunel Deschamps ve Christian Hillaire, sıradan ve daha önce araştırılmamış bir mağaradaki moloz yığınlarının arasından bir hava akımı geldiğini saptar. Yeteri kadar taş temizlendikten sonra Eliette çok dar bir tünele zar zor girer ve 10 metre kadar ilerleyip aşağıda yankı yapan büyük bir odaya bakan bir çıkıntıya çıkar; odanın zemini en az on metre aşağıdadır. Bir merdiven almak için birlikte araçlarına dönerler.

Mağaraya geri döndüklerinde ip merdiveni açarak zemine inerler ve kısa süre içinde önemli bir keşif olduğunu anlayacakları şeyleri incelemeye koyulurlar. Yavaşça ilerlediklerinde lambaları hayvan imgeleri, el izleri ve bir dizi noktayı aydınlatır; özellikle bir mamut ve bir gergedan resminden etkilenirler. Zemindeki olası kanıtlara zarar vermemek için grup liderinin ayak izlerine basmaya dikkat ederek, adamakıllı bezenmiş odalara doğru gittikçe daha derinlere doğru ilerlerler.

Büyük bir odada zarifçe çizilmiş at kafaları olan bir pano bulurlar. Sonra biraz ileride kare şeklinde alçak bir kaya gözlerine çarpar; üzerinde köpek dişleri kayanın kenarına saplanmış olan bir mağara ayısı kafatası durmaktadır. Daha derindeki başka bir odada çok çarpıcı aslan kafaları bulurlar.

Sonraları bu deneyimi şöyle anımsayacaklardır:

> O enginliğin içinde tek başımıza, lambalarımızın zayıf ışığıyla aydınlatılmış olan bizler tuhaf bir duyguya kapıldık. Her şey öylesine güzel ve tazeydi ki. Zaman, bu resimleri yapanlar ile bizi ayıran on binlerce yıl ortadan kalkmışçasına yok olmuştu. Sanki bu şaheserleri biraz önce yapmış gibiydiler. Birden kendimizi davetsiz misafirler gibi hissettik. Çok derinden etkilenmiştik, derken yalnız olmadığımız duygusuna kapıldık; sanatçıların ruhları çevremizi kuşatmıştı. Onların varlığını hissedebildiğimizi düşündük; sanki onları rahatsız ediyorduk.[1]

1. BÖLÜM
İNSANLIĞIN İLK ÇAĞLARINI KEŞFETMEK

Zaman Kesiti I'de ortaya konan sorular bu kitabın ana konusunu oluşturuyor. 13.000 yıldan daha uzun süre önceki o kişi neden bu kadar tehlikeli bir yolculuğu göze almıştı? Bu kişi, hemen varsaydığımız gibi erkek miydi, yoksa kadın mı? Kaç yaşındaydı? Neden mağaranın duvarına ayı dişini yerleştirmenin önemli olduğunu düşünüyordu? Bu, mağara duvarlarına konan tek nesne değildi: Kemik parçaları, taş aletler ve yontma taşlar da bulunuyordu.[2] Duvarlardaki imgeler konusunda ne düşünüyordu? Bu yeraltı yolculuğu o erkek veya kadının "ne işine yarıyordu"?

Bu sorular yalnızca antik çağlarla ilgili değildir. Bizi doğrudan bugün insan olmanın ne demek olduğu sorusuna yönlendirir. Biz, yalnızca diğer yaratıklardan daha akıllı, karmaşık teknolojilerin efendisi olan, hatta karmaşık bir dile sahip varlıklar değiliz. Bunlar insanlığın tacında bizi mutlu kılan mücevherlerdir. Aksine, insan olmanın özünde rahatsızlık verici bir "akılcı" teknoloji ile "akıldışı" inanç ikiliği vardır. Biz, hâlâ geçiş dönemi yaşayan bir türüz. Zaman Kesiti I'deki bilinmeyen kişi hem bir yağ kandili yapacak akılcı ve "bilimsel" teknolojiye hem de akıldışı görünen yeraltı yolculuğu için kaçınılmaz olan birtakım inançlara sahipti. İnsan davranışındaki ikilik Taş Çağı'nın sonunda ortadan kalkmadı. Yirminci yüzyılda bile insanlar Ay'a gidip geri dönebilecek kadar "akılcıyken" bir yandan da doğaüstü varlıklara ve doğaüstü güçlere inanacak kadar "akıldışıydı" ve aslında Ay yolculuğunun dayandığı fizik kurallarını komik duruma düşürüyordu. İnsan *beyni* uzay gemileri yaparken insan *zihni* görünmez güçler ve ruhlar mı üretir? Beyin ile zihin arasında ne fark vardır? Zekâ nedir, insan bilinci nedir? İlk insanlar resim yapmayı ve bu resimleri anlamayı sağlayan bir evrim aşamasına nasıl ulaştı? Bunlar Zaman Kesiti I'de sorduğumuz soruları yanıtlamaya çalışırken ele almamız gereken konulardan yalnızca birkaçı.

Zaman Kesiti II'de söz edilen 17. yüzyılda yaşayanların Niaux'daki imgelerin ne olduğunu veya onları kimlerin yaptığını sandıklarını bilmiyoruz. Ruben de la Vialle ve ondan önce orada bulunmuş birileri belki de resimlerin, onlar gibi orayı yakın tarihlerde ziyaret edenler tarafından yapılmış olduğunu düşünüp kendileri de –adlarını ve günün tarihini kazıyarak– katkıda bulunmuştur. O dönemde Batı düşüncesi, tarihöncesi diye bir kavrama sahip değildi. Genel görüş dünyanın Tanrı tarafından yaratıldığıydı. Başpiskopos James Ussher'a (1581-1656) göre bu mucizevi olay MÖ 4004 yılında gerçekleşmişti. Daha sonra Piskopos John Lightfoot, Ussher'ın hesaplarını geliştirerek yaradılışın MÖ 23 Ekim 4004 yılı sabah dokuzda gerçekleştiğini ilan etti. O zaman bile herkes yaradılış ile Cambridge Üniversitesi akademik yılı başlangıcının hoş bir rastlantıyla aynı zamana denk gelmesini kolayca kabul etmemiş olabilir ama hemen herkes insanlık tarihinin çok eski olmayan geçmişteki bir mucizevi anda başladığına inanıyordu. De la Vialle gördüğünü içine oturtacak kavramsal bir çerçeveye sahip değildi, bu yüzden aslında baktıklarını hiç "görmedi".

Zaman Kesiti II ile Zaman Kesiti III arasında neler oldu? Jean-Marie Chauvet ve arkadaşları neden De la Vialle'nin gözden kaçırdığı şeyi gördü? Yanıt hem basit hem de çok önemli. Batı dünyası derin bir geçmişi olduğunu öğrenmiş, insanlık kavramı çok önemli değişiklikler geçirmiş ve insanların kökenleriyle ilgili gerçekleri öğrenme arzusu daha önce hiç olmadığı kadar artmıştı: Taş eşyalar, fosiller ya da genler olsun, "İnsanın Kökenleri" için kanıt bulma işi müthiş bir tutkuya dönüşmüştü. Başpiskopos Ussher'ın dile getirdiği yaklaşık 6.000 yıl değil, 30.000 yılın geçmiş olmasının yarattığı uçurum aniden kapandı. Chauvet'nin yazdığı gibi "Zaman yok olmuştu". Muazzam zaman farkına karşın, o ve arkadaşları çevrelerindeki sanatçıların "ruhlarını" algılarmış gibi bir duyguya kapılmışlardı; gizli imgeler yalnızca "bilimsel merak" değil, aynı zamanda hayranlık ve manevi eğilimler de yaratmıştı. "Sanatçı", "şaheser" gibi sözcükler kullandılar. Kendilerini, uzak ataları olarak kabul ettikleri insanlarla özdeşleştiriyorlardı. Ortak bilincin bu atalarla aralarındaki köprü olduğuna inanıyorlardı. Belki de anladıklarından farklı bir biçimde olsa da haklıydılar.

BATI DÜŞÜNCESİNDE BİR DEVRİM

Batı düşüncesinde Zaman Kesiti II ile Zaman Kesiti III arasındaki köklü değişimin öyküsü 19. yüzyılın ilk yarısında başlar. O dönemde Sir Charles Lyell (1797-1875) gibi yazarların etkisi hissedilmeye başlamıştı. Londra King's College'da jeoloji profesörü olan Lyell son derece önemli kitabı *Principles of Geology*'yi [Jeolojinin Temel İlkeleri] 1830'da yayımladı. Tortul kayaçların ve içerdikleri fosillerin o ana dek hiç düşünülmemiş eski bir tarihe işaret ettiğini öne sürdü. Başta tutucu köktenci Hıristiyanlar ile azımsanmayacak sayıda jeolog, fosil fikrini, fosillerin Büyük Tufan öncesi barbar dönemlerden kaldığını öne sürerek kabul etti. Onlara göre fosiller, Nuh'un ve ailesinin atlatmayı başardığı sel felaketinin İncil'deki anlatımının tarihsel olarak doğru olduğunu kanıtlıyordu. Kilise bu görüşün bayraktarlığını yaptı çünkü İncil'deki kayıtlara gayet uygundu. İnsanlık tarihi için biçilen zamanın kısalığı göz önüne alındığında felaketlere başvurmak kaçınılmazdı, Tufancılar denilenler Nuh Tufanı'ndan önce de başka sellerin olduğunu öne sürüyordu.

Bununla birlikte, Lyell böylesi bir felaket kuramını kararlılıkla reddetti ve işlemin aşamalı bir süreç olduğunu öne sürdü – bugün çok açık olan aynı aşınma, çökelme, volkanik etkinlik, fay ve kıvrılma süreçleri, dünyayı daha ilk günden itibaren biçimlendirmişti. Bu düşünce büyük yapıtının uzun başlığında yüceltilmişti: *Principles of Geology, Being an Attempt to Explain the Former Changes of the Earth's Surface by Reference to Causes Now in Action* [Yeryüzünde Meydana Gelen Önceki Değişimlerin Şu Anda Faaliyette Olan Nedenlerle İlişkili Olarak Açıklanması İçin Bir Deneme Olarak Jeolojinin Temel İlkeleri]. Lyell daha sonra değişimin yoğunluğunun değişken olabileceğini kabul etti ama tekbiçimcilik kavramı doğmuş oldu: En azından jeoloji bağlamında geçmiş bugünden farklı değildi, fosil kayıtları da MÖ 4004'ten önce çok şey olduğunu gösteriyordu. Derhal kılıçlar çekildi.

Tutucu direnişe karşın, eski insanlık tarihi görüşü yine de çökmeye yüz tutmuştu. Etrafta yavaş evrimsel değişim kavramı dolaşmaya başlamıştı. 1844'te çok ses getiren ve yazarı belli olmayan bir kitapçık yayımlandı; başlığı *Vestiges of the Natural History of Creation* [Yaradılışın Doğal Tarihinin Kalıntıları] idi. Yazarın Sir Walter Scott'ın yanında çalışan ve daha sonra Edinburgh'da kardeşi William'la W. & R. Chambers yayınevini kuran Robert Chambers olduğu çok sonra ortaya çıktı. Kitapçık dünyanın bir gaz bulutundan başlayarak fosil kayıtlarına, oradan da maymunların başkalaşarak insan olmasına dek olan tarihini özetliyordu. Aslında bir kuşkucu olan Chambers yine de Tanrı'nın var olduğunda ısrar ediyor, frenoloji ve spiritüalizme inanıyordu. Bununla birlikte pek çok okuyucu kitabı tehlikeli derecede tanrıtanımaz olarak algıladı.

Chambers'ın modelinde aslında eksik olan, anlattığı değişimleri açıklayacak bir mekanizmaydı. Çözüm ondan çok daha titiz bir düşünürden geldi.

Değişimi hızlandıran, gençliğinde gemiyle dünyayı dolaşmış ve pek çok farklı botanik ve zooloji konusunu araştırmış olan Charles Robert Darwin (1809-82) oldu (4. resim). Darwin o yolculuğa aslında dünyanın

4. Modern düşüncenin yaratıcılarından Charles Darwin. Tarihöncesinin daha modern ve akılcı değerlendirilmesi onun evrim mekanizmalarına ilişkin derin kavrayışı sayesinde mümkün oldu.

Tanrı tarafından yaratıldığı ve farklı türlerin ayrı oluşumlar olduğu görüşüne sahip olarak çıkmıştı. Daha bilimsel fikirlerini *Beagle*'ın mezhep değiştirmiş fanatik kaptanı Robert Fitzroy'la yaptığı tartışmalarla güçlendirdi ama o dönemde Darwin'in kaptanla o kadar ortak noktası olmuştu ki 1836'da birlikte *South African Christian Recorder*'da bir makale yayımladılar.[3] Makale Pasifik bölgesine daha çok misyoner gönderilmesini istiyordu. Darwin'in Fitzroy'la olan iyi ilişkisi bozulmaya mahkûmdu.

Darwin çok geçmeden biyolojik düşünce sisteminde eksik olan şeyin değişim *mekanizması* için akla yatkın bir açıklama olduğunu anladı: Bir tür diğer bir türe *nasıl* evriliyordu? Daha 1844'te bu soruya vereceği yanıtın – doğal seçilimin – ana ilkelerini kapsayan bir makale hazırladı. Ama çalışmasını yayımlamadı, sadece arkadaşı, ünlü botanikçi Joseph Hooker'a gösterdi. Darwin 1844'ten sonra kuramını destekleyecek verileri toplamaya devam etti. Çalışmasının bir parçası olarak deniz kabuklularıyla ilgili son derece ayrıntılı ve kapsamlı bir çalışma yaptı. Bu çalışmada evrim hakkındaki fikirlerinden hiç söz edilmez.

Darwin'in evrim kuramı Galapagos Adaları kıyılarına çıktığında tam olarak olgunlaşmamıştı. Değişimi, daha çok, aşama aşama ve pek çok ünlü taksonomi uzmanıyla işbirliği içinde ilerledi. Ama tek tek ağaçlar yerine ormanı gören onlar değil, Darwin oldu. Çalışmalarının başında o da evrimci fikirlere karşı başkaları kadar önyargılıydı ama kişiliğindeki bir şey, tarif edilmesi zor bir "bilimsel deha" başkalarının titiz incelemelerinde gözden kaçırdıkları bağlantıları görmesini sağladı.[4]

Sonra önemli bir an geldi çattı. Darwin 18 Haziran 1858'de, o sıralarda 12.000 mil ötedeki Molucca Adaları'nda bulunan doğabilimci Alfred Russel Wallace'dan (1823-1913) bir makale aldı. Wallace'ın makalesinin başlığı *On the Tendencies of Varieties to Depart Indefinetely from the Original Type* [Çeşitliliklerin Özgün Türden Ebediyen Ayrılma Eğilimleri Üzerine] idi. Darwin'in Wallace'la yazışmalarında bu makalenin içeriğine ilişkin herhangi bir ipucu yoktu. Darwin için bu, hiç beklenmedik bir haberdi. Wallace'ın türlerin nasıl değişip başka türlere evrildiğine ilişkin fikirlerinin, çok uzun süreden beri derinlemesine düşündüğü, kendininkilere çok benzer, hatta tıpa tıp aynı fikirler olduğunu fark etti. Wallace'ın önceliği ele geçireceğinden korksa da yüce gönüllü bir insan olarak onun liyakatini elinden almak istemedi. Darwin hemen bu konularda hâlâ etkin ve etkili olan Lyell'a danıştı, o da Darwin ve Wallace'ın doğal seçilim hakkındaki makalelerinin Londra'daki Linnean Society'de okunmasına olanak sağladı. Oturum aynı yılın 1 Temmuz günü için planlandı.

Oturumda makaleler yazarlar tarafından değil, derneğin sekreteri tarafından okundu; Darwin daha sonra alışkanlık haline getireceği üzere evinde kaldı, Wallace ise Molucca'daydı. Şaşılacak biçimde katılanların pek azı oturumu özellikle kayda değer bulmuş gibiydi. Belki de sekreterin konuşması uyku ilacı etkisi yaratmıştı. Başkan yıllık raporunda, makalelerin "ilgili oldukları bilim dalında, deyim yerindeyse, hemen devrim yaratacak çarpıcı buluşlar" ile ilgili olmadıklarını kaydetmişti.[5] İki makalede yer alan bomba gibi görüşler hakkındaki bu şaşırtıcı derecede sıradan değerlendirme, "bilimsel" aklın kavrama yeteneğinin öngörülemez niteliği hakkında çok şey söyler. Daha kesin bir darbe gerekiyordu.

Bu darbe Darwin'in 1859'da aceleyle bitirilmiş ama her zamanki gibi titiz ve bilgece çalışması olan kitabı *On the Origin of the Species by Means of Natural Selection* [Türlerin Doğal Seçilim Yoluyla Kökeni Üzerine] ile geldi (5. resim). Dört yüz sayfadan fazla olmasına karşın, Darwin kitabı bir özet olarak görüyordu.[6] Kitabın altbaşlığını *The Preservation of Favoured Races in the Struggle for Life* [Ayrıcalıklı Irkların Yaşam Savaşı İçinde Korunması] olarak koydu; meşhur "ortama en iyi uyum sağlayanın hayatta kalması" ifadesi –Darwin'in kesinlikle onaylamayacağı birtakım ırkçı kavramlarla birlikte– Batı düşüncesinin bir parçası oldu. "Ortama en iyi uyum sağlayanın hayatta kalması" ifadesi aslında ilk kez İngiliz felsefeci Herbert Spencer tarafından 1865'te kullanılmıştı, Darwin de bunu benimseyerek *Türlerin Kökeni'nin* 1869 tarihli baskısında kullandı. Darwin ana fikrini derli toplu biçimde şöyle özetler: "... doğal seçilim yoluyla değişiklikle soy kuramı".[7] *Türlerin Kökeni'nin* 1250 nüshalık ilk baskısı ilk günden tükendi, bu başarıya daha sonra hemen hiçbir bilim yazarı ulaşamadı. 1872'ye kadar kitap altı baskı yapmış ve 24.000 nüsha satmıştı. 1876'ya gelindiğinde tüm Avrupa dillerine çevrilmişti. Burada, De la Vialle'nin sahip olmadığı kavramsal çerçeve, insanlık üzerine yepyeni bir bakış açısı getiren bir çerçeve söz konusuydu. Darwin'in düşüncelerine erişebilen Batılılar birdenbire daha önce hiç fark etmedikleri şeyler "görebildi".

ON

THE ORIGIN OF SPECIES

BY MEANS OF NATURAL SELECTION,

OR THE

PRESERVATION OF FAVOURED RACES IN THE STRUGGLE
FOR LIFE.

By CHARLES DARWIN, M.A.,

FELLOW OF THE ROYAL, GEOLOGICAL, LINNÆAN, ETC., SOCIETIES;
AUTHOR OF 'JOURNAL OF RESEARCHES DURING H. M. S. BEAGLE'S VOYAGE
ROUND THE WORLD.'

LONDON:
JOHN MURRAY, ALBEMARLE STREET.
1859.

The right of Translation is reserved.

5. Dünyayı değiştiren kitap: *Türlerin Kökeni'nin* ilk baskısının kapağı. Bu kitap modern düşüncenin ve felsefenin temeli oldu.

Halka açık en ünlü tartışma British Association'ın 1860'ta Oxford'da düzenlediği bir toplantıda oldu. Darwin toplantıya yine katılmamıştı. Beklentiler yüksekti çünkü Piskopos Samuel Bishop'ın açıkça ifade ettiği gibi herkes Kilise'nin "Darwin'i paramparça etme" eğiliminde olduğunu biliyordu. Etkinlik gürültücü öğrencilerin bile umduklarının ötesine geçmişti. Wilberforce, Thomas Henry Huxley'e bilim tarihinin en yüz kızartıcı ahmaklıklarından biri olarak dedesi tarafından mı ninesi tarafından mı maymundan geldiğini sordu.

Cerrahlık eğitimi almış olan Huxley (1825-1895) o sıralar Kraliyet Madencilik Okulu'nda doğa tarihi profesörüydü. Kavranması zor konuları sıradan insanlara sadeleştirerek açıklayabilen tanınmış bir öğretim görevlisiydi. Din konularındaki konumunu tanımlamak için "agnostik" sözcüğünü ilk kullanan oydu ve kendini "Darwin'in bekçi köpeği" olarak adlandırmakta sakınca görmüyordu. Kendine anlamsız biçimde patavatsızca yöneltilmiş bu soru sorulduğunda şöyle mırıldandığı duyuldu: "Yüce Tanrım onu benim ellerime teslim etti". Piskoposa cevap vermek için ayağa kalktığında Huxley, yalancılığa hizmet etmek için kültürün sunduğu yeteneklerin ve etkili konuşma sanatının fahişeliğini yapan bir piskoposun soyundan gelmektense bir maymundan gelmeyi tercih edeceğini söyledi. Anında bir patırtı koptu. Öğrenciler buna bayıldı ama toplantıda hazır bulunan *Beagle*'ın eski kaptanı Fitzroy'un gürültüyü bastıracak biçimde bağırarak Darwin'i gençliğinde tehlikeli dinsel görüşlerinden dolayı uyarmış olduğunu söylediği duyuldu. Sonraki sözleri gümbürtüye gitti. Dinsel umutsuzluğa kapılan Fitzroy bundan beş yıl kadar sonra canına kıydı.

Ertesi yıl, yine Oxford'da, Benjamin Disraeli uzun süre kullanılacak bir terim icat etti.[8] Önce şu soruyu sordu: "Bugün toplumun önüne zevzekçe bir güvenle konan sorulardan bizi en hayrete düşüreni hangisidir? Bu soru şudur: İnsan bir maymun mudur yoksa bir melek mi?" Kendi sorduğu soruya verdiği yanıt uzun süre akıllarda kaldı: "Yüce Tanrım, ben meleklerin tarafındayım".

Çığır açan kitabında Darwin, kuramının insanın evrimi için doğuracağı sonuçlar konusunda sözü dolandırıyordu, bununla birlikte doğal seçilim yoluyla evrimin "insanın kökenine ve tarihine" ışık tutacağına da kısaca değinmiş, psikolojinin "her bir düşünsel gücün ve kapasitenin gerekli ediniminin aşamalı olacağını" göstereceğini söylemişti.[9] İhtiyatlı sözleri sağduyuluyudu çünkü o sıralarda insan evrimi için elde hiç fosil kanıtı yoktu. Buna karşın 1871 tarihli kitabı *The Descent of Man, and Selection in Relation to Sex* [İnsanın Türeyişi ve Cinsel Seçilim] ile bu konuya geri döndü. Çalışmasının çarpıcı sonuçlarından çekinmedi. Ama bu sonuçları başkaları da görmüştü. Darwin'in büyük destekçisi Huxley, 1863'te *Man's Place in Nature* [İnsanın Doğadaki Yeri] başlıklı kitabını yayımladı, bunu 1864'te Wallace'ın *Anthro-*

pological Review'da yayımlanan makalesi izledi; bunlar da benzer biçimde insanın evrimini doğal seçilimle açıklıyordu.

1870'lerin sonuna gelindiğinde pek çokları için insanlık tarihinin, tıpkı jeoloji ve hayvan türleri gibi, tekbiçimcilik ve evrim kavramlarından muaf olmadığı açıktı. Aslında 1836 gibi erken bir tarihte bile Danimarkalı arkeologlar insanlığın eski dönemlerini, bugün yakından bildiğimiz Taş, Tunç ve Demir çağlarına ayırmıştı. İnsan gelişiminin bu aşamaları Darwin kuramı içinde kendilerine bir yer edindi. Ardından, *Türlerin Kökeni*'nin yarattığı heyecandan sonra Sir John Lubbock (sonrasında hak ettiği gibi Lord Avebury oldu) son derece popüler kitabı *Prehistoric Times*'ı [Tarihöncesi Dönemler] yayımladı (1865). Bu kitapta Taş Çağı'nı iki döneme ayırarak Paleolitik ve Neolitik terimlerini ilk kez kullanmış oldu. Paleolitik dönem, yontma taş aletlerin ve avcı-toplayıcı yaşam biçiminin olduğu dönemdi. Öte yandan Neolitik dönem cilalı taş baltaların ve tarımın ortaya çıkmasına şahit oldu. Çok sonraları, Marksist bir bakış açısı benimsemiş olan saygın Avustralyalı arkeolog Gordon Childe (1892-1957) Paleolitik dönemden Neolitik döneme kadar yaşanan değişimi "Neolitik Devrim" olarak adlandırdı ve böylece insan olma sürecinin doğası hakkında arkeolojik bir düşünce çizgisi başlatmış oldu.[10] Marksist toplumsal kurama uygun olarak, toplumun maddi temellerle "harekete geçtiğini" ve evrim süresi boyunca "çelişkilerin" geliştiğini öne sürdü. Bu çelişkiler nispeten ani değişim dönemleriyle –devrimlerle– çözülüyordu. Öyle ki Childe bir "Kentsel Devrim" de öneriyordu.[11] Değişimin bu varsayımsal devrimci yapısına sonraki bölümlerde geri döneceğiz. Bu görüş, insan bilincinin ve sanatın evrimiyle ilgili tartışmalarda başat –ve tartışmalı– konu oldu. Evrimin devrim adını alabilmesi için ne kadar hızlı gerçekleşmesi gereklidir?

Bildiğimiz kadarıyla Darwin'in çalışmalarının ateşlediği tartışmaların yarattığı toz duman hâlâ tam anlamıyla yatışmış değil. Çoğu insan hâlâ hem fizik yasalarına hem de bu yasaların ötesinde etkinlik gösteren doğaüstü kuvvetlerin var olduğuna inanıyor. İnsanın maddi-manevi ikilemi kimi on dokuzuncu yüzyıl bilimcilerinin umduğundan daha inatçı çıktı. Bu nedenle sorabileceğimiz iki soru var: Birincisi, bazılarını evrim gibi devrimci[12] bir düşünceyi kabul etmeye iten nedir? İkincisi, neden hâlâ bu kadar çok insan ruhani varlıklarla dolu görünmez bir boyuta inanmaya devam ediyor? Bu iki soruyu bu kitabın farklı bölümlerinde, bilinç ve sanat gibi zor kavramlar için çözümleri değerlendirirken ele alacağız.

İlk soruya geçici bir yanıt olarak, bu tür tartışmalarda "kanıtın" uygun olmayan bir kavram olduğunu söyleyebiliriz ki bunu son kez söylüyor olmayacağız. Felsefeci John Stuart Mill bunun farkına varmış ve "Bay Darwin kuramının kanıtlandığını hiçbir zaman iddia etmedi" demişti.[13] Mill,

Darwin'in düşüncelerini reddettiğini söylemedi, sadece bu gibi bağlamlarda "kanıtın" anlaşılması zor bir kavram olduğuna işaret etti. "Kanıt" aramak yerine bir önerme için delillerin çeşitliliği ve ağırlığı hakkında konuşmalı, bunları değerlendirmeliyiz. Darwin'in kendisi de yanıtın önemli bir parçasını sunar. *Türlerin Kökeni*'nde "Şimdi bu hipotez... pek çok geniş ve bağımsız olgu sınıfını açıklıyor" der.[14] Bu düşüncesini daha sonra yayımladığı kitabı *Variations of Animals and Plants under Domestication*'da da [Evcilleştirilen Hayvan ve Bitkilerde Değişimler] yineledi: "Kuramın doğruluğuna inanıyorum çünkü pek çok bağımsız olgu sınıfını tek bir bakış açısı altında topluyor ve akılcı bir açıklama sunuyor".[15] Evrim kuramının zarafetine ve sadeliğine dikkat çekiyordu. Yalnızca tüm bitki türlerini değil tüm canlı türlerini de kapsıyordu. En eski dönemlerdeki sanatı ve insan zihninin neden böyle çalıştığını açıklama yolunda ilerlerken, Darwin gibi biz de bambaşka veri gruplarını inceleyeceğiz. Bu veri gruplarını açıklayan ve birbirleriyle uyumlu kılan bir hipotez bulabilirsek ona yakınlık duyacağız.

Darwin'in hipotezler konusunda söyleyeceği en az bu kadar önemli başka şeyler de vardı. Lyell'a 1860'ta yazdığı bir mektupta "... kuram oluşturma olmadan gözlem olmayacağına inanıyorum" diye yazıyordu.[16] De la Vialle Niaux'daki resimleri göremedi çünkü onlara odaklanmayı sağlayacak bir "kuramı" yoktu. Sonraki pek çok bilim felsefecisi Darwin'le aynı fikirde oldu. Bilimciler rastgele ve tam anlamıyla kapsamlı biçimde veri toplamaz. Topladıkları veriler yalnızca bir hipotez veya kuramla *ilgili* olarak gördükleridir. Yoksa, De la Vialle gibi onlar da gözlemlerinin (çalışmaları sırasında farkına vardıkları şeylerin) bırakın tamamını, bir bölümünün bile sağlam bir sav için veri olarak kullanılabileceğini fark edemez. Bilimciler hiç şüphesiz "ilgisiz" veri toplamaz.

Bu konu bugün, bu kitapta tartışılan konular hakkında yapılan araştırmaların yakasını bir türlü bırakmayan bir sorundur. Bir yandan pek çok araştırmacı kuramlardan korkar. Üst Paleolitik dönem sanatının yapılışı hakkında hipotez üretmek için "çok erken" olduğunu söylerler. Öncelikle, ayrım gözetmeksizin, "bütün" veriyi toplamaları gerektiğini öne sürerler. Ama bildiğimiz ve bilim felsefecilerinin tekrar tekrar vurguladığı gibi veriler açıklamaları (veya hipotezleri) kendiliğinden, kaçınılmaz biçimde ve doğallıkla ortaya koymaz. Açıklamayı fark eden insanın kavrayışıdır. Metodik olarak kuramdan bağımsız veri topladıklarını söyleyen Üst Paleolitik dönem sanatı öğrencileri, akıllarında herhangi bir kuram olmadan gözlem yapamayacakları ve önemli veriyi ayırt edemeyeceklerinin farkına varmalıdır. Ama madalyonun bir de diğer yüzü var. Gündelik araştırmada kuram ve veriler etkileşim içinde olmalıdır; birbirlerini aydınlatmalıdır. Genel kabul gören kuramla uyuşmayan gözlemler fark ettiğimizde ya da bunlara rastladığımızda ve yeni bir hipoteze sıçradığımızda gerçekten çok şanslı sayılırız. Bir "devrim" eşiğinde bile olabiliriz.

Keşif, kuram ve kanıt hakkında bu önemli fikirleri akılda tutarak insanlığın eski çağlarından ve evriminden, içine oturtabilecekleri bağlamsal çerçeveye sahip olmalarına karşın pek çoklarının kabullenmeyi güç buldukları bir başka keşfe yönelebiliriz. Taş Çağı *sanatının* kabullenilmesi, on dokuzuncu yüzyıl sonlarındaki maceracı entelektüel iklime karşın, bambaşka bir konuydu. Paleolitik dönem sanatı düşüncesinin kendisi hayli rahatsız ediciydi. Sanat yüksek uygarlıkların büyük başarılarından biri değil miydi?

TARTIŞMALI SANAT

Üst Paleolitik dönem sanatının ilk örnekleri 1830'lar kadar eski bir geçmişte Fransa'daki Chaffaud Mağarası'nda (Vienne) gün ışığına çıkmıştı ama ne kadar eski oldukları anlaşılamadı; Batı düşüncesi o zamanlar hâlâ De la Vialle'nin 1660'ta sergilediği düzeydeydi.[17] Darwinci geri dönülmez noktaya henüz ulaşılmamıştı. Parçalar, eski insanların beraberlerinde taşımış olabilecekleri küçük, süslü nesnelerdi. Bugün, taşınabilir sanat (*art mobilier*) olarak bilinen bu nesneler çok çeşitli ürünlerden oluşuyordu: Boncuklar, kolyeler, oyma mızrak fırlatıcılar, heykelcikler, üzerine imgeler çizilmiş ve çizgiler kazınmış ("*plaquette*" olarak bilinen) yassı taşlar, uzun kemiklerden yapılma ve ustaca süslenmiş asalar vb.[18] Bu parçaların pek çoğunun üstüne, balık, kuş gibi hayvan ve daha az sıklıkla insansı figürlerin imgelerinin yanı sıra paralel çizgilerin, ters V işaretleri ve çentiklerin karmaşık düzenlemeleri kazınmış veya oyulmuştu (6. resim). İnsanların *objets d'art* [sanat nesneleri] olarak görmeye eğilimli olduğu bu parçalar, kemikten, taştan, mamut dişinden, kehribardan ve geyik boynuzundan yapılmıştı. 1830'larda bulunan parçalar kemik ve geyik boynuzundan yapılmıştı ve dağ keçisi, at başı ve dişi geyik oymalarıyla süslenmişti.

Yaklaşık otuz yıl sonra, 1860'ların başında, yani *Türlerin Kökeni*'nin yayımlanmasından hemen sonra, Fransız arkeolog Édouard Lartet Fransa'nın Ariège ilindeki Massat Mağarası'nda kazı yapıyordu. Burada daha fazla oymalı taşınabilir sanat ürünleri buldu. Buluntular arasında üzerine ayı kafası ve başka motifler oyulmuş çok güzel delikli bir kemik asa vardı. O döneme gelindiğinde jeolojideki ilerlemeler –aralarında dev mağara ayıları (*Ursus spelaus*),[19] kendilerini soğuktan koruyan uzun tüyleriyle mamutlar ve kılıç dişli kaplanların da olduğu– soyu artık tükenmiş türlerin yaşadığı bir Buz Çağı'nın yaşandığını saptamıştı. Oyulmuş parçalar ile nesli tükenmiş türler arasında bir ilişki kurulması, büyük "sanat" çağının varlığını tartışmasız olarak ortaya koyuyordu. Lartet 1861'de bulgularını yayımladığında, neredeyse

6. Taşınabilir Üst Paleolitik dönem
sanatı. (Ortada) Zarifçe sıçrayan bir at
biçiminde oyulmuş bir mızrak fırlatıcı;
Magdalenyen, Bruniquel, Tarn-et-
Garonne'dan. (Solda) Omuzu üzerinden
geriye bakan bir dağ keçisi şeklinde
oyulmuş bir mızrak fırlatıcı; Magdalenyen,
Mas d'Azil, Ariège'den (yaklaşık 30 cm).
(Sağda) Görünüşe göre yan tarafını
yalayan bir bizonu temsil eden mamut
dişinden yapılma bir oyma; Magdalenyen,
La Madeleine, Dordogne'dan.
(Aşağıda) Oyma bir kemik baston;
imgeler düzleştirilerek gösterilmiştir;
Magdalenyen, Lortet, Yukarı Pireneler'den.

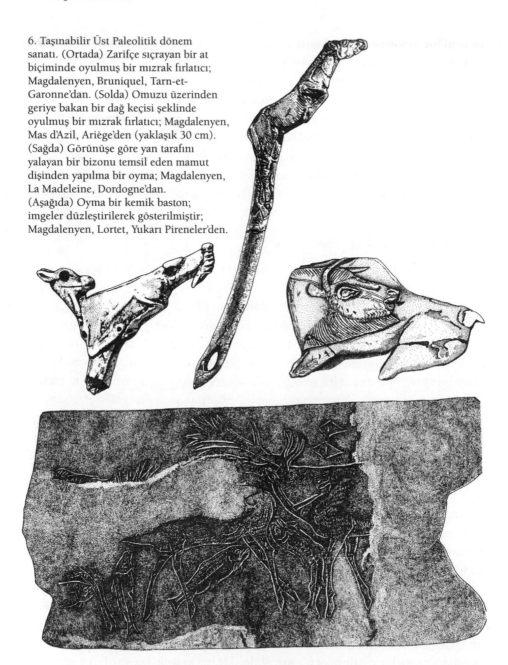

on yıl önce bulunmuş ama değeri anlaşılamamış bir parçanın çizimlerini
de eklemişti. Hemen daha önceki buluntuların yeniden değerlendirilmesi
dalgasıyla birlikte insanların eski çağları ve özellikle herkesçe varsayılan
ilkel vahşi zihinsel durumları konusunda tartışmalar başladı. Pek çok kişi
onların bilincinin elbette ki bizimkiyle aynı olmadığı duygusunu taşıyordu.
Bunlardan biri, muhtemelen uydurma bir Victoria dönemi hanımı şöyle de-

miş: "Doğru olmadığını umalım ama eğer doğruysa herkesin öğrenmemesi için dua edelim."[20] Onun duaları kabul olmadı ve yeni keşifler yapılmaya devam etti.

Gelgelelim taşınabilir sanat hakkındaki tartışma, duvar sanatının –mağaraların duvarlarına veya tavanlarına çizilmiş veya oyulmuş imgelerin– kabullenilmesinden önceki tartışmaların yanında hiç kalır. Bugün duvar sanatının derin mağaralarla sınırlı olmadığını biliyoruz; bu yalnızca ilk keşfedilenler için geçerliydi. Bazıları açık havada düşey kaya yüzeylerine, bazıları açık kaya barınaklar içinde, bazıları da mağaraların ışık alan girişlerinde yapılmıştı. Zaman Kesiti I bizi, insanların derinlerde, anlaşılan gizlenmiş imgeler yapmak için yerin altına bir kilometreden fazla girdiği zamanlara geri götürdü. Bugün bilinen duvar sanatı örneklerinin çoğunun bu türden olması, korunaksız yerlerdekilerin doğal etkilerle aşınması sonucu olabilir – ama yine de bundan emin olamayız.

Duvar resimlerinin bazıları tek bir imgede birlikte kullanılan farklı tekniklerle yapılmıştı. Lascaux'daki Boğalar Salonu'ndakiler gibi bazıları 2 metre yüksekliğe kadar ulaşır ve birkaç farklı parlak renkte yapılmıştır (1. renkli resim); başkalarının boyu birkaç santimetredir ve tek renkte ustaca birkaç darbeyle çizilmiştir (12. renkli resim). Diğerleri boya kullanmadan duvar yüzeylerine oyulmuş veya kazınmıştır (44. renkli resim). Bazı duvar sanatı örnekleri bas-rölyef [yarım kabartma] yaratmak için oyulmanın ötesinde duvarın içine yontulmuştur. Bu tür imgeler, De la Vialle fark etmemiş olsa da, Niaux gibi mağaralarda zemine bile çizilmişti. Belki de o ve o dönemde yaşayanlar çoğunu çiğneyerek yok etmişti.

En büyüleyici tekniklerden biri, bir kaya kıvrımını, çatlağını veya çıkıntısını hayvanın ana hatlarını belirtmek için kullanmaktı. Sonra birkaç boya darbesi eksik parçaları tamamlıyordu. Bazı örneklerde bu imgeler yalnızca ışık belirli bir açıyla geldiğinde görülebilir. Görünür olmaları için bir lambası veya meşalesi olan birileri gerekir (17. ve 18. renkli resim).

Duvar sanatı motifleri bizon, at, yaban öküzü, tüylü mamut, geyik ve kedigiller gibi hayvanlar içerir. Bizon resimleriyle ilgili ilginç bir çalışma, o türün davranışlarının farklı yönlerini açıklar.[21] Ara sıra insansı figürlere de rastlanır ama bunların insanları temsil edip etmediği bilinmiyor. Bunlardan bazıları yarı hayvan yarı insan varlıkların imgeleridir. Araştırmacılar bunların ayin yapan maskeli ve kostümlü insanları temsil ettiğini öne sürmüştür ama yakından incelendiklerinde temel olarak insan özellikleriyle hayvan özelliklerinin bir karışımına sahip oldukları görülür. Bazıları, örneğin, bir insan gövdesine ve bir hayvan başına sahiptir ve maskeli "büyücüleri" resmettikleri düşünülür. Sonra, yapılışı açısından alışılmadık bir imge çeşidi vardır: El izleri. Bunlardan bazıları pozitiftir: Boya avuç içine ve parmaklara sürülür, sonra da el duvara bastırılır. Diğerleri negatiftir: Bir el kaya duvarı üstüne konur sonra boya ağızla (ya da içi boş bir kemik yardımıyla) elin üstüne püskürtülür, böylece el geri çekildiğinde dış çizgisi, çevresindeki boyanın ortasında kalır. Son olarak da çok sayıda "işaret", kafes biçimleri, noktalar, ters V gibi geometrik şekiller vardır. Bu yeraltı işaretleri taşınabilir sanatın bazılarında bulunanlarla aynıdır ama diğerleri duvar sanatına özgüdür.

Duvar sanatının kapsamı, taşınabilir sanatla ilişkilendirilen türlerin çeşitliği kadar geniş değildir. Neden böyle bir fark var diye sorabiliriz. Bazı araştırmacılar taşınabilir sanatın "dünyevi", duvar sanatının "kutsal" olduğunu düşünür. Bu ayrımda haklı bir taraf olabilir ama dünyevi ile kutsal arasındaki ayrım büyük ölçüde bir Batı icadıdır; Üst Paleolitik dönem insanlarının büyük olasılıkla farkında olmadıkları bir ayrımdır. Böyle Batılı bir kavramı hiç düşünmeden benimsemek yerine ne söylemek istediğimiz konusunda açık olmalıyız; basitçe dünyevi-kutsal ikiliğine başvurmak, veriyi bütün karmaşıklığıyla açıklamak demek değildir. Taşınabilir sanat ile duvar sanatı arasındaki önemli benzerlikleri elbette unutmamalıyız. Araştırmacılar Üst Paleolitik dönem sanatını açıklamak için Batılı karşılaştırmalardan yararlandığında tedirgin olmalıyız.

KEŞİF VE TARTIŞMA

Duvar sanatının ilk keşfinin öyküsü iyi biliniyor.[22] 1878'de Paris Evrensel Fuarı'nda gördüğü taşınabilir sanattan ve büyük Fransız tarihöncesi uzmanı Édouard Piette'ten etkilenen Don Marcelino Sanz de Sautuola, Kuzey İspanya kıyılarındaki kendi topraklarında yer alan bir mağarada araştırma yapmaya başladı. Anlatılanlara göre 1879'da küçük kızı Maria, Altamira Mağarası'nın tavanından sarkan sarkıtlar üzerine çizilmiş, şimdi çok bilinen bizon imgelerini keşfettiği sırada o da taş aletler ve taşınabilir sanat örnekleri bulmak için kazı yapıyordu (7. resim, 2. renkli resim).[23] Gözlerini yere dikmişti; kızıysa yukarı baktı. Yıllar sonra Picasso "Hiçbirimiz böyle çizemezdik" diyecekti.[24]

De Sautuola şaşkınlıktan donakalmıştı. Ama Paris fuarından tanıdığı taşınabilir sanat ile Altamira mağarasındakiler arasındaki benzerlikler, onun, daha doğrusu kızının o âna dek bilinmeyen çok eski bir sanat keşfetmiş olduklarına onu inandırdı. Önceleri bulgulara karşı bir ilgi patlaması yaşandı. Hatta İspanya kralı bile resimlere bakmaya geldi. Kral farkında olmadan De la Vialle'nin yaptığı gibi, bir uşağının mum isiyle duvara "Alfonso XII"[25] yazmasına izin verdi.

De Sautuola 1880'de alçakgönüllü bir başlığa sahip bir kitapçık yayımladı: *Breves apuntes sobre algunos objetos prehistóricos de la provincia de Santander*

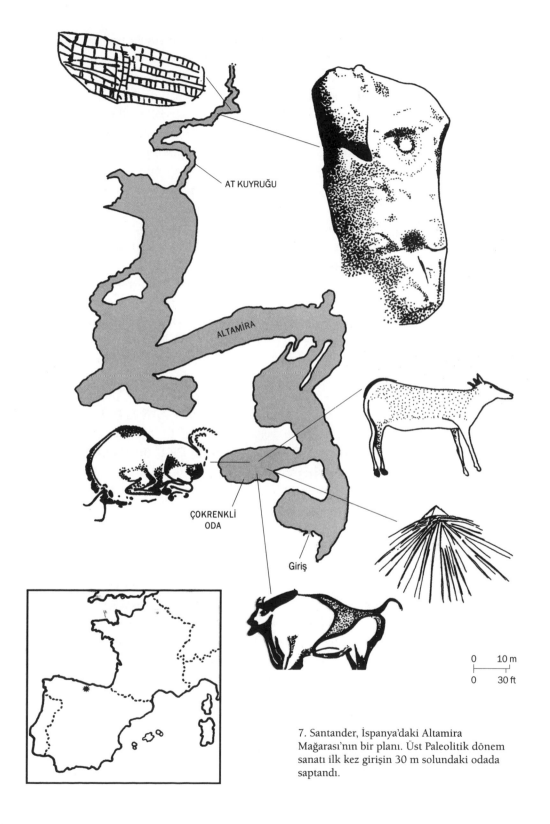

AT KUYRUĞU

ALTAMİRA

ÇOKRENKLİ
ODA

Giriş

0   10 m

0   30 ft

7. Santander, İspanya'daki Altamira Mağarası'nın bir planı. Üst Paleolitik dönem sanatı ilk kez girişin 30 m solundaki odada saptandı.

[Santander Bölgesindeki Bazı Tarihöncesi Nesneler Üzerine Kısa Notlar]. Bu kitapçıkta Altamira'nın girişinde yaptığı kazıda bulduğu taş aletleri, kemikten süsleri, boyaları ve yemek kalıntılarını betimledi. Resimlerden söz ederken nesli tükenmiş bizonu saptadı ve resimlerin sanatsal değerlerinin altını çizdi. Fransa'da gördüğü taşınabilir sanat örnekleri ile Altamira'daki resimler arasında bir bağ kurdu ve İspanyol resimlerinin Paleolitik döneme ait olmaları gerektiğini açıkladı.[26] Sonuçta bu kitapçık, zamanının çok ötesinde bir mantıklı düşünce modeliydi.

Maria de Sautuola yıllar sonra Mainz Üniversitesi'nde tarihöncesi ve tarih profesörü olan Herbert Kühn'e, resimli tavan keşfi için "Hayatımın en heyecan verici serüveni… ve aynı zamanda en acı hayal kırıklığı" dedi.[27] Çıktıkları yol hiç de kolay olmayacaktı. 1880'e gelindiğinde Altamira resimlerine olan ilgi yok olmuştu. O yıl Madrid'de Paleontoloji profesörü olan Juan Vilanova y Piera, Lizbon'daki Tarihöncesi Arkeoloji Kongresi'nden delegeler için Altamira'ya bir ziyaret düzenledi ama kimse gitmek istemedi.[28] De Sautuola Darwin'in *Türlerin Kökeni*'yle kazandığı başarıyı elde edemedi. Aksine, karşı karşıya kaldığı acımasız ve düşmanca kuşkuculuk bugün Üst Paleolitik dönem sanatı araştırmalarının en büyük skandallarından biri olarak kabul ediliyor. Altamira Mağarası'nın tavanındaki usta işi sanat, güncel Paleolitik "yabanilik" görüşlerine uymuyordu; o dönem için fazla "ileriydi". Bu nedenle dönemin arkeoloji dünyasının ileri gelenleri Altamira'yı sahtekârlık olarak suçlamakta gecikmedi. Fransız bilim insanı Édouard Harlé, Altamira'yı ziyaret ettikten sonra bu görüşü doğruladı. İmgelerin De Sautuola'nın 1875 ile 1879'daki iki ziyareti arasında yapılmış olduğunu öne sürdü. Bunun ne anlama geldiği açıktı, De Sautuola ya kandırılmıştı ya da bir sahtekârdı. Bu noktada Altamira'nın özgünlüğünün reddedilmesi, Darwin'in ve Wallace'ın makalelerinin 1858'de Linean Society'deki toplantıda karşılaştıkları anlayışsızlığı anımsatıyor. "Bilim insanları"nın zihinleri otuz yıl sonra da yeni bir şeyi "görememişti".

De Sautuola 1888'de yaşama küsmüş ve itibarı zedelenmiş olarak öldü. Daha ilk keşiften, daha doğrusu ne kadar eski oldukları anlaşıldıktan itibaren, Zaman Kesiti I'de görülen türde imgelerin, heyecan ve hayranlığın yanı sıra öfke uyandırma güçleri de vardı. Batı düşüncesi, dünya merkezli güneş sisteminden güneş merkezli sisteme doğru düşünce atlamasına benzer kapsamda önemli bir devrim arifesindeydi ama kuşkucular daha fazla kanıt talep ediyordu.

Piette'in kendisi Altamira'nın gerçek olduğunu kabul etmiş olsa da bir başka önde gelen tarihöncesi profesörü Émile Cartailhac, De Sautuola'ya ve kendisine karşı gelmeye cesaret eden herkese karşı ağır ithamlarıyla rol çaldı. Tarafsız, akılcı düşünce yerine kişisel statüler ve dini duyarlıklar, tartışma

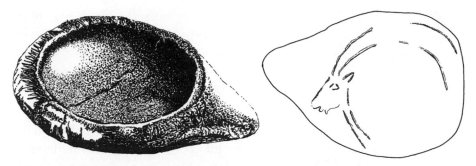

8. La Mouthe'taki Dordogne Mağarası'nda bulunan taş lamba. Altına abartılmış biçimde kavislendirilmiş boynuzları olan bir dağ keçisi oyulmuş. İmge, nesnenin bir şekilde "özel" olduğunu düşündürüyor.

ortamını zehirledi. Sonunda, 1902'de, kanıtların artan ağırlığını artık kaldıramayan Cartailhac, olayları ustaca kendi avantajına çevirdi ve başlığının bir bölümü *Mea culpa d'un sceptique* olan bir makale yayımladı. "Yirmi yıl süren bir hata, kabul edilmesi ve herkesin önünde telafi edilmesi gereken bir adaletsizlik" yaptığını kabul etti ve "Kendi adıma gerçeklik önünde eğilmek ve Bay de Sautuola'ya hakkını teslim etmem gerek" diye yazdı.[29]

Cartailhac'ı fikrini değiştirmeye yönelten en etkili kanıt muhtemelen Fransa'nın Dordogne ilindeki nispeten küçük bir mağaradan geldi. 1895'te, La Mouthe'ta bir çiftçi, tarım işleri için kullanmak istediği küçük bir kaya sığınağından moloz çıkarmıştı. Dolgunun arkasında bir tünel olduğunu buldu. Kısa süre sonra dört çocuk yeraltı geçidine girdi ve bir bizon imgesi buldu. Sonra, Fransız tarihöncesi araştırmacısı Émile Rivière mağarada kazılara başladı. 1889'da, kandil olarak kullanılmak üzere oyulmuş ve altına bir yaban keçisi başı işlenmiş bir taş buldu. Sanat sanki teknolojiyi geliştirmek veya süslemek için kullanılmıştı. Daha pratik olarak, bu tür buluntular araştırmacılara, Zaman Kesiti I'deki kişinin, yeraltı geçitlerinin ve odalarının labirentinde yollarını el yordamıyla nasıl bulduklarını açıklıyordu: İnsanlar o zamanlar yalnızca büyük meşaleler değil, zarif yağ kandilleri de kullanıyordu. En önemlisi, yeraltı geçidine giden girişin çok eski dönemden kalma moloz yığınıyla nasıl kapandığı, mağaranın duvarlarındaki imgelerin Paleolitik döneme ait olmaları gerektiğini açıkça ortaya koyuyordu. Bu durum "ispat" sayılmayabilirdi ama kanıtın sağlamlığı çarpıcıydı. Her zamanki gibi, bazı arkeologlar hâlâ Rivière'in kandırıldığını öne sürüyordu. Sonra, 1901'de Louis Capitan ve Başrahip Henri Breuil, yine Dordogne'daki Les Combarelles Mağarası'ndan kopyaladıkları imgeleri Üst Paleolitik döneme ait olduklarını öne sürerek yayımladı. Cartailhac ve diğerleri artık daha fazla direnemedi; üst düzey Paleolitik dönem sanatı için kanıtlar çok güçlüydü. Breuil'ün Marsoulas'daki imgelerin kopyalanmasındaki ustalığını takdir eden Cartailhac,

9. "Tarihöncesinin Papası" Başrahip Henri Breuil. Etkisi 1961'deki ölümüne dek en üst düzeydeydi.

onu Altamira'ya yapacağı bir ziyarete davet etti. "Gördüklerimiz bizi hayretler içinde bıraktı" diyecekti.[30] Taş Çağı insanlarının "vahşi zihni" hiç de önceden varsayıldığı kadar ilkel değildi.

İlerideki bölümlerde adı sıkça karşımıza çıkacak olan Başrahip Henri Breuil (1877-1961), kısa sürede önde gelen bir araştırmacı, konumuna yaraşır bir takma adla "Tarihöncesinin Papası" olarak tanındı. Bu nedenle, 1912'de bazı açılardan taşınabilir sanat ile duvar sanatı arasındaki bir sanat biçiminin heyecan verici keşfinde merkezi rol oynaması şaşırtıcı değildir. Kont Henri Bégouën'in üç oğlu, babalarının Pirene eteklerindeki, Ariège'de bulunan arazisinde bir mağara sistemini araştırıyordu. İkisi Zaman Kesiti I'de

10. Başrahip Henri Breuil'ün yaptığı bu düşsel çizim "canlanan" ve iki kurda bakan bir bizona ait kaya resminin bir kopyasını gösteriyor.

söz edilen mağaralar, akışının bir bölümünü yerin derinliklerinde sürdüren Volp Nehri'yle bağlantılıydı. Max, Jacques ve Louis, Volp'un aktığı mağaraya girmek için, "kutular ve boş benzin tenekelerinden oluşan bir araç"[31] olan el yapımı bir tekne kullandı. Mağara sisteminin bu bölümü Tuc d'Audoubert olarak bilinir ve, en azından bugün için, Zaman Kesiti I'deki komşu mağaralara herhangi bir geçitle bağlı değilmiş gibi görünmektedir. Üç genç tekneyi kıyıya çekip orada bırakarak bir süre karanlığın içinde yürüdü. Kısa süre sonra Üst Paleolitik döneme ait gravürlerin olduğu geçitler buldular; on yedinci yüzyıla ait bir yazı gördüklerinde, modern dönemde bu geçitlere giren ilk insanlar olmadıklarını anladılar. Zaman Kesiti II'deki olay da burada sahnelenmişti. Ama artık eve dönme zamanıydı. Mağaraya yeniden gitmek için sabırsızlanıyorlardı.

Daha sonra, 12 Ekim 1912'de, kendilerini bekleyen başka harikalar da olduğu önsezisiyle harekete geçen Max Bégouën, daha derin bir geçide girmelerine engel olan yarı saydam bir dikit malzemenin yıkılmasına karar verdi (11. resim). Baltalarla işe giriştiler.[32] Delik açıldığında, bir kişinin zar zor sığabileceği, Fransızların "kedi geçidi" dedikleri dar bir geçit buldular. Burası daha yukarıda yeni bir geçide açılıyordu. Birkaç saat sonra, bir üst düzeye geçmiş olan Max ve Louis çok eski dönemlerden kalma mağara ayısı

11. Tuc d'Audoubert girişindeki kâşifleri gösteren 1912 yılına ait bir fotoğraf. Soldan sağa doğru: Jacques Bégouën, Comte Bégouën, Max Bégouën, Başrahip Breuil, Louis Bégouën ve Émile Cartailhac.

iskeletleriyle dolu uzun bir tünelde yol alıyordu. Köpek dişlerinin belki de kolye ucu yapılmak üzere kafataslarından sökülmüş olduklarını fark ettiler. Tünelin sonuna doğru tavan iyice alçaldı, artık çömelmek gereken bu noktada, kilden yapılma, biri erkek, biri dişi iki muhteşem bizon buldular. İkisi de 60 cm'den biraz daha büyüktü ve büyük bir kayaya yaslanmışlardı. Bizonları yapanların kili kazıdıkları oyuk kısa mesafeden görülebiliyordu.

Hem Émile Cartailhac hem de Henri Breuil'ün arkadaşı olan babaları, Breuil'e hemen bugün artık ünlü olan şu telgrafı gönderdi: "Kilden yapılma Magdalenyenler!" "Magdalenyenler" Üst Paleolitik dönemin son bölümlerinde yaşamış insanlar için kullanılan bir terimdi; bu isim La Madeleine olarak bilinen bir Dordogne mağarasından geliyordu. Breuil hemen yanıtladı: "Geliyorum!" Telgraf bugün Bégouën Aile Müzesi'nde korunmaktadır. Dört gün sonra Breuil ve Cartailhac yeraltı nehri boyunca ilerleyerek karanlıkta karaya çıktılar ve daha yukarıdaki uzun geçide tırmandıklarında uzak köşede yeni buluntuyu gördüler. O güne dek bilinmeyen yeni bir sanat türü keşfedilmişti. Bugün, Paleolitik zamanlardaki gibi karanlık geçidin sonundaki tek bir lambayla aydınlatılmış Tuc d'Audoubert bizonunu görmek kadar insanı etkileyecek başka bir görüntü yoktur. Üst Paleolitik dönem sanatının çeşitliliği, doğurganlığı ve gizemi tükenecek gibi değildi sanki.

ALTAMİRA'NIN ÖNEMİ

Üst Paleolitik dönem sanatının gerçekliği kanıtlandıktan sonraki on yıllar boyunca, kısa sürede birbiri ardına yeni buluntular ortaya çıkarıldı, sanatın çeşitliliği de gitgide daha belirginleşti. Altamira gibi mağaralarda bile daha önce fark edilmemiş imgeler, hatta odalar keşfedildi. De la Vialle ve ondan sonra pek çok kişinin ziyaret ettiği Niaux'da da o zamana dek fark edilmemiş imgeler ortaya çıktı. Bugün o baş döndürücü keşif günlerine geri dönüp baktığımızda, her şeyin başladığı mağara Altamira'nın, Üst Paleolitik dönem mağara sanatının pek çok özelliğini barındırdığını görebiliriz; bu özellikler ileriki bölümlerde bizim için gittikçe daha önem kazanacak.

Üst Paleolitik dönem mağaralarının en göze çarpan özellikleri biçimlerindeki farklardır. Bazılarının tek, bazılarının birden çok girişi vardır. Bazı girişler içeriye biraz ışık girmesine izin veren devasa taş kemerlerdir; diğerleri ancak bir kişinin zar zor geçebileceği ve çok az doğal ışık alan küçük deliklerdir. Bazıları uzun, tamamen karanlık, dar geçitlerden oluşur; bazılarının büyük odaları varken başkalarının yoktur. Bütününe bakıldığında Altamira, yer yer genişleyip daralan, uzun, kıvrımlı bir geçittir.[33] Maria de Sautuola'nın heyecan verici keşfini yaptığı yan oda, girişten yaklaşık 30 metre içeride, solda yer alır; buraya Paleolitik dönemlerde biraz ışık sızmış olabilir. Mağaranın orta bölümü az sayıda uzantıya sahip, kıvrımlı bir koridordur; en dar kısımlarda imgeler bulunur. Mağara sonra, 55 metre uzunluğunda bir geçit olan son bölümün başında, aniden belirgin biçimde daralır; burası At Kuyruğu olarak bilinir (7. resim).

Keşif yapıldığı sıralarda, zengin biçimde süslenmiş tavan bugünkünden çok daha alçaktı; De Sautuola ve ondan sonraki arkeologlar zeminde oldukça derin kazılar yaptı. Mağarada 25 çokrenkli imge ile çok sayıda siyah resim bulunur. Bazı imgeler "bitirilmemiş" gibi görünür. İyi bilinen çok renkli bizon, Gotik tonozlardaki süslemeler gibi, "asılı" sarkıt kayalar üzerindedir (2. renkli resim). Bu bizon imgelerinin yapılması, basit ve hızlı bir süreç değildi. Görünüşe göre, kayaya önce dış hatları işlenmiş, boyama işlemi sonra başlamıştır. En sonunda gözler, burun delikleri ve boynuzlar gibi bazı detaylar oyulmuştur. Bizonun, en azından kısmen, sarkıtların biçimiyle şekillendirilmiş, kıvrılmış duruşu farklı şekillerde yorumlanmıştır: Uyku, doğum yapma ve ölüm. Erkek ve dişilerin bir arada bulunmasının da kızışma dönemlerine işaret ettiği öne sürülmüştür. Hangi yorum doğru olursa olsun, ressamların hayvanları sarkıtlara uydurmaya, aynı zamanda eldeki boşluğu doldurmaya çalışmış olmaları ilgi çekicidir; biraz daha küçük çizmiş olsalardı, hayvanları daha alışılmış ayakta durur pozisyonda çizebilirlerdi. Çizimlerle kaya oluşumları arasında açıkça bir tür *etkileşim* vardı. Ressamlar kaya biçimlerini dönüştürmüştü. Belki de Zaman Kesiti I'deki bilinmeyen kişi, kovuğa ayı dişi koyduğunda kaya duvarla bir etkileşim süreci içindeydi. Bu ilgi çekici düşünceye ilerleyen bölümlerde geri döneceğim.

Altamira tavanında, olağanüstü bizonların yanı sıra, at ve dişi geyik resimleri (3. renkli resim) ile nokta, ızgara ve beyzbol sopası biçimli (bir yanında şişlik olan düşey çizgiler) işaretler de vardır. Mağarada ayrıca el izleri ve yumuşak kile elle çizilmiş kıvrımlı desenler de bulunur. Bu çizimlerin bazıları boğa başı gibi imgeler içerir. Bu ve diğer başka örnekler, temsili resimlerin rastgele işaretlerden doğup geliştiği düşüncesini doğurdu; bu görüşe daha sonra geri döneceğim.

Altamira Mağarası'nın en derin bölümü, At Kuyruğu'nda, genellikle oyma imgeler vardır ama başka resimler de bulunur. Burası özellikle "maske" denen örnekler açısından ilginçtir (4. ve 5. renkli resim). Duvarlardaki çıkıntılar öyle boyanmıştır ki ziyaretçiye bakan yüzler gibi görünür; en azından biri bir hayvan yüzünü andırır. Mağaranın başka bölümlerinde örnekleri bulunmaz. Bu da ressam ile mağara duvarı arasındaki etkileşime bir başka örnektir. Duvara bir anlam yüklenmiş; üzerine resim çizilen herhangi bir yüzey olarak kullanılmamıştır.

Altamira'nın geçitlerinden ve odalarından geçip At Kuyruğu'nun sonuna vardığımızda, Üst Paleolitik dönem sanatı araştırmalarının en temel sorunlarından biriyle karşılaşırız. Mağaraları kullananlar, acaba ortama uygun ayin yaptıkları belirli bölgeler mi ayırt etmişti?

Üst Paleolitik dönem insanlarına bir şekilde farklı şeyler ifade etmiş olan mağara bölümlerini ayırt etmeyi deneyeceksek, sonuçlar anlamlı olacaklarını düşünerek seçtiğimiz ölçütlere bağlı olacaktır. Hayvan türlerinin dağılımına mı, resmetme tekniğine mi (oyma veya boyama), resimlerin büyüklüğüne mi, konudan bağımsız olarak imge sayısına mı, yoksa başka bir şeye mi dikkat edeceğiz? Olası ölçütlerin sayısı sonsuz görünüyor. Ölçütleri değiştirirseniz, mağaranın varsayımsal olarak belirgin olacak bölgelerinin sınıflandırılmasını da değiştirmiş olursunuz. Mağaranın biçimine ne kadar önem vermeliyiz? İmgeler mağaralarla ne biçimde etkileşir? Duvar resimlerinden başka, insanların mağaralarda yürüttüğü etkinlik türleri hakkında bize ipucu verecek başka kanıt var mıdır? İlerledikçe bu sorularla sık sık karşılaşacağız.

1902 gibi erken bir tarihte farklı Altamira resimlerini kaydetmeye başlayan Breuil, imgeler hakkında şöyle bir yorumda bulunmuştu: "Boşu boşuna, tasarlanmış bir mizansen arıyoruz ama resimlerin çoğu, az ya da çok geniş gruplar halinde birbirlerine yakın yerleştirilmiş…"[34] Bu ifadesiyle pek çok araştırmacının farklı bakış açılarından baktıklarında karşı karşıya kaldığı bir konuyu dile getiriyordu. Üst Paleolitik dönem sanatı resimlerinin ne ölçüde anlamlı bir düzen içinde "yerleştirilmiş" olduğu söylenebilir? Neden bazı imgeler diğerleri üzerine bindirilmiştir? Breuil tekrar eden herhangi bir örüntü bulamadı ve imgelerin genel anlamda birbirlerinden ayrı örneklerin dağılımı olduğu sonucuna vardı. Peki haklı mıydı?

DÖNEMLER VE TARİHLER

Breuil, Cartailhac, Piette, Rivière, Capitan gibi öncü araştırmacıların aslında hepsi, Paleolitik dönem gibi sözcükleri –zekice tahminler ötesinde– yıl olarak ne kastettikleri hakkında hiçbir fikirleri olmadan kullanıyordu. Paleolitik dönem ne kadar önceydi? Ne kadar sürmüştü? Mağaralardaki katmanlar birbirlerine göre tarihlenebilirdi – bir katman ne kadar alttaysa o kadar eski olmalıydı. Ama yıl cinsinden mutlak bir tarihleme olanaksız görünüyordu. Bu sorun, en azından kısmen, 1950'lerde çözüldü. 1945'te New Mexico'da ilk atom bombasının patlatılmasıyla sonuçlanan Manhattan Projesi'nde çalışmış olan Amerikalı fizikçi Willard F. Libby, radyoaktif karbon (^{14}C) tarihleme tekniğini keşfetti. Arkeoloji büyük bir dönüşüm yaşadı, Libby de 1960'ta Nobel Fizik Ödülü'nün sahibi oldu. Herhalde bu, tam anlamıyla bir "devrimden" söz edebileceğimiz bir andı. Çok kısaca, radyoaktif karbon tekniği, bitki ya da hayvan, tüm canlıların ^{14}C olarak bilinen bir radyoaktif karbon izotopuna sahip olmasına dayanır. Bu izotop atmosfer tarafından emilir ve yiyeceklerle alınır. Bu karbonun bozunum hızı sabittir. Araştırmacılar artık bozunmuş ^{14}C miktarını ölçerek organizmanın ne zaman öldüğünü, yani ^{14}C emilimini ne zaman durduklarını hesaplayabilir. Libby doğal bir saat keşfetmişti. Ama bu tekniğin bazı pratik sınırları vardır: Günümüzden 40.000 ila 50.000 yıl öncesi için artık geçerliğini yitirir; bu sınır da Üst Paleolitik dönemin başlangıç tarihi için soru işaretleri doğurmuştur.

Yine de, radyoaktif karbon tekniği Üst Paleolitik'in, Paleolitik Çağ'da insanların sanat yaratmaya başladığı dönemin, günümüzden 45.000 ila 10.000 yıl öncesi arasında sürdüğünü güçlü biçimde ortaya koyar (12. resim). 1950'den beri uygulanan başka tarihleme teknikleri de bu tarihleri doğrulama eğilimindedir. Hemen eklemem gerekir ki bu tarihler Batı Avrupa için geçerlidir; bu sınırlamanın önemini daha sonra göreceğiz. Batı Avrupa'daki Üst Paleolitik dönem, bizden farklı olmayan, anatomik olarak tam anlamıyla insan olanların, *Homo sapiens*'in dönemidir. Bizimkiyle aynı bedenlere ve –daha önemlisi– beyinlere sahiptiler. Şimdiye dek söz ettiğimiz sanat örneklerinin hepsi bu döneme aittir.

Batı Avrupa'da Üst Paleolitik'ten önce gelen dönem Orta Paleolitik dönem olarak bilinir. Bu çağ *Homo neanderthalensis* –ünlü "Neandertal İnsanı"– dönemidir. Neandertaller sanat ürünü vermemişti, daha basit taş aletlere sahipti ve avcılıkta *Homo sapiens*'ten daha fırsatçıydı. Radyoaktif karbon dışındaki teknikler Orta Paleolitik dönemin muhtemelen 220.000 ila 45.000 yıl önce sürdüğünü gösterir. Bu tarihlerin hepsi yaklaşık tarihlerdir.

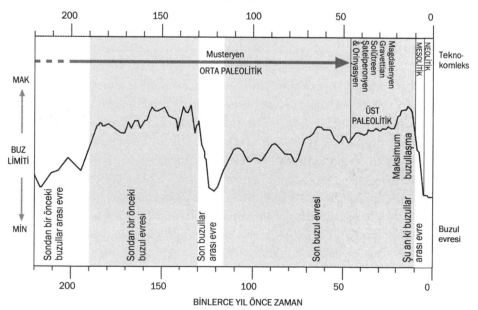

12. Orta ve Üst Paleolitik çağlarda buzullaşmalar, arkeolojik devirler, tarihler ve tekno-kültürler.

Orta Paleolitik'ten önceki dönem Alt Paleolitik olarak adlandırılır ve söz konusu edilen yere (ve tahminde bulunan bilim insanına) bağlı olarak yaklaşık olarak 3 milyon ile 130.000 yıl öncesi arasında sürmüştür. Alt Paleolitik, Afrika'da fosilleri bulunmuş olan, aralarında *Homo erectus* ile *Homo habilis*'in de olduğu insansıların yaşadığı dönemdir. İlk taş aletleri *Homo habilis* yapmıştır.

Şimdilik daha eskiye gitmeye ve bu üç ana dönem hakkında daha kesin, bölgesel tarihler ve alt sınıflandırmalar sunmaya gerek yok. Bu dönüm noktasında tek yapmak istediğim, Orta Paleolitik'ten Üst Paleolitik'e Geçiş olarak tanımlanmış olan döneme dikkat çekmek. Batı Avrupa'daki Geçiş 45.000 ila 35.000 yıl önce oldu. Bu dönemde, en azından kimi bölgelerde, binlerce yıl yan yana yaşamış iki türden biri –Neandertaller– diğerine –*Homo sapiens*– boyun eğdi. Bu geçiş, insanlık tarihi için kesinlikle kritik önemdeydi: Daha sonra göreceğimiz gibi tamamen doğru olmasa da, uzun zamandan beri "sanatın" tam orada ve tam o zaman doğduğuna inanılıyordu. Childe'ın izinden giden araştırmacılar, Orta Paleolitik'ten Üst Paleolitik'e Geçiş'i "Üst Paleolitik Devrim" veya daha çarpıcı olarak "Yaratıcı Patlama" olarak adlandırdı. Pek çok araştırmacıya bakılacak olursa, sanat birdenbire ortaya çıktı ve insan yaşamı tanıdık gelmeye başladı.

Dünyanın farklı yerlerinde küçük topluluklarla çalışmış birkaç eğitimli antropoloğun, Orta Paleolitik döneme geri gönderilseler ve Neandertaller'le birlikte yaşama, onların dillerini araştırma ve öğrenme olanağına sahip olsalar, anlaşılmaz bir dünyada mahsur kalacaklarına inanıyorum. Ama aynı araştırmacılar birkaç bin yıl ileriye, Üst Paleolitik döneme doğru ilerleselerdi, hemen dillerini öğrenmeye, akrabalık sistemini ve diğer insani ilişkileri, ekonomiyi, hatta kendilerini ağırlayanların dinlerini araştırmaya koyulurdu. Kısacası kendilerini bugün dünyanın neresindeki bir insan topluluğu içinde "evlerinde" hissedeceklerse o kadar "evlerinde" hissedeceklerdi.

Orta-Üst Paleolitik Geçiş sırasında bütün bu farkı yaratan ne oldu? Bundan sonraki bölümler bu soruya yanıt arayacak ve aynı zamanda "devrim" gibi görünen şeyin çok daha karmaşık bir şey olduğunu gösterecek. Genellikle sorulanlardan daha geniş kapsamlı sorular sormamız gerek. Temel olarak, yalnızca zekânın değil insan bilincinin de nasıl evrildiğini öğrenmemiz gerek. Bilincin sanatsal yaratımla nasıl bir bağlantısı vardır? Ya da soruyu bir başka biçimde soracak olursak, sanatsal yaratım basitçe, (her ne kadar dilin nasıl, nerede, ne zaman doğduğu tartışmalı olsa da) görünürde dilin olduğu gibi, insan olmanın bir parçası olarak açıklanmaya ihtiyaç duymayan bir olgu mudur? Yazarların bu sorulara yanıt bulmayı deneme ve Üst Paleolitik dönem sanatını açıklama yöntemleri, bizi Batı düşüncesinin labirentlerine, toplumsal ve felsefi durumlara yönlendirir.

2. BÖLÜM
YANITLAR ARAMAK

Üst Paleolitik dönem sanatının ne kadar eski olduğu ve gerçek olup olmadığı hakkındaki tartışmaların sona ermesi, günümüze kadar süren bir başkasını doğurdu. Üst Paleolitik dönem insanları bu imgeleri neden yapmıştı? Darwin'in evrim kuramı çevresinde şiddetle devam eden felsefi ve dini karmaşa, geniş erimli, duygusal konuların insanın kökeninin tüm yönlerine bulaşmış olduğunu ortaya koyar.

Bu konuların belki de düşüncelerimizi el altından çarpıtan en sinsilerinden biri, "sanat" sözcüğünü kullanma biçimimizdir.[35] Sanat, herkesin –tanımını yapması istenene kadar– anladığına inandığı terimlerden biridir (diğer terimler sonraki bölümlerde karşımıza çıkacak). İnsanlar, üzerinde pek düşünmeden, anladıkları biçimiyle sanatın evrensel bir olgu olduğunu varsayar ve Batılı olmayan kavramlara yalnızca sözcüğün kendisini değil, tüm çağrıştırdığı şeyleri de yakıştırır. Bunun sonucunda "sanatçıyı" her toplumda bulunan, evrensel, neredeyse mistik bir esin ilkesi nedeniyle özel bir kişi olarak düşünmeye başladık. Ama "sanat" ve "sanatçı" kavramları tarihin belirli noktalarında ve belirli kültürlerde oluşturulmuş kurgulardır. Örneğin günümüz Londra, New York veya Paris'inde düşündüğümüz şekliyle "sanat", insanların "zanaatçı" ile "sanatçı" arasında ayrım yapmadığı Ortaçağ'da yoktu. Neredeyse kutsal konumlarıyla diğer sıradan ölümlülerden ayrılan, esinlenmiş bireyler kavramı Batı'da yakın geçmişte, yazarların ve felsefecilerin kişisel deneyimin üstünlüğünü ve bir aşkınlık duygusunu egemen kıldıkları Romantik Akım döneminde (yaklaşık 1770-1848) kabul gördü.

Berkeley'den arkeolog Margaret Conkey gibi kimi yazarlar[36] haklı olarak "sanat" sözcüğünü düşünmeden kullanarak dışarıdan Batılı çağrışımlar almanın tehlikelerine dikkat çeker. Bu sözcüğün, bazı araştırmacıları Üst Paleolitik dönem resmini Batı sanatı çerçevesinden anlamak gibi yanlış bir yola yönlendirdiği kesindir. Bununla birlikte bu soruna karşı aşırı duyarlı olabileceğimize inanıyorum. "Sanat" kullanışlı bir sözcüktür ve Batılı çağrışımlarının tehlikelerinin farkında olmamız halinde onu dikkatlice kullanabiliriz.

Araştırmacıların Üst Paleolitik dönem sanatını açıklamak için seçtikleri farklı yollar, basitten daha karmaşık hipotezlere uzanan ve sonunda tüm yorumlama girişimlerinin çökmesine ve sonuçta günümüz agnostisizmine varan, uzun bir tarihsel yolculuktur. Bugün pek çok araştırmacı Üst Paleolitik dönem sanatının neyin nesi olduğunu bilmenin olanaksız olduğuna inanıyor. Sorunlu sözcüğü öne çıkaran, görünürde basit bir sloganla başlayacağım.

SANAT İÇİN SANAT

İlk olarak, başlardaki "vahşi insan" düşüncesi, Üst Paleolitik dönemi imgelerinin simgesel amaçları olduğunu öne sürmeyi olanaksız kılıyordu. Sanat sadece süsleme içindi ve vahşilerin imgelerinde derin simgesel anlamlar aramak delilik olurdu. 1864 gibi erken bir tarihte, Édouard Lartet ve onun çalışmalarının çoğunu finanse eden zengin bankacı Henry Christy, her açıdan şaşırtıcı ölçüde ilkel olan insanlardan kalma incelikle yapılmış taşınabilir sanat ürünleri sorunundan kaçınmayı denedi. Üst Paleolitik dönemdeki çevre şartlarının avlanmayı kolay kılacak kadar zengin bir hayvan bolluğu doğurduğunu ve böylece, insanların, ilkelliklerine karşın, kendilerini, aletlerini ve kasvetli yaşam alanlarını süsleyecek kadar bol boş zamana sahip olduklarını öne sürdüler. Öyleyse sanat boş zamandan doğmuştu: İmgeler, insanlar çevreleri üzerinde bir ölçüde kontrole sahip olduklarında, keyif, eğlence ve süs için yapılıyordu. Daha önemlisi Üst Paleolitik dönem sanatı hiçbir simgesel içeriğe sahip değildi ve romantik ideallere uygun olacak biçimde temelde toplumsal değil, kişisel bir etkinlikti. Üst Paleolitik dönem sanatının simgesel yorumunun reddi ve kişisel "esin"in vurgulanması, bu denli ilkel insanların bir dine sahip olamayacakları inancından kaynaklanıyordu.

Boş zaman ile estetik uygulamalar arasındaki bağlantı, Édouard Piette'in taşınabilir sanat konusundaki çalışmalarında ele alındı. "Özellikle sanatsal", "sanatta mükemmelliği arayan", "sonsuza dek güzellik tutkusuyla ilgili" gibi romantik ifadeler kullandı.[37] O günlere ait çizimlerde, temel olarak dinsel derinliğine gömülmüş sakallı Üst Paleolitik dönem erkekleri sanat yapıtları yaratırken, yakınlarda diz çökmüş kadınlar başrolde değil yardımcı olarak gösteriliyordu.[38] Sanatın yüce ve ancak doğal çevre evcilleştirildikten sonra erişilebilecek bir şey olduğu düşüncesi günümüzde hâlâ, sanatın yalnızca boş zamanlarda uğraşılabilecek, güzel şeyler yaratmak için doğuştan gelen bir arzu anlamında bir "estetik duyarlığın" ürünü olduğunu öne süren ders kitaplarıyla canlı tutulmaktadır. Üst Paleolitik dönem için, sonradan tam anlamıyla doğru bir ifade olmasa da *art pour art* (sanat için sanat) olarak bilinecek olan açıklama budur.

Sanat için sanat açıklaması ortaya atıldıktan sonra uzun süre yaşayamadı. Bir kenara bırakıldıktan çok uzun süre sonra, 1987'de Amerikalı sanat tarihçisi John Halverson, kavramı çok daha karmaşık bir biçimle de olsa yeniden canlandırmayı denedi ancak başarılı olamadı.[39] Başlangıçtan beri yirminci yüzyıl başlarındaki araştırmacıların Üst Paleolitik dönem imgelerini genel olarak *art pour art*'la açıklamak konusunda kuşkulanmalarını gerektirecek iki ana neden vardı. Birincisi gitgide daha çok sayıda yeraltı sanatının keşfedilmesiydi. İnsanların silahlarını süslemeleri, kolye takmaları ve heykelcikler yapmaları anlaşılır bir şeydi, ne de olsa bunlar araştırmacılara tanıdık gelen şeylerdi. Ama neden yeraltındaki ulaşılmaz, karanlık yerlerde sanat yapıtları yapmışlardı? Görünürde apaçık olan, sanatın bakılmak için yapıldığı gerçeği, derin Üst Paleolitik dönem mağara sanatıyla çelişiyordu.

İkinci olarak, Sir Baldwin Spencer ve F. J. Gillen'ın Avustralya'dan yazdıkları etnografik raporda çok güç koşullarda yaşayan ama yine de kaya korunaklarında muazzam sayıda karmaşık sanat yapıtları yaratan insanlardan söz ediliyordu. Cartailhac da Afrika'nın güneyindeki "buşmenlere", (yanlış olarak) çok az boş zaman bırakan koşullarda yaşayan ve sanatla uğraşan insanlar olarak dikkat çekmişti. Sonra, yine 1890'larda, Sir James Frazer'ın (Turner'ın bir tablosundan esinlenerek) *Altın Dal* adını verdiği, dünyanın dört bir yanından toplanmış ilkel folklor örneklerinden oluşan küçük ama değerli koleksiyonu, onun etkileyici kariyerini başlattı ve neredeyse *Türlerin Kökeni* kadar başarılı oldu. Şaşırtıcı derinlikte bilgi ve bilgelik sahibi olan Frazer (1854-1941), "ilkel" insanların gerçekten de bir dini olduğunu kesin olarak gösterdi ama devasa çalışmasının çok az anlaşılan tuhaflıklar bulamacı olduğunu söylemek gerek.[40] Önce derin mağara sanatının, sonra Spencer ve Gillen ile Frazer'ın ortaya koyduğu bu kanıtların hepsi, bazıları için sindirilmesi zor olsa da, Üst Paleolitik dönem insanlarının sonuçta bir tür dine sahip olduğu sonucuna işaret ediyor gibi görünüyordu. Bu nedenle bu tür toplumlar için sanat ille de sanat için olmak zorunda değildi.

Bugün sanat için sanat açıklamasıyla ilgili başka sorunları da fark ediyoruz. Bunlar başlangıç olarak, mantıksal bakış açısından şöyle ifade edilebilir:

1. İnsanların doğuştan gelen bir estetik duyarlığa veya güdüye sahip olduğunu nereden biliyoruz?

2. Bu sonuca güzel olduklarına inandığımız en eski sanat yapıtları ve dünyanın dört bir tarafındaki sanat örnekleri var oldukları için varıyoruz.

3. Sonra bu çıkarsanmış duyarlığı sanatın var olmasını açıklamak için kullanıyoruz.

Dolayısıyla tartışmanın döngüsel olduğu açık: Bir zihinsel durum sanatla anlamlandırılıyor, sonra da başka hiçbir destekleyici kanıt olmadan yine sanatı açıklamak için kullanılıyor.[41] Bazı araştırmacılar bu sonuca, çok eski –bir milyon yıl kadar eski– el baltalarının simetrisini örnek vererek simetri için doğuştan bir tercihten kaynaklanan bir estetik duygunun varlığını öne sürerek sorgulayabilir. Fikir cazip ama ikna edici değil. Eğer simetri arzusu gerçekten doğuştan geliyorsa, el baltalarının "estetikle" ilişkili olduğunu varsaymak için hiçbir neden yok; simetri, büyük olasılıkla, güzellik arzusundan çok (ille de dilsel olmak zorunda olmayan) öğrenilmiş becerilerin bir sonucudur. Her halükârda Üst Paleolitik dönem sanatında simetriye yönelik bir ilginin olduğuna ilişkin hemen hemen hiç kanıt yoktur.[42]

Ayrıca sanat tarihçileri sanat yaratımı için daha etkili açıklamalar geliştirmiştir. Bu açıklamaların özünde sanatın salt bireysel değil, toplumsal bir etkinlik olduğunun farkına varılması vardır. Sanat, bireyler tarafından toplumsal bağlamda bazı amaçlara ulaşmak için kullanılıyor olsa da toplumsal amaçlara hizmet eder. Sanat toplumsal bağlamı dışında anlaşılamaz.

Bu nokta bizi doğrudan bir başka noktaya yönlendirir. Bir insanın, bir hayvanın simgesel çağrışımlarına başvurmadan onu çizmesi mümkün değildir, bu çağrışımlar da toplumsal olarak yaratılır ve sürdürülür. Örneğin Batı düşüncesinde aslan saltanat ve güçle ilişkilendirilir, kuzu da masumiyet ve yumuşaklıkla. Herhangi bir birey neye inanırsa inansın, aslan hilekârlığı, kuzu ihaneti temsil etmez. Eğer bir Üst Paleolitik dönem sanatçısı, sadece kendine özel ve gizli bir çağrışıma sahip olduğu için bir hayvanın resmini yapsaydı, bu çağrışımlar çoğu izleyici için kaçınılmaz olarak toplumsal olarak sınırlanmış çağrışımlar çerçevesinde yok olup gidecekti. Doğrudur, ileride göreceğimiz gibi bireyler, imgeleri ve bunlara ait anlamları kendi çıkarları için kullanır ama bunu toplumun koyduğu sınırlar içinde yapar; yoksa bir simge için yaptıkları yeni "yorumlar" izleyiciler için tamamen anlaşılmaz olur.

Temel olarak bir imgenin anlamını odaklayan şey onun bağlamıdır. Örneğin bir çocuk yuvasının duvarındaki bir kuzu resmi, dinî bir vitraydakinden farklı anlamlar taşır. Yine de, hayvanların simgesel çağrışımları birbirleriyle ilişkili oldukları için tam anlamıyla böyle olmayabilir; bir ayrı anlamlar kümesinden çok zengin bir duygu yelpazesi oluştururlar. William Blake gecenin ormanında ışıl ışıl yanan kaplanın "korkunç simetrisine" hayret ederken, T.S. Elliot şaşırtıcı bir şeklide, kaplanın semantik yelpazesinin bir başka kesitini ele alır: "Yılın ergenlik çağında Geldi kaplan İsa".

Tüm toplumlarda pek çok hayvanın bu türden zengin çağrışımları vardır ve Üst Paleolitik dönem insanlarının atların ve bizonların resimlerini, tekrarlanan veya dolaylı bağlamlar içinde, bu varlıkların onlar için önemli ve paylaşılan bir anlam taşımazlarmış gibi yapmış olmaları çok düşük bir olasılıktır. Aslında resmi yapılmış veya oyulmuş konuların sınırlı sayısı, kişisel tercihlerden çok toplumsal değerleri düşündürür. Üst Paleolitik dönem sanatçıları, tamamen olmasa da temel olarak, gelenek kurallarına bağlıydı.

"Sanat" olarak adlandırdığımız geniş bir nesne ve tavır kümesinin doğmasına yol açan, türe özgü dürtü olarak, *Homo sapiens*'in varsayımsal olarak doğuştan gelen estetik duyusu üzerine bu düşünceler, çarpıcı biçimde özetlenmiştir. Son derece popüler kitabı *Sanatın Öyküsü*'nün girişinde, Ernst Gombrich şöyle yazmıştı: "Sanat diye bir şey yoktur aslında. Yalnızca sanatçılar vardır." Bu, benim de bu kitapta benimsediğim bir görüş. Pratik ve gerçekçi bir amaç peşindeyim: İmge yaratıcılarının (isterseniz "sanatçı" da diyebilirsiniz) kökenini araştırıyorum, tanımlanması olanaksız felsefi bir kavramın doğuşunu değil. İlk imge yaratıcılarının, daha sonraki bölümlerde betimleyeceğim belirli toplumsal koşullar çerçevesinde, akılcı davrandıklarını öne sürüyorum; onlar "estetik" kaygılarla hareket etmiyordu. Tarihteki özel konumumuzda "sanat" olarak adlandırdığımız, sınırları belirsiz, değişken kavram, ilk imge yaratıcılarından *sonra* ortaya çıktı.

Üst Paleolitik dönem sanatının anlamını anlamak için atılan bir sonraki adım, sanat için sanat yaklaşımından çok daha kalıcı oldu. "Mağara adamı" kavramıyla kitleselleşti ve pek çok karikatüre konu oldu. Yalnızca Üst Paleolitik dönem hakkındaki popüler anlatımlarda değil ders kitaplarında da karşımıza çıkan bir açıklama oldu.

TOTEMCİLİK VE BÜYÜ

Yirminci yüzyılın başında ve hemen sonraki yıllarda, antropoloji ve sosyoloji kendiliğinden saygın araştırma alanları olarak oluşmaya başlıyordu, Avrupa'nın emperyalist genişlemesi sonucunda da dünyanın her tarafındaki "ilkel" insanlara olan genel ilgi büyüyordu. Yalnızca birkaçını saymak gerekirse, Amerika'da Franz Boas, Henry Schoolcraft ve Henry Morgan, İngiltere'de Sir Henry Maine, Sir Edward Tylor ve Sir James Frazer, Avustralya'da Sir Baldwin Spencer ve F. J. Gillen, Fransa'da Arnold van Gennep, Marcel Mauss ve Émile Durkheim gibi yazarlar, bu yükselen dalganın önde gelen adlarıydı. 1865'te Tylor (1832-1917) büyü ile tarihöncesi sanatı arasında bir ilişki sezmişti.[43] Ama Üst Paleolitik dönem sanatının anlaşılması için antropoloji ve sosyoloji bulgularını en etkin biçimde kullanan yazar Salomon Reinach oldu.

1903'te, Cartailhac'ın *mea culpa*'sından bir yıl sonra, o sıralar Saint-Germain-en-Laye'deki Musée des Antiquités'nin [Antik Çağlar Müzesi] küratörü olan Salomon Reinach (1858-1932), *L'Anthropologie* dergisinde *L'art et magie: à propos de peintures et gravures de l'Age du Renne* [Sanat ve Büyü: Üst Paleolitik Dönem Resimleri ve Gravürleri Hakkında] başlıklı bir makale yayımladı. Üst Paleolitik dönem sanatı hakkında bir şeyler anlayabilmenin tek yolunun mevcut "ilkel" halkların yaşam biçimlerini incelemek olduğu temel varsayımıyla yola çıktı. Bu noktada, Üst Paleolitik dönem sanatı araştırmalarının en başında, Reinach tüm bu konuda çalışanların hâlâ ayaklarına dolanan bir sorun yaratmış oldu: Üst Paleolitik dönem sanatını analojiye başvurmadan anlamak mümkün müdür?[44] Karşılaştırma yaparak yalnızca bugünün imgesi içinde bir geçmiş yaratmış olmaz mıyız?

Reinach sorunu, araştırmacıların karşılaştırma kaynaklarını kesinlikle avcı-toplayıcılarla sınırlı tutmaları gerektiğinde ısrar ederek çözmeye çalıştı; bu insanlar, ona göre, Üst Paleolitik dönemde yaşayanlara en yakın olanlardı. Kendisinden sonraki kimi araştırmacılardan çok daha dikkatliydi. Bununla birlikte, bugün yirmi birinci yüzyılın avcı-toplayıcı toplumlarının Üst Paleolitik dönemden kalma yaşayan fosiller değil, uzun bir tarihe sahip insanlar olduğu anlaşılmıştır. Yine de avcı-toplayıcılar arasında Üst Paleolitik dönem insanlarının yaşam tarzlarına benzeyen topluluklar olduğunu kabul etmek gerekir. Sorun, bu ortak noktaların ne olduğundan ve hangi özelliklerin kültüre özgü olduğundan tam olarak emin olmaktır.

Avustralya etnografya okumalarından doğmuş fikirlerden biri totemcilikti. Bugün araştırmacılar bu sözcüğün yanlış tanımlandığını fark etmiş durumda,[45] oysa yirminci yüzyılın başlarında çok açık bir anlamı vardı. Sözcük, Kuzey Amerikalı Kızılderili kabilesi Ojibwa dilinde, bir kabilenin simgesi olan bir hayvanı, bazen de bir bitkiyi belirten bir sözcükten gelir. "Kartal İnsanları" veya "Ayı İnsanlar"dan söz edilebilir. Benzer inanışlar ve toplumsal olgular Avustralya'da bulunmuştur. Bu bilgiye sahip olan araştırmacılar mağaralardaki imgelerin totem olduklarını öne sürdü. Ama bu açıklama çok taraftar bulamadı.[46] Karşıt sava göre, resmi yapılan hayvanlar totem olsaydı, her bir mağaranın bir tür "totem direği" olacağı, tek bir türe ait resim kümeleri bulmamız gerekirdi. Buna yanıt olarak, birkaç totem grubu tek bir yerleşim grubu meydana getiriyorduysa, o zaman nispeten az sayıda tür bir arada bulunabilirdi – ki öyle. Tartışma uzadıkça uzadı.

Oysa Reinach, Spencer ve Gillen'ın 1899'da Avustralya Aborijin Arunta halkları hakkında yayımladığı bir başka bilgiden etkilenmişti. Bu iki yazara göre Aruntalar bazı varlıkların resimlerini, resmettikleri türlerin üreyip çoğalmasını sağlayacağına inandıkları için yapıyordu. Reinach Avrupa'daki mağaralarda resmedilmiş hayvanların Üst Paleolitik dönem insanlarının çoğalmalarını istedikleri hayvanların aynısı olduğu kanısına vardı. Pişti oyunu gibiydi: Biri Avustralya'da, diğeri Batı Avrupa'da iki benzer kart ortaya çıkmıştı. Eşleşme ikna ediciydi, Reinach böylece her iki bağlamdaki sanat yaratımı için benzer dürtüler olduğu sonucunu çıkardı.

Sonra, Başrahip Henri Breuil ve başkaları bu hipotezi avlanma büyülerine uyguladı. İmgelerin avcılara avlarına karşı güç kazandırmak amacı güttüğünü öne sürdüler. Bu fikir, Avrupalıların balmumu bebekler ve iğnelerle yapılan büyücülük hakkında bildikleriyle örtüşüyordu. Aklında belki de büyücülük olan Breuil pek çok imgede saplanmış mızraklar ve oklar olduğunu iddia etti. Bu silahların çizilmesinin belki de gerçek bir hayvanın ölümünde etkili olduğunu düşündü. Breuil, 1660'ta De la Vialle'ın ve diğerlerinin ziyaret ettiği, hatta on yedinci yüzyıldan önce bile ziyaret edilmiş olan Niaux'dan özellikle etkilenmiş olmalı. Burada gerçekten de kolayca silahlar saplanmış olarak çizilmiş gibi anlaşılabilecek hayvanların resimleri bulunur. Ama toplamına bakılacak olursa, Üst Paleolitik dönem bizon resimlerindeki hayvanların yalnızca % 15'i yaralı ve ölmekteymiş gibi çizilmiştir.[47] Çoğu canlı ve sağlıklı görünmektedir.

Bu açıklama başta neden bu kadar çok imgenin karanlık odalarda gizlendiğini açıklıyor gibiydi: Büyü gözlerden uzak yapılırdı. Sonra, açıklama mağaralarda resimleri çizilmiş türlere uygunmuş gibi de görünüyordu. İnsanların bilinçli olarak avlamalarının veya sayılarının artmasını istemelerinin pek mümkün olmadığı kedigillerin ve diğer tehlikeli hayvanların imgeleri bulununca, Breuil bunları, sanatçıların yırtıcıların gücünü ve avlanma becerilerini elde etmeyi umduklarını söyleyerek açıkladı. Açıklamanın esnekliği bu noktada sona ermedi. Lascaux'dakiler gibi dört köşeli işaretlerin (58. resim), hayvanların içine düşürüldüğü tuzakları temsil ettiği söylendi. Diğer işaretler avcıların postları veya ruhların evleri olarak yorumlandı.

Bugün sanat için sanat görüşü ya da büyü yaklaşımının tüm artılarını eksilerini tartışmanın bir anlamı yok. Hiç şüphesiz, ressamlar yapıtlarıyla gurur duyuyordu, Üst Paleolitik dönemin son derece önemli etkinliklerinden biri olan avcılık da imge yaratım süreciyle muhtemelen *bir biçimde* ilişkiliydi. Ama bu iki açıklama için getirilen pek çok sav kolaylıkla çürütülebilir. Bazı yazarlara göre çok sayıda oyma panelin karmakarışık biçimde üst üste binmiş olması estetik değerlendirme olasılığını ortadan kaldırmıştı. Ama bu tamamen Batılı bir varsayımdan ibarettir: Çizgilerin karışıklığı ve şifrelerini çözmenin zorluğu, bildiğimiz kadarıyla, estetik olarak hoşa giden bir şey olabilirdi. Bir de bazı yazarlar sanat yaratımı için boş zaman gerektiğini, sanatın da yokluk dönemlerinde, sürekli olarak yiyecek peşinde koşarken yapılamayacağını öne sürdü. Başkaları buna yanıt olarak, büyü ayinlerinin tam da o zor dönemlerde yeterli yiyecek teminini sağlamak için gerçekleştirilebileceği gibi bir savın da aynı ölçüde mantıklı olarak öne sürülebileceğini söyledi. Benzer biçimde silah resimleri de av büyüsünün bir işareti olarak yorumlanabilir ama o zaman da, silahlar gösterilmediğinde, bu sadece etkileyici kabul edilen resimlerin yapılması eylemi olabilir. Her iki durumda da açıklama zarar görmeden kurtulmuş olur. Yirminci yüzyıl boyunca süren bütün bu tartışma, açıklamaların ne kadar zayıf olduğunu ortaya koydu ama sonuçta, pek çok araştırma çerçevesinde olduğu gibi, açıklamalar yalnızca daha iyileri bulunduğunda bir kenara bırakılır.

YARGIDA BULUNMAK

"İyi" bir açıklama nasıl anlaşılır? Üst Paleolitik dönem sanatı araştırmalarının inişli çıkışlı tarihini anlamak istiyorsak, bilimin nasıl ilerlediğine –veya ilerleyemediğine– dair bir anlayışa ihtiyacımız var. Bu konuda kabaca iki düşünce ekolü vardır; zaman zaman birbirlerini dışlarlarmış gibi sunulsalar da, ille de çelişmek zorunda değillerdir. Bir tarafta kendilerini bilimin nesnelliğine adamış bilimciler vardır; bizi kesin bilgiye yönlendiren yerleşik doğrulama kuralları ve süreçleri olduğuna inanırlar. Diğer uçtaysa tüm bilgi iddialarını göreli ve toplumsal güçler ile kültürel algıların ürünü olarak görenler vardır.

Öncelikle tekrar tekrar vurgulamak gerekir ki Üst Paleolitik dönem sanatına ilişkin hiçbir açıklama "ispatlanamaz". 1. Bölüm'de gördüğümüz gibi, Darwin evrimin işleyişine dair açıklamasını kanıtladığını öne sürmemişti. İspat matematik gibi kapalı sistemlerle sınırlı tutulmalıdır. Bir cebir probleminin sonunda bir öğrenci Q.E.D. –*quod erat demonstrandum*: "ispat edilmesi gereken"– ifadesini yazabilir. Ama arkeolojide ilginç hiçbir şey bu yolla ispatlanamaz. Ne kadar hayranlık verici olursa olsun, şu anda bilim metodolojisinin ayrıntılı bir açıklamasına girişemeyiz ama sanat sanat içindir ve büyü açıklamalarını izleyen çok daha karmaşık açıklamalara geçmeden önce biraz durup bunları nasıl değerlendireceğimizi göz önünde tutmalıyız. Bu nedenle bilimcilerin hipotezleri değerlendirmek ve karşılaştırmak için kullandıkları birkaç ortak ölçüte dikkat çekeceğim.

Öncelikli olarak bir olayın açıklaması kabul görmüş, sağlam genel çalışmalarla ve genel kuramla uyumlu olmalıdır. Bir gezegenin yörüngesindeki bir sapma, örneğin, diğer tüm yörüngeler güneş sistemindeki kütleçekimi alanlarıyla yeterince açıklanırken, Alpha Centauri yakınlarında yaşayan canlıların gönderdiği lazer ışınlarına başvurarak açıklanamaz.

İkincisi, bir hipotez kendi içinde tutarlı olmalıdır. Bir başka deyişle, bir hipotezin tüm parçaları aynı varsayımlara dayanmalı ve birbirleriyle çelişmemelidir.

Üçüncü ölçüt, daha önce gördüğümüz gibi, Darwin'in ısrarcı olduğu ölçüttür. Farklı kanıt alanlarını kapsayan bir hipotez, yalnızca tek bir, dar kanıt türüne özgü olan bir hipotezden daha ikna edicidir. Örneğin kütleçekimi kuramı yalnızca tenis topu gibi cansız nesnelere uygulansaydı ve insanlar gibi varlıklar için geçerli olmasaydı, açıklama gücü o kadar kısıtlı olurdu ki bilim insanları onu reddederdi.

Dördüncü olarak hipotez öyle bir özellikte olmalı ki doğrulanabilir olsun, deneysel gerçekler çıkarsanabilsin: Bir hipotez verilerin gözlemlenebilir özellikleriyle ilgili olmalıdır. Sanat için sanat görüşü bu sınavı geçemez çünkü açıkladığı ve başka hipotezlerin açıklayamadığı imgelerin doğrulanabilir özellikleri yoktur. Estetik değerlendirme o kadar muğlaktır ki günümüz Batı standartlarında çizim tekniği çok "iyi" olmasa da herhangi bir imgenin doğuştan gelen bir estetik dürtünün ürünü olduğu söylenebilir.

Beşinci olarak yararlı hipotezlerin teşvik etme potansiyeli vardır, yani başka sorulara ve araştırmalara yönlendirir. Sanat için sanat bu ölçütte de başarılı değildir çünkü bir kez dile getirildiğinde başka araştırmaların önünü kapatır. (Görünüşe göre) söylenebilecek her şeyi dile getirmektedir.

Bu beş nokta bilimcilerin hipotezler hakkında hüküm verirken kullandığı bazı yöntemlerin yalnızca kısa bir özetidir. Ama bu ölçütlerin bilimcilerin işaretleyeceği ve sonra fikir birliğine ulaşacakları basit bir kontrol listesi olduğu düşünülmemelidir. Ölçütlerin pek çoğu pratik uygulamaya geçildiğinde tartışmalı hale gelir.

Üst Paleolitik dönem sanatı araştırmalarının tarihsel rotasını anlamak istiyorsak kabul etmemiz gereken daha ciddi bir çekince, bilimsel çalışmaların toplumsal çerçeve içine gömülmüş olmasıdır.[48] Toplumsal inşacılar bilimin, pek çok profesyonelin bizi inandırmaya çalıştığından çok daha az nesnel olduğuna dikkat çeker. Fizikçilikten bilim tarihçiliğine geçen Thomas Kuhn,[49] bilimsel bilginin, üzerinde fikir birliğine varılmış bir ölçüt listesinin bilimciler tarafından metodik olarak işaretlenmesiyle, adım adım birikmediğini öne sürmüştü. Bilim, daha çok bir kuramsal veya metodolojik yapının –veya paradigmanın– nispeten aniden terk edilmesi ve yerine bir başkasının geçmesiyle ilerler. Kuhn etkileyici kitabına *The Structure of Scientific Revolutions* [Bilimsel Devrimlerin Yapısı] başlığını vermişti. Tartışmanın devamında bu devrimlerin yalnızca bilim camiasının sosyolojik özellikleri çerçevesinden baktığımızda açıklanabileceğini öne sürdü. Eski dönemlerdeki sanat belirli bir toplumsal bağlam içinde yaratılmışsa bile, bugün o sanat hakkındaki bilgi üretimi de toplumsal bağlamla iç içedir.[50] Kuhn'un çalışması tartışmasız kabul edilmedi: Aktardığı devrimler özel durumlar olabilirdi. Dahası, "toplumsal inşa" kavramı, tam anlamıyla toplumsal olarak inşa edilmemiş "yapılara" fazlasıyla büyük bir hevesle uygulandı – bunlar arasında insanların içinde yaşadığı farklı çevre koşulları da bulunuyordu.[51] Yine de bugün araştırmacıların toplumsal etmenlerin yeni fikirlerin kabul edilmesini veya reddedilmesini gerçekten de etkilediğini fark ettiklerini söylemek doğru olur.[52]

Bu başlangıç noktalarını, gerek "nesnel", gerek sosyolojik noktaları, yirminci yüzyılın ikinci yarısında kaya sanatı araştırmacılarının hayal gücünü etkileyen ve bugün araştırmacıların Üst Paleolitik dönem sanatına ilişkin düşünme yöntemlerine sinen, sanat için sanat veya büyü açıklamalarından daha iyi tasarlanmış açıklamaya doğru ilerledikçe aklımızda tutmalıyız. O zamanlar neden bu kadar heyecan verici olduğunu ve neden çok büyük ölçüde terk edildiğini bilmeliyiz.

YAPI VE ANLAM

"Yapısalcılık" yirminci yüzyılın ikinci yarısının önemli kavramlarından biriydi. Kökleri Batı düşüncesinin derinlerinde olan bir felsefe akımıydı. Ayrıca insan zihni ile maddi dünya arasındaki ilişkiler hakkında yeni araştırma soruları ortaya koyan farklı bir akımdı. Yapısal yaklaşımların labirentinde yolumuzu bulmak için, öncelikle insanların farkında olmadığı bir "yapının", bir çerçevenin veya zihinsel şablonun onların düşünce ve davranışlarını hangi yolla etkilediğini araştıran genel bir analiz metodu olan "yapısal analiz"[53] ile ikili zıtlıklar ve bu karşıtlıklar ve bu karşıtlıkların uzlaşmalarından oluşan özel bir tür yapıya gönderme yapan (büyük Y harfiyle) Yapısalcılık'ı[54] ayırmak gerekir. Her iki yapısal kuram da ilk kez önemli bir on sekizinci yüzyıl kitabında karşımıza çıkar.

Giambattista Vico (1668-1744) klasik dönem araştırmacısı bir İtalyan hukukçuydu. 1734'te *Principii di una scienza nuova* [Yeni Bir Bilimin İlkeleri] başlıklı kitabını yayımladı. Newton ve Galileo gibi fen bilimcilerin çalışmalarından etkilenen Vico, insan toplumu için, fizikçilerin, zoologların, astronomların, kimyacıların "doğa bilimlerine" karşılık, bugün sosyal bilimler olarak adlandıracağımız yeni bir bilim önerdi.

Avrupa yayılmacılığı zamanında ve gezginlerin karşılaştığı "ilkel insanlar" ve "vahşilere" yoğun ilginin olduğu bir dönemde yazan Vico, işe bu insanların "uygar" insanlardan farklı zihinlere sahip olduğuna yönelik yaygın kavrama karşı çıkarak başladı. Aksine, diyordu, mitler ve doğal olaylara getirdikleri açıklamalar bilgisizlikten kaynaklanan saçmalıklar değildir; "şiirsel" ve "metaforik" ifadelerdir ve düz anlamlarıyla anlaşılmak için düşünülmemişlerdir. Zamanının çok ilerisinde olan Vico görmezden gelindi ve "ilkel zihniyet" kavramı varlığını yirminci yüzyılın başlarına –ve sonrasına– dek sürdürdü.

Vico bir başka yönden de şaşırtıcı ölçüde modern, hatta post-moderndi. İnsan zihninin maddi dünyaya biçim verdiğini ve insanların dünyayla etkili biçimde ilişki kurmayı sağlayan şeyin bu biçimin veya tutarlılığın olduğunu öne sürdü. İnsanlar dünyayı "doğal" veya "verili" gibi görmelerine karşın, dünya insan zihniyle biçimlenir ve onun biçimini alır. İnsanlık kendini bu dünyayı biçimlendirme işini yerine getirerek yarattı. Öyleyse tüm toplumlarda ortak olarak bulunan evrensel bir "zihin dili" olmalıdır. Yapılandırma, doğal dünyanın kaosundan tutarlı bir şey çıkarmak, insan olmanın özüdür. Sonraki bölümlerde Vico'nun, kendisi değerini tam olarak anlamayacak olsa da, haklı olduğunu öne süreceğim. Çalışmasındaki sorun, "zihni" maddi dünya ile zihinsel iç dünya arasında arabuluculuk yapan bir düşünme organı olarak ele almasıydı. Ama, göreceğimiz gibi, zihinde zekâdan daha fazlası yer alır: Bilinç.

Yapı kavramı büyük ölçüde İsviçreli dilbilimci Ferdinand de Saussure (1857-1913) tarafından geliştirildi, yirminci yüzyıl yapısalcılığı da dilbilimden doğdu. Saussure modern Batı'nın önde gelen şahsiyetleri arasında kitap yazmamış olan şüphesiz tek örnektir. Temel metin olan *Genel Dilbilim Dersleri*, (hiç kuşku yok ki olağanüstü dikkatli) öğrenciler tarafından tutulmuş ders notlarının bir araya getirilmesiyle oluşmuştur. Şu anki amaçlarımız doğrultusunda, yalnızca onun ortaya koyduğu, daha sonra Üst Paleolitik dönem sanatı incelemelerini etkilemiş olan, önemli ayrımları göz önünde tutacağız.

Bunların ilki *langue* (dil veya dilbilgisi) ile *parole* (konuşma veya söz) arasındaki ayrımdır. Sonuçta *langue* yapı, *parole* ise o yapıya dayanarak yaratılan tekil öğelerdir. Saussure bu farkı satranç örneğiyle açıklar: Oyunun kuralları ve uygulamaları satrancın *langue*'ı, bu kuralların gerçek oyunlarda somutlaşmış hali de *parole* örnekleridir. Vico'nun "zihin diline" ilişkin önceki fikirleriyle benzerlik çok açıktır.

Saussure ayrıca artzamanlı [diyakronik] incelemeler ile eşzamanlı [senkronik] incelemeler arasında bir ayrım yapmıştı. Filolojideki gibi artzamanlı yaklaşım, dilin zaman içindeki gelişimini araştırır; eşzamanlı çalışmalar bir dili herhangi bir belirli zaman içinde inceler, yani konusu dilin yapısı, *langue*'ıdır. Yapı bu nedenle eşzamanlı özelliktedir.

Bu kavramlara bağlı olarak, Üst Paleolitik dönem sanatı araştırmaları için son derece önemli hale gelen bir kavram vardır. Anlamlar şeylerin kendilerine bağlı olmaktan çok onlar arasındaki ilişkiye dayanır. Örneğin "yaşam" "ölüm" olmadan, "ışık" "karanlık" olmadan bir anlam ifade etmez.

Saussure'ün dilbilimi elbette çok daha geniş kapsamlıdır ama bu birkaç nokta bizim bu aşamada, etkili düşünceleri bariz biçimde yanlış olduğu için değil, yirminci yüzyılda Üst Paleolitik dönem sanatı araştırmalarının toplumsal ve politik koşullarının engel olması nedeniyle yayılamadığı için gözden kaçmış ve değeri anlaşılamamış bir araştırmacıya dönmemizi sağlar.

TOPLUM, YAPI VE KARL MARX

Alman Marksist sanat tarihçisi Max Raphael'in[55] adı bugün nadiren anılır, o da yalnızca André Leroi-Gourhan ve Annette Laming-Emperaire'in bazı yapısalcı düşüncelerinin kaynağı olarak. Bu iki araştırmacının Üst Paleolitik dönem sanatına yaptıkları muazzam katkıya geçmeden önce Rapahel'i yeniden canlandırmamız, başkalarının seçici olarak fikirlerini ödünç aldığı bir kaynak olarak görmememiz gerekiyor.[56] Üst Paleolitik dönem sanatını inceleyen yazarların onun çok ender olarak ve yalnızca tam anlamıyla geliştirilmemiş yapısalcı açıklamasını, yani daha önce göndermede bulunduğum yazarlara olan borcunu vurgulamaları ve toplumsal bağlam ve sanatın doğası üzerinde ısrarla durmasını görmezden gelmeleri büyük talihsizliktir. Toplumun doğası, sonuçta, onun düşüncesinin temeli, kaynağı ve kökeniydi.[57]

Raphael genç bir öğrenciyken Paris'e taşındı ve Rodin, Picasso ve Matisse'in atölyelerini ziyaret etti.[58] Kısa bir süre Fransız toplama kamplarında kaldıktan sonra 1941'de New York'a gitti, Üst Paleolitik dönem üzerine yaptığı çalışmasını tamamlayamadan 1952'de burada öldü.[59] Raphael, kitabı *Prehistoric Cave Paintings*'i [Tarihöncesi Mağara Resimleri], faşizm tehlikesinin somutlaştığı bir dönemde, İspanyol İç Savaşı sonrası, İkinci Dünya Savaşı sırasında yazdı. Kendi döneminin sanat tarihçilerinin ve arkeologlarının Üst Paleolitik dönem insanlarının, her bakımdan olmasa da temelde yirminci yüzyılın ortalarındakine benzer bir sanat yarattıklarını kabul etmeye isteksiz olduklarını öne sürdü. "Hiçlikten bir şeye doğru gelişme olarak ifade edilebilecek yanıltıcı doktrini sürdürmek amacıyla"[60] ve dolaylı olarak kapitalizmin başarılarını sergilemek için Üst Paleolitik dönem insanlarının başarılarını küçümsemeyi seçtiler. Yirmi birinci yüzyıl başında rüzgâr tersine dönmüştü. Bugün sanat tarihçileri ve arkeologlar (adını hiç duymuş olmasalar da) Raphael'in görüşlerini paylaşıyor ve Üst Paleolitik dönem insanlarının hem davranışsal hem kavramsal açıdan modern olduklarını vurgulamak için çaba sarfediyor, hatta Orta Paleolitik döneminin Neandertallerine itibarlarını iade ederek modern davranış biçimlerinin tarihini daha da geriye çekiyor.

Saussure'ün izinden gidip artzamanlı araştırma ile eşzamanlı araştırma arasında ayrım yapan Raphael, "tarihsel varoluşun enine kesiti... boyuna kesitteki nitelikleri ortaya çıkarır"[61] savını öne sürerek işe başladı. Bu nitelikler "ekonomik üretim süreci ve ekonomi mücadelesi, toplum ve dine karşı politika, ahlak, sanat ve bilime" dayanır; bu öğelerin hepsi egemen sınıfların elindeydi.[62] Marksist kuramın belirlediği tüm toplumsal kesimler, güçler ve gerilimler böylece insanın toplumsal evriminin en alt aşamasında devredeydi; Raphael o zamanlar genel kabul gören, gerek tarihsel dönemlerdeki gerek tarihöncesi avcı gruplarının eşitlikçi olduğu görüşüne açıkça karşı çıktı.[63] Üst Paleolitik dönem toplumları, Raphael'in çarpıcı ifadesiyle "tarih yazan toplum örneklerinin en iyisi" idi.[64]

Tarih yazmanın temeli olarak varsayılan Marksist toplum kuramı, yekpare bir kanun değil, karmaşık bir gelenektir.[65] Yine de çok kısaca, geleneksel Marksist kuram, bir toplumsal oluşumun (bir "toplumun") bir altyapı ile bir üstyapıdan oluştuğunu öne sürer. Bir toplumsal oluşumun temeli olarak altyapı, yaşamın maddi gereksinimlerini üreten toplumsal üretim ilişkilerini içerir. Böylece, üstyapıyı, yani ideolojiyi, inancı, dini ve yasal çerçeveyi belirler. Sanatın içeriği ya da "mesajı", bu nedenle, üretimi altyapının parçası olan toplumsal üretim ilişkilerinden türese de üstyapının bir parçasıdır. Toplumsal üretim ilişkileri kimin ne iş yapacağını ve işgücünün üretiminin nasıl paylaştırılacağını yönlendirir. Altyapının üstyapıyı nasıl belirlediğini ortaya çıkarmak katı Marksist sanat tarihçisinin görevidir. Bu saptama her bir yazarın bakış açısına göre ayrıntılı veya genel özellikte olabilir. Bu altyapı düzeyinde temelde sınıf çatışması iş başındadır ve üstyapının egemen sınıfların toplumsal üretim ilişkilerini gözden kaçırmak veya anlaşılmalarını güçleştirmek için biçimlendirdiği ideoloji tarafından gizlenir.

Üst Paleolitik dönem sanatı, der Raphael, bize üretim araçları, avlanma teknikleri veya yerleşim yerleri –yani altyapının maddi unsurları– hakkında hiçbir şey söylemez. Anlattığı şey toplumsal mücadele hakkındadır, bunu da *yapılandırılmış* bir kodla yapar. Totemcilikte olduğu gibi toplumsal gruplar sanatta hayvanlar aracılığıyla temsil edilir. Kavga eder biçimde resmedilmiş hayvanlar rakip "kabileleri" (uygun biçimde tanımlamadığı bir terim) temsil eder. Bu tür örneklerde hayvanlar sıklıkla "çaprazlama", yani kafaları zıt yönlere bakar biçimde kısmen üst üste binmiş biçimde resmedilmiştir. Bu düzenleme çatışmayı betimler. Buna karşılık bir diğerinin içine çizilmiş bir hayvan toplumsal mücadelede dayanışmayı anlatır ve egemenliği, arabuluculuğu veya destek vaadini temsil ediyor olabilir.[66]

Sonra, daha büyük bir kavrayışla, araştırmacıların Üst Paleolitik dönem sanatının görünürdeki düzensizliğini bir birlik yoksunluğu gibi yorumladığını kaydeder.[67] Bu hata onların farklı düzen türlerinin olduğunu kabul edememelerinden kaynaklanır. Araştırmacılar yalnızca, bugün Batılılara tanıdık gelen düzenler ararlarsa, diğer tüm düzenleri gözden kaçırır veya düzensizlik olarak nitelendirir. Üst Paleolitik dönem sanatı araştırmalarında çalışanlar bu tuzağa defalarca düşmüş, aradıkları düzenden farklı düzenleri ayırt edememiştir.

Şimdi Raphael'in Üst Paleolitik dönem sanatında fark ettiği düzene veya yapıya odaklanalım. Raphael temelde Breuil'ün imgelerin tekil örnekler olarak görülmeleri gerektiği görüşüne karşı çıktı, bunun yerine kendisinden on, yirmi yıl önce birkaç pano için çekinceyle ileri sürüldüğü gibi kompozisyon olarak ele alınmaları gerektiğini vurguladı. Bu kompozisyonların yapıları panodan panoya, mağaradan mağaraya hep aynı biçimde tekrarlandığı için, Raphael bu kompozisyonların yapılandırılmasının temelinde yatan düzenleme araçlarını (*langue*) anlayabileceğimize inanıyordu. Buna ek olarak farklı unsurların kompozisyonun bütünüyle olan ilişkileri çerçevesinde yorumlanmaları gerektiğini savunuyordu. Bu, Saussure'ün ilişkiler için yapısal bakış açısında ısrar etmesini anımsatan bir yaklaşımdı: Nasıl "ölümün" "yaşam" olmadan bir anlamı olmazsa, bizonlar da (büyük ölçüde) atlar olmadan bir anlam ifade etmezdi. Düşünülmüş kompozisyonlar kavramı böyle doğdu. Bu kompozisyonlar *langue*'dan (dil) doğmuş olan *parole* (söz) örnekleriydi ki dilin kendisi de bu *parole* örnekleriyle anlaşılabilirdi.

Raphael daha sonra, belirli mağaralarda farklı hayvan türlerinin çoğunlukta olduğunu fark etti. Örneğin İspanya'daki Pasiega'da erkek ve dişi geyikler daha çok sayıdaydı. Lascaux'da daha ziyade atlar ve yaban öküzleri vardı. En önemlisi de, Leroi-Gourhan'ın sonraki araştırmalarının ışığında Raphael, Fransa'da Dordogne'daki Les Combarelles'de "atların tekrar tekrar bizonlara ve boğalara düşman olarak betimlendiğini" ifade etti.[68] Sonra yakınlardaki Font de Gaume'da "bizonların kendilerinden önce orada buldukları atlarla boğuşmasından" söz eder.[69] Kitabının sonraki bölümlerinde bu iki tür arasındaki zıtlığı biraz belirsiz biçimde ele alır: "Paleolitik dönem sanatında atlar ve bizonlar insanı ve toplumu temsil eder."[70] Bu kadarla da kalmaz. Daha belirgin olarak, Altamira'nın tavanındaki kabileler arası sihirli savaşın daha derin anlamlara yönlendiren bir araç olduğunu yazarak Leroi-Gourhan'ın çalışmasının önemli bir yönünü önceden haber vermişti. Narin dişi geyiğin koca bizonla karşı karşıya gelmesini "dişi yumuşaklığı ile erkek cüssesi arasındaki çelişki" olarak okunabileceğini öne sürmüştü. Bu (dişi-erkek arasındaki) zıtlık böylece "evrensel ölçekte insani bir anlam" kazanmış oldu.

Raphael bu ikili karşıtlığı simgelerin yorumlanmasına kadar götürdü. Erkek cinsini temsil eden bir dizi simge ayırt etti: "Ok uçları, penis, öldürme eylemi veya ölüm". Diğerlerini "dişi cins, kadın, hayat veren, yaşam" olarak gördü.[71] Kendi deyimiyle "trajik ikilik" karşısında Üst Paleolitik dönem sanatçıları zıtlığı uyumlaştırma göreviyle karşı karşıya kaldı.[72] Üst Paleolitik dönem sanatının "mesajı" zıtlık ve uzlaşmayla üretilmiş, kopyalanmış ve dönüştürülmüştü. Lévi-Strauss'tan önce olsa da bu tam anlamıyla Yapısalcı bir bakış açısıdır.

Raphael'in çalışmaları büyük ölçüde görmezden gelindi. Az sonra göreceğimiz gibi, Leroi-Gourhan ve Laming-Emperaire, açıkça değil, üstü kapalı olarak onun yapısalcı (ve Yapısalcı) anlayışını geliştirdi ama toplumsal analizlerini tamamen es geçti. Üst Paleolitik dönem sanatı yaratan toplumun nasıl işlediğinden ziyade o sanatın "şifresini" (*langue*) kırmakla ilgiliydiler. Aynı şekilde Leroi-Gourhan hakkında yazanlar da Raphael'e kısaca değinir, o da ancak Leroi-Gourhan ve Laming-Emperaire'in düşüncelerinin kaynağı olarak. Marx'ın tabii ki adı bile anılmaz.

YAPISALCILIK VE MİTOGRAMLAR

Raphael'in toplumsal kuramının onun Üst Paleolitik dönem sanatı hakkındaki yorumuna nasıl hâkim olduğu üzerine değerlendirmemiz bizi, en azından benim görüşüme göre, Üst Paleolitik dönem sanatına en büyük katkıyı yapan iki araştırmacıya yönlendiriyor.[73] Bu araştırmacılar Annette Laming-Emperaire ve André Leroi-Gourhan'dır (13. resim). Ne yazık ki, aslında onların düşüncelerine ciddi ölçüde bağlı olan, son zamanlarda yayımlanmış bazı çalışmalar, adlarından neredeyse hiç söz etmez; onlar da Raphael'le aynı kaderi paylaşıyor. Tarihsel gelgitlerimiz hâlâ sürüyor.

Laming-Emperaire (1917-78), ya da evlenmeden önceki soyadıyla Laming, 1959'da Lascaux hakkında kısa bir kitap yayımladı. Bu arkeolojik alan büyük bir heyecan içinde 8 Eylül 1940'ta bulunmuştu. Üç öğrenci çocuk mağarayı −17 yaşındaki Marcel Ravidat'nın köpeği Robot, yerel halkın Birinci Dünya Savaşı öncesinden beri bildiği bir obruğa düşünce− tesadüfen buldu. Çiftçiler hayvanları düşmesin diye deliğin girişini kapatmaya çalışmıştı. Çocuklar Robot'yu kurtardı ve daha sonra ip gibi ekipmanla geri dönmeye karar verdi.

13 Eylül'de Ravidat ve aralarında savaş zamanı Paris'ten kaçmış olan iki çocuğun da bulunduğu üç arkadaşı geri döndü. Deliği genişlettiler, altındaki dik yamaçtan aşağı önce Ravidat kaydı. Eğimin sonunda toplandıklarında kendilerini geniş bir yeraltı odasında buldular. Yanlarında bir lamba vardı ama devasa mekânda çok az şey görebiliyorlardı. Bugün Eksen Galerisi olarak bilinen yere doğru girmek için ilerlediler; ilk hayvan imgelerini burada fark ettiler. Büyük heyecan içinde mağaranın geri kalanını araştırdılar ve gittikçe daha çok harika şey keşfettiler.

Bulduklarının öneminin farkında olarak, bunu okul müdürleri Léon Laval'e söylemeye karar verdiler. Laval, yaşından dolayı önce zor eğimden aşağı inemedi, bu nedenle eski bir öğrencisinden bazı imgeleri kopyalamasını istedi. Keşfin öneminden böylece emin olduğunda Başrahip Breuil'le temas etmeyi planladı. Breuil Alman işgalindeki Paris'ten kaçmıştı ve Brive'de saklanıyordu. Kısa süre sonra keşfi onayladı. Bu baş döndürücü bir keşifti ve 1994'te Chauvet ve iki arkadaşının Zaman Kesiti III'te söz ettiğimiz ve bugün Chauvet'nin adıyla anılan mağaraya kadar bir eşi yoktu. Lascaux'nun Üst Paleolitik dönem mağara sanatına yepyeni bir bakış açısı ve açıklama için malzeme sağlaması boşuna değildi.

13. Felsefeci, etnograf, arkeolog ve öncü André Leroi-Gourhan. Üst Paleolitik dönem mağara sanatını yeniden incelemiş ve her şeyi kapsayan yeni bir açıklama geliştirmiştir.

Lascaux analizinden önce yer verdiği Üst Paleolitik dönem sanat hakkındaki genel tartışmasında Laming-Emperaire bazı önemli noktalarda Raphael'in izinden gider gibi görünür:

– Etnografik paralelliklerin değerini sorgular;
– pek çok yeraltı imgesine ulaşmanın zor olmasının "kutsal" niyetlere işaret ettiğini öne sürer;
– totemciliğin tüm basit biçimlerini reddeder;
– "Paleolitik dönem insanının düşünce yapısının genel olarak varsayılandan daha karmaşık olduğunu" öngörür[74] ve
– her bir imgenin "av gereksinmelerine göre teker teker" yapılmış dağınık tekil resimler değil, planlanmış kompozisyonlar olarak ele alınmaları gerektiğini ileri sürer.[75]

Laming'in çalışması böylece vurguyu büyüsel bağlamdan simgesel anlama doğru çevirdi. Daha belirgin olarak, atlar ile boynuzlu hayvanların bilinçli olarak ve tekrar tekrar birlikte kullanıldıklarını öne sürdü. Böylesi bir birlikteliğin "daha önce hiç göz önünde tutulmamış bir sorun" ortaya koyduğunu ifade etti.[76] Ayrıca "Daha önce yan yana veya üst üste bulundukları yorumlanan…" imgelerin bilinçli olarak birlikte kullanılmasının "… aslında bilinçli olarak planlanmış kompozisyonlar olarak görülmeleri gerektiğini" de yazdı.[77]

Tüm bu noktaların kaynağı Raphael'miş gibi görünse de Laming, Lascaux kitabında ondan hiç söz etmez. Soğuk Savaş günlerinde Marksist Raphael'den söz etmeyi tedbirsizlik olarak mı görmüştü? Yine de sıra doktora tezini hazırlamaya geldiğinde,[78] daha sonra geliştirdiği düşüncelerin kaynağının Raphael olduğunu kabul etti ve Rapahel'in daha 1951'de kendisine daktilo edilmiş notlar verdiğini yazdı.[79] Sonra anlaşılamaz bir yüz seksen derece dönüşle, Raphael'in bazı panoların "cinsiyetler veya totemsel kavimler arasındaki mücadeleyi temsil ettiği…" savının, "…ne yazık ki işe yaramaz" olduğu sonucuna vardı. Raphael'in sonuçlarını kabullenmek zordur.[80]

En önemli çalışması *La Signification de l'Art Rupestre Paléolithique*'te[81] [Paleolitik Duvar Sanatının Önemi] Laming-Emperaire atın "dişilikle", bizonun da "erkeklikle" ilişkilendirilebileceğini önerdi. Daha sonra görüşlerini gözden geçirdi ve atın ve bizonun Üst Paleolitik dönem mağara sanatı için bir şekilde temel unsurlar olduklarını kabul etmeye devam etmesine karşın, bunların cinsel ikiliği temsil ettikleri görüşünü reddetti.[82] Bunun yerine Raphael'in "kabileler" ve toplumsal örgütlenmeyle birlikte yaradılış mitlerinin sanatın köklerini oluşturduğu önerisini geliştirdi.

Laming-Emperaire 1978'de elim bir trafik kazasında yaşamını yitirdi ama önerdiği metodoloji ve teknikler, kendisinden başka Leroi-Gourhan'ın ve başka pek çok araştırmacının izlediği yöntemler oldu. İlk Lascaux kitabında "her iki kaynaktan da en çok bilgiyi elde edebilmek için envanterlerin derlenmesi ve tüm arkeolojik kanıtların düzenlenmesi" gerektiğini savundu.[83] Araştırmacıların şu ölçütlere göre "dağılım haritaları" hazırlamaları gerektiğini öne sürdü: Çalışmaların mağara içindeki konumları, ilişkili olan arkeolojik kalıntılar; kullanım işaretleri ve bir temsilin içeriği veya biçimi."[84]

Laming-Emperaire'in metodoloji önerileri André Leroi-Gourhan'ın (1911-86) karmaşık hipotezini hazırlarken benimsediklerinin aynısıydı. Leroi-Gourhan Paris'te Collège de France'da ders veren bir antropolog ve etnograftı. Kariyerinin daha önceki döneminde, büyük Fransız düşünür, antropoloji ve arkeolojide Yapısalcı akımın babası Claude Lévi-Strauss (1908-2009) ile birlikte *Musée de L'Homme*'un [İnsan Müzesi] müdür yardımcısıydı. Leroi-Gourhan'ın Üst Paleolitik dönem sanatı araştırmalarına yaptığı katkıyı anlamak için önce Lévi-Strauss'un çalışmalarını dikkate almalıyız.

Babası gibi usta bir müzisyen olan Lévi-Strauss hukuk ve felsefe okudu; düşüncesinde jeoloji, Freudcu psikoloji ve Marx'ın etkisi oldu.[85] Lévi-Strauss İkinci Dünya Savaşı'ndan önce Brezilya São Paulo Üniversitesi'nde ders verip Kaduveo ve Bororo yerlileri arasında etnografik çalışmalar yaptı. Üniversiteden ayrıldıktan sonra Güney Amerikalı Nambikwara ve Tupi-Kawahip kabilelerini ziyaret ettiği bir yıllık bir keşif gezisine çıktı. Ama kuramsal çalışma, yavaş ve zaman kaybettirici olarak gördüğü saha çalışmasından daha çok ilgisini çekiyordu.[86] Savaş sırasında New York'ta *New School for Social Research*'te ders verdi.[87] Burada aralarında Roman Jakobson'un da olduğu çok sayıda Avrupalı dilbilimciyle tanıştı ve onlardan etkilendi.[88] Rapahael'le aynı zamanlarda New York'ta bulunuyordu ama karşılaşmış olmaları olasılığı olmasına karşın buna yönelik bir kanıt yoktur. Savaştan sonra Fransa'nın ABD kültür ataşeliğine atandı. 1948'de Fransa'ya döndü.

Lévi-Strauss bir Marksistti, Raphael'le ortak bir noktaları vardı ama tam anlamıyla hangi anlamda Marksist olduğunu söylemek kolay değildi,[89] aslında Lévi-Strauss'un söylediklerinin çoğunu yerli yerine oturtmak zordur. Cambridge Üniversitesi'nden antropolog Edmund Leach[90] zekice Lévi-Strauss'un Verlaine'in dizelerindeki ünlü *"pas de couleur, rien que la nuance"* ["rengin değil, ararengin sadece"] ifadesine hayranmış gibi göründüğünü belirtir. Lévi-Strauss'un Yapısalcılığı farklı alanlarda sahneye çıksa da en bilineni onun mitolojik araştırmalarıdır. Bunlardan bir Kuzeybatı Amerika Tsimshian miti olan *The Story of Asdiwal*[91] [Asdiwal'ın Öyküsü] en çekicisi, Güney Amerika'dan Amerika'nın kuzeybatısına 800 mitin (ve 1000'den fazla çeşitlemenin) analizi olan dört ciltlik *Mythologiques* de [Mitlerin Mantığı] en muhteşemidir. Lévi-Strauss'un çalışmalarının temelinde ikili rekabetlerin ve bu zıtlıkların uzlaşmasının birleştirici bir unsur, tüm insan düşüncesine eşlik eden gizli bir mantık olduğu görüşü vardır. İkili zıtlıklar iki "zıt" unsurdan oluşur, örneğin: Üst-alt, yaşam-ölüm, dişi-erkek gibi. "Yapı" bunlar gibi mantıksal kategorilerle ve bunlar arasındaki ilişki türleriyle ilgilidir. Lévi-Strauss'a göre her toplumun dili, akrabalık sistemi ve mitolojisi bu ikili temanın çeşitlemeleridir.[92]

Buna benzer tüm sınıflandırma ve ilişki sistemlerinde kaçınılmaz olarak anormallikler olur: Gerçek tarih bazen günün koşullarıyla çelişir; sınıflandırma sistemlerine düzgünce uymayan insanlar ve hayvanlar her zaman bulunur. Lévi-Strauss'a göre[93] "mitin işlevi bir çelişkiyi ortadan kaldırabilecek mantıksal bir model ortaya koymaktır (aslında çelişki gerçekse, bu çok olanaklı değildir)." Mitin kaderi sonuçta başarısız olmak olduğu için her biri diğerinden biraz farklı çok sayıda çeşitlemesi yaratılır. Lévi-Strauss'un dediği gibi "Mit böylece onu yaratan düşünsel dürtü tükenene kadar sarmal biçiminde gelişir."[94]

Leroi-Gourhan, Lévi-Strauss'la yollarının nasıl kesiştiğine dair pek bir şey anlatmaz – aynı öğretmenler odasında bazen kahve içmişlikleri vardır ama felsefi ve metodolojik yaklaşımını Lévi-Strauss'a borçlu olduğu konusunda şüphe yoktur. Leroi-Gourhan'ın Collège de France'daki meslektaşından yaptığı alıntılar seyrek olabilir ama açıkça Lévi-Strauss'un geliştirdiği bilinen Yapısalcılık konusunda özgünlük iddiasında bulunmaya çalıştığını öne sürmek haksızlık olur: Leroi-Gourhan Lévi-Strauss'a borçlu olduğunu açıkça kabul etmiştir.

Leroi-Gourhan devasa yapıtı *The Art of Prehistoric Man in Western Europe* [Batı Avrupa'da Tarihöncesi İnsanın Sanatı][95] üzerinde arkadaşlarıyla birlikte çalışmaya 1957'de başladığını söyler. 1964'te daha kısa bir kitap yayımlar: *Les Religions de la Préhistoire* [Tarihöncesinin Dinleri]. Başlangıçtan itibaren, beklediğinin aksine oraya buraya dağılmış düzensiz imgeler bulmadığını söyler; tersine "her bir imge grubunun somutlaştırdığı uyumdan" etkilenmiştir.[96] Leroi-Gourhan ve Laming-Emperaire ilk andan itibaren aynı yolda ilerlediklerini fark ederler. Leroi-Gourhan imge kümelerinin Laming-Emperaire fark edene kadar "tamamen gözden kaçtığını"[97] söyler ama bu doğru değildir: Raphael kümeleri kesin olarak fark etmişti. Bu noktada araştırmalarını ayrı sürdürmeye karar verdiler. Daha sonra çalışmalarının sonuçlarını karşılaştırdıkları zaman, her ikisinin de yanlış yönde ilerlemiş olması durumunda bunu "en azından bir derece ilgi çekici olmayı hak edecek biçimde aynı yön duygusuyla yapmış olacaklarını" buldular.[98]

Leroi-Gourhan'ın çalışmasını özetledikçe, bunun hipotezleri değerlendirmek konusunda söz ettiğim beş ölçüte uyar *gibi göründüğü* ortaya çıkacak.

Kesinlikle o zamanlar için sağlam olarak yerleşmiş felsefi yaklaşımla (Yapısalcılıkla) uyum içindedir; kendi içinde tutarlıdır; (bir dereceye kadar) farklı veri gruplarını kapsar; "gerçek" veriyle bağlantılı görünür; yeni araştırma alanları açar gibidir. Biraz ileride bu kabullerin bazılarının asılsız olduğunu göstereceğim.

Leroi-Gourhan, 50 yıl boyunca birbiri ardına her kitapta yer alan genellemeleri, muğlak ve belirsiz olmaları nedeniyle reddederek işe başladı. Örneğin, hayvanları acemice yiyecek ve tehlikeli yaratıklar olarak ayırmak, ona göre, yüzeysel ve önyargılıydı. Raphael ile Laming-Emperaire'e paralel olarak etnografik analojilerin kullanımını da reddetti, araştırmacıların açıklamalarını sanat verilerinden türetmeleri gerektiğini söylüyordu. Ancak, Raphael ve Laming-Emperaire gibi o da kulağa çok güzel gelen bu yaklaşımın olanaksız olduğunu anladı. Araştırmasına taşınabilir sanat yerine duvar sanatıyla başladı; duvar resimleri insanlar onları nereye koyduysa orada kalıyordu, bu da mekânsal yapıyı araştıracak biri için temel etkenlerden biriydi. Daha önemlisi, Raphael ve Laming-Emperaire'i izleyerek, sanatın Breuil'ün öne sürdüğü gibi dağınık tekil imgeler değil, birbirleriyle ilişkileri içinde anlaşılmaları gereken bir dizi dikkatlice düzenlenmiş kümeler olduğunu kabul etti.

Leroi-Gourhan'ın ilkelerinden bazılarının kaynağı Vico'nun fikirleridir. Bunların ilki Üst Paleolitik dönem insanlarının beyinlerinin/zihinlerinin bizim ve bugün yaşayan herkesinkiyle aynı olduğudur: Onlarınki "ilkel zihniyet" değildi. Bu, Lévi-Strauss'un *Yaban Düşünce*[99] gibi çalışmalarda inandırıcı bir biçimde gösterdiği bir noktaydı. Bir başka ilke Üst Paleolitik dönem insanlarının zihinlerinin "biçimini" maddi dünyaya yansıtmış olmalarıdır. Bir üçüncü ilke Üst Paleolitik dönem zihninin yarattığı ürünlerin yakından incelenmesi onun işleyişi hakkında bir şeyler ortaya koyacaktır. Bu son nokta, kabul etmek gerekir ki oldukça döngüsel niteliktedir: Dilbilim ve Yapısalcılıktan alınma kavramların sonucu olarak, zihnin belirli bir biçimde çalıştığına karar verip sonra da sanat verilerini o biçimde analiz etmeye karar verirsek, çalışmamızın sonucu bir ölçüde önceden belirlenmiş olur.

Daha açık bir ifadeyle, Leroi-Gourhan, Lévi-Strauss'un zihnin bir bilgisayar gibi ikili zıtlıklarla işlediğine, anlamın da bu zıtlıkların unsurları arasındaki ilişkilerde yattığına yönelik önermesini kabul etmişti. Bu noktada, ışık-karanlık, erkek-dişi, tanrısal-insani gibi ikili zıtlıklar anımsanacak olursa her şey yolunda görünür. Ama Üst Paleolitik dönem mağara sanatında tam olarak hangi ikili zıtlıklar görülebilir?

Bu ilkelerden yola çıkan Leroi-Gourhan, 66 mağaradaki imgelerin sayısal verilerini inceledi. Mağaraların Laming-Emperaire'in öngördüğü çerçevede ayrıntılı haritalarını hazırladı ve delikli kartlar kullanarak imgelerin sayılarını ve yerlerini analiz etti. Ama benzer tüm örneklerde olduğu gibi sisteme yüklenen sınıflandırmalar ile imgeler arasındaki olası ilişkiler araştırmacının zihninden türer. Bir anlamda, kendi kurguladığı soruları kendine soran Leroi-Gourhan'dı.

Şimdi Leroi-Gourhan'ın, kendisinin de dürüstçe "bir hipotezler labirenti" olarak adlandırdığı oldukça karmaşık hipotezinin önemli unsurlarına göz atalım.[100] İşleri daha da karmaşıklaştırmak için, eleştirilere yanıt olacak biçimde ve özellikle kendi açıklamaları ile "gerçek" sanat verileri arasındaki tutarsızlıklar nedeniyle, çalışmasının farklı yönleri hakkında fikirlerini değiştirdi. Onun düşünceleri ile çalışmasına yöneltilen eleştiriler arasındaki "diyalektik" ne kadar ilginç olursa olsun,[101] yapmayı kabul ettiği tüm değişiklikleri incelememiz gerekmez; bizi daha çok çalışmasının temelleri ve ilkeleri ilgilendiriyor.

Leroi-Gourhan ilk olarak hayvan resimlerini dört gruba ayırabileceğini düşündü:[102]

A Küçük otoburlar: At, dağ keçisi, erkek geyik, ren geyiği, dişi geyik

B Büyük otoburlar: Bizon, yaban öküzü

C Dış çevre türleri: Mamut, dağ keçisi

D Tehlikeli hayvanlar: Kedigiller, ayı, gergedan

Sonra bir adım ileri gitti. A grubundaki hayvanları "erkek", B grubundakileri "dişi" olarak belirledi. Burada her bir imgenin cinsiyetine gönderme yapmaz.

14. Leroi-Gourhan'ın imgeler ve işaretlerle ifade edilmiş erkek-dişi zıtlığının tablo halindeki özeti. Bunlar mağaralarda "birbirlerine zıt" şekilde veya "çiftler" halinde bulunur.

Bunun yerine, metafizik özellikler olarak, A grubu türlerinin "erkekliği", B grubundaki türlerin "dişiliği" temsil ettiğini söyler (14. resim). C grubu türleri, A ve B gruplarının çevrelerine çizilmiş gibi görünen türlerdi. D grubu ise insanların korkacağı farklı bir hayvan grubunu oluşturuyordu.

Bir sonraki adımda simgeleri ele aldı. Yine görünüşe göre Raphael'in çalışmalarından etkilenerek iki sınıf belirledi: a ve b. Grup a, kendi deyimiyle "dar" işaretlerden oluşuyordu: Kancalı veya "mızrak atıcı" biçiminde işaretler, dikenli işaretler, tek ve çift çizgiler ve nokta sıraları. Grup b "geniş" işaretlerden oluşuyordu: Üçgenler, ovaller, dört köşeli işaretler ve beyzbol sopası biçimleri. Her iki grubun da, erkek ve dişi üreme organlarının şematik temsillerinden türemiş göründüğünü ileri sürdü. Bu ikili sınıflandırma (a – b) A ve B hayvan gruplarına bağlanmıştı: "Dar" işaretler erkek, "geniş" işaretler dişi olarak kabul edildi. Hem hayvan hem de simge grupları böylece birbirlerini "simgeliyor" olabilirdi (14. resim). Kısaca, Üst Paleolitik dönem sanatı temel ikili zıtlık A + a (erkek) / B + b (dişi) olarak özetlenebilirdi.

Bu, Leroi-Gourhan'ın resimler ile simgelerin birbirleriyle hiçbir ilişkisi olmadığı yolundaki iddiaya verdiği yanıttı. Aksine onları, sanki bir kitapta farklı yollarla aynı şeyi anlatan metin ve diyagramlar gibi birbirini tamamlayan simge sistemleri olarak görüyordu. Sonraki bölümlerden birinde *bazı* işaretlerin hayvan imgeleriyle aynı düzende ve sistemde olduklarını savunacağım; bunlar paralel olmakla birlikte farklı sistemler değildir: Bazı simgeler ve hayvanlar aynı kaynaktan doğmuştur.

Leroi-Gourhan daha sonra A ve B'nin ikili karşıtlık oluşturduğunu, C grubu hayvanlarının da çevresel eklemeler olduğunu gördü. Böylelikle bir özet "mitogram" oluşturabildi. A + B – C (tire işareti eksi anlamına gelmez). Bu mitogramın tüm dönem boyunca Üst Paleolitik dönem sanatının zihinsel şablonu –*langue*– olduğunu savundu. Leroi-Gourhan böylece Saussurecü *langue* kavramını alıp Lévi-Straussçu ikili karşıtlığa dönüştürmüş oldu.

Şimdi Leroi-Gourhan'ın mağaralardaki bu imge takımlarını nasıl ilişkilendirdiğine geliyoruz. Önce mağaraları bazı bölgelere ayırdı: Girişler, orta bölgeler ve derin bölgeler (küçük, yan odalar, *divertiküllere* de [çıkmazlara] yer verdi). Erkek hayvanların ve simgelerin mağaralar içinde farklı noktalara yayıldığını, bununla birlikte dişi hayvanlar ile işaretlerin merkez bölgelerinde kümelendiğini öne sürdü. Bu merkezi bölgelerde at-bizon/yaban öküzü eşleşmesi öne çıkıyordu; C grubu hayvanları merkez dışında yer alıyordu. Mağaranın derinliklerindeki dip odaların tehlikeli hayvanlarla ilişkili olduğu söyleniyordu. Mağaranın kendisi böylece "mesajın" ayrılmaz bir parçası oluyordu. Leroi-Gourhan mağarayı da önemli ölçüde dişi olarak görüyordu. Kendi ifadesiyle:

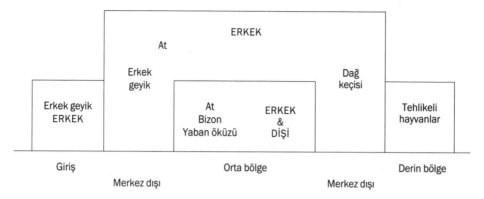

15. Leroi-Gourhan'ın ideal bir Üst Paleolitik dönem mağarası anlayışının basitleştirilmiş bir biçimi. Giriş ve derinlerdeki bölümler "çiftli" imgelerin ve işaretlerin bulunduğu en büyük öneme sahip merkez bölgesini yandan destekler.

> Paleolitik dönem insanları mağaralarda iki büyük canlı sınıfını, bunlarla uyumlu erkek ve dişi simgeleri ve avcıların besinlerini temin ettikleri avların ölüm simgelerini resmetti. Mağaranın merkez bölgesinde sistem, erkek simgelerin ana dişi figürlerin etrafına yerleştirildiği biçimde ifade edilir, oysa kutsal mekânın diğer bölgelerinde sadece yeraltı boşluğunun kendisi için tamamlayıcı unsurlar olan erkek temsilleri buluruz.[103]

Özetle, Leroi-Gourhan[104] sanatın "canlı dünyanın doğal ve doğaüstücü düzeni hakkındaki düşüncelerin ifadesi" olduğuna inanıyordu. Biraz çekinceyle, o eski düşünce sisteminde "ikisinin bir ve aynı" şey olabileceğini ekledi. Bu noktada Lévi-Strauss'un Yapısalcılığının bir yorumunu net olarak görebiliriz: Leroi-Gourhan'ın mitogramı görünüşe göre, Lévi-Strauss'un ifadesiyle mitin üstlendiği rol gibi temel bir karşıtlığı veya paralel karşıtlıkları aşmayı dener ve bunu ortaya koyar. Lévi-Strauss'un sözlerini[105] tekrarlayarak Paleolitik dönem sanatının "onu yaratan düşünsel dürtü tükenene kadar sarmal biçiminde gelişir" diyebilir miyiz? Üst Paleolitik dönemin başlangıcından sonuna dek bütün panolar erkek/dişi, kültür/doğa veya başka paralel karşıtlıklar ve çelişkileri mi ele almaktadır?

Leroi-Gourhan'la İtalya, Valcamonica'da 1972'de yaptığım birkaç ilginç sohbette, o zamanlar mitogramın ve mağaralardaki planlı motif dağılımının doğruluğuna inandığını gördüm. İkna edici olarak bulduğu şey çalışmasının öngörü potansiyeliydi: Daha önce hiç girmediği bir mağarada, örneğin bir bizon imgesi gösterildiğinde –rehberini şaşkınlığa uğratarak– onu tamamlayacak bir atın var olacağını önceden söyleyebiliyordu. Ama önemli bir çekince kaydediyordu: At-bizon / erkek-dişi karşıtlıklarının mitogramın yalnızca bir nitelendirmesi olduğuna inanıyordu. Ona göre mitogram çok farklı anlamlar taşıyabilecek bir *araçtı*. Kendi dile getirmese de muhtemelen Lévi-Strauss'un kültür-doğa, erkek-dişi gibi büyük karşıtlıkları bıkıp usanmadan yinelemesi onu etkilemişti ve mitogram için erkek-dişi zıtlığından daha tarafsız bir nitelendirme seçmesi daha düşünceli olurdu.

Leroi-Gourhan'ın çalışması, eski sanat için sanat ve büyü açıklamalarıyla karşılaştırıldığında insan emek ve yaratıcılık bileşimi karşısında hayretler içinde kalmadan edemez. Neden o zaman araştırmacılar onun açıklamasını sonunda terk etti? Başarısızlıklarını sayarken bazı eleştirmenler yakışıksız bir zafer gösterisi yolunu benimser; onun kavrayışlarından çok hatalarıyla ilgilidirler. Bazıları mantıksızca onu, Üst Paleolitik dönem sanatını anlamaya çalışan herkesi bekleyen kaçınılmaz başarısızlığın tipik bir örneğiymiş gibi sunar.

Özünde Leroi-Gourhan'ın akademik olarak gözden düşmesinin temel nedeni, somut veriyle eklemleme ölçütüne bağlıdır. Kendisi çalışmasının gözleme dayanma boyutunu vurgulasa ve mağaralarda yapılacak daha çok gözlem çalışmasının onun anlayışının açıklama potansiyelini artıracağına inansa da bunun aksi gerçekleşti.

Öncelikle mağaraların topografyalarının çeşitliliği onları giriş/merkez/derin/divertikül [çıkmaz] bölgeler çerçevesinde birbirleriyle karşılaştırılmalarını olanaksız kılar. Bu sorun Leroi-Gourhan'ı bazen bir bölgeyi topografyayla değil, resmi yapılmış türler aracılığıyla belirlemeye itmiştir – bu da döngüsel bir savdır. Bazen bir mağara duvarındaki bir işaretin belirli bir türe ait olduğunu belirlemesi, görünüşe göre, onun mağaranın o bölgesi hakkında sahip olduğu önyargının sonucudur. Sonra istatistikleri de farklı açılardan eleştirilmiştir.[106] Yıllar geçip peş peşe mağaralar keşfedildiğinde, buna benzer deneysel sorunlar gittikçe arttı ve araştırmacılar sonunda bütün Yapısalcı binanın çürük deneysel temeller üzerine inşa edildiği sonucuna vardı. Mitogram gerçek olamayacak kadar iyi ve derli topluydu. Leroi-Gourhan'ın fikri Breuil'ün büyü açıklamasının uyum becerisine sahip değildi. İşin garip yanı, Leroi-Gourhan'ın çalışması, deneysel çalışmayla geçersiz kılınabilme özelliğinden dolayı, Karl Popper'ın deyimiyle çürütülebilir olduğu için "iyi" bir hipotezdi. Mitogram hipotezinin diğer özellikleri ne olursa olsun deneysel olarak başarısız olmuştur.

Yirminci yüzyılın sonlarına doğru mitogram hipotezinin araştırmacıları en çok rahatsız eden özelliği, Leroi-Gourhan'ın mağaraların süslenmesi formülünün bütün Üst Paleolitik dönem süresince sürdüğü konusunda ısrarıydı. Açıklaması bir blok gibi yekpare olma özelliğinden dolayı alay konusu oldu. Onu eleştirenler bu kadar uzun bir dönemin geniş kapsamlı değişikliklere sahne olması gerektiğini düşünüyordu; zaman içinde ve mekânlar arasında onun kabul ettiğinden daha çok çeşitlilik olmalıydı. Bu, aslında kuşkulu bir itirazdır. Zamanın akışı değişime *neden olmaz*, yalnızca onun olmasına izin verir. Araştırmacıların kayda değer ölçüde değişim olması gerektiği önsezinin ötesinde, değişimin niye olmuş olması gerektiğine dair bir sebep yoktur. Sonra, ne tür bir değişimden söz ettiğimiz konusunda açık olmalıyız. Mitogramın temel olarak aynı kaldığını ama içeriğinin veya anlamlarının değişmiş olabileceğini söylersek, Leroi-Gourhan'ın da kabul edeceği önemli bir noktaya temas etmiş oluruz. At ve bizon hiç şüphesiz çok uzun süre kullanılan Üst Paleolitik dönem motifleridir ama her zaman aynı anlamları mı taşımışlardır? Bu nedenle değişim görmeden geçmiş binlerce yılın olanaksız bir önerme gibi görülmesinden yakındığımızda daha kesin konuşmalıyız. Gerek değişim gerek durağanlık varsayılmak yerine kanıtlanmalıdır.

Bununla birlikte yanlışlanan şeyin tam olarak ne olduğunu göstermeliyiz. Daha çeşitli verilerle bağdaşmadığı gösterilen şey –yapı *kavramı* değil– türlerin gruplanması/eşlenmesi ve mağaralardaki dağılımlarıydı. Raphael, Laming-Emperaire ve Leroi-Gourhan, hipotezlerinin belirli noktalarında yanılmış olabilirler ama mağaraların aslında bir örüntüye sahip oldukları konusunda haklıydılar. Sorunun can alıcı noktası örüntüyü (daha doğrusu bir örüntü) saptayacak ve ortaya çıkaracak bir ölçüt belirlemektir.

İşin tuhafı, Yapısalcılığın arkeolojide en titiz biçimde kullanımını ortaya koymasına karşın, Leroi-Gourhan'ın etkisi, en parlak döneminde –ve kendi ülkesi Fransa'da– bile sınırlı kaldı. Bu sınırlılık bugün onu görmezden gelmenin bu kadar kolay olmasına karşın çalışmasından neden yararlanıldığını açıklayabilir. Ayrıca şu bir gerçek ki Leroi-Gourhan Yapısalcı çalışmasını arkeolojinin, sıkı sıkıya "bilimsel" bir disiplin için çaba gösteren, Yeni Arkeologlar olarak bilinen araştırmacıların büyük etkisinin olduğu, eski simgelere ve inanç sistemlerine sırtını döndüğü bir dönemde gerçekleştirdi.[107] Bu konular hakkındaki kuşkuculuk bugünün gündemi haline geldi.

TOPLUMA GERİ DÖNÜŞ... VE FAZLASI

Leroi-Gourhan'ın çalışması, bütün karmaşıklığı ve sorunlarıyla birlikte, bu bölümün doruk noktasıdır. Yıldızı on yirmi yıl kadar parladı (gerçi baştan itibaren tartışmalıydı) ama terk edilmesi hızlı ve kesin oldu; inişli çıkışlı tarih çok dik bir pike yaptı. Ne yazık ki yapısalcı yaklaşım, pek çok geçerli ilkesiyle birlikte bütünüyle bir kenara atıldı. Kurunun yanında yaş da yandı ve fikir olgunlaşamadan gömüldü. Bunun sonucunda Üst Paleolitik dönem sanatı en önemli bazı profesyonellerini yitirme tehlikesi içinde. Bugün, Lévi-Strauss'un "bizi kendi tarihimizi unutmaya yönelten gözü dönmüş bir heves"[108] olarak adlandırdığı bir şey var gibi görünüyor – ya da her halükârda bizden öncekilerin başarısızlıklarına ve hatalarına odaklanarak olumlu yönlerini unutmak olarak da adlandırılabilir. Bugün araştırmacıların pek azı yapısalcı olarak görünmek istiyor. 1997'de bizzat Lévi-Strauss genel noktayı güçlü bir biçimde ortaya koydu:

İngiltere'de eski ustaları eleştirmek ve reddetmek oldukça yaygındır. Bu, tüm bilimsel disiplinlerin tarihinde düzenli aralıklarla gerçekleşir. Ama bilim geçmiş kanıtları reddederek değil yeni kanıtlar ekleyerek gelişmelidir.[109]

Yapısalcılığın ardından kuram-karşıtı agnostik deneycilik çağı geldi.[110] Araştırmacılar yapısalcılığı, verilerden daha anlamlı sonuçlar çıkartacak bir başka kuramsal bakış açısı uğruna bırakmadı: Tam aksine kuramı tamamen terk ettiler. En azından onlar böyle sanıyordu.

Ama bu, tam anlamıyla bir bilim karşıtı gerici Karanlık Çağ değildi. Georges Sauvet,[111] Denis Vialou[112] ve Federico Bernaldo de Quirós[113] gibi bazı araştırmacılar, yapısalcı açıklamaları faydalı bir biçimde izledi. Sauvet'ye göre örüntüler işaretlerin biçimsel analiziyle ortaya çıkabilir; Vialou'ya göreyse örüntü, türlerin belirli panolardaki dağılımında bulunur. Bernaldo de Quirós Altamira'yı geçitlerle birbirine bağlanmış üç ana bölümden veya çekirdekten oluşan planlı bir yapı olarak görür: "Aslında mağaranın süslemeleri, At Kuyruğu bölümündeki maskeler, Çukur bölgesindeki dişi geyik kafası ve Büyük Pano'daki bizon figürleri örneklerinde olduğu gibi, sürekli olarak doğal kabartmalardan yaralanan bir örüntüye uyar görünmektedir."[114] Quirós, mağaranın bölümlerinin kabul ayinleri için mekân olarak tasarlandığını düşünmektedir.[115] Yapı böylece kabul ayinleri yoluyla toplumsal düzenin yeniden üretilmesine katkıda bulunuyordu.[116] Sauvet, Vialou ve Bernaldo de Quirós ortaya çıkardıklarına inandıkları belirli örüntüler konusunda haklıysa, önemli olan nokta bir örüntü olması gerektiğini savunmaya devam etmeleridir.

Başka araştırmacılar soruna toplumsal açıdan yaklaşımlar getirdi. Laming-Emperaire son bildirisinde[117] Raphael'in sosyolojik görüşüne geri döndü. At ve bizonun bariz olarak öne çıkmaları konusunda emin olmaya devam etti ama mağaralarda resmedilmiş farklı türlerin toplumsal zümreleri temsil ettiği, bazı panoların bu grupların kökenlerine ilişkin mitlerden söz ettiği görüşüne geri döndü. Sanat temelde toplumsal bir olaydı. Mit ve mitogram böylece onun düşüncesinde bir araya geliyordu.

Mitogram bilmecelerin en büyüğünü çözmedi, hatta aslında çözmeyi bile denemedi: Üst Paleolitik dönem insanları neden karanlık, derin mağaralarda resimler yapmıştı? Kapsadığı veri sayısı ve türleri son derece sınırlıydı. Yeraltındaki bu ilginç Üst Paleolitik dönem etkinliğinin nedeni toplumsal olmalıydı; insanları Üst Paleolitik dönem boyunca yeraltına sürüklemeye devam eden uzun ömürlü toplumsal baskılar söz konusu olmalıydı ve araştırmamızı "mesajın anlamı"yla sınırlandırmamız ve toplumsal bağlamını göz ardı etmemiz halinde gereksiz yere kendi kendimize engel çıkarmış olurduk.

Bazı araştırmacılar, vurguyu mesajın içeriğinden biçimine ve nedenlerine kaydırarak pek çok imgenin şaşırtıcı topografik bağlamı ile "bilgi aktarımı" arasında bir ilişki kurdu ve yeni "bilgi kuramındaki" gelişmelerden yararlandı. Aydınlanmışların ve başkalarının toplumsal gelenekler gibi konularda kritik bilgileri edinmeleri için mağaralardaki şartlarla psikolojik olarak hazırlandıklarını savundular.[118] Diğerleri bu varsayılan "bilgi" ile ittifak ağları oluşturan dağınık ama birbirlerine bağımlı topluluklar arasındaki ilişkiyi birleştirdi.[119] "Geç Pleistosen çağda Avrupa'da duvar sanatının ortaya çıkması, toplumsal ağların, artan nüfus yoğunluğu koşullarında, sıklaşması sonucu oldu."[120] Antonio Gilman[121] bu türden ittifak kuramına Marksist bir yaklaşım getirdi ve ittifak ağları içindeki gerilimlerin Orta Paleolitik'ten Üst Paleolitik'e Geçiş'e neden olduğunu, sonrasında da sanatın kimlik simgelerine duyulan gereksinime yanıt olarak doğduğunu savundu. Sınıfsız toplumların önemli toplumsal değişimlere neden olacak içsel çelişkileri nasıl yaratabildiği uzun süreden beri Marksist kuramcılar için bir sorun olagelmişti.[122] Gilman ne yazık ki bu çalışmayı sürdürmedi.

Bu bilgi kuramını temel alan açıklamalar bazı açılardan malumu ilan eder (resimlerin bir anlamı vardır) ve aynı zamanda resimlerin, sözcüklerden daha çok olmak üzere, muazzam miktarda bilgi taşıdığı yönündeki tartışmalı önermeyi kabul eder. Ama sanat tarihçisi Ernst Gombrich'in[123] gösterdiği gibi, resimler duygulandırma gücüne sahiptir ama aslında çok az bilgi taşır: İnsanlar resimleri farklı biçimlerde okudukları için imgeler her zaman anlamsal olarak belirsiz kalacaktır. Resimler için çok farklı şekillerde, yani deneyim veya dil yoluyla edinilmiş, bilgi anılarını tetiklediği söylenebilir. Bu nedenle Üst Paleolitik dönem imgelerinin bellek geliştirme yöntemi olarak kullanılmış olma olasılığı olsa bile bilgi depolama ve iletme kapasiteleri sınırlıydı. Günümüz bilgisayarlarının sabit diskleri gibi değillerdi.

Sanatın ortaya çıkışıyla ilgili son bir açıklama, insanın aklını çelecek ölçüde evrim kuramına bağlı olduğu için bir yorumu hak ediyor. Edinburgh Üniversitesi'nden Ellen Dissanayake, sanatın türümüze özgü olduğunu savunur ve sanatı, tüm "sanatları" kapsayan bir süreç olarak, "özel kılma" yolu olarak tanımlar.[124] Ona göre esnek olan işte bu "özel kılma" durumudur, resim yapma veya diğer "sanatların" herhangi biri değil. Bana göre bu tanım ve açıklama çok geneldir: Sanat türlerini birbirlerinden ayırmalı ve her birinin ortaya koyduğu belirli sorunları incelemeliyiz. Sonra, sanatı toplumsal açıdan açıklamamız gerek – yalnızca insanın hayatta kalmasını nasıl sağladığını değil toplum içinde nasıl işlediğini de.

Bu düşünceler bizi bu kitabın temel fikirlerinden birine –metodolojiye– geri götürüyor. Bir yüzyıllık Üst Paleolitik dönem sanatının anlamı ve amacı konusundaki araştırmalardan öğrendiğimiz bir şey varsa o da ortaya koydukları soruları çözmek için üzerinde herkesin anlaşmış olduğu bir metodun olmadığı ve imgelerin anlamları ile mağaralardaki tuhaf yerleşimleri gibi farklı türden soruları ele almamız gerektiğidir. Birbirlerinden bu denli farklı konuları çözmeye başlamak için birtakım kanıtları bir araya getirmemiz gerekecek,[125] 4. Bölüm'de tartışacağım gibi, tümevarım, tümdengelim veya kıyas yoluyla olsun, tek bir "katışıksız" metot yeterli olmayacaktır.[126] Doğrudur, ispat kolay kolay ulaşılamayacak bir kavram olarak kalacaktır ama öyle inanıyorum ki Üst Paleolitik dönem sanatının ortaya koyduğu karmaşık sorunları ele almak için bir araya gelen tamamlayıcı kanıtlar ikna edici hipotezler yaratacaktır. Kendi toplumsal bağlamımızın etkisinin ve "bilim" camiasının toplumsal baskılarla nasıl biçimlendiğinin farkında olarak, şimdiye dek Üst Paleolitik dönem sanatının belirli, özel yönlerini ele almak için şimdiye dek kullanılmış olanlardan daha karmaşık bir metot geliştirmemiz gerekiyor.

Bu bölüm boyunca temelde modernist veya gerçekçi bir yaklaşım benimsedim. Bilimin toplumsal bir etkinlik olmasından ötürü, tüm açıklamaların yalnızca kendi dönemlerinin bir ürünü olduğunu, bu nedenle de gerçekten olduğu şekliyle geçmişin bir parçası olan bir durumun az çok yaklaşık olarak değerlendirilebileceğinin söylenemeyeceğini varsaymanın ciddi bir yanlış olacağına inanıyorum. "Oralarda bir yerlerdeki" gerçek dünya hakkında bilgi üretilebileceğine inancım tam. Sonu gelmez bir yapıçözüme girişmemiz gerekmiyor. Yalnızca ve tamamen simgelerden oluşan bir dünyada yaşamıyoruz. Bu tartışmalı düşünceleri tüm yönleriyle ele almam şüphesiz mümkün değil. Yapabileceğim tek şey kendi yaklaşımımı ifade etmek: (Geçmiş hakkındaki hipotezler gibi) bazı betimlemelerin gerçeklikle diğerlerinden daha fazla uyumlu olduğuna ve bunların neler olduğunu belirleyebileceğimize inanıyorum. Eğer öyle olmasaydı ne telefon, ne radyo ne de gezegenler arası yolculuk olurdu.

Toplumsal çerçevenin etkilerini kabul ederek ve aynı zamanda gerçek tarihsel geçmişi ve ona yaklaşık olarak ulaşabilecek hipotezlerin ortaya konabileceğini vurgulayarak, Üst Paleolitik dönemde Batı Avrupa mağaralarında insan zihnine neler olduğu gizemini ele almak üzere ilerleyebiliriz. Bundan sonraki bölümlerin dayandığı epistemolojik ilke budur. Günümüzde göz ardı edilen önemli bir kanıt parçasını belirlemek için Vico'ya ve diğer eski yazarlara geri dönmemiz ve insan zihninin kendisini, daha doğrusu zihin yapısının bazı yönlerini, gündelik yaşamda karşılaştığımız, belirleyici özellikleri olmayan duyu izlenimleri akışı üzerine yansıtma eğilimi içinde olduğunu anımsamamız gerek. Bu nedenle insanın beynine, zihnine, zekâsına ve ele avuca sığmaz, değişken bilincine daha yakından bakmalıyız. Ama önce Batı Avrupa'da yaklaşık 45.000 ilâ 35.000 yıl önce neler olduğunu görmemiz ve bu olayların insan davranışında çok daha büyük ölçekli bir değişimin yalnızca küçük bir kesiti olduğunu anlamamız gerekiyor. Beyin ve değişen toplumsal ilişkiler zihni biçimlendiriyordu.[127]

3. BÖLÜM
YARATICI BİR YANILSAMA

Darwin'in Wallace'ın çarpıcı makalesini almasından ve evrimin işleyişi konusunda kendi fikirlerini yayımlatmak için acele etmek zorunda kalacağını fark etmesinden iki yıl önce, tesadüfen yapılan bir keşif Almanya'da tartışma yarattı. Bölgede Feldhofer Grotto olarak bilinen bir mağarayı kazan işçiler, bulduklarının bazılarını bölgedeki okulun müdürü ve amatör doğabilimci Johann Fuhlrott'a gösterdi.[128]

Mağara, ortasından Düsseldorf'da Rhine'a katılmadan önce Düssel Nehri'nin aktığı Neander Vadisi'ne hâkim yüksek bir tepedeki bir kireçtaşı kayalığında yer alıyordu. Yaygın kanının aksine, mağaranın aşağısındaki akarsuyun adı Neander değildir. Bu ad, kutsal ekmek ve şarabı reddettiği için Düsseldorf'ta görevli olduğu okuldan atılmış olan, 17. yüzyılda yaşamış ilahiyatçı ve öğretmen Joachim Neander'den gelir. İlahiyat ikilemi üzerinde düşünmek için sık sık vadide yürüyüşlere çıktığından burası da Neander'in Vadisi —Neanderthal— olarak bilinir oldu.

Daha sonra, 1857'de, vadinin kendisi ilahiyatla ilgili sonuçları olan bir ikilem ortaya koydu. İşçiler Fuhlrott'a uzuv kemikleri, bir leğen kemiği parçası ve en çarpıcısı bir kafatasının üst bölümünden kemik parçası gösterdi. Kemiklerin, sık sık kalıntılarını buldukları, nesli tükenmiş mağara ayılarına ait olduğunu varsaydılar. Fuhlrott bu görüşü paylaşmadı: Kafatası kesinlikle bir ayıya ait değildi. Özellikle kaş çıkıntısının, göz çukuru üzerinde yüzü iki yay şeklinde yatay biçimde kesen kemik parçasının, normalden daha belirgin olması dikkatini çekti. Bu kemik çıkıntısının üzerinde alın kalındı ve keskin biçimde geriye doğru eğiliyordu (16. resim). Bu nedenle modern insana ait bir kafatası olması da pek mümkün değildi. Uzuv kemikleri de özellikle sağlam bir yapıya sahipti.

16. 1857'de bulunmuş bir Neandertal kafatası. Bu heyecan verici keşif T.H. Huxley'nin *İnsanın Doğadaki Yeri* başlıklı kitabında (1863) böyle resimlenmişti.

Tüm kemikler, Fuhlrott'un gayet iyi bildiği gibi, ancak uzun sürede biriken mineral bir kabukla kaplıydı.

Kemikleri inceleyen Fuhlrott mağaraya gitti ama başka örnek bulamadı. Bununla birlikte kemiklerin kalın bir çökelti tabakasının altından çıkarıldığını öğrendi. Kesinlikle çok eski olmalıydılar. Ama bunlar bir insana, belki de hastalıklı veya zihinsel engelli birine mi aitti? Yoksa, tanımadığı, başka, insan olmayan bir türe mi? İnsan evrimi için Darwinci bir kavramdan yoksun olan Fuhlrott şaşırıp kalmıştı.

Bu nedenle Bonn Üniversitesi'nin önde gelen anatomi profesörlerinden Hermann Schaaffhausen'la temas kurdu. Birlikte 4 Şubat 1857'de Bonn bilimsel toplantılarında buluntuların betimlemelerini ve bunlarla ilgili görüşlerini sundular; bunu daha ayrıntılı biçimde aynı yılın haziran ayında tekrar ettiler. Schaaffhausen çok özel bir insandı, içinde yer aldığı bazı olaylar da aynı dönemde İngiltere'de yaşananlara benziyordu. Dönemin pek çok aydını gibi evrim kuramına eğilim göstermiş, dahası türlerin varsayıldığı gibi değişmez olduğu konusundaki şüphelerini yayımlamıştı.[129] Ama o ve Fuhlrott, Darwin ile Wallace'ın doğal seçilim kavramından yoksundu ve Neander Vadisi'ndeki kemikler için açıklamalarında tek çare olarak belirsiz genellemelere başvurmak zorunda kaldılar. Kemiklerin, kemikleri yakından tanınan nesli tükenmiş hayvanlarla aynı dönemde yaşamış "barbar ve vahşi bir türden" kalmış olduğunu öne sürdüler.[130] Schaaffhausen zamanın yeşermekte olan öngörüsüyle uyumlu olarak şöyle yazdı: "Çok sayıda barbar ırk... eski dünyanın hayvanlarıyla birlikte ortadan yok olmuş olabilir, bu arada organizasyonları iyileşen ırklar türün devamını sağlamıştır."[131] Bu, insan evrimine, hatta doğal seçilime çok yaklaşmış olmak anlamına gelir. İnsan sanki bir zihinsel barajın patlamak üzere olduğu duygusuna kapılıyor; duvarı çatlatmak için gerekli olan tek şey Darwin'in *Türlerin Kökeni* kitabıydı.

Dönemin diğer tüm sert tartışmaları göz önünde tutulduğunda, söylemeye bile gerek yok, Schaaffhausen'ın buluntularla ilgili yorumlarına şiddetle karşı çıkan çok kişi oldu. Bonn Üniversitesi'nde patoloji profesörü olan August Meyer, 1864 gibi geç bir tarihte –*Türlerin Kökeni*'nin yayımlanmasından beş yıl sonra– kemiklerin, birliğiyle birlikte 1814'te Napoléon'un peşine düşmüş bir Kazak askere ait olduğunu savunmuştu. Şanssız adam, ağır yaralı bir biçimde Neander mağarasına doğru sürünmüş, orada ölmüştü. Önde gelen anatomi uzmanı Rudolf Virchow, Meyer'in buluntuyu reddetmesini destekledi ve etkili otoritesini keşfin kabul edilmesini engellemek için kullandı. İnsan ister istemez Altamira'nın keşfinden sonra yaşananları anımsıyor (1. Bölüm).

Bilim ortamı Manş'ın diğer tarafında, Darwin, Lyell ve Huxley'nin gayretli çalışmaları sayesinde, yeni düşüncelere daha açıktı. 1863'te Huxley,

Evidenceas to Man's Place in Nature [İnsanın Doğadaki Yerinin Kanıtı] başlıklı kitabında Neandertal buluntularının önemini kabul etmişti. Aynı yıl, Charles Lyell'ın eski öğrencisi, İrlanda'daki Galway Queen's College jeoloji profesörü William King, ünlü *Homo neanderthalis* –Neandertal İnsanı– terimini ortaya attı. İki parçalı Latince ad, King'in Neander Vadisi'nden gelen kemiklerin modern insandan, yani *Homo sapiens*'ten farklı bir türü temsil ettiğine inandığını gösterir.

MODERNLİĞE GEÇİŞ

King, Huxley ve diğer pek çok araştırmacı, Neandertal İnsanı'nın maymunsu atalar ile modern insanlar arasındaki eksik halka olup olmadığı yönünde ciddi biçimde kafa yordu. Böylece, Batı Avrupa'da Neandertallerin modern insana boyun eğdiği zaman olan ve bugün Orta Paleolitik'ten Üst Paleolitik'e Geçiş olarak bilinen dönemin sorunlarına ilk el atanlar oldular.[132] Kitabın geri kalanında bu döneme kısaca "Geçiş" diyeceğim.

İnsanlık tarihinin bu kritik döneminin bazı özelliklerini incelemeden önce, yerler ve tarihler konusunda şimdiye kadar olduğumuzdan daha net olmalıyız. İlk olarak, tartışmamız, Geçiş'in iyi belgelendiği ve araştırıldığı Batı Avrupa'yı, özellikle de Güneybatı Fransa ile Kuzey İspanya'yı merkez alacak. Bu bölgede Geçiş 45.000 ilâ 35.000 yıl önce gerçekleşti; Batı Avrupa Geçişi ve Üst Paleolitik'in ana alt bölümlerinin dönemleri ve tarihleri Resim 17'de verilmiştir. Bu bölümün sonunda Batı Avrupa'dan öncesine tarihlenen Afrika kaynaklı kanıtları ele alacağım. Araştırmacıların günümüzde Afrika kanıtlarından yola çıkarak yaptıkları sentez, Geçiş'in Batı Avrupa'daki seyrini daha anlaşılır kılıyor. İnsan toplumunun değişimin bu son araştırmalardan ortaya çıkan resmi, Geçiş'in "Üst Paleolitik Devrim" olarak adlandırılan yönüne ve "Yaratıcı Patlama'ya" –kolayca modern olarak nitelendirilebilecek iskeletlerin, davranışların ve sanatın Batı Avrupa'da görünüşe göre "toptan bir paket" olarak ortaya çıktığı zamana– yeni bir ışık tutuyor.

"Toptan paket" kuramının –yani bütün bölünemez paketin evrim sürecinin bir parçası olması durumunun– öngördüğü şeyin kaçınılmazlığını sorgulamanın yanı sıra sanatın Geçiş döneminde, özellikle Batı Avrupa'da oynadığı rolü incelememiz gerekir. Ama önce kısaca uygun metodoloji sorununa geri dönmeliyiz.

Geçiş'le ilgili açıklamaların çoğu Batı Avrupa'nın iklimi ve ekolojisiyle başlar, ardından insanın yarattığı teknolojiye geçer, sonra toplumsal örgütlenme gelir ve sanki resim yapmak beklenen ve her durumda çok önemli sonuçlar yaratmayan bir şeymiş gibi sanat üzerine kısa bir bölümle sona erer. Mantıklıymış gibi görünen bu mantıksal yaklaşım Laming-Empera-

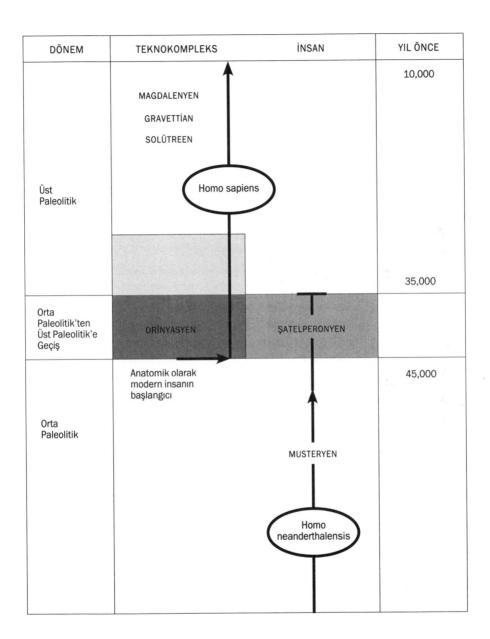

17. Orta Paleolitik'ten Üst Paleolitik döneme Geçiş'in şematik temsili. *Homo sapiens*, arkaik tür yok olmadan önce *Homo neanderthalensis*'le yan yana yaşamıştı.

ire ve Leroi-Gourhan'ın mağaraların haritalarını çıkartıp imgelerin yerlerini haritalarına işaretlediklerinde benimsediği yaklaşımla karşılaştırılabilir: (Çok büyük olasılıkla baştan itibaren akılda olan) belirli bir yanıtı önceden belirleme tehlikesini taşır. Laming-Emperaire ve Leroi-Gourhan'ın yapısalcı ve mitogramcı hipotezleri kaçınılmaz olarak mağaralardaki hayvan türlerinin konumlarına dayanıyordu çünkü verilerini bu yolla toplamış ve ele almışlardı (2. Bölüm). Açıklamalarının metotlarını belirlemediğini, bu metotlardan türediğini düşünüyorlardı ama metot ile açıklama arasında bu kadar doğrusal bir sıralamaya inanmak biraz safçadır. Benzer biçimde Geçiş üzerine yazanların tercih ettiği açıklama zinciri, "sanatın" (imge yapma, süslenme, müzik, dans) *çevre* faktörlerinin nedensel zincir sonunda ortaya çıkmış bir paketin birleşik, simgesel ve estetik bir bileşeni olduğu sonucuna varma eğilimindedir. Araştırmacıların kullandığı metot türü böylece sonunda bulacakları açıklama türünün (ayrıntılarını değilse) doğasını belirler.

Sanatı simgesel bir paketin kaçınılmaz parçası olarak gören bir açıklamaya karşı, –"estetik duygusu" bir yana– sanatın, ister buz katmanlarının yayılmasının yarattığı çevresel gerilim olsun, ister buzullaşmanın başlamasının neden olduğu toplumsal gerilim, bir başka şeyin basit bir *sonucu* olarak görülmemesi gerektiğini savunuyorum. Sanat yaratımı, ortaya çıkarsa veya ortaya çıktığında, daha çok, birbirleriyle iç içe geçmiş etmenlerin dinamik bir bağlantı noktasının etkin bir öğesidir. Sanat basit olarak bir kaçınılmaz sonuç veya nedensellik zincirindeki son halka değildi. Bazı yazarların öne sürdüğü gibi evrilen "estetik duygusunun" kaçınılmaz sonucu değildi. Tersine, estetik duygusunun (böyle bir şey varsa eğer) resim yapma anlamında sanatın ilk ortaya çıkışından *sonra* gelişmiş bir şey olduğunu savunuyorum; sanat yaratımının nedeni değil, bir sonucuydu, ayrıca gerçek insanların, beyinlerinin yapısı içinde miras aldıkları değil, belirli zamanlarda, belirli yerlerde ve belirli toplumsal koşullarda meydana getirdikleri bir sonuçtu.[133]

KARŞITLIKLAR

Metot ile açıklama arasındaki ilişki hakkındaki bu uyarıları aklımızda tutarak ve aynı zamanda sanatın kaçınılmazlığını sorgulayarak, şimdi artık Batı Avrupa arkeolojik kayıtlarında –temel ilgi alanımız olan taşınabilir sanat ve duvar sanatı üzerine– 45.000 ilâ 35.000 yıl önce olduğu gözlenen değişimleri inceleyebiliriz.

Yanıtlamamız gereken soru, insan toplumlarının bıraktığı somut kanıtlardaki değişime neyin neden olduğudur.

Dikkat edilmesi gereken ilk nokta Geçiş'in yalnızca iklim değişikliğiyle açıklanamayacak olmasıdır: İnsani değişim belirgin iklim değişikliğinin doğrudan sonucu değildi. Bu kritik dönem gerçekten de yaklaşık 35.000 yıl önce zirveye ulaşan daha soğuk bir iklim gördü ama Neandertaller önceki iklim değişikliklerinden sağ çıkmıştı. Geçiş süresince, çok büyük buzul tabakaları, İrlanda ve İngiltere'nin kuzey kesimleri, bütün İskandinavya ve

Kuzey Almanya'nın bazı bölgelerine kadar uzanmıştı. Pireneler ve Alpler buz örtüsüyle kaplıydı. Buz örtüsünün güneyi uçsuz bucaksız bir tundra ve stepten ibaretti – çorak, rüzgârların esip savurduğu, ağaçsız alt toprak alanlarıydı. Buzul Çağı Geçiş'ten çok sonra, bundan yaklaşık 18.000 ilâ 20.000 yıl önce zirveye ulaştı. Dönem süresince, örneğin 50.000 ilâ 30.000 yıl önceki gibi daha önemsiz dalgalanmalar vardı. Buzullanma dönemi boyunca yaz ve kış sıcaklıkları arasında belirgin farklar olmalıydı ama genel olarak sıcaklık bugünkü düzeyinden 10° C kadar daha düşüktü. Kış süresince yoğun kar yağışı insanların hareketini zorlaştırmış olabilir ama yazları sık ormanların olmayışı bunun tersi bir sonuç doğurmuştu: İnsanlar özgürce yolculuk edebiliyordu. Ayrıca o kadar çok su buzul katmanları içinde hapsolmuştu ki deniz seviyesi alçaldı, Kuzey Denizi'nin bazı bölümleri kurudu ve İngiltere ve İrlanda'ya geçişe izin verdi. Bu kara köprüsü Buzul Çağı'nın sonuna kadar, yani 8.000 yıl öncesine dek kaldı.

Açık tundra ve stepler kalın kürkleri sayesinde dikkat çekici şekilde soğuğa uyum sağlamış bizon, vahşi at, yaban öküzü, mamut ve tüylü gergedan sürülerine ev sahipliği yapıyordu.[134] Bu hayvanlar göçmen türlerdi ve sürüler yaz ve kış otlakları arasında gidip geldikleri düzenli rotalar izliyordu. Bu makul bir biçimde öngörülebilir gezgin sürülerden yararlanan topluluklar için bolluk zamanıydı, araştırmacılar da en azından Üst Paleolitik dönem süresince nüfus yoğunluklarının ilk tarım toplumlarınınkine eşit olabileceğini tahmin ediyor.

Batı Avrupa Geçişi için ortam (neden değil) böyleydi: İstikrarlı, sert ama telafi edici olanaklar sunan bir iklim. 45.000 yıldan önce anatomik olarak arkaik Neandertaller bu manzaranın tek sahibiydi. 35.000 yıl önce Fransa'da artık tamamen yok olmuşlardı, yerlerini de anatomik açıdan modern *Homo sapiens* almıştı; yalıtılmış, kapalı bölgeler olan son Neandertal yerleşimleri 27.000 yıl öncesine kadar İber Yarımadası'nda tutunmaya devam etti. Son Neandertal Cebelitarık'tan artık *Homo sapiens* tarafından işgal edilmiş olan atalarının vatanına, Afrika'ya baktı. Yeni gelen *Homo sapiens* topluluklarının ilk üyelerine genellikle Dordogne'daki Les Eyzies kasabasının yakınlarındaki bir arkeolojik alandan gelen, Cro-Magnon adı verilir. Neandertallerden Cro-Magnonlara doğru olan değişim, her iki grubun yaptığı ve kullandığı alet türlerinden açıkça anlaşılabilir. Alet türleri arasındaki farklara –ve örtüşmelere– yalnızca şöyle bir değineceğiz, çünkü asıl ilgi alanımız bu aletleri yapan toplulukların davranışları ve kimlikleridir.

Arkeologlar Taş Çağı dönemlerini uzun zamandan beri taş aletler ve yapılma biçimlerine ilişkin olacak biçimde tanımladı. Orta Paleolitik dönem Neandertallerin uyguladığı taş gereç işlemeciliğine *Moustérien* [Musteryen] tekno-kültür [endüstri] denir; Üst Paleolitik dönem *Homo sapiens* toplu-

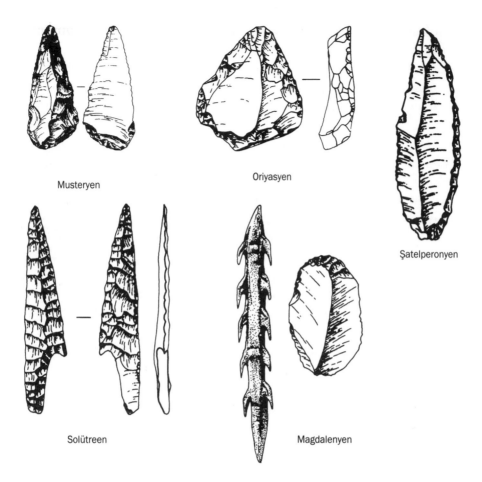

Musteryen

Oriyasyen

Şatelperonyen

Solütreen

Magdalenyen

18. Taş aletler. Daha yeni gereçler daha ince bir işçilikle yapılmıştır ve kemik, mamut dişi ve geyik boynuzundan yapılma nesneler de içerir.

luklarının en erken işlemeciliğinin adı da *Aurignacien* [Orinyasyen] teknokültürdür (17. resim).

Orta Paleolitik dönem süresince Neandertaller çakmaktaşı ve diğer tür taşları yontmak için Levallois tekniği denen bir yöntem kullandı (18. resim). Bu teknik kayaların tek tip yongalar halinde yontulmasını sağlayacak biçimde hazırlanmasını gerektiriyordu. Yongalar geniş, oldukça kalın ve ağırdı, kesme ve kazıma gibi işler için kullanılıyordu; muhtemelen genellikle elle kullanılıyordu. Üst Paleolitik dönem süresince *Homo sapiens* toplulukları belirgin biçimde koni şeklinde çakmaktaşı kayalarından daha ince ve daha uzun dilgiler [kesici aletler] üretti. Taştan ayrıldıktan sonra bu kesici aletler daha ince yongalar için genellikle biraz daha yontularak dikkatlice şekillendiriliyordu; muhtemelen elde kullanılmak yerine bir sapa takılıyorlardı. Önemli olan Geçiş'ten sonra delici alet yapımının yayılmış olmasıdır.

Yeni kesici alet üretim teknikleriyle birlikte daha geniş bir alet yelpazesi ortaya çıktı. Bunlar arasında çeşitli mızrak uçlarının yanı sıra "ön kazıyıcı" denen ve muhtemelen deri işlemek ve benzeri işler için kullanılan yeni bir tür kazıyıcı da vardı. İnsanlar kemik, tahta ve boynuz işemek için oymacı kalemleri (yontma keskisi olarak kullanılan bir veya her iki ucu çentilmiş kesici aletler) de yaptı. Bu yeni alet türleri yeni avlanma tekniklerinin ve daha dikkatle yapılmış giysilerin edinildiğini düşündürür. Ama pek çok yazar incelikle ve son derece standartlaşmış *Solutréen* [Solütreen] mızrak uçları gibi (18. resim) bazı alet tiplerinin işlevsel gereklerin çok ötesine geçtiğine dikkat çeker. Orta Paleolitik dönem süresince alet şekilleri çok daha bir örnekti ve görünüşe göre her şeyden önemli olan şey işlevleriydi. Üst Paleolitik dönemde sanki bir aletin yalnızca işlevi değil, şekli de önemli olmaya başlamış gibidir. Bu gelişme, aletlerin şekillerinin yerleşimler arası ve yerleşim içi toplumsal grupları simgelediğine işaret eder gibi görünüyor[135] (bazı araştırmacılar bu gelişmeyi tam anlamıyla modern bir dilin edinilmesine bağlıyor ama bu, şimdilik bir kenara bırakabileceğimiz bir konudur). Bu yüzden, görünüşe göre, Üst Paleolitik dönem insanları aletlerinin neye benzemelerini isteyecekleri konusunda daha açık ve daha kesin bir zihinsel resme sahipti, o resim de ait oldukları toplumsal grupla ilişkiliydi. Ama

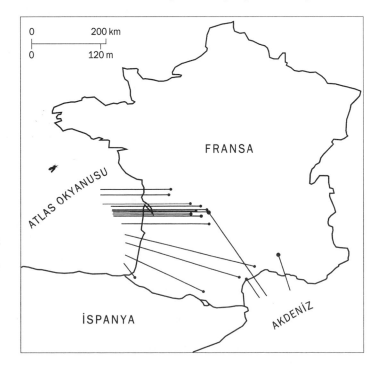

19. Üst Paleolitik dönemde deniz kabuğu ticareti. Deniz kabuklarının ticaret yollarını temsil eden çizgiler günümüz kıyı çizgisinin ötesine uzanır çünkü o zamanlar deniz seviyesi daha alçaktı.

hepsi bu değil. Üst Paleolitik dönem alet biçimleri hem coğrafi olarak hem de zaman içinde sık sık değişiklik gösterir: Birine ait bir taş aletin biçimi (tıpkı bugünkü arabalar gibi) onun toplumsal grubunu belirtirdi. Toplumun çeşitlendiği ve Orta Paleolitik dönemden çok daha dinamik olduğu çıkarımından kaçmak güç görünüyor. Eğer böyleyse, insanın yaratıcılığının ve simgeciliğinin, durağan, tarih yoksunu toplumlarla değil, toplumsal çeşitlilik ve değişimle ilişkili olduğunu kavramak önemlidir. Değişim uyarıcı, iç dengeyse uyuşturucu bir etkiye sahiptir.

Yeni bir yaratıcılık da hammaddeleri –kemik, boynuz, fildişi ve ahşap– işleme konusunda görülür. Neandertaller bu malzemeleri zaman zaman kullanmış olsalar da "kolay işlenebilirlik" özelliklerinden yararlanmadılar: Bu yeni hammaddeler sonsuz çeşitlilikte biçime sokulmak için oyulabilir ve eğrilebilirdi. Arkeolojik alanlarda kazılar yapanlar, Geçiş'te aniden ortaya çıkan kemik, fildişi ve boynuzdan tığlar, asalar, boncuklar, kolyeler, bilezikler, "broşlar" ve zarifçe oyulmuş heykelcikler bulmaya başladı.[136] Amerikalı arkeolog Randall White'ın ifade ettiği gibi: "Orinyasyen beden süsleri erken Orinyasyen dönemde Güney Fransa'da sahneye bomba gibi düştü… Daha başından itibaren kavramsal, simgesel, teknik ve lojistik açılardan karmaşık olduğu görülür."[137] Bir başka deyişle bilişsel bir kuantum sıçraması söz konusuydu.

Bu nesneleri yapmak için kullanılan teknikler basit olmaktan çok uzaktır. Örneğin taş yontma kalemleri, kemik veya mamut dişinden, sonra iğne gibi şeyler yapmak üzere biçimlendirilebilecek uzun kıymıklar oyup çıkarmak için kullanılıyordu. Bu nesnelerden bazıları şaşırtıcı derecede zarifti. Örneğin insanlar tilki, kurt ve ayı dişleri topluyor, sonra da diş köklerini dikkatle delerek kolye yapıyordu. White Fransa'daki Abri Blanchard, Abri Castanet ve La Souquette gibi arkeoloji alanlarının, usta zanaatçıların karmaşık teknik sıralamaya göre boncuklar ve kolye uçları yaptıkları "fabrikalar" gibi göründüğünü belirtir; kişisel süs eşyaları üretimi başlı başına bir endüstri olmuştu.[138] İlginçtir, bazı boncuklar Güneybatı Avrupa boyunca hayli uzak mesafelerde değiş tokuş edilen deniz kabuklularının biçimlerine benzer. Akdeniz kıyılarından kabuklar Fransa'nın Périgord bölgesindeki arkeolojik alanlarda ortaya çıkmıştır (19. resim).[139] Bu yabancı nesnelerin insanların uzun mesafeli hareketlerini gösterdiğini varsaymak biraz tedbirsizce olur. Nesnelerin seçiciliği ve "özel olma nitelikleri" daha çok bir değiş tokuş değerlerinin olduğu ve insanlardan çok nesnelerin hareket ettiği izlenimini verir. Bu nedenle nesnelerin değeri toplumsaldı; yalnızca amaçsız gezginlerin topladığı incik boncuk veya hatıra eşyası değillerdi.[140] White'ın[141] vurguladığı gibi etnografya literatürü yaygın değiş tokuş sürecinin çok önemli toplumsal sonuçları olduğunu güçlü biçimde öne sürer.[142] Üst Paleolitik dönemde süs eşyaları –ve ince çakmaktaşı eşyaları– için bir tür ticaret yürütülmekteydi.

Ticaret, hiç şüphesiz toplumsal karmaşıklık ve iletişim gerektirir. Ebeveyn ve çocuklardan oluşan çekirdek ailenin ötesinde bir toplumsal organizasyonun varlığı da özellikle göçmen bizon, at ve ren geyiği sürülerinin avlanması organizasyonunda belirgindir. Dik yamaçlı Vézère ve Dordogne vadileri, örneğin, hayvan sürülerini Massif Central dağlarından batıya uzanan aşağıdaki ovalara doğru yönlendirir. Bunlara benzer vadiler yoğun Üst Paleolitik dönem sit alanlarına sahiptir. Hayvan göçlerinden yararlanmak için insanlar avlanmak için en uygun zamanları ve yerleri tahmin edebilmek, sonra da doğru zamanlarda doğru yerde hazır bulunmak ve farklı ama birbirlerini tamamlayan işlevler yerine getirmek için av ekipleri örgütlemek zorundaydı. Üst Paleolitik dönem insanları, yumurtlamak için ilkbahar başlarında akın akın nehir yukarı yüzen somonların zamanlamasını da öngörebiliyordu. Doğru zamanda doğru yerde olmak, daha sonra kurutarak saklayabilecekleri kadar bol balık tutacakları anlamına geliyordu. Böylelikle Üst Paleolitik dönem insanları, özellikle yılın belirli dönemlerinde, tek bir türe odaklanmaya yatkın oluyordu; bunlar arasında ren geyiği, yabani at ve somon vardı. Önde gelen Amerikalı arkeologlardan Lewis Binford gibi bazı yazarlar, Neandertallerin bunun aksine sadece leşçil olduklarını, diğer etoburların av artıklarıyla, yani üzerlerinde hiçbir kontrollerinin olmadığı çok çeşitli hayvanlarla beslendiklerini öne sürdü.[143] Başkaları bu oldukça uç görüşe, Orta Paleolitik dönemde planlı avcılık izleri olduğunu savunarak karşı çıktı (bazı Neandertal sit alanları gerçekten de seçilmiş türlere odaklanma izleri gösterir). Her iki durumda da, Geçiş'in başlangıcında avcılığın çok daha etkili ve son derece örgütlü toplumsal bir etkinlik olduğu konusunda şüphe yoktur.

Genel olarak, Fransa'nın güneybatısında Üst Paleolitik döneme ait arkeolojik alan sayısı Orta Paleolitik dönemin dört-beş katıdır. Ayrıca Musteryen sit alanlarından daha geniş alanlara yayılan büyük Üst Paleolitik dönem yerleşimlerinin varlığını da belirtmeliyiz. Bu yerleşimler muhtemelen toplanma alanlarıydı.[144] Topluluklar bazı mevsimler küçük gruplara ayrılır, sonra da bildikleri toplanma alanlarında diğerlerine katılırdı. Bu tür yerler muhtemelen ergenliğe geçiş ve evlilik törenleri gibi ayinlerle bağlantılıydı.

Sonra, arkeologlar Üst Paleolitik dönem bölgelerinde artan toplumsal karmaşıklığa işaret eden kanıtlar da buldu. Çökelme sonrası bozulma ve üst üste gelen bir dizi Neandertal işgali kanıtları silikleştirse de kazılar bazı Orta Paleolitik dönem yerleşim bölgelerinde belirli etkinliklerin aile ocağına yakın yerlerde yapıldığını gösterdi; diğer etkinlikler dış çevreye yakın gerçekleştiriliyordu. Bu örüntü, arkaik olmaktan çok modern diyebileceğimiz bir tür toplumsal karmaşıklığın erken evrelerinin bir göstergesi midir? Bazı arkeologlar, muhtemelen haklı olarak, böylesi bir dağılımın toplumsal ayrımların bir sonucu değil, yalnızca bir elverişlilik sorunu olduğuna inanıyor.

Yaklaşımlarını desteklemek için bazı şempanze yuvalarındaki[145] ve çok daha eski Alt Paleolitik dönem insanı yerleşimlerindeki etkinlik dağılımını örnek gösteriyorlar. Buna karşın erken Üst Paleolitik dönem yerleşim bölgelerinde yaşam yapılarına ve mekânsal farklılaşmaya sık rastlanır. Örneğin, Arcy-sur-Cure arkeoloji alanında muhtemelen ayrık barınakları destekleyen taş kemerler ve direk çukurları bulunur.[146] En etkileyici kanıt belki de Paris'in 60 km güneydoğusundaki Pincevent'da bulunan açık hava Magdalenyen yerleşiminde ortaya çıkmıştır. Burada, önceleri André Leroi-Gourhan'ın yönetimindeki araştırmacılar, çok sayıda ocak ve barınak kanıtı olan geniş bir yerleşim bölgesi ortaya çıkardı. Taş aletlerin ve kemiklerin analizi bu düğüm noktaları arasındaki ilişkiye işaret ediyordu. Bu karmaşık yerleşim örüntüleri, Üst Paleolitik dönem insanlarının Orta Paleolotik'teki atalarından etkinliklerin mekânsal dağılımı ile insanların yerleşim içindeki dağılımı hakkında daha kesin düşüncelere sahip olduğu ve insanların toplumsal sınıfları arasında ayrım yaptığı izlenimini uyandırıyor.

Dolayısıyla daha en başından itibaren toplum kesimlerinin nasıl etkileşimde bulunduğunu kontrol eden (ama insanların muhtemelen karşı koyduğu) ve yaşam mekânlarına izlerini bıraktığı Üst Paleolitik dönem zihin şablonu (veya yapısı) için kanıt vardır. Toplum, teknolojik ve toplumsal bölünmeleri mekân üzerine bindirdi: Bir kamp bölgesindeki farklı insan sınıfları birbirlerinden gözle görülür biçimde ayrıydı. İnsanların seçilmiş bölgeler arasındaki hareketleri bir gruba ait olma veya gruplar arasındaki farklar konusunda güçlü, gözle görülür toplumsal ifadeler ortaya çıkardı. Mekân böylelikle insanların toplumsal düzen ve bölünmeleri ifade etmek, zaman içinde yeniden üretmek ve bunlara meydan okumak için inşa ettikleri biçimlendirilebilir bir şablon oldu. Bu noktayı, ilerideki bölümlerde, Üst Paleolitik dönem insanlarının gizemli amaçlarla derin mağaraların topografyasına uyum sağlamalarının farklı yollarını ele aldığımızda aklımızda tutmalıyız.

Toplumsal farklılaşma, Üst Paleolitik'in, Rusya'daki Sungir'de bulunan şaşırtıcı biçimde zengin olanlar gibi, özenli ölü gömme uygulamaları tarafından da ortaya konmaktadır.[147] Moskova'nın yaklaşık 150 km doğusundaki bu geniş yaşam alanında arkeologlar (ikisi kısmen olmak üzere) beş mezarlıkta kazı yaptı; bunlar muhtemelen 32.000 yıl öncesine aitti.[148] Malzemeleri ilk elden incelemiş az sayıda batılı arkeologdan biri olan Randall White, Sungir'in Orinyasyen'in kuzeydoğu uzantısı olarak görülebileceğine inanıyordu. Mezarlardan ikisi donmuş toprakta fazla derin olmayacak biçimde gömülmüş ergenlere aitti; Cesetler elleri leğen kemikleri üzerinden kavuşturulmuş biçimde yatırılmıştı. Bu cesetlerden bir erkek çocuğuna ait olduğu söylenen biri, toplam 4.903 boncuktan oluşan boncuk dizileriyle kaplıydı; bir de tilki dişleri tutturulmuş başlığı vardı. Belinin çevresinde 250 kutup tilkisi dişiyle süslenmiş bir kemerin kalıntıları mevcuttu; basit bir hesap bu kadar çok diş elde etmek için en az kaç tilki (63) –bireysel olarak tuzağa düşürülmüş veya avlanmış hayvan– gerektiğini gösterir. Ayrıca çocuk, hayvan biçimli oyma fildişinden bir kolye ucu, fildişinden bir mamut heykelciği, mamut dişinden düzeltilerek yapılmış bir mızrak, ortası delinmiş oyma fildişinden bir disk ve başka eşyalarla birlikte gömülmüştü. Mızrak muhtemelen pratik olarak kullanılmak için çok ağırdı. Bir kız çocuğuna ait olduğu söylenen yandaki mezarda 5.274 boncuk ve başka nesneler bulunuyordu. White'ın[149] bir boncuğun yapımı için 45 dakika gerektiğine yönelik tahmini doğruysa, bu kızın mezarının yapılması 3.500 saat sürmüş olmalı.

Bu kısa betimleme Sungir mezarlarının zenginliği konusunda sadece ilk göze çarpanlardır. Bununla birlikte, Sungir'de öyle ya da böyle bir toplumsal statü veya liderlik olgusu olduğunu düşündürür ama bu, mutlaka yaşa bağlı değildir. İnsanlar tilki dişi gibi anlamlı nesneleri, yaşarken kimliklerini, belirli ölüler için de özel, belki de pekiştirilmiş kimlikler inşa etmek için kullandı. Bu gençlerin sahip olduğu yüksek statü onlara miras kalmış olabilir ama Dalai Lama seçimlerindeki gibi bir yöntemle de elde edilmiş olma olasılığı da var. Ayrıca mezar eşyalarının salt sayısı bile nesnelerin tek bir aile tarafından değil geniş bir toplumsal ağ tarafından sağlandığını akla getiriyor. Bu, basit, yalıtılmış, eşitlikçi bir avcı grubu değildi.

Gerçi, olağanüstü zenginlikteki Sungir mezarları gibi örneklerde, insanların, görünüşe göre zaman zaman Eski Mısır'da olduğu gibi, önceki mezarları sonrakilere eşya sağlamak için "soymuş" olabilecekleri olasılığını da kabul etmemiz gerek. Dolayısıyla zengin Üst Paleolitik dönem mezarları bireysel statüden çok, muhtemelen bir tür soy silsilesiyle elde edilmiş birikimli bir statüyü gösteriyor olabilir. Her iki durumda da bu mezarların karmaşık toplumların işleyişini düşündürdüklerinden şüphe edemeyiz.

Neandertal ölü gömme uygulamaları Sungir gibi bölgelerin işaret ettiğinden daha tartışmalıdır.[150] Bir kere Neandertal arkeolojik kanıtları, kazılar çok uzun süre önce gerçekleştirildiği için, genellikle tartışmaya açık kanıtlardır. Yine de Neandertallere ait olduğu varsayılan tüm mezarların, öne sürüldüğü gibi, rastlantısal olabileceği pek de olası görünmüyor. Kısıtlı sayıda örneğin kabul edilmesinin nedeni bu iskeletlerin bütünlüklerinin bozulmamış olmasıdır. Bütün halde bulunmaları toprağa bilinçli olarak gömülmüş, böylece insani, hayvansal ve fiziksel etmenlerin kemikleri sağa sola dağıtmasını engellemiş olduğunu gösterir. Bu değerlendirme, yine de tartışmadaki son hüküm değildir. Robert Gargett kanıtların ayrıntılı biçimde yeniden incelenmesi sonucunda, "iskeletlerin bütün halde olmalarının beklenebildiği doğal çökelme koşullarının" var olduğu sonucuna vardı.[151] Eğer öyleyse, bir kaya barınağında ölmüş olmaları düşünülen bütünlüğü bozulmamış başka hayvan iskeletlerinin neden bulunmadığı açık değildir. Öyle görünüyor ki Neandertal "mezarlarının" tümünün değilse de bazılarının üstüne bir soru işareti koymalıyız.

Öte yandan üzerinde büyük ölçüde anlaşma sağlanmış bir nokta, Neandertal mezar eşyaları veya "adakları" için getirilen kanıtların hiç şüphesiz zayıf olmalarıdır. Neandertaller ölülerini gömdüklerinde ya da gömdülerse bunu Üst Paleolitik dönem insanlarının (her zaman olmasa da) sıklıkla uyguladığı gibi, gömmeye eşlik eden karmaşık ritüeller olmadan yerine getirmişlerdi. Özetle, görünen o ki *bazı* göreli olarak geç dönem Neandertaller ölülerini gömmüş *olabilir* ama bu gömme işlemlerinde ritüellerin veya dini inançların olduğunu düşündürecek çok az kanıt vardır; insanlar, içinde birinin öldüğü bir kaya sığınağını terk etmek istemediklerinde hijyenik nedenlerle basit bir gömme işlemi gerçekleştirmiş olabilir. Araştırmamız bağlamında bu, son derece önemli bir noktadır.

Vurguladığımız tüm çeşitli ve ileri düzeyde gelişmiş Üst Paleolitik dönem etkinliklerinin Batı Avrupa'da adım adım veya teker teker yayılmadığını anımsamak önemli. Bazılarının yoğunluğu sonraki dönemlerde artmış olsa da *hepsi* Üst Paleolitik'in hemen başlangıcında ortaya çıkmış görünüyor. Bir zamanlar bazı araştırmacılar, hem taşınabilir sanatın hem de duvar sanatının Üst Paleolitik dönem paketinin diğer bileşenlerinden bir ölçüde farklı olduğunu çünkü kararsızlıkla başladığını, Üst Paleolitik dönem boyunca yavaş yavaş evrildiğini ve zirvesine Magdalenyen dönemde ulaştığını düşünüyordu. Breuil[152] bu gidişatın, her biri "basit" sanatla başlayıp daha karmaşık imgelere evrildiği iki stil dönemiyle belirlendiğini öne sürdü. Öte yandan Leroi-Gourhan[153] da basitten karmaşığa doğru giden tek bir stil döneminin var olduğunu öne sürdü.[154] 1994'te Chauvet Mağarası'nın keşfi bu yanılgıya son verdi.[155] Bu mağaradaki karmaşık "ileri" imgelerin 33.000 yıl öncesinden biraz daha eskiye, Üst Paleolitik'in en erken dönemi olan Orinyasyen'e ait olduğu belirlendi. Bu erken tarih arkeologlara şaşırtıcı gelmiş olmamalı çünkü yıllar önce Güney Almanya'da Vogelherd ve Hohlenstein-Stadel'de bulunan incelikle oyulmuş heykelcikler Orinyasyen dönemine tarihlenmişti.[156] Bu oymalar arasında at, mamut, kedigil tasvirleri ve çok çarpıcı aslan başlı, insan vücutlu bir heykelcik de vardı. Özellikle biri, nefis bir at imgesi, sanki bir kesede taşınmış veya ayinler sırasında ovulmuş gibi cilalıydı; at cilalandıktan sonra omuz bölgesine düzgünce işenmiş bir ters V işareti oyulmuştu.[157]

Artık –Batı Avrupa'da– Geçiş döneminin, neredeyse tümü son derece önemli zihinsel ve toplumsal değişim getiren bir dizi belirgin yeniliğe sahne olduğu konusunda pek şüphe kalmamış olmalı. Üst Paleolitik dönem insanları Orta Paleolitik dönemde yaşamış atalarından çok farklı davranıyordu; bu değişimler de Orinyasyen başlangıcına tarihlenebilir. Çok sayıda araştırmacının neden "Yaratıcı Patlama"dan söz ettiklerini anlayabiliriz. Şimdilik savları sağlam bir temele oturuyor gibi görünüyor.

NEDENLER

Araştırmacılar incelediğimiz değişimler için iki açıklama ileri sürdü. Birbiriyle çelişen bu açıklamalar sanatın kökenlerine ve özellikle de Üst Paleolitik dönemde Batı Avrupa'da yeraltı mağara sanatının yayılmasına yönelik incelememiz için çok farklı sonuçlar doğurur.

Bazı araştırmacılar yerel Neandertal halklarının yavaş yavaş anatomik olarak modern insana evrildiğini savunurken,[158] diğerleri Neandertallerle, Avrupa boyunca Alpler'in hem güneyine hem kuzeyine göç etmiş, sonunda Güneybatı Fransa'ya ve İber Yarımadası'na ulaşmış, anatomik olarak modern *Homo sapiens*'in hızla *yer değiştirdiğini* öne sürer. Bu, son derece tartışmalı bir konudur ama öyle inanıyorum ki bugün pek çok araştırmacının *yer değiştirme* açıklamasını daha çok desteklediğini söylemek yanlış olmaz. Bu tartışmaya ilişkin tüm verileri ve yaklaşımları sayıp dökmeye gerek yok. Bunun yerine yer değiştirme hipotezini ikna edici biçimde destekleyen beş önemli noktayı kısaca belirteceğim. Böylelikle daha sonra Neandertallerin sonradan gelen *Homo sapiens* topluluklarıyla 10.000 yıl kadar yan yana yaşamalarının ilginç sonuçlarına geçebileceğiz.

- Saint-Césaire arkeoloji alanında bulunan, açık biçimde bir Neandertal'e ait olduğu belli olan bir iskelet günümüzden 35.000 yıl öncesine, yani Geçiş'in en son dönemine tarihlendi. Arcy-sur-Cure'deki başka Neandertal kalıntıları da günümüzden 34.000 yıl öncesine aittir.[159] İber Yarımadası'ndaki buluntular hayatta kalmış küçük bir Neandertal topluluğunun belki de 27.000 yıl öncesi gibi geç bir tarihe kadar var olduğunu düşündürüyor. Neandertal halklar bu kadar uzun süre yaşadıysa onların anatomik olarak modern insana evrilmesi için yeterli zaman olmamıştır.

- İsrail'de Qafzeh ve Skhul bölgelerinde tam anlamıyla modern anatomiye sahip iskeletler bulunmuş ve günümüzden 90.000 ilâ 60.000 yıl öncesi gibi eski bir tarihe ait oldukları belirlenmiştir. Göreceğimiz gibi İsrail tümüyle modern insanların Batı Avrupa'ya gidiş yolları üzerindedir. Hiç şüphesiz anatomik olarak modern halklar Batı Avrupa arkeoloji kayıtlarında görülmeye başlamadan 50.000 ilâ 60.000 yıl öncesinde de vardı. Bir başka ifadeyle Batı Avrupa'daki Neandertallerden evrilmediler.

- Yeni DNA kanıtları anatomik açıdan arkaik olan Neandertallerin modern halkların gen havuzuna belirgin bir katkı yapmadığını ve iki türün karışmadığını akla getiriyor.[160]

– Tam anlamıyla modern halkların ilkini simgeleyen Orinyasyen tekno-kültürü, belirgin bir değişmezlikle İsrail'den İber Yarımadası'na dek uzanır. Hızlı göçler, bu kadar geniş bir alana yayılmayı, coğrafi olarak dağınık ve bir ölçüde birbirlerinden farklı Musteryen tekno-kültürü kökenli evrimsel gelişmelerden daha iyi açıklar.

– Son olarak, Doğu Avrupa'dan Batı Avrupa'ya gidildikçe Orinyasyen yerleşimlerin tarihleri eskiden yeniye doğru ilerler – *Homo sapiens* topluluklarının bu yönde hareket etmiş olmaları halinde beklenebilecek bir sonuç. Cambridge Üniversitesi'nden arkeolog Paul Mellars tarihleme kanıtlarını yararlı bir şekilde bir araya getirerek zaman içinde Avrupa boyunca yaşanan bu yayılmayı gösterdi (20. resim).

Yer değiştirme hipotezinin, başarılı hipotez ölçütlerine (2. Bölüm) yerel evrim hipotezinden daha iyi yanıt verdiği açıktır. Yine de bütün bunlara ve çok sayıda başka noktaya karşın tartışma sona ermiş değil. Tüm kanıtlar, özellikle de zengin Arcy-sur-Cure arkeolojik alanından temin edilenler, 1998'de *Current Anthropology* dergisinin özel sayısında yayımlandı ve tartışıldı. Francesco d'Errico ve dört meslektaşı Arcy-sur-Cure Musteryeninin bağımsız biçimde, aşağıda anlatacağım Üst Paleolitik'in erken dönemlerine ait bir tekno-kültür olan *Châtelperonien*'e [Şatelperonyen] doğru geliştiğini savundu.[161] Bu tartışmaya dokuz uzman katıldı. Pek çoğu, bu önemli alanı tekrar

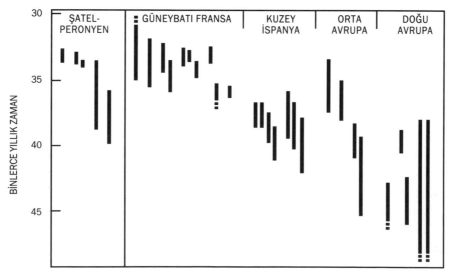

20. *Homo sapiens* topluluklarının Avrupa boyunca doğudan batıya hareketlerini gösteren tarihler; en eskileri doğudadır. Sütunlar belirli arkeolojik alanlardaki tarih aralığını gösterir.

değerlendiren bir araştırma programına ilgi gösterirken Şatelperonyen'in belirgin özelliklerinin dışarıdan gelen Orinyasyen topluluklarıyla temas sonucu geliştiğine dair genel bir fikir birliği vardı.

Current Anthropology tartışmasına yanıt veren Mellars durumu etkili biçimde özetler ve daha yakın tarihlere gönderme yaparak şöyle yazar:

> Batı Avrupa'nın geç Neandertal halkları arasında –aralarında basit kemik ve fildişi aletlerin ve delinmiş kolye uçlarının bulunduğu– bir dizi belirgin biçimde "modern" davranış özelliği ürününün ortaya çıkmasının, bunun kültürleşme veya başka bir terimle ifade edilip edilmediğini dikkate almaksızın, iki halk arasındaki bir tür temas veya etkileşim sonucu olduğu olasılığını tamamen açık bırakmaktadırlar. Diğer seçenek, Batı Avrupa'daki yerel Neandertal halklarının, yaklaşık 200.000 yıl boyunca tipik Orta Paleolitik dönem teknolojisi ve davranışları sergiledikten sonra, birbirlerinden bağımsız olarak, tesadüfen ve neredeyse mucizevi bir biçimde, hemen hemen tam olarak anatomik ve davranışsal açılardan modern halkların Avrupa boyunca yayıldıklarının bilindiği bir zamanda, Üst Paleolitik dönem teknolojisinin bu belirgin özelliklerini "icat" etmiş olmalarıdır.

Bir halkın *yerine* bir başkasının *geçmesi* kavramı belki de en etkileyici soruları doğurur. Eğer anatomik olarak modern insanlar hızla Batı Avrupa'ya doğru hareket ettiyse, Neandertal topluluklarla karşılaşmış, hatta onlarla yan yana yaşamış olmalı. Bu iki grup birbirini nasıl görüyordu? Etkileşime girdiler mi? Girdilerse bu etkileşim şiddet yoluyla mı yoksa barışçıl mı oldu? Birbirlerinden bir şeyler öğrendiler mi? Dil yoluyla iletişim kurabiliyorlar mıydı? Zihinleri/beyinleri ile bilinç türleri arasında fark varsa, bu farklar nelerdi? Arkaik Batı Avrupa Neandertalleri ile anatomik olarak modern toplulukların etkileşimi, bir biçimde o bölgede sanatın gelişmesini tetiklemiş olabilir mi?

Bu soruların bazılarını yanıtlamak için Şatelperonyen olarak bilinen erken Üst Paleolitik dönem tekno-kültürüne odaklanacağız (17. resim).

YENİ KOMŞULAR

Batı Avrupa'daki arkeolojik kayıtlar Üst Paleolitik dönemin başlangıcının farklı türden eşyalar üreten iki ayrı grupla belirlendiğini gösterir. Doğu Avrupa'dan Batı Avrupa'ya göçen *Homo sapiens* insanları, beraberlerinde Orinyasyen alet edevatı, sanatı ve daha önce belirttiğimiz yeni fikirleri getirdi. Sonra, Üst Paleolitik'in ilk 5.000 yılı ve biraz daha fazlası süresince Dordogne'da, Güneybatı Fransa'da ve Pireneler'in bazı bölgelerinde, Neandertallerle bağlantılı Şatelperonyen tekno-kültür gelişti.[162] O dönem süresince Orinyasyenler ile Şatelperonyenler arasında hiç kuşku yok ki temas vardı. Dordogne'daki Piage ve Roc de Combe gibi bazı arkeolojik alanlarda Orinyasyen katmanlar ile Şatelperonyen katmanlar iç içe geçer:[163] Bu nedenle iki kültürün yalnızca aynı dönemde yaşadıkları değil, aynı zamanda değişmeli olarak aynı kaya barınakları işgal ettikleri de açıktır. Günümüzden 35.000 yıl öncesine gelindiğinde Şatelperonyenler yok olmuştu, sahne de sadece Orinyasyenlere kaldı.

Bu bir diğerinin yerini alma sürecini gözümüzde Avrupa'yı boydan boya silip süpüren karşı konulamaz bir dalga gibi canlandırmamalıyız. Bunun yerine bir dizi "adım" veya "sarsıntı" olarak düşünmeliyiz.[164] İnsanlar bir ekolojik çevreden diğerine geçtikçe, münferit, ileri *Homo sapiens* kolonileri ortaya çıktı, genişledi ve kaynaştı. Aynı zamanda Neandertal nüfusu da kendi dinamikleri çerçevesinde azalıyordu. Bir arada bulunma bu nedenle muhtemelen diğerinin yerini alma sürecinin genel bir özelliği değildi. Ama özellikle orta Fransa ve Pireneler gibi bölgelerde Neandertaller ile *Homo sapiens*'in binlerce yıl boyunca yan yana yaşamış olduğu senaryosu konusunda şüphe yoktur.

Örtüşme döneminde neler oldu? Taş alet kanıtları ile fiziksel insan tipleri kanıtları arasında ayrım yapmalıyız. Musteryen ve Şatelperonyen taş aletleri ve bunların yapılma yöntemi arasında sağlam bir devamlılık olduğu kesindir (ayrıntılara girmemiz gerekmez).[165] Örneğin uzun zamandan beri eğri ve arkası köreltilmiş Şatelperonyen çakmaktaşı bıçaklarının Musteryen'in tipik özelliği olan arkası kendiliğinden küt bıçaklardan türediği düşünülüyor.[166] Bu nedenle Şatelperonyen taş endüstrisi Musteryen'den gelişmiş gibi görünüyor. Şatelperonyen'in de Neandertallerle bağlantılı olduğu açıktır.[167] Tersine, hiçbir Orinyasyen arkeolojik alanı Neandertallerle ilişkili değildir. Aslında Musteryen ile daha sonraki davetsiz misafir Orinyasyen arasında gerek aletler gerek insansı tipleri açısından açık ve kesin bir kırılma vardır. Şatelperonyen bu nedenle Musteryen döneminin son dışavurumu olarak görülebilir, her iki endüstri de Neandertaller tarafından yapılmıştır, bununla birlikte sonradan gelen Orinyasyen tekno-kültürü yerel Musteryen'den bağımsızdı ve *Homo sapiens* tarafından yapılmıştı (17. resim).

Doğu Avrupa'da ve İtalya yarımadasında Şatelperonyen'le karşılaştırılabilecek iki tekno-kültür bulunur. Bunlar sırasıyla Szeletien [Seletyen] ve Uluzzien [Uluzyen]'dir. Her ikisi de daha önceki Musteryen teknolojilerden gelişmiş gibi görünür ve Orinyasyen dönemine dek uzanır. Görünüşe göre bunlar Musteryen ve Orinyasyen topluluklarının yan yana bulunmalarına karşı verilen yerel yanıtlardır.[168] Bununla birlikte biz Batı Avrupa Şatelperonyenine odaklanacağız çünkü sanat burada serpilip ürün vermiştir.

Şatelperonyen ile Orinyasyen arasında, Musteryen içinde Şatelperonyen'in kendine özgü kökenleri hakkında basit bir açıklamayı karmaşıklaştıran son derece belirgin bazı paralellikler söz konusudur. Şatelperonyen'de kazıyıcı taş bıçak üreticilerinin, görünüşe göre Musteryen atalarından değil, Orinyasyen komşularından öğrendikleri güçlü bir bıçak teknolojisi bileşeni vardır. Ön kazıyıcılar ve oyma kalemlerinin yanı sıra, daha önceki Musteryen'de değil, Orinyasyen'de ortaya çıkmış gibi görünen bir teknolojiyi gösteren kemikten ve boynuzdan yapılma nesneler de vardır. Belki de en ilginç olanları kişisel süs eşyaları, özellikle yivli ve delinmiş hayvan dişleri ile beden süslemesi için kullanılmış olabilecek kırmızı aşıboyasıdır.[169]

Ödünç alınmış tüm bu özellikler, Batı Avrupa'da Orinyasyen'in ortaya çıkmasından çok sonra, Şatelperonyen'in son dönemlerinde gelişti. Bunlar Şatelperonyen Neandertalleri arasında kendiliğinden mi gelişti, yoksa Orinyasyen toplulukların seçici olarak taklit edilmesi ve onlarla alışverişin mi bir sonucuydu, yani bir kültürlenme mi söz konusuydu?[170] Daha önce gördüğümüz gibi çoğu araştırmacı bugün, Şatelperonyen'de belirgin olan miras kalmış ve ödünç alınmış özelliklerin bileşimi için en iyi açıklamanın, iki *Homo* türü –*Homo sapiens* ile *Homo neanderthalensis*– arasındaki temastan kaynaklanan bir kültürlenme sürecinin varlığına inanıyor. Bu temasın kesin niteliği daha tartışmalı bir konudur. Bunus bu noktada ele almamız gerekiyor. Daha sonra Neandertallerin *benimsemediği* Üst Paleolitik dönem özelliklerinin önemini inceleyeceğiz. Göreceğimiz gibi bunlar benimsediklerinden daha öğretici olacak.

ETKİLEŞİM

Pek çok insanın Orinyasyenler ile Neandertaller arasındaki temasla ilgili ilk aklına gelen senaryo soykırımın ilk biçimlerinden biri, yani şiddetli çatışmadır. Orinyasyen yığınlarının arazi boyunca sağa sola saldırdığı, buldukları tüm kalın kafalı Neandertalleri acımasızca yok ettikleri hayal edilir. Gerçek, muhtemelen oldukça farklıydı. İki grubun farklı yerlerde ve zamanlarda etkileşimde bulunduğu muhtemelen çok farklı davranış tarzları vardı.[171]

Elbette hiç çatışmanın olmaması mümkün görünmüyor ama sürekli bir soykırımdan çok aralıklı bir çatışma daha olası. Çatışma olduğunda *Homo sapiens* erkeklerinin Neandertal erkeklerini öldürüp kadınlarına tecavüz edenler olması daha mümkün görünüyor. Ama *Homo sapiens* toplulukları, böyle birleşmelerden doğacak çocukların kısır ve muhtemelen zihinsel olarak kendilerinden daha geri olacaklarını fark edecek kadar akıllıydı.[172] *Homo sapiens* toplulukları bu çocuklara hangi gözle bakardı acaba? Bu noktada iki türün oluşturduğu bir toplumun nasıl bir şey olduğuna ilişkin hayali yeniden canlandırmanın sınırlarına ulaşılır. Tek başına hayal gücünün sağlayamayacağı daha sağlam ipuçları için arkeolojik kayıtlara dönmemiz gerekir.

Clive Gamble[173] gibi yazarlar, sonradan gelen Orinyasyenlerin başlangıçta Neandertallerin tercih ettiklerinden farklı türde araziler aramış olabileceğine dikkat çekti. Görünüşe göre, başlangıçta, Orinyasyenler Dordogne'da ayakta kalmış bir Neandertal yerleşiminin etrafında hareket etti. Eğer Neandertal ve *Homo sapiens* avlanma stratejileri arasında fark vardıysa –Neandertallerinki, daha önce gördüğümüz gibi tek bir türe odaklanmaya eğilimli *Homo sapiens*'inkinden daha genel bir stratejiydi– kaynaklar ve belirli türden araziler için başta çok fazla rekabet olmamış olabilir.

Farklı avlanma stratejileri de farklı toplumsal yapılar anlamına gelir. Gamble[174] bu sonucu incelikle geliştirdi; iki grup için farklı toplumsal ağların etkilerini inceledi. Kısaca, Gamble Şatelperonyen toplumda temasın yüz yüze olduğunu –insanların başka insanlarla buluşup eşya ve bilgi alış verişi yaptığını– savunur. Farklı toplumsal grupları ve ilişki türlerini belirten simgesel eşyaların üretimiyle Orinyasyen insanları, birbirlerini daha önce hiç görmemiş insanlar arasında bile olası daha geniş ağları ayakta tutmayı başarıyordu. Eğer Orinyasyenler "yüz yüze ilişki toplumunun sınırlarının ötesine gidebiliyor ve bir toplumsal çerçevede daha geniş bir sistem bütünlüğü elde edebiliyorlarsa",[175] coğrafi olarak daha geniş bir güç alanı oluşturabilirdi. Daha karmaşık ağlarının bir sonucu olarak "bireyler başkalarına karşı davranışlarının ölçü ve etkileri açısından hem daha kısıtlı hem daha etkindi."[176]

Simgelerle ayakta tutulan ağlar ve güç alanları oluşturabildikleri için Orinyasyen nüfusu arttı. Zamanla kaynaklar için girişilen rekabet yoğunlaştı, belki de şiddet içermeye başladı. Geçiş zamanında nispeten soğuk bir dönem olduğunu ve Neandertallerin benzer sorunları atlattığını anımsayacak olursak, önceki soğuk dönem ile Geçiş arasında önemli bir fark ortaya koyabiliriz: Geçiş'te ortamda bir başka insan türü de vardı, bu nedenle de kaynaklar için girişilen rekabet daha yoğundu. Daha yüksek çocuk ölüm oranları gibi küçük dezavantajlar bile belirleyici rol üstlenebilirdi. *Homo sapiens* toplulukların kış boyunca yiyecek saklayabilmeleri durumunda çocukların hayatta kalma şansı daha yüksek olacaktı.

Ezra Zubrow[177] buna benzer ilişkilerin nüfus yoğunlukları ve üreme üzerindeki etkilerini araştırdı. Vardığı sonuç çok şaşırtıcı: "%2 civarında bir ölüm oranı farkından doğan küçük bir demografik avantaj, Neandertallerin soyunun hızla tükenmesine neden olacaktır. Zaman dilimi yaklaşık 30 kuşak veya bin yıldır."[178] Öyleyse elimizde Neandertallerin hızla yok olması için planlanmış ve kasıtlı soykırıma bağlı olmayan bir açıklama var demektir. Küçük bir demografik dengesizlik aynı sonucu doğuracaktır.

Bu etkileşim konusunu "dil"e değinmeden bir kenara bırakamayız. Araştırmacıların, Üst Paleolitik dönem insanlarının tam anlamıyla modern bir dile sahip oldukları konusunda kuşkusu yoktur – yani kendilerince anlamlı sesler yaratabiliyor, geçmiş ve gelecekten söz etmek, soyut kavramları aktarmak ve daha önce hiç bir araya getirilmemiş anlaşılabilir tümceler dile getirmek için karmaşık dilbilgisi yapılarını ustaca kullanıyorlardı. Tartışma konusu olan Neandertallerin de tam anlamıyla modern bir dile mi yoksa daha ilkel bir ön-dil türüne mi sahip olduklarıdır.[179] Bir başka tartışmalı konu da ön-dilin karmaşık modern dile yavaş yavaş mı yoksa aniden mi –"ani bir doğal afet" gibi– evrildiğidir.[180]

Bunlar çok ateşli biçimde tartışılan sorulardır ama konumuza engel olmaları gerekmez; Üst Paleolitik dönem sanatını ilgilendiren konulara geçmeden önce bunları yanıtlamamız şart değildir. Dilin toplumsal karmaşıklıkla yakından ilişkili olduğuna inandığım için –genel evrimsel çerçevede bir türün toplumsal ilişkileri ne kadar karmaşıksa dili ve iletişim sistemleri de o ölçüde karmaşıktır– Neandertallerin de nispeten basit bir tür dile sahip olduklarını kabul etme eğilimindeyim. Bu düşünceyi kavramak bize zor gelebilir çünkü onların dili bizimkinden farklı türde bir bilinçle uyumlu olmalıydı (4. Bölüm).

Neandertallerin *Homo sapiens* insanlarıyla dil kullanarak ne ölçüde iletişime girebildikleri araştırmacıların yeteri kadar incelemediği bir tartışma noktasıdır. Neandertallerin tam anlamıyla modern bilince sahip olması varsayımına gerek duymadan da belirli bazı dilsel iletişim türlerinin gerçekleşmiş olma olasılığı olduğunu sanıyorum.[181] Sonradan gelen Orinyasyenler beraberlerinde modern dili de getirdi.[182] Neandertaller en azından onların söylediklerinden bir şeyler anlamış, hatta –çakmaktaşı yontma örneğinde yaptıkları gibi– kendi dil yeteneklerini bir ölçüde geliştirmiş olabilir. Neandertallerin dil için *potansiyelleri* toplumsal çevrelerinin o zamana kadar gerektirdiğinden daha büyük olabilir. İki toplum arasında bu nedenle bir ölçüde doğrudan, günlük düzlemde bir sözlü iletişim mümkün olabilirdi –Neandertaller belki de bir tür karma Orinyakça lehçesi konuşmayı öğrenmiştir–, ama Orinyasyenler Neandertal zihninin anlayamayacağı kavramları aktarmanın olanaksız olduğunu görmüş olacaktı.

Şimdiye kadar toplumsal ağları, demografik örüntüleri ve iletişimi ele aldık. Neandertal-*Homo sapiens* etkileşimiyle ilgili soruşturmamızı daha ileriye götürebilir miyiz?

NEANDERTALLERİN ÖDÜNÇ ALMADIKLARI ŞEYLER

Bu noktada geniş kapsamlı, ıvır zıvır torbası gibi her şey için kullanılan "sanat" sözcüğünü parçalara ayırmak ve farklı türdeki görsel sanatlar arasında ayrım yapmamız gerekiyor (şarkı, dans ve mit anlatımı bizi bu aşamada ilgilendirmiyor). Temel olarak beden süslemesi gibi bir sanat biçiminin hayvanların iki boyutlu imgelerinin mağara duvarlarına yapılmasına doğru evrilmiş olamayacağını savunuyorum.

Kırmızı kökboyasının ve bir dizi takının Neandertallerin taklit edebileceği türden sanatlar olduğunu öne sürüyorum. Bazı durumlarda Orinyasyen süs eşyalarını değiş tokuş ya da hırsızlık yoluyla elde etmiş olabilirler.[183] Bu sanat türleri yakından ilişkilidir ve hiçbiri diğerinden daha fazla düşünsel veya bilişsel bir talepte bulunmaz; hepsi aynı bilişsel yetenekleri varsayar. Dahası, "melezlenmiş" olabilirler: Bir tür diğerini doğurmuş ya da en azından bir başkasının biçimini etkilemiş olabilir. Ama beden süslemesi konusunu burada sonlandıramayız.

Yeteri kadar dikkat çekmeyen önemli bir nokta, Neandertallerin benimsediği taş aletlerin ve teknolojilerin muhtemelen *Homo sapiens* insanlarının kullandığı gibi aynı pratik amaçlar –et kesmek, kemik sıyırmak, deri hazırlamak vb.– için kullanıldığıdır. Bu, beden süslemesi için de geçerli miydi? Bu soruyu yanıtlamak için beden süslerinin, kişisel heveslerin sonucu basit "süsler" olmadığını vurgulamalıyız; aksine, toplumsal grupları ve statüyü belirler. "Beden yüzeyi... toplumsallaşma tiyatrosunun oynandığı simgesel sahne, beden süsleri de... bunun ifade edildiği dil olur."[184] Toplumsal kimlik yaşam süresince değişiklik gösterir: İnsanlar ergenlikten yetişkinliğe, bekârlıktan evli olmaya, çocuk doğurmadan doğum sonrasına, ilişkisiz olma durumundan evlilik yoluyla ilişkili olma durumlarına geçer. Yaşamın aynı evresi içinde de farklı bağlamlar vardır: İnsanın benliğinin temsili önemli bir ritüel esnasında, gündelik yaşamdan farklı olur. Beden süsleri bu değişimlere duyarlıdır, insanlar da o anki toplumsal rollerini belirtmek için onları değiştirir. Ölüm bu toplumsal bağlamlardan yalnızca biridir; araştırmacılar bazı Üst Paleolitik dönem mezarlarında bulunan inceden inceye işlenmiş süslerin gündelik yaşamda takıldığını düşünmez.

Beden süslemesinin toplumsal kimliği belirtiyor olduğu doğruysa, Randall White'ın yorumladığı bir özelliğini kaydedelim. Güney Almanya'daki Orinyasyenler taşınabilir heykelcikler ve hayvan şekilli oymalar yapsalar da, genel olarak, simgesel sanatı beden süsü olarak pek kullanmadı. Bunun yerine gerçek hayvanlardan parçaları mecazi biçimde, yani hayvana ait parçanın hayvanın tümünü temsil edeceği şekilde kullandılar. Boncuklar kemiklerden ve dişlerden yapılıyordu. Ayrıca kolye ve kolye ucu olarak kullanılan dişlerin çoğu etobur hayvanlara –kedigillere ve köpekgillere– aitti. White'ın söylediği gibi "başka hayvanları avlayan hayvanların, yırtıcıların en tehlikelisi tarafından toplumsal olarak sergileme amacıyla seçilmesi kesinlikle basit bir rastlantı değildir."[185] Beden süsünün bu işlevi Orinyasyen'de pekâlâ geçerli olmuş olabilir ama sonraki bölümlerde göreceğimiz gibi, avcılığı yalnızca ekonomik, geçimsel bir etkinlik olarak görmek yanlış olacaktır: Avcılık muhtemelen doğaüstü güçler elde etmekle de ilişkiliydi. Doğaüstü âlem kavramına ileride geri döneceğim.

O zaman ödünç alınmış beden süsleri Neandertal toplumunda ne anlama geliyor olabilirdi? Neandertallerin *Homo sapiens* insanlarıyla aynı toplumsal ayrım yelpazesinin varlığını kabul etmiş olmaları ve süs eşyalarının her iki toplumda tamamen aynı şeyi simgelemesi son derece düşük bir olasılıktır; Neandertal toplum yapısı *Homo sapiens* toplum yapısından kesinlikle farklıydı. Beden süsü son dönem Neandertalleri arasında toplumsal ayrımları simgelemişse bile bu ayrımlar aynı eşyaların *Homo sapiens* topluluklarında simgelediklerinin aynısı değildi. Bu durumda "ödünç almadan" söz etmek yanıltıcı olur, çünkü sözcük, üstü kapalı olarak, benzer işlevler ima eder. Süs eşyalarının Neandertaller için farklı bir şey ifade etmesi durumunda Neandertaller arasındaki toplumsal ayrımları hiç simgelememiş ya da farklı –toplumsal ayrımları simgelemiş olabilirler– yalnızca dışarıya karşı gösteriş işlevi edinilmiştir. Neandertaller, bir anlamda, kendilerine *Homo sapiens* süsü veriyordu.

Beden süslerinin aksine, hayvan ve insan figürlerinin görsel temsilleri –resimleri ve oymaları– Şatelperonyen Neandertallerinin benimsediği sanat türlerinden değildir (21. resim). Bu, araştırmacıların düşündüğünden daha keskin ve aydınlatıcı bir farktır: Neandertaller, bir çeşit simgesel yeteneklere sahip oldukları duygusunu uyandırabilecek ne yapmış olursa olsunlar, resim ve oyma yaptıklarına ilişkin bir kanıt yoktur. Bu fark şimdi artık temel olarak farklı bir tür sanatı ele aldığımızı düşündürür: Beden boyama, örneğin, resim yapmaya doğru evrilmemiştir (7. Bölüm). İmge yaratımı farklı, daha "ileri" düzeyde zihinsel yetenekler ve düzenler gerektirir.

Daha önce gördüğümüz gibi, tamamen farklı bir sanat çeşidi, ya da belki "simgesel davranış" denmeli, seçilmiş ölülerin zengin beden süsleri, boncuklar, kolye uçları ve diğer el sanatlarından oluşan mezar eşyalarıyla birlikte gömülmesidir. Boncuk gibi şeylerin mezarlara konmasına karşın, kimse gömme kavramının beden süsünden doğduğunu savunamaz. Mezarlar ile resimler arasında da –herhangi bir yönde– evrimsel bir ilişki söz konusu olamaz. Bunlar belirgin biçimde farklı "sanat" türleridir.[186] Anımsanması gereken önemli noktalardan biri şudur: Bazı Üst Paleolitik dönem mezarları, mezar eşyaları açısından o kadar zengindir ki eşyalar tek bir aileden çok daha geniş bir toplumsal çevre tarafından temin edilmiş olabilir. Böyle mezarlar Orta Paleolitik dönemden daha geniş toplumsal ağlara ve bunlara eşlik eden simgeciliğe işaret eder.[187]

O zaman Neandertaller neden *Homo sapiens* yaşamının imgelerini ve özenli mezarlarını görmezden geldi? Onların bazı şeyleri seçerek ödünç almaları, toplum ve insan bilinci hakkında önemli sorular gündeme getiriyor. Dikkatle düzenlenen ve son derecede törensel ölü gömme âdetlerinin ve temsili resim ve oymaların, insanlık tarihinin sonraki dönemlerinde tam olarak öyle olmasa da o zamanlar –son derce farklı sanat türleri olmalarına

ŞATELPERONYEN NEANDERTALLERİ...

...NELER ÖDÜNÇ ALDI			...NELER ALMADI
Taş alet teknikleri			İleri avcılık teknikleri
Dilgiler			
Ön-kazıyıcı	Benzer amaçlar		
Oyma ucu			
Kemik ve boynuz			
Bazı geç dönem mezarlar	Başka amaçlar		Mezar eşyaları ile defin
Kişisel süslemeler			
			Resim yapma

21. Şatelperonyen Neandertalleri *Homo sapiens* komşularından neler ödünç aldı, neler almadı.

karşın– iki önemli ortak noktası olduğunu savunuyorum.

İlk maddi kültür örnekleri olarak hem beden süsleme hem ölü gömme, sadece yaşa, cinsiyete ve fiziksel güce dayanmayan hiyerarşik ya da en azından farklılaşmış bir toplum türünün ifade edilmesi ve yaratılmasıyla bağlantılıdır. Bu tür bir toplum Neandertaller için –kelimenin tam anlamıyla– düşünülemez bir şeydi. Neandertaller muhtemelen, görebildikleri kadarıyla fiziksel olarak güçsüz olan bazı insanlara Orinyasyenlerin neden saygı gösterdiklerini ve onlara neden boyun eğdiklerini el yordamıyla anlamaya çalışıyordu. Önceden öne sürdüğüm gibi beden süsü çeşitleri ve süslemeler geç Neandertal kültürü tarafından gelişigüzel biçimde alınmıştır ama bu muhtemelen daha zeki ve daha karmaşık Orinyasyen komşularına yüzeysel biçimde benzemeye yardım etmek içindi.

İkincisi daha temel bir noktadır ve bizi sonraki bölümlerin ana fikrine doğru yönlendirecektir. Neandertallerin sahip olduğu bilinç türünün –yalnızca zekâ düzeyinin değil– Üst Paleolitik dönem insanlarınınkinden önemli açılardan farklı olduğunu ve bu farkın da Neandertallerin gerek resim yapma gerek karmaşık ölü gömme uygulamaları önünde bir engel olduğunu öne sürüyorum. Beyinlerinin yapısı ve bu yapının oluşturduğu bilinç türü yüzünden Neandertaller:

— (içedönük durumlar, düş görme, değişen bilinç durumları gibi) farklı bilinç durumlarından kaynaklanan zihinsel imgelemleri anımsama, bunlar üzerinde düşünebilme,

— bu imgelemi işleyebilme ve paylaşma,

— zihinsel imgelemin bu yolla toplumsallaştırılmasıyla, kendine özgü bir gerçekliğe ve yaşama sahip olacak derecede unutulmaz ve duygusal olarak yüklü bir "alternatif gerçeklik", bir "paralel varoluş durumu" veya "ruh âlemi" düşünebilme,

– zihinsel imgeler ile maddi dünyadaki şeylerin iki ve üç boyutlu imgeleri arasında bir bağlantı kurabilme[188] ve

– bu yeteneklerin derecelerinin ve zihinsel imgelem türlerine ayrımlı erişimin belirlediği toplumsal farklılıklara uyumlu yaşayabilme yeteneklerinden yoksundu.

Neandertaller belli ki, Üst Paleolitik dönem insanları kadar kesin ve esnek olmasa da, aletlerinin neye benzemeleri gerektiği konusunda zihinsel imgelere sahipti. Bu aletlerin ne işe yaradığını da anlayabiliyorlardı. Ama tüm bunları yapmalarını sağlayan zihinsel imge, bana göre, diyelim bir hayvanın temsiline aktarılabilecek ve bir "alternatif gerçeklik" yaratmak üzere başka insanların zihinsel imgelemleriyle karşılaştırılabilecek türden tamamen farklıydı. Neandertal zihinsel imgeleminin –bir çakmaktaşı aletinin istenen biçimde üretilmesini sağlayan el hareketleri dizisi gibi– motor becerilerle yakından ilişkili olduğunu öneriyorum. Fiziksel etkinlik zihinsel imgelemi harekete geçiriyordu, sınırlı ölçüde tersi de doğruydu.

Daha karmaşık Üst Paleolitik dönem zihinsel imgelemi bağımsız olarak düşünülebilir ve akıllıca ele alınabilirdi. Bu imgelem üç boyutlu şeylerin iki boyutlu temsilleri içinde ifade bulmaya ve bunlara paralel olarak algılanmaya da genişletilebilirdi. Orinyasyen insanları gerçekten de yukarıda saydığım altı beceriye ulaşabiliyordu. Neandertaller ne Orinyasyenlerin temsili imgelerini ne de ölü gömmenin amaçlarını anlayabiliyordu. Bir mağara duvarındaki birkaç işaretin nasıl olup da akla gerçek, canlı, dev, hareketli bir bizon getirebildiğini sormuş olabilirler (daha sonra Orinyasyen imgelerinin muhtemelen Neandertal zihni için daha da anlaşılmaz başka bir şeyi temsil etmiş olduğunu savunacağım). Bu Orinyasyenler ölü bir insanın "ruhunun" başka "ruhların" olduğu bir "âleme" gittiğini söylediklerinde ne demek istiyor olabilirlerdi? Orinyasyenler yaşayan, bireysel insanlarla ilişkili eşyaları neden yaşamları sona ermiş insanların cesetleriyle birlikte mezarlara koyuyordu?

Bu noktaların doğurduğu sonuçlar nelerdir? Üst Paleolitik dönem topluluklarında hem temsili sanat hem karmaşık ölü gömme uygulamalarının farklı insan kategorilerinin "ruhsal" âlemlere (yani, zihinsel imgelem âlemlerine) farklı derecelerde ve çeşitlerde erişimiyle bağlantılı olduğunu ve bu açıdan Neandertallerin sahip olmadığı bir bilinç türünün bu sanatların ortak temeli olduğunu öne sürüyorum. Bana göre, Neandertallerin bu uygulamaları niçin ödünç almadıklarının ya da taklit etmediklerinin nedeni budur. Yalnızca yeteri kadar zeki değillerdi (ki bu büyük olasılıkla doğruydu) aynı zamanda farklı türden bir bilinçleri vardı. Tam anlamıyla modern insan bilinci,

Neandertallerinkinin tersine, zihinsel imgeler üzerine düşünme, farklı bilinç durumlarında zihinsel imgeler üretme, bu zihinsel imgeleri anımsama, bunları kabul edilmiş bir çerçeve içinde başka insanlarla tartışma (yani onları toplumsallaştırma) ve resim yapma yeteneklerini içerir. Bu yeteneklere sahip olma veya olmama, Orinyasyenlerin ve Neandertallerin kendi kimlik algılarını nasıl etkilemişti?

Orinyasyenlerin bakış açısıyla, zihinsel imgelemi toplumsal bağlamlar içinde oluşturma, düşünme ve kullanma yeteneği, bir ruhlar âlemini tasavvur etme ve ölüleri o âlem için hazırlama, Doğu ve Orta Avrupa'da bulunmuş erken dönem heykelcikler ve mezarların ortaya koyduğu gibi, Batı Avrupa'ya göçtüklerinde beraberlerinde getirdikleri uygulamalardı. Neandertallerin bu yeteneklere sahip olmadığını fark etmiş olmalılar: Neandertallerin diğer her şeyi kopyalayabilseler bile bunun bir türlü beceremedikleri bir şey olduğunu görmüş olmaları gerek. Belirli bir tür bilincin ve zihinsel imgelemin toplumsal amaçlar için kullanılması, Orinyasyenler için bu nedenle toplumlarını Neandertal komşularından ayıran önemli bir özellik oldu. Buna sahip olmanın Neandertaller üzerinde bir üstünlük duygusu doğuracak ve onlarla ilişkilerini renklendirecek olması, araştırmacıların incelemediği kaçınılmaz sonuçlardır.

Ayrıca, Orinyasyenlerin daha ileri giderek yaşamlarının ve düşüncelerinin, onları Neandertallerden ayıran ve "üstün" kılan bu özellikleri geliştirmiş olmaları olası görünüyor. Özellikle Şatelperonyen sonlarına doğru var olan rekabet koşullarında, kendi toplulukları içindeki toplumsal kontrolle ve böyle bir kontrole bağımlı varoluş etkililiğiyle yakından bağlantılı olan farkları geliştirmiş olacaklardı. En eski temsili sanat örnekleri (Schwabe heykelcikleri) Orinyasyen'in en erken dönemlerinde değil, bir süre sonra ortaya çıktı.[189] Bu gecikme anlaşılabilir bir durumdur. İlk temastan ve belki de tedbirli bir biçimde birbirlerini uzaktan izlemenin ardından, her iki türün, aralarında farklı tipte ilişkiler geliştirmek için zamana ihtiyaçları olacaktı. Bu ilişkilerin hepsi değilse de bazıları artan nüfus yoğunluğuna ve belirli kaynaklar için rekabete bağlı olmuş olabilir. Orinyasyenler ancak türler arası ilişkiler belirli bir yakınlık düzeyine eriştiğinde, var olan zihinsel imgelemlerinden yola çıkarak temsili sanat yapımını artırma gereği hissetti; yaptıkları imgeler, kısmen, toplumsal egemenliklerinin bir ifadesiydi ve bu egemenliği sağlamlaştırmaya yardımcı oldu.

Neandertal bakış açısı tamamen farklı olmuş olmalı. Batı Avrupa'da 160.000 yıldan daha uzun bir süre yaşamışlar ve bu süre içinde zihinsel kapasiteleriyle becerebildikleri kadar yaşadıkları çevreyle ilişkilerinde ustalaşmışlardı. Günümüzden 60.000 ilâ 40.000 yıl öncesi dönemde bölgesel farklılıklar ve mikro ölçekte uyumlar geliştirmişlerdi: Gelişmeleri tam olarak sona ermemişti; kültürleri ölüm döşeğinde değildi. Sonra, 45.000 ilâ 35.000

yıl önce, yeni gelenlerle baş etmeleri gerekti. Artık, daha önce hiç uğraşmak zorunda olmadıkları yeni bir toplumsal ilişkiler dünyasının parçası oluyorlardı. Önlerindeki yeni engel daha önce baş etmeyi başardıkları çevresel zorluklara benzemiyordu. Çevrelerinde artık daha karmaşık *Homo sapiens* toplulukları ve özellikle de yaşam tarzlarını tehdit eden, taklit edemedikleri daha etkili bir yaşam biçimini ifade eden çeşitli simgecilik biçimleri vardı. Bu yeni zorlukları akılları almıyordu. Orinyasyen yaşamının, taş alet yapımı gibi bazı unsurlarını başarıyla taklit edebildiler; beden süslemesi gibi, anlamlarını tam olarak kavramadan aldıkları taraflar vardı; ama bir de Orinyasyen davranış biçiminin –ölü gömme törenleri, bir ruhlar âlemine inanç ve resim yapma gibi– onların zihinsel donanımlarına uygun olmayan yönleri vardı. Eksikliklerinin nedeni daha düşük zekâ düzeylerinden çok kendi özel bilinç türlerine dayandırılabilir (7. Bölüm).[190]

Üst Paleolitik dönem sanatının filizlenmesinin gerisindeki dinamiğin, Max Raphael'in zekice öngördüğü gibi, çatışmalı toplumsal bölünme senaryosu olduğuna inanıyorum. Laming-Emperaire ve Leroi-Gourhan, Raphael'in, toplumsal vurgusunun göz ardı edilmesi pahasına, düşüncelerinin mitogram unsurunu geliştirdiklerinde, Üst Paleolitik dönem sanatı araştırmalarını işlevselci bir yaklaşıma, imgelerin gruplar arası işbirliğini, grup içi birliği, bilgi alışverişini, ikili mücadelelerin çözümünü vb. geliştirdiği iddiasıyla "işe yarar" yönlerine vurgu yapan bir yola indirgedi. Gerçek, bana göre, daha karmaşık ve daha rahatsız ediciydi. Üst Paleolitik dönemin başında ortaya çıkan şey "güzellik" veya "estetik duygusu" değil, toplumsal ayrımcılıktı. Sanat ve ritüelin toplumsal birliğe yaptığı katkı büyüktür ama bunu *grup ile diğer gruplar arasında sınırlar çizerek* ve böylece toplamsal gerilim potansiyeli yaratarak gerçekleştirir. Son Neandertal öldükten sonra uzun süre devam eden, aslında tüm insanlık tarihi boyunca süren, sürekli genişleyen bir toplumsal, politik ve teknolojik değişim sarmalını tetikleyen şey, işbirliği değil toplumsal rekabet oldu.

DAHA GENİŞ BİR BAKIŞ AÇISI

Şimdiye kadar iyi belgelenmiş Batı Avrupa bölgesine odaklandık, bunun sonucu olarak da Geçiş'in 45.000 yıl kadar önce beraberinde karmaşık toplumsal yapıları, gelişmiş tekniğe sahip planlı avlanmayı, çeşitli simgesel davranışları ve tabii ki imge yaratımını getirmiş, anatomik olarak modern Orinyasyen insanlarının gelişiyle tetiklendiğini görebildik. Batı Avrupa'da bu yeni paketin bu denli ani ortaya çıkması ve Neandertal yaşam biçiminin göreli bir hızla yerini alması kesinlikle çok çarpıcıdır. Yazarların "Yaratıcı Patlama"[191] veya daha geniş ölçekte "İnsanlık Devrimi'nden"[192] söz etmeleri hiç şaşırtıcı değil. Bu konuda haklılar. Ama yalnızca belirli bir coğrafyaya özgü bir şeyden söz ediyor ve açıkça Afrika ve Ortadoğu'daki kanıtları göz ardı ediyorlarsa… Bu bölgede "Yaratıcı Patlama'nın" ilk işaretlerini buluruz ama elde ettiğimiz resim çok daha az patlayıcı özellikte görünüyor.

"İnsanlık Devrimi" kuramının daha aşırı destekçileri modern insan davranışının bir "paket" olduğunu ve 50.000-40.000 yıl önce her yerde ortaya çıktığını öne sürer. Bu görünürdeki ani değişimi, tür genelindeki nörolojik değişimlerle birlikte tam anlamıyla modern dilin doğuşuna bağlarlar.[193] Bu görüş çok dar biçimde Batı Avrupa kanıtlarına odaklanmanın sonucudur. Sally McBrearty ve Alison Brooks, özellikle Afrika kıtasını içeren, çok daha geniş bir kanıt yelpazesi hakkında bir eleştirel incelemede şu yorumlarda bulunur:

> Kısmen araştırma tarihi, kısmen de Avrupa'dan elde edilen malzeme bolluğu sonucu, Eski Dünya arkeolojisinde derinden derine bir Avrupa merkezli olma eğilimi vardır. Avrupa kaynaklı kayıtları ayrıcalıklı kılmak arkeoloji alanında o kadar yerleşik bir hal almıştır ki arkeologlar tarafından algılanmaz bile.[194]

Batı Avrupa'da Geçiş'i daha az önyargılı biçimde ele almak için, (a) insan bedeninin anatomik olarak modern özellikleri ve (b) insan yaşamının davranışsal açıdan modern özellikleri olarak görebileceğimiz şeyler arasında bir ayrım yapmamız gerekir. Bu iki kavramdan ilkini tanımlamak daha kolaydır: Yalnızca yakın tarihli insan iskeletlerini incelememiz ve hangi özelliklerin ve ölçümlerin bunları çok daha eski örneklerden farklı kıldığı konusunda uzlaşmamız yeterlidir (gerçi bu da söylenmesi kolay, uygulanması zor bir şeydir). İkinci kavram daha tartışmalıdır. Arkeologlar modern insan davranışı düşüncesini, yani anatomik olarak modern insanlarla ilişkili davranış biçimlerini, Batı Avrupa kaynaklı kanıtlardan türetmiştir. Sonuç olarak modern insan davranışını belirleyen, aşağıdaki gibi listeler oluşturmuşlardır:[195]

– zaman ve mekânla sınırlı olmaksızın soyut kavramlara başvurarak davranma yeteneği, yani soyut düşünme,

– geçmiş deneyimlere dayanan stratejiler oluşturma ve bir grup bağlamında bunlara uygun olarak eyleme geçme yeteneği, yani planlama derinliği,

– davranışsal, ekonomik ve teknolojik yenilik yapma,

– nesneleri, insanları ve soyut kavramları sesli veya görsel keyfi simgelerle temsil etme ve bu simgeleri kültür pratiği içinde somutlaştırma, yani simgesel davranış.

Batı Avrupa kanıtları göz önünde tutulduğunda, bu liste akla yatkın görünüyor. Ama bu listeyi yapanların da belirttiği gibi, tüm anatomik olarak modern toplumların bu özellikleri tamamen aynı biçimde sergilemiş olmalarını beklemek mantıksızdır. Örneğin *Homo sapiens* topluluklarının hepsi kemik aletler yapmamış, balık yememiş ve mağaralarda resim yapmak için boya kullanmamıştır.[196]

Bu noktanın önemi modern insan anatomisinin ve davranışının ortaya çıkışı için Afrika kaynaklı kanıtları ele aldığımızda netleşecektir. Temel ilgi alanımız başka olduğu için bu kanıtları kısaca özetleyeceğim ve –her ne kadar tümü de heyecan verici ve önemli olsa da– insan fosili çeşitlerinin ayrıntılarını, tarihleri ve tarihleme tekniklerini, arkeolojik alan adlarını, Afrika'da Orta Taş Çağı olarak bilinen dönem ile Avrupa Üst Paleolitik dönem arasındaki farkları, taş alet tipolojilerini, Afrika içindeki demografik örüntüleri, son derece özel iç tartışmaları ve başka pek çok şeyi atlayacağım.[197]

"Afrika'dan Yayılma" hipotezi, hâlâ bir ölçüde itiraz kalıntısına ve rötuşlanma ihtiyacına karşın, araştırmacılar tarafından genel kabul görmektedir. Fosil kanıtlarının anatomik olarak modern insan toplumlarının atalarının Afrika'da evrildiğini ve kıtayı iki dalga halinde terk ettiğini kesin olarak gösterdiğine inanırlar. Bu hipotez Batı Avrupa'nın neden Homo sapiens toplulukların Ortadoğu'dan Doğu Avrupa yoluyla batıya ulaşmadan önce binlerce yıl anatomik olarak arkaik Neandertaller tarafından işgal edildiğini açıklar. Afrika'dan bu ikinci göçe ait bir görüşe göre, Afrika'yı terk eden anatomik olarak modern insanlar tam anlamıyla modern davranış biçimine sahip değildi ve bunu ancak 40.000 ilâ 50.000 yıl önce kazandı.

Afrika kanıtları bu önemli noktayı sorgulamamıza neden olur. Günümüzde modern davranış biçimlerine geçiş 250.000 ilâ 300.000 yıl kadar önce erken bir dönemde başlamış gibi görünmektedir.[198] "Modern insan davranış biçiminden" değil "modern insan davranış biçim*lerinden*" söz etmemiz gerektiği de açıktır. Modern davranış biçimi bütün bir paket halinde aniden ortaya çıkmış değildir; bu anlamda bir "devrim" söz konusu değildir. Modern davranış biçiminin yukarıda listelediğim dört özelliği kendini çeşitli yollarla göstermiş, farklı zamanlarda ve Afrika arkeoloji kayıtlarında birbirlerinden oldukça uzak noktalarda ortaya çıkmıştır (22. resim).[199] Örneğin taş bıçakların yapımı ve zımpara taşı kullanılarak pigment işleme uygulamaları 250.000 yıl öncesine tarihlenir. Uzun mesafeli alış veriş ve deniz kabuklusu avı yaklaşık 140.000 yıl önce başladı. Kemik aletler ve madencilik yaklaşık 100.000 yıllık bir tarihe sahiptir. Devekuşu yumurtasından boncuk yapımı 40.000 ilâ 50.000 yıl önce başladı ama güncel kanıtlara göre temsili imgeler dediğimiz sanat türü ancak 30.000 ilâ 40.000 yıl öncesine aittir. En şaşırtıcısı da Chris Henshilwood ve meslektaşlarının Cape Town yakınlarındaki Blombos olarak bilinen mağarada yakın zamanda keşfettikleri buluntulardır. Üzerine dikkatli biçimde çarpı işaretleri, ortasına ve çerçevesine düz çizgiler

22. Afrika'da tam anlamıyla modern davranış özelliklerinin aşama aşama bir araya gelişi. Temsili resim burada modern davranış biçiminin en yeni unsuru olarak gösterilmiştir; yeni bulunan geometrik gravürlerin 77.000 yıl öncesine ait oldukları belirlenmiştir.

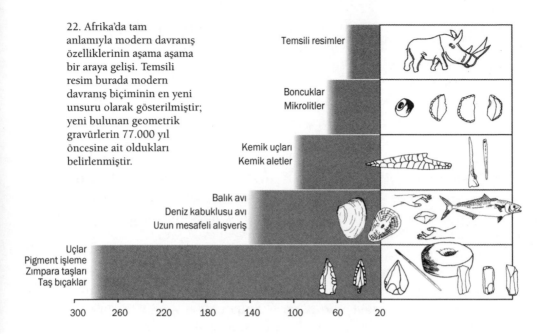

oyulmuş bir aşıtaşı parçası günümüzden yaklaşık 77.000 yıl öncesine tarihlenmiştir (6. renkli resim). Temsili bir imge olmamasına karşın bu parça bugün dünyadaki en eski "sanat" ürünüdür. Hiç beklenmediği kadar eski bir tarihte tartışmasız şekilde modern davranış biçiminin varlığını gösterir. Bu kanıtın ayrıntıları hakkında bazı tartışmalar olsa da bugün artık modern insan davranışı, Batı Avrupa'daki Geçiş'ten önce Afrika'da parça parça ortaya çıkmış gibi görünüyor.[200]

En eski Afrikalı anatomik olarak modern insan topluluklarının davranışındaki değişim kesikliydi, bu dağınık gruplar arasındaki temas da muhtemelen süreksizdi. Bu iki koşul McBrearty ve Brooks'un "bir adım adım gelişme, modern insan uyumunun aşamalı olarak bir araya gelmesi"[201] olarak adlandırdıkları şeye yol açtı. Bu nedenle "Avrupa'da Orta Paleolitik'ten Üst Paleolitik'e Geçiş'in Homo sapiens'in kökeniyle karıştırılmaması gerektiği"[202] son derece önemlidir. Afrika'daki kanıtlar, yeniliklerin önceden planlanmamış, özel amaçlı uygulamalar olduğunu, yayılmalarının da düzensiz olduğunu gösterir. Batı Avrupa özel bir durum, modern insan davranışının bazı unsurlarının filizlendiği bir çıkmaz sokaktır.

Dolayısıyla, bir anlamda bir "Üst Paleolitik Devrim", bir "Yaratıcı Patlama" vardır ama başka anlamda söz konusu değildir. Simgesel etkinlikte kesinlikle nispeten ani bir patlama vardı ama bu patlama ne geneldi ne de bölünemez bir "paket" niteliğindeydi. Tüm farklı sanat türlerinin ve tam anlamıyla gelişmiş simgesel davranış biçiminin Batı Avrupa'da birdenbire ortaya çıkmasına

"Yaratıcı Yanılsama" denebilir.

Bu uyarı notu Batı Avrupa'da olanların önemini azaltmaz; yalnızca bu olayları, yeni açıklama yolları açan daha geniş bir bakış açısı içine yerleştirir. Modern zihin ve modern davranış Afrika'da bölük pörçük olarak evrildiyse, bundan Üst Paleolitik dönemde Batı Avrupa'da gördüğümüz tüm simgesel etkinlikler için potansiyelin, *Homo sapiens* toplulukları Fransa'ya ve İber Yarımadası'na ulaşmadan önce var olduğu sonucu çıkar. Önceden var olan bu potansiyel, Batı Avrupa'daki "Yaratıcı Patlama" için bir tetikleyici mekanizma olarak nöronlarla ilgili bir olay aramamamız gerektiği anlamına gelir. Elimizde başka hangi olasılıklar kaldı? Bana öyle geliyor ki yanıt toplumsal koşullarda yatıyor. Daha önce öne sürdüğüm gibi bu, sanatın toplumsal çatışma, gerilim ve ayrımcılık içindeki rolünü soruşturmamız gerektiği anlamına geliyor. Öyküyü Max Raphael'in bıraktığı yerden sürdürmeliyiz. Darwin'in doğal seçilimle ilgili düşüncelerinin sessiz etkisi altında, imge yaratmanın sözde yararlı etkilerini, resim yapmanın uyumlu bir topluma yaptığı söylenen katkıları öyle ya da böyle yineleyen işlevselci açıklamalardan kaçınmalıyız. Bu (bana kalırsa kolaya kaçan) yolu izlemek yerine, imgelerin ve imge yaratmanın karmaşık toplumsal süreçlerinin toplumsal çatışma koşullarındaki rolünü araştırmalıyız. "Saf, yüce estetik duygusunun" temeli olmak şöyle dursun, dinle bağlantılı olarak, imge yaratımı, çok daha muğlak biçimde, bugün bildiğimiz şekliyle sınıflara ayrılmış toplumların içinde doğdu ve gelişmelerini kolaylaştırdı.[203]

Batı Avrupa'nın daha geniş bir çerçevedeki belirli rolünü daha iyi anladığımıza göre şimdi artık Üst Paleolitik dönem sanatı muammasına daha bilinçli bir biçimde odaklanabiliriz. Ele almamız gereken ilk konu insan zekâsı ile bilinci arasındaki fark ve bu farkın Batı Avrupa mağaralarında Üst Paleolitik dönem insanının zihnine neler olduğunu aydınlatmaya nasıl yardımcı olduğudur. İnsanlar o karanlık geçitlere ve odalara neden girdi ve ışık ile karanlığın etkileşimi içinde bizi bugün bile şaşkına çevirip, nefesimizi tutmamıza neden olan imgeler yarattı?

4. BÖLÜM
ZİHNİN ÖZÜ

Önceki bölümlerde insanın antik çağlarına ait on dokuzuncu yüzyıl keşiflerinden yola çıkarak, iki *Homo* türünün Batı Avrupa'da Orta Paleolitik'ten Üst Paleolitik'e Geçiş sürecinde yaşadığı ilginç etkileşim hakkında günümüzde yürütülen araştırmalara vardık. Batı Avrupa'ya ulaşan ilk Homo sapiens topluluğunun ortaya koyduğu türden modern insan davranışının Afrika ve Orta Doğu'da parça parça bir araya getirilmiş olmasına karşın Avrupa çıkmaz sokağında oldukça özel bir şey yaşandı. O bölgeye özgü koşullar, bir simgesel etkinlik paketinin ortaya çıktığı yanılsamasını doğurdu; bu simgesel etkinlik örnekleri şunlardı:

— Sırf işlevsel olmanın ötesinde grup kimliğini işaret etmeye yarayan incelikli taş alet teknolojisi,

— kişiye ve gruba ait kimliği belirten beden süsleri,

— bazı ölülerin özenle gömülmesi,

— tam anlamıyla modern dil
ve

— imge yaratma.

Bu davranış paketinin, her ne kadar Afrika'da yavaş yavaş ve gelişigüzel bir şekilde bir araya getirilmiş olsa da, Neandertallere yabancı gelen ve bir "alternatif gerçekliğe" ait kavramlara izin veren bir insan bilinci gerektirdiğini savunmaya da başladım. Şimdi artık insan zekâsının binlerce yıl boyunca nasıl evrildiğiyle ilgili kuramları soruşturmamız ama aynı zamanda bir adım ileri gidip insan bilincinin rolünü de ele almamız gerekiyor. Sadece insan etkinliklerinin maddi kalıntıları olan taşlar ve kemiklerle değil, insan zihniyle ilgili yeni bir araştırma türünün eşiğinde bulunuyoruz. Bu noktada bazı arkeologlar huzursuz olmaya başlar: "Paleopsikoloji" diye alaya aldıkları şey lanetli bir konudur.

Rahatsızlıkları, kısıtlayıcı olduğuna inandığım araştırma yöntemlerine fazlasıyla katı biçimde bağlı olmalarıdır. Gerçekten de Üst Paleolitik dönem zihninin ve bilincinin doğasına yönelik bir araştırma, metodoloji üzerinde daha fazla durulmasını gerektirir. Büyü ve tarih öncesi bir mitogram varsayımı gibi Üst Paleolitik dönem imge yaratımının amaçları konusunda öne sürülen ilk hipotezler arasında ayrım yapmak için kullandığımız görece daha basit yöntemden farklı bir metoda ihtiyacımız var. Hipotezleri değerlendirmek için kullandığımız ölçütler hâlâ önemli ama bunların ötesine geçmeliyiz. 3. Bölüm'de yapmaya başladığımız gibi, oldukça kısıtlı kanıt alanlarından insan bilincinin çok daha geniş bir çerçevede ele alınmasına geçer geçmez, teknolojiye, tarihöncesi yerleşim örüntüleri arkeolojisine, ekonomik etkinliğe ve erken dönem insan yaşamının bizi şimdiye kadar özellikle ilgilendiren diğer unsurlarına ek olarak nöropsikolojiyi de –beynin/zihnin nasıl çalıştığının araştırılması– incelemeliyiz. Bu ilgi alanının genişlemesi yeni bir kanıt dizisine yer açmak anlamına gelir.

KANIT DİZİLERİ

Çok sayıda kanıt dizisinin bir araya getirilerek örülmesi, bilim felsefecilerinin gündelik bilim pratiğine, araştırmacıların sık sık söz ettikleri metot olan hipotezlerin sırayla sınanmasından daha yakın olduğunu kabul ettiği bir açıklama oluşturma metodudur. Aynı zamanda bir bilim felsefecisi de olan Alison Wylie,[204] arkeolojide bu "kablolama" metodunun kullanımını savunur. "Kablolama" ve diğer akıl yürütme türleri arasındaki farkı açıklamak için bazı savların zincir gibi olduğunu belirtir: Birbirlerini art arda izleyen mantık bağlantılarını izlerler; bir bağlantı kanıt yokluğundan veya yanlış mantık nedeniyle koparsa tüm sav çöker (23. resim). Bu, bizim sürdürdüğümüz türden bir araştırmayla uğraşan araştırmacıların yüz yüze kaldıkları bir zorluktur. Arkeoloji, neredeyse tanım gereği, kanıt kıtlığı olan bilimlerin mükemmel bir örneğidir. Bütün arkeolojik kaydı –anlaşılır biçimde– kesintiye uğratan boşluklardan kurtulmak için yöntemler bulmalıyız.

Wylie, arkeologların pratikte bu sorunun üstesinden çok sayıda kanıt dizisini birbirleriyle örerek geldiğini belirtir. Bu metodun değeri, her bir kanıt dizisinin, kendi çerçevesinde, hem destekleyici, hem kısıtlayıcı olmasıdır. Kanıtın bu iki özelliği bir açıklama gerektiriyor.

Bir kanıt dizisi, bir başka dizideki boşluğu giderebilir olduğu için destekleyicidir. Örneğin

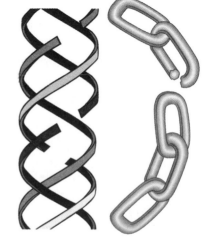

23. İki tür sav. Birkaç kanıt dizisini birbirleriyle ören kablo benzeri savlar. Bağlantıdan bağlantıya ilerleyen zincir benzeri savlar. Kablo benzeri savlar bazı dizilerde boşluk olsa da sürdürülebilir.

arkeolojik kaydın kendisi bir kazıda bulunan (bir kilitli taş yapı gibi) belirli bir özellik için bir açıklama getiremiyor olabilir ama dünyadaki küçük ölçekli toplumlara ait etnografik kayıt pekâlâ bir açıklama sunabilir (tefekkür için inzivaya çekilmek isteyen insanların benzer yapılar inşa ettiği biliniyor). Eğer dünyanın bir bölgesindeki avcı-toplayıcı toplumlar içinde belirli bir insani etkinlik arkeolojik keşiflere benzer fiziksel kanıtlara yönlendiriyorsa, etkinlik ile maddi kayıtlar arasında aynı ilişki çok eski bir geçmişteki bir avcı-toplayıcı yerleşiminde de ortaya çıkmış *olabilir*. Etnografyayla aydınlanan araştırmacı, etnografik ipucunu destekleyebilen veya onunla çelişen, daha önce fark edilmemiş herhangi bir veriyi araştırmak için (belki de aynı zamanda başka bir kanıt dizisi de ararken) arkeolojik kayıtlara geri dönebilir. Etnografik kanıt dizisi, böylece, başka türden kanıtlarla birlikte arkeolojik kanıt dizisindeki boşluğu "kapatmaya" yardımcı olabilir.

Kablolama metodunun bir başka yararı daha vardır: Sınırlayıcılık özelliğine sahiptir, yani bir araştırmacıyı arkeolojik kayıtlardan uzaklaştırabilecek çılgın hipotezlere engel olur. Bir arkeolog, örneğin, şiddetli bir kuraklığın iklim açısından uç bir çevredeki insan yerleşiminin terk edilmesine yol açtığını düşünebilir ama paleo-iklimsel kanıtlar (kısmen çok eski çiçek tozlarının analizine dayanan bir başka kanıt dizisi) böyle bir kuraklığın yaşanmadığını gösterebilir.

Bu yöntem, araştırmacıların –açıkça kabullenseler de kabullenmeseler de– Geçiş süresince insan beynine/zihnine neler olmuş olabileceğine dair ipuçları arayıp dururken benimsedikleri metottur. Arkeolojik kayıtların ötesinde kanıt dizileri ararlar. Bazıları maymun ve şempanze araştırmalarına başvurarak iletişim kurmayı nasıl becerdiklerine veya beceremediklerine dikkat eder; bu hayvanlar, ne de olsa, bizim en yakın insansı akrabalarımızdır. Başka araştırmacılar yapay zekâ oluşturma çalışmalarını ve bilimcilerin hangi yollarla düşünen makineler yapmayı denediklerini araştırır. Başkaları insan türlerinin düşünmeyi ve dil kullanmayı öğrenme yöntemleriyle paralel süreçler bulmak umuduyla çocukların konuşmayı nasıl öğrendiklerini inceler. Yine başkaları parçalanmış zihinlerin insan zihninin evriminin erken aşamalarını biraz aydınlatabileceği umuduyla, zekâ engelli ve beyin hasarlı insanların beyinlerini/zihinlerini araştırır. Bu yaklaşımların hiçbiri, en azından benim düşünce biçimime göre, insan beyninin/zihninin bugünkü hale nasıl geldiğini anlamamıza pek katkı sağlamamıştır. Maymunlar başlı başına büyüleyici yaratıklardır ama insanların dondurulmuş ataları değildir; çocuklar arkaik insanların beyinlerine sahip değildir; hasarlı beyinler, modern beyinlerin öncüleri değil, anatomik olarak modern insana ait hasar görmüş beyinlerdir. Son olarak da, bilimciler tıpa tıp bir insan beyni gibi çalışan bir makine yapmayı başarsalar dahi bu bir beyin *olmayacaktır*, bu nedenle de bu makine insan beyninin evrimini açıklama konusunda bize yardım edemeyecektir. Bu, çok değerli araştırmaların haddinden fazla kibirli bir biçimde reddedilmesi gibi görülebilir. Tüm bu çalışmaları toptan reddediyor değilim; sadece Üst Paleolitik dönem sanatı soruşturmamıza, tüm bu tartışmalı konuları incelemeden de devam edebileceğimizi hissediyorum.

BEYİN/ZİHİN SORUNU

Bazı sıradan ve sık kullanılan sözcükleri tanımlamak son derece zordur. "Sanat"ı tanımlama sorununu belirtmiştik. "Bilinç" de böyle sözcüklerden bir diğeri. Hepimiz ne anlama geldiğini biliriz – biri bizden onu tanımlamamızı isteyene dek. Bu zorluğun kaynaklarından biri bilincin, zihinsel durumların geniş bir potansiyel durum yelpazesinden tarihsel olarak konumlandırılması ve değerlendirilmesidir. Evrensel, zamandan bağımsız bir olgu değildir. Bu kitapta daha önce yaptığım gibi, bu kaygan sözcüğü resmi biçimde tanımlamak gibi can sıkıcı bir işten kaçınacağım. Bunun yerine, sözcüğün anlaşılmasını biri dizi gözlemden yola çıkarak sağlamaya çalışacağım.

Bildiğimiz iki şey var; birincisi beynin/zihnin evrim geçirmiş olduğu, ikincisi de bilincin (beyinden ayrı olarak) beyin "bağlantılarındaki" elektrokimyasal etkinliğin yarattığı bir kavram veya duygulanım olduğudur.

İlk noktayı açacak olursak, beynin/zihnin durduk yerde yoktan aniden ortaya çıkmadığını söyleyebiliriz. İnsan beyninin/zihninin kökenleri geçmişin çok derinlerinde yatıyor olmalı. Ayrıca, beynin/zihnin başlangıcı, günümüz Batı toplumunda artık söz konusu olmayan hayatta kalma koşulları tarafından biçimlendirilmiştir. Bu durumda Darwin'e ve onun türlerin değişebilirliği ve doğal seçilimin etkileri konularındaki düşüncelerine –ve tabii ki Darwin'in attığı sağlam temeller üzerine inşa edilen daha yakın tarihli evrim kuramına da– başvurmalıyız.

İkinci gözlem oldukça farklıdır ve daha çok yorum gerektirir. Evrimden söz ediyorsak eğer, –temel olarak– insan bedeninden, kemiklerin, kanın, dokuların, beyni oluşturan maddenin fiziksel ve maddi yapısından söz ediyoruz demektir. Buna karşın zihin bir yansıtma, bir soyutlamadır; beyin gibi bir masanın üstüne konup parçalarına ayrılamaz. Zihin, öyle görünüyor ki, bir felsefe masasına yatırılıp tanımlanmaya ve betimlenmeye de uygun değildir. Aslında kadim zihin/beden sorunu kuşaklar boyunca onca felsefecinin dehasına karşın çözümsüz kalmaya devam etmektedir.

Konuyla ilişkili en ünlü kişi, Fransa'da doğmuş, ömrünün çoğunu Hollanda'da geçirmiş düşünür René Descartes'tır (1596-1650). Daha sonra tartışacağım konular ışığında, Descartes'ın yeni bir felsefe ve bilim sistemi tasarlama arzusunun akılcı, aydınlık düşünceden ziyade bir dizi düşten doğduğunu söylediğini belirtmek gerek. Bu çelişki, onun düşüncesindeki ikilikten kaynaklanır. Bir yandan kökleri katı matematik ve maddi dünyada olan felsefe ve bilim kuramları geliştirdi. Öte yandan sistemi tanrısal, iyiliksever bir yaratıcının olduğunu varsayıyordu. Bu çelişkiden, temelden farklı iki tözün, maddi töz (taşlar, ağaçlar, hayvanlar ve insan bedeni) ile "düşünce tözünün" (insan zihni, düşünceler, arzular) olduğunu öneren ünlü "Kartezyen ikiliği" gelişti. Bu ikilikten benliğin (aşağı yukarı bilinç adını verdiğimiz şeyin) maddi bir şey olmadığı, sanki bir kuklacının kuklayı yönetmesi gibi, bir şekilde (maddi olan) beyni yönettiği düşüncesi doğar. İngiliz felsefeci Gilbert Ryle (1900-1976) bu kavramı şu ünlü ifadesiyle özetlemiştir: "Makinedeki Hayalet". Descartes'ın düşüncesi bugün "niteleyici ikilik" olarak adlandırılan, psikolojik olayların fiziksel temellere indirgenemeyeceğini savunan doktrinde yaşamaya devam etmektedir. Her ne kadar zihnin indirgemeci anlayışla açıklanmasına böyle bir karşı koyuş bir ölçüde anlamlı olsa da, ikna edici herhangi bir açıklamanın zihnin özü, beynin biçimine ve çalışmasına başvurmak zorunda olduğuna inanıyorum. Makinede gizli hayalet beynin elektrokimyasal işleyişinin yarattığı bilişsel bir yanılsamadır.

Bununla birlikte, günümüzdeki insan bilinci çalışmaları bolluğuna karşın beynin işleyişinin insan bilincini nasıl yarattığını hâlâ bilmiyoruz. Beyinde olup bitenler hakkında yirmi yıl öncesinden daha çok şey biliyoruz ama Ian Glynn'in zarif ve bilgece yazılmış kitabı *An Anatomy of Thought*'ta [Düşüncenin Bir Anatomisi] belirttiği gibi pek çok şey gizemini koruyor.[205] Daha kötümser olarak, sorunun hiçbir zaman çözülmeyeceğini savunanlar var. Onlara göre bilinç din gibidir: Ona sahipseniz onu inceleyemezsiniz. Bir başka ifadeyle, bilişsel yeteneklerimiz kendi bilişsel yeteneklerimizi anlamaya izin vermez. Dininiz varsa onu inceleyemeyeceğiniz düşüncesi doğru olabilir ama bilincimizin kendi bilincimizi anlamaya engel olduğunu savunmayı sürdürmek yanlış bir benzetmedir. Bilinç, özfarkındalık, içgözlem, sezgi ve öngörü gibi büyüleyici konular oldukları gibi duruyor ama, söz ettiğim diğer çok ilginç alanlar gibi bunlar da araştırmamızın varış noktası değil. Neyse ki çevrelerinden dolaşarak beyin, zihin ve en eski sanat arasındaki ilişkileri inceleyebiliriz.

ZİHİNLER VE METAFORLAR

Beyinden söz ettiğimizde sağlam bir zemin üstünde dururuz. Beyni kelimenin tam anlamıyla parçalara ayırıp inceleyebilir ve sol ve sağ yarıküreleri, korteksi, hipokampusu, sinapsları, nörotransmiterleri vb. bulabiliriz. Ama iş aynı süreci zihin ve bilinç için tekrarlamaya geldiğinde bambaşka bir süreç benimsemek zorunda kalırız. Kaçınılmaz olarak ya da görünürde kaçınılmaz olarak, metaforlar ve benzetmeler kullanmamız gerekir: İnsan zihni olarak hayal ettiğimiz şeyi daha basit ve daha tanıdık bir şeyle karşılaştırmalıyız. Böylece zihin, bilginin doğumdan itibaren öğrenme süreci yoluyla üzerine yazıldığı boş bir sayfa olarak düşünülebilir. Veya onu bilgiyi emen, onu saklayan sonra da sıkıldığında dışarı veren bir sünger gibi düşünebiliriz. Ya da zihni, bugünlerde popüler olduğu gibi, donanımı (sinirsel yapısı) ve yazılımı (çalışmasını sağlayan programları) olan bir bilgisayar gibi düşünebiliriz. Bazı bilgisayarlar daha güçlüdür: Daha fazla bilgi depolayabilir ve daha karmaşık işlemler gerçekleştirebilirler. Öyleyse erken insansıların zihinleri de basit bilgisayarlar gibiydi; bizimki daha güçlüdür. Daha yeni ve gittikçe daha etkili olmaya başlayan bir metafor, daha sonra ayrıntılı olarak inceleyeceğimiz, her biri özel bir işlev için tasarlanmış olan birkaç bıçak ve küçük alete sahip gereç olan İsviçre çakısı benzetmesidir.

Bu anlayışların metafordan öte bir şey olmadıklarını akılda tutmak önemlidir: Fiziksel kanıt olarak hiçbir temelleri yoktur. Bir bilgisayarın çeşitli parçaları, örneğin, beyinde bir bilgisayar gibi parçalara ayrılabilecek fiziksel, birbirlerinden ayrı parçalarla paralellik göstermez; çok girift sinirsel bağlantıları olan beyin çok daha karmaşıktır. Bu gerçek bir sorundur. Bazı metaforlar çok çeşitli nedenlerle diğerlerinden daha çekicidir: Bazıları diğerlerinden daha çağrıştırıcı ve heyecanlandırıcı olmakla kalmaz, açıklamaya çalıştığımız zihni oluşturan unsurlara denk gelirmiş gibi görünen alt metaforlar doğurur. Böylece bir bilgisayarın sabit sürücüsü belleğimize, klavye duyu organlarımıza, ekran ifade yöntemlerine benzetilebilir. Böyle bir şey olduğunda zihin olgusunu gerçekten açıklıyormuş duygusuna kapılabiliriz. Ama bu, söz konusu değildir. Yalnızca, beynin de içinde yer aldığı maddi dünyada hiçbir karşılığı olmayan sözcüklerle oynuyor oluruz.

Bu uyarıları akılda tutarak Orta Paleolitik'ten Üst Paleolitik'e Geçiş için en yeni ve geniş biçimde tartışılan açıklamaya ve üzerine inşa edildiği iki zihin metaforuna –İsviçre çakısı ve katedral benzetmesine– geçebiliriz. Bu alımlı metaforlar işin özünü anlayamadan nasıl bu kadar çekici açıklamalar ortaya koyabildi?

KATEDRAL DUVARLARINI YIKANLAR

Çoğu arkeolog Geçiş'in Batı Avrupa'daki kanıtlarını açıklamak için, bu değişim ister Ortadoğu ve Avrupa'da, ister benim öne sürdüğüm gibi aslında Afrika'da gerçekleşmiş olsun, insan zihninin erken biçimlerinde çok köklü bir değişim olması gerektiği konusunda hemfikirdir. "Başka türlü nasıl beden süslerinin, ölü gömmenin ve sanatın nispeten aniden bolca görünür olması açıklanabilir?" sorusu sorulur – en azından kısmen. Bu arkeologlardan bazılarının, insan zihninin tarihten önce binlerce yıl boyunca ve bugünkü durumuna erişene dek geçirdiği evrimin aşamalarına ışık tutmak için evrimsel psikolojiye başvurmalarının nedeni budur.[206] Arkeolojik kayıtlara ilişkin bilgilerini evrimsel psikologların önerdiği zihinsel gelişme aşamalarıyla karşılıklı olarak açıklama ilişkisine sokabileceklerine inanırlar. Bu araştırma programı, hiç şüphesiz çok çekicidir, disiplinler arasında karşılıklı aydınlatma önermesi de kesinlikle geçerli bir varsayımdır.

İngiltere'deki Reading Üniversitesi arkeologlarından Steven Mithen iki disiplin arasındaki ilişkinin en saygın ve titiz araştırmacılarından biridir. Düşüncelerini *The Prehistory of the Mind: A Search for the Origins of Art, Religion and Science*[207] [Zihnin Tarihöncesi: Sanatın, Dinin ve Bilimin Kökenlerinin Aranması] başlıklı kitabında kapsamlı ve açık biçimde ortaya koymuştur; (evrim psikoloğu olan yol göstericileriyle birlikte) esas ilgi alanı zekâ ve *farklı zekâ türleridir.* Zekânın önemini azımsamadan, daha sonra bilincin de eşit derecede önemli olduğunu vurgulayacağım.

Farklı zekâ türlerinden söz ediyorum çünkü evrimsel psikolojinin merkezindeki konu zekânın genel amaçlı tek bir "bilgisayar" mı yoksa her biri bir amaca adanmış bir "bilgisayarlar" grubu mu olduğudur. Evrimsel psikologlar ikincisinin daha olası olduğuna inanır çünkü insan dışındaki hayvanlarla yapılan çalışmalar bir alanda öğrenilen bir şeyin genellikle bir başka alana aktarılamadığını göstermiştir: "Eğitim aktarımı" ya çok azdır ya da hiç yoktur. Evrimsel psikologlar bu nedenle "zihinsel modüllerden" "çoklu zekâlardan" "bilişsel alanlardan" ve "Darwinci algoritmalardan" söz eder.[208] Bu ifadelerle belirtilen kavramlar belki de en kolay Noam Chomsky'nin düşüncelerinden birine göz atarak anlaşılabilir. Chomsky çocukların erken yaşlarda karmaşık dil öğrenme yeteneklerinin, muhtemelen bir biçimde insan beyninde/zihninde doğuştan var olduğunu belirtir.[209] Sayısal beceri gibi diğer zekice davranış türleri daha geç –ve daha az mükemmel biçimde– öğrenilebilir. Bu nedenle farklı zekâ tipleri vardır. Ayrıca, bir alandaki beceri kaybı, belki bir travma sonrasında yaşanan konuşma kaybı, ille de toplumsal ilişkileri algılama veya maddi çevreyle ilişki kurma becerilerinde eksilme olması anlamına gelmez: Konuşma gücünü yitiren insanlar yine de mobilyalara çarpmadan etrafta dolaşabilir.

Bir sonraki temel kavram "erişilebilirliktir". Evrimsel psikologlar bununla zihinsel modüller arasındaki teması veya etkileşimi kasteder. Anatomik açıdan modern insanların modüller arasında diğer hayvanlardan daha iyi bir etkileşime sahip olduklarını savunurlar. Bu nedenle alanların ötesine geçen daha karmaşık davranışlar sergileyebiliriz. Son derece modüler bir zekâdan çok, *genelleşmiş bir zekâya* sahibiz. Araştırmacılar beceri alanına özgü davranışlardan sorumlu zihinsel modüllerin beyinde belirli sinirsel devrelerde yer aldığına, bunlar arasındaki erişilebilirliğin de sinirsel yolaklar aracılığıyla sağlandığına inanır.

Bu temel önermelerin tüm çeşitlemelerini incelememize gerek yok. Bunun yerine Mithen'ın hangi zihinsel modülleri belirlediğine ve ona göre bu modüllerin genelleşmesinin Geçiş'te neler olduğunu nasıl açıkladığına bakmaya devam edebiliriz.

Mithen dört zihinsel modül önerir:

- toplumsal zekâ,
- teknik zekâ,
- doğa tarihi zekâsı ve
- sözel zekâ.

Örneğin, (genelleşmiş zekâya sahip olmayan) anatomik olarak arkaik insanlar taştan eşyalar yapmak için gereken çok aşamalı süreçleri öğrenebiliyordu (teknik zekâ) ama bu karmaşıklık derecesi ileri türde toplumsal ilişkilere (toplumsal zekâya) yayılamıyordu. Mithen zekâ modülleri arasında Geçiş'ten önce aslında çok az etkileşim ve erişilebilirlik olduğunu savunur. Arkaik insanların zihinleri İsviçre çakısı gibiydi: Her biri belirli bir göreve adanmış bir dizi küçük aletten oluşuyordu.

Bu noktanın kapsamını aydınlatmak için Mithen bir başka çekici metafora başvurur: Katedral benzetmesi (24. resim). Katedralin ana holü genel zekâyı temsil eder. Ana hol çevresinde, her biri dört zihinsel modülden birine adanmış dört şapel dizilidir. Geçiş'ten önce şapeller arasında ya çok az alışveriş vardır ya da hiç yoktur ama Orta Paleolitik dönemdeki ilkel dilin olası birleştirici gücü de hesaba katılmalıdır. Sonra, Geçiş'te, şapellerin kendi aralarındaki ve şapellerin her biri ile ana hol arasındaki duvarların yıkılmasıyla sonuçlanan bir yıkıcılık dalgası yaşandı. Bu yıkım zekânın şapelden şapele aktarımını ve genel zekâyı temsil eden merkez holün genişlemesini sağladı. Yıkıma öncülük eden vandal, modern dildi. Duvarları yıkan dil benzetmesi özellikle uygun olabilir çünkü Chomsky[210] ve Bickerton[211] gibi araştırmacılar, tam anlamıyla modern dilin ortaya çıkmasının oldukça ani olduğunu ve zar zor ayırt edilebilen adımların derece derece ilerlemesi biçiminde ortaya çık-

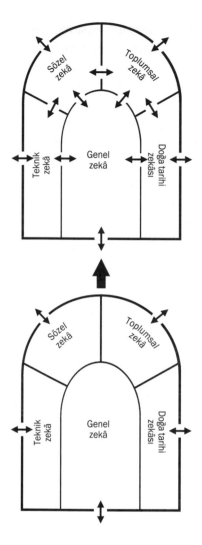

24. Steven Mithen'ın zekâ katedralleri: (Üstte) "şapeller" arasında etkileşime izin veren birleşik zekâ; (altta) "şapeller" arasında çok az erişim olan modüler zekâ.

madığını öne sürdü (bununla birlikte bunun ne zaman olduğu ve hemen sonrasında yarattığı etkilerin neler olduğu hâlâ bilinmiyor).

Bu nörolojik yıkım zamanında yeni zihinsel beceriler uygulanabilir hale geldi. Örneğin eğretilemeyle düşünme şapeller arasındaki geçişlerle mümkün oldu. İnsanlar, diyelim, toplumsal ilişkileri doğa tarihi zekâsı çerçevesinden düşünebilir oldu – totemcilik böyle doğdu: İnsanlar, insan gruplarından hayvan türleriymişçesine söz edebildi. Benzer biçimde, antropomorfizme de (hayvanlara insan özelliklerinin yakıştırılmasına) toplumsal zekâdan doğa tarihi zekâsına geçiş sayesinde ulaşıldı: Hayvanlar insanlar gibi oldu. Sonra, Üst Paleolitik dönemde nispeten karmaşık besin temini stratejileri için de teknik zekâ ile doğa tarihi zekâsı arasında bir alışveriş olması gerekliydi. Geliştirilmiş av gereçleri (teknik zekâ) kullanılacakları çevreye ve avlanacak hayvanların davranışlarına ilişkin bilgiyle (doğa tarihi zekâsıyla) birleştirilmeden bir işe yaramazdı. Sonuçta insan-çevre etkileşimleri genel zekânın bu yeni biçimiyle dönüşüm geçirdi.

Mithen katedral yıkıcılığını yalnızca daha iyi uyarlamaların değil, Geçiş döneminde sanatın ortaya çıkmasını açıklamak için de yaratıcı bir ustalıkla kullanır. İşe dört bilişsel ve fiziksel süreç önererek başlar (bunlar dört zekâ modülüyle karıştırılmamalıdır):

- görsel imgeler yapmak
- imgelerin sınıflara ayrılması
- amaçlı iletişim ve
- imgelere anlam yüklenmesi.[212]

Mithen, sonra ilk üç becerinin insan olmayan primatlarda da bulunduğunu belirtir. Anahtar beceri dördüncüsüdür ve Mithen bu becerinin yalnızca insansılarda bulunduğunu savunur. Yine de, Neandertaller gibi insansıların da sahip olmasına karşın, görsel simgecilik yalnızca Geçiş'te ortaya çıkmış ya da en azından meyve vermiştir (bazı araştırmacılar simgesel davranışın ilk işaretleri için daha erken bir tarih öne sürer). Öyleyse neler oldu? Geçiş'ten önce amaçlı iletişim ve sınıflandırma, muhtemelen toplumsal zekâ şapelinde yalıtılmış durumdayken, her ikisi de maddi nesnelere ilişkin olan işaret yaratma ve anlam yükleme, muhtemelen toplumsal olmayan zekâ şapellerinde yerleşikti. Geçiş'te şapeller arasında erişilebilirlik amaçlı iletişim işaret yapma alanına kaçmasına izin vererek sanatı mümkün kıldı.

BAZI ÇEKİNCELER

Bir alt-disiplin olan evrimsel psikoloji de eleştirilerden nasibini alır.[213] Ne yazık ki politik doğruculukla suyun bulandırılması söz konusudur. Bazı eleştirmenler, evrimsel psikolojinin bazı ilkelerini tiksindikleri serbest pazar ekonomisine rahatsızlık verici ölçüde yakın bulur. Bu gözlemi destekleyenler vardır ama herhangi bir bilimsel önerme, algılanan toplumsal sonuçlara göre değil, akılcı bir zeminde kabul veya ret edilmelidir.

Mithen'ın insan zihni ve sanatın kökenini evrimsel psikoloji çerçevesinden açıklamasını kısaca ele alırken aklımda tuttuğum nokta budur: Açıklaması çekici ama bazı zayıf tarafları olduğuna ve bazı önemli noktaları açıkta bıraktığına inanıyorum.

İlk olarak, evrimsel psikologların kayda değer ustalıklarına karşın, açıklama büyük ölçüde hayvan ve insan davranışlarından elde edilmiş zihinsel modüllere aşırı derecede bağımlı. *Sapiens* öncesi insansıların Mithen'ın varsaydığı dört zekâ modülüne sahip olduklarından nasıl emin olabiliriz? Bu modüller ne ölçüde modern insan davranışından çıkarılan modern insan zihni görüşünden elde edilmiştir? Modülleri davranışlardan çıkarsamak gerçekten mümkün müdür? İkincisi eski zihinlerin olası modüler yapısı hakkında hiçbir doğrudan bilgiye sahip değiliz. Bunun sonucunda evrimsel psikologlar modülerlik ile modüller arası erişim arasında sürekli olarak gidip gelen 100 milyon yıla varan tarihsel rotalar icat etmekte özgürdür.[214] Üçüncü olarak bir türün şapeller arasındaki duvarları nasıl yıkabildiği, en azından nörolojik olarak açık değildir. Canlıların yeni sinir yolları "geliştirmeleri" mi, yoksa sadece sahip olduklarını kullanmayı öğrenmeleri mi gerekecektir? Dördüncüsü, Mithen'ın söyleminde metaforların belirgin olması bizi insan nörolojisinin, yani zihni oluşturan maddenin gerçekliklerinden uzakta tutmaktadır. Tartışmayı gerçeklikleri ciddiyetle ele almak yerine metaforları inceleyerek geliştirme eğilimi söz konusudur. Savın tamamen bir metafor âleminde ilerletilip ilerletilmediği bazen çok açık değildir. Bununla birlikte yaşayan beyinlerin üç boyutlu girişimsiz görüntülenmesi tekniklerini içeren teknolojik yenilikler, belirli davranış çeşitleri ile belirli beyin bölgeleri arasında var olduğu düşünülen bağlantıyı sınamaya başlamıştır.[215]

Bu dört çekince bir kaygı kaynağıdır ama zekânın gerçekten de bir şekilde modüler olma olasılığını tamamen ortadan kaldırmaz. Her halükârda araştırmamıza devam edebiliriz çünkü modüler olsa da olmasa da zekânın ötesine geçmemiz gerektiğini düşünüyorum.

Beşinci çekincem bu noktadan devam ediyor. Zekâya gereğinden fazla dışlayıcı bir vurgu olarak gördüğüm şeyle ilgili. Zekâ, araştırmacıların insanın kökenini ve bilimin diğer tüm bilmecelerini araştırırken kullandığı şeydir. Önsezilerin ve ani sezgisel aydınlanmaların bilimsel problemlerin çözümünde bir rol aldığını kabul etmekle birlikte, bunların akılcı değerlendirmeye tabi tutulmaları konusunda haklı olarak ısrar ederler.[216] Radyonun icadını açıklayan ve uzay yolculuğunu mümkün kılan, bu temelde Batılı bakış açısının sonucu olarak, akılcı zekâyı, kendileri deneyimlediği gibi, insanları tanımlayan özellik olarak görürler. Bu nedenle eski insanların başardığı her şeyi evrimleşen zekâ ve akılcılıkla –daha zeki ve daha akıllı olmakla– açıklarlar. Onlara göre ilk insanlar gittikçe daha çok Batılı bilimciler gibi olmaktaydı. Buna "akılcılığın bilinci" diyebiliriz.

NÖROLOJİK BİLİNÇ VE TOPLUMSAL BİLİNÇ

Buradaki sorun zekâya yapılan vurgunun insan bilincinin bütün kapsamının insan davranışındaki öneminin yok denecek düzeye düşürülmüş olmasıdır. Sanat ve onu kavrama becerisi zihinsel imgelem çeşitlerine ve zihinsel imgeleri işleme becerilerine zekâdan daha çok bağlıdır. Bilinci zekâ modüllerinin genel zekâyı yaratmak için etkileşimde bulunmasından çok daha fazlası olarak görmeliyiz. Mithen bilinci kısaca ele alır ama bunu zekâ üzerine genel bilimsel vurguyla kuşatılmış biçimde yapar. Nicholas Humphrey'nin[217] çalışmalarından yaralanarak "yansımalı bilinç" kavramını vurgular. Bu ifade yalnızca kendi fiziksel benliğimizin ve kendi düşüncemizin (iç gözlem) farkında olmak değil, toplumsal zekâ modülünden doğan bir beceri anlamına da gelir: Başkalarının davranışlarını öngörme becerisi – bir anlamda onların zihinlerini okuma. Bu tür bilincin uyumsal değeri açıktır. Ama açık olan bir başka şey de betimlenen şeyin büyük değer verilen Batılı problem çözme teknikleri olmasıdır.

Burada geçmişle ilgili bilginin güncel değerler ve pratikler içinde sağlam bir yer edinmesinin bir örneği söz konusudur. Bu kez toplumsal inşacı görüşün (2. Bölüm) açıkça haklılık payı vardır. Tarihteki özel konumumuzda bizim için bilinci oluşturan şey, geçmişi araştırmamızı ve geçmişle ilgili bilgimizi biçimlendirir. Catherine Lutz[218] bizim Batılı, yirmi birinci yüzyıl bilincimizin, onun ayrılmaz parçası olarak kabul edilen bazı özelliklerini belirler. Bu özellikler arasında problem çözmede duygulara yer olmaması, nesnellik, çizgisel düşünme ve uzun dikkat süresi yer alır: "Böyle yorumlanmış haliyle bilinç, özünde iyi ve önemli kabul edilir."[219] Batı'da düşünüldüğü biçimiyle bilincin bu özellikleri Lutz'un bilincin *Oxford İngilizce Sözlüğü*'nde yer alan tarihsel tanımları gözden geçirdiği çalışmasında açıkça görülür.[220] Ama bilinci Batılı olmayan toplumlarda düşünüldüğü şekliyle ele almaya geçtiğinde yönteminin yetersizliği ortaya çıkar. Bilinci tamamen toplumsal söylem çerçevesinde oluşturulmuş, bu nedenle de hiçbir nörolojik, "donanımsal" temeli olmayan bir şey olarak ele alır.[221] Bu noktada Lutz (benzer yaklaşımlar izleyen pek çok insanla birlikte) Descartes'ın zihnin bedenden ayrılması görüşüne yaklaşır. Kendi Batı toplumunun kabul edilmiş normlarının üzerine çıkma arzusuna karşın, günümüz akademik çevrelerindeki bilincin veya davranışların nörolojik temellerinden söz etmeye karşı duyulan isteksizliğin kurbanı olur. Descartes'ın düşleri gibi diğer bilinç unsurları, bu nedenle normalden sapmalar olarak görülür ve insan bilincini oluşturan şeyin belirlenmesinde denklemlerden çıkarılır. İleride göreceğimiz gibi, bilinç tümüyle bir yapı değildir. Daha çok değişen nörolojik altyapıya belirli tarihlere özgü tepkilerden ve bu altyapının genelleştirilmesinden doğar.

Toplumsal inşa ile nörolojik temeller arasındaki diyalektiği açıklamaya başlamak için Ortaçağ'daki bilinç kavramına başvuracağım. Aynı nörolojik temelden bir anlam çıkarmak zorunda olmasına karşın bilinç kavramı o zaman bugünkülerden farklıydı. Ortaçağ insanları düşlere ve hayallere Tanrı lütfu bilgi kaynakları olarak değer verirdi. Hildegaard von Bingen (1098-1179) örneğin, hayallerinin yalnızca Tanrı'nın kişisel emirlerini değil, aynı zamanda evrenin maddi yapısını da bildirdiğine inanıyordu: Onun için dinsel vahiy ile "bilim" arasında bir fark yoktu. Aslında Tanrı'yla, düşler ve hayaller tarafından bahşedildiğine inanılan temas, her ne kadar herkesin özendiği bir şey olmasa da, insanları *niteleyen bir özellik*, hayvanların sahip olmadığı ilahi bir kıvılcım olarak görülüyordu. Bugün bu tür zihinsel durumlar genellikle dışlanmakta ve insan bilincinin değerli bir unsuru olarak görülmemektedir. Batı'da herhangi birinin üst düzey bir politik makama göz kamaştırıcı, kişisel, ilahi vahiy etiketiyle seçilmesi pek mümkün değildir – hatta Canterbury Başpiskoposu olarak bile atanmaz. Yine de ikilem sürmektedir: Kitapçıların geniş "ezoterik" kitap bölümleri, "bilim dışı" düşüncenin sağ salim yaşamaya devam ettiğini gösterir, insanlar da hâlâ dua etmekte, meditasyon yapmakta, rahiplere ve medyumlara danışmaktadır. Gerçek şu ki bugün değişmiş bilinç durumları devlet işlerinden, bilimsel çalışmalardan, hatta ana-akım dinden dışlanmış durumdadır. Bugün kabul edilebilir insan bilinci –"akılcılık bilinci"– kavramını oluşturan şey, belirli bir toplumsal bağlam içinde inşa edilmiş, tarihsel olarak konumlanmış ama şimdi açıklayacağım gibi nörolojiye dayanan bir kavramdır.

BİLİNÇ SPEKTRUMU

Bilinç kavramının farklı yönlerini açıklığa kavuşturmak için (kaçınılmaz olarak!) bir metafor kullanacağım. Umarım bu metafor arkeologların (ve başkalarının) bilinci ele alma biçimiyle ve daha belirgin olarak Geçiş sırasında insan olmanın ne demek olduğuyla ilgili konularda bazı ciddi boşlukları ortaya çıkarır. Günümüz Batı dünyasında zekânın üstün değerine yapılan vurgu, bazı bilinç biçimlerinin bastırılmasına ve onları akıldışı, marjinal, sapkın, hatta patolojik olarak görmeye, bu yüzden de çok eski geçmişin araştırılmasından tamamen silme eğilimine neden olmuştur.

1902 gibi eski bir tarihte, Harvard'da sırasıyla fizyoloji, psikoloji ve felsefe dersleri veren Amerikalı psikolog William James, normal kabul ettiğimiz uyanık bilincin yalnızca bilincin bir türü olduğunu belirtmişti (bununla birlikte ileride göreceğimiz gibi o da bölünmez bir durum değildir), "onunla ilgili her şey perdelerin en incesiyle ondan ayrılmışken, bilincin, tamamen farklı biçimlerinin olma potansiyeli mevcuttur." Şunu da eklemişti: "Evreni bir bütün olarak açıklama çabalarının hiçbiri, oldukça göz ardı edilen bu diğer bilinç biçimlerini dışarıda bıraktığı sürece nihai olamaz."[222] Daha yakın dönemde, (evrimsel değil) bilişsel psikolog Colin Martindale zihin araştırmalarının akılcı durumlara çok fazla ağırlık verdiği konusunu yeniden vurguladı. Savı şöyle:

> Normal, uyanık bilinçle birlikte değişmiş bilinç durumlarını da araştırmalıyız. Bir mantık problemi çözen laboratuvar deneğinin akılcı düşüncesi kadar şairin "akıldışı" düşüncesini de anlamalıyız. Laboratuvar ortamlarında kavramların nasıl oluştuğunun yanı sıra fikirlerin gerçek dünyadaki tarihsel evrimini de soruşturmalıyız. Son olarak, insanlar bilgisayar olmadığı için duygu ve güdü etmenlerinin bilme yetisini nasıl etkilediğini sormalıyız.[223]

Martindale bu görüşü savunan tek kişi değildir ama arkeologlar yine de "akılcılık bilinci" dışındaki her şeyi görmezden gelmekte ısrar etmektedir. Önemli olan nokta bilincin değişkenlik göstermesidir: Descartes'ın düşlerini ve Hildegaard'ın hayallerini unutmamamız gerek. Bizim bu deneyimlere değer verip vermediğimiz konumuzla ilgili değildir: İnsan olmanın kaçınılmaz bir parçasıdırlar ve Geçiş ve Üst Paleolitik dönem süresince potansiyel etkilerini göz ardı edersek eksik bir açıklamadan daha fazlasını ortaya koyamayacağımızı düşünebiliriz. Bu nedenle Martindale'in izinden gitmeyi ve bilinci bir durum olarak değil bir süreklilik ya da benim tercih ettiğim bir metaforla bir spektrum olarak görmeyi öneriyorum.

Renk spektrumuyla ilgili iki noktayı belirtmekte yarar var. Birincisi, bir prizmadan beyaz bir kâğıt üstüne düşürülen renk spektrumunda renkler birbirlerinin içine fark edilemeyecek kadar belli belirsiz biçimde girer, yine de, diyelim ki kırmızının yeşilden, yeşilin mordan farklı olduğu konusunda şüphe yoktur.

İkincisi, renk spektrumunun yedi renkten (kırmız, turuncu, sarı, yeşil, mavi, lacivert ve mor) oluştuğuna yönelik Batılı düşüncenin kesin bir gerçek olmadığını biliyoruz. Başka kültürler ve diller renk spektrumunun farklı dilimlerini belirler ve adlandırır; yani spektrumu farklı biçimlerde bölerler. Örneğin Standart Galcede *glas* sözcüğü İngilizcede yeşilden maviye ve griye kadar olan renk tonlarını belirtir. Bunun aksine Ibo dilindeki *ojii* sözcüğü griden kahverengi ve siyaha kadar olan tonlara verilen addır. O zaman başka kültürler daha az renk algılarken biz spektrumun yedi renkten oluştuğunu düşünürüz? Yedi renge karar veren kişi Isaac Newton'dı. Renkleri ayırt etme güçlüğü olan Newton bir arkadaşının spektrumu bölmesini istemişti. Arkadaşı isteğini yerine getirip spektrumu altı renge bölünce Newton yedi sayısının Rönesans düşüncesindeki önemi nedeniyle ve –Newton'ın ifadesiyle– "müzikte oktavın yedi aralığına denk gelmesi" dolayısıyla yedi renk olmasında ısrarcı olmuştu. Newton bu nedenle arkadaşından o zamanlar popüler bir boya rengi olan lacivert de spektruma eklemesini istedi.[224]

Renk spektrumuyla ilgili bu iki noktayı akılda tutarak şimdi bilinç spektrumu kavramını sunacağım. İlk olarak Martindale'in[225] uyanıklık ile uyku arasında belirlediği durumları betimleyeceğim. Sonra kısmen paralel bir yol izleyerek başka durumları ele alacağım. Martindale'e göre uykuya dalarken şu aşamalardan geçeriz:

- uyanıklık, probleme yönelik düşünce,
- gerçekçi fantezi,
- otistik [içe dönük] fantezi,
- hayal,
- hipnagojik (uykuya dalma) durumları ve
- düş görme.

Martindale'in bu altı durumu bir durum spektrumu içine yerleştirdiğini belirtmek gerek. Başka araştırmacılar daha az veya daha çok aşama önermeyi uygun bulabilir.

Uyanık bilinç durumunda problem çözmeyle meşgul oluruz, genellikle de çevresel uyaranlara tepki olarak. Bu uyaranlardan bağımsız olduğumuzda farklı bilinç türleri egemen olmaya başlar. İlk olarak gerçekçi fantezide problem çözmeye yönelmiş durumda oluruz. Örneğin, önümüzdeki bir mülakat için kullanmayı planladığımız olası bir sosyal stratejinin üstünden geçip olası sonuçları değerlendirebiliriz. Bu gerçekçi fanteziler daha otistik olanlara, yani dış gerçeklikle daha az ilgili fantezilere karışmaya başlar. Martindale'in hayal olarak adlandırdığı aşamada düşüncem çok daha başıboştur ve imgeler bir anlatı dizisi olmaksızın birbirini izler. Hayal sonra uykuya dalma sırasında olan hipnagojik durumlara dönüşür. Bazen hipnagojik imgelem olağanüstü canlı olabilir, o kadar ki insanlar hipnagojik halüsinasyonlar denen bir şey deneyimler: Başta uyanıkken, diyelim ki odaya giren bir şeye ait imgelemin gerçek olduğuna inanırlar. Hipnagojik halüsinasyonlar görsel ve işitsel olabilir.[226] Son olarak da düş görme aşamasında birbirlerini izleyen imgeler, en azından bellekte kaldıkları kadarıyla, bir öykü yapısı içinde ortaya çıkar.[227] Aslında anlatı yapısının çoğunu biz imgeleri anımsama sırasında ekleriz. REM uykusunda (derin uykudan önce gelen Hızlı Göz Hareketi uykusu evresinde) gelişigüzel nöron etkinliği zihinsel imgelem yaratır. Hepimizin bildiği gibi bu imgelem bazen tuhaf görünür: İmgeler başka şeylere dönüşür, bazen de uçma, kaçma, düşme duygularıyla birlikte bunlara eşlik eden duygular deneyimleriz.

Bu dizinin ilk bölümüyle ilgili olarak nöropsikolog Charles Laughlin ve meslektaşları "parçalı bilinç" kavramından söz eder.[228] Gün boyunca sürekli olarak dışa yönelik durumlar ile içe yönelik durumlar arasında gidip geldiğimizi belirtirler. Bazen çevremize tam olarak dikkat ederiz, başka zamanlarda derin düşüncelere dalar, çevremize karşı daha az uyanık oluruz. Bu, sinir sistemimizin çalışma biçiminin doğal bir özelliğidir. Normal bir uyanık günümüzün dışa yönelik dikkat ile içe yönelik durumlar arasında gezindiği 90 ila 120 dakikalık çevrimlerden oluştuğuna dair kanıtlar vardır.[229] Daha önce belirttiğim gibi,[230] bazı toplumlar içe yönelik durumları hastalıklı olarak görürken diğerleri ilahi esin işareti olarak görür, başkaları da bunlara çok önem vermez.

Uyanıklıktan uykuya geçişte bilinç spektrumu böyledir. Şimdi de aynı spektrum boyunca ilerleyen ama oldukça farklı etkileri olan bir başka rotayı ele almamız gerekiyor (25. resim). Ben buna "yoğunlaşmış rota" diyorum: *İçe yönelim* ve *fanteziyle* daha derinden ilişkili. Düş benzeri otistik durumlar normal uykuya dalma sürecinden başka çok çeşitli yöntemlerle yaratılabilir. Bunlardan biri, dış uyaranlardaki bir azalmanın iç imgelemlerde "açığa çıkardığı" duyu yoksunluğudur. Ses geçirmeyen, karanlık koşullarda dış dünyadan yalıtılmış normal denekler birkaç saat sonra halüsinasyonlar görmeye başladıklarını bildirmiştir.[231] Ayrıca Martindale'in "uyaran açlığı" dediği şeyi deneyimlerler: En küçük ve sıradan bir uyarana can atıp ona odaklanırlar.

1. Lascaux'nun Boğalar Salonu'nda çizilmiş büyük yaban öküzü
boğalarından biri. Kulağının ilginç konumu Lascaux'ya özgüdür.
Bir "kırık" işaret hayvanın göğüs kısmına yerleştirilmiştir.
Kuyu'da bulunan işaretlerden biriyle karşılaştırılabilir
(28. renkli resim); yinelenmesi mağaranın kavramsal birliğini gösterir.

2. Altamira'nın tavanına çizilmiş bir kıvrılmış bizon resmi. Hayvan tavandan sarkan bir kaya çıkıntısı içine "sıkıştırılmış". Altamira'da buna benzer başkaları da bulunur. Kayanın biçimi ile imgeyi yapan arasında bir etkileşim vardı.

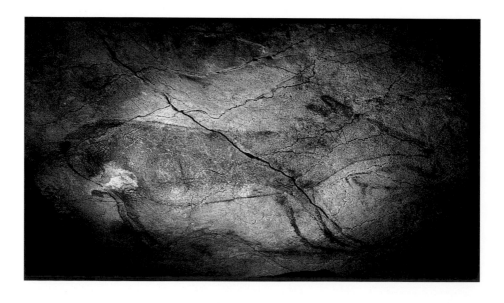

4 ve 5. (Yanda ve aşağıda)
Altamira'daki en derin geçit
olan At Kuyruğu'nda çizilmiş
iki "maske" resmi. Mağaranın
fiziksel özellikleri ile imgeler
arasındaki etkileşime bir başka
örnek de budur. İki "maske"
ziyaretçi geçidin sonunda dönüp
mağaradan çıkışa geçtiğinde
sanki duvardan bakıyormuş gibi
görünür. Bunların hayvanlara
mı yoksa insanlara mı ait yüzler
olduğunu söylemek zordur. Her
iki durumda da mağara içlerinde
yeraltı dünyasına girmeye
cesaret edenlere bakan gizemli
"varoluşları" akla getirirler.

3. (Yan sayfada)
Altamira tavanından zarif
bir dişi geyik resmi. Bazı
araştırmacılar bizonun gücü
ile dişi geyiğin duyarlığı
arasında bir zıtlık görür.

6. Dünyanın en eski (77.000 yaşındaki) "sanat eseri" Güney Afrika'nın güney kıyısındaki Blombos Mağarası'ndan geliyor. Küçük bir aşıtaşı parçasının zımparalanmış kenarına düzenli bir örüntü oyulmuş. Araştırmacılar bu önemli buluntunun beklenmedik ölçüde erken bir tarihte tamamen modern zihinlere, dile ve sembolizme işaret edip etmediğini tartışıyor.

7. Güney Afrika'nın Wilhelm Bleek ve Lucy Lloyd'un San öğretmenlerinin yaşadığı bölgesi olan yarı kurak Karoo'da kaya gravürleri. Bu gravürler "kazıma" tekniğiyle yapılmıştır.

8. Bir boğa antilobuna ait bir Güney
Afrika San kaya resmi. İmge hayvanı
çarpıcı bir ayrıntıyla gösteren gölgeli
çokrenkli tekniğiyle yapılmıştır. Boğa
antilobu San düzenbaz tanrısal varlığının
en sevdiği yaratıktı: Güçlü, pek çok
çağrışımı olan bir simgeydi.

9. Beyaz bir *kaross* (deri pelerin) giymiş
antilop kafalı bir figüre ait bir Güney
Afrika çok renkli kaya resmi. Burnun
kan geldiğine dikkat edin; bu durum
"varlığın" değişmiş bilinç durumuna
girmiş ve böylece insanların hayvansal
özellikler edindiği ruhlar dünyasına
gitmiş bir San şamanı olduğunu gösterir.

10. Kuzey Amerika'da Mojave Çölü'nde yer alan Sally's Rockshelter'daki bir kaya çatlağına yerleştirilmiş bir kuvars parçası. Şamanlar kuvarsın doğaüstü bir özü olduğuna ve kaya yüzeyinin arkasında uzanan ruhlar dünyasıyla temas kurmayı sağladığına inanırdı.

11. Güney California'da bulunmuş, Kuzey Amerikalı kız çocuklarının ergenlik ritüellerinin bir parçası olarak yapılmış kaya sanatı örneği. Bu tür törenlerle yakından ilişkili olan zikzaklar, muhtemelen insan beyninin donanımı içinde bulunan ve değişmiş bilinç durumlarında etkinleşen geometrik imgelerden kaynaklanıyor. Araştırmacılar değişmiş durumları kontrol eden şamanların bu tür ritüelleri yönettiğini bulmuştur.

12. Niaux'daki Salon Noir'dan bir bizon resmi. Üst Paleolitik dönem imgelerinin, toynakların olmamasıyla artırılmış bir etkiyle nasıl yeraltı odalarındaki duvarlar üstünde "yüzermiş" veya "havada asılıymış" gibi göründüğünü gösteriyor. Sadece bir kontur olmasına karşın imge bir bizonun muhteşem gücünü yakalıyor.

13. Niaux'daki Salon Noir'da bulunan daha ayrıntılı bir bizon resmi. Burada "boşlukta salınma" duygusu, hayvanın "havada asılı" toynaklarıyla yaratılmış; yere basarmış gibi görünmüyorlar. Bazı araştırmacılar böyle hayvanların yan yatmış halde resmedilmiş olabileceğine inanır ama kuyruğun duruşu ve başka özellikler bunu olasılık dışı bırakır.

Benzer duyu yoksunluğu pek çok Doğu meditasyon tekniğinin bir parçasıdır. İbadet edenlerin kendilerini çevrelerine mümkün olduğu kadar kapatmaları ve yinelenen bir mantra veya görsel bir simge olabilecek tek bir odak noktasına yoğunlaşmaları istenir. Sonra, uzun süre davul çalmak gibi işitsel dinamikler, sürekli yanıp sönen ışıklar gibi görsel uyaranlar ve Dervişlerinki gibi uzun süre ritmik dans etmek de sinir sistemi üzerinde benzer etkiler yaratır. Bilincin yoğunlaşmış rota boyunca içsel olarak yaratılmış imgelemin ortaya çıkmasına doğru kaymasının nedenlerine yorgunluk, acı, oruç ve tabii ki psikotrop [sanrı yaratıcı] maddelerin alınması gibi etmenleri de eklemeliyiz. Son olarak da şizofreni ve temporal lob epilepsisi gibi bilinci yoğunlaşmış rotaya sokan patolojik durumlar da vardır. Halüsinasyonlar böylelikle uyuşturucu madde kullanımı gibi bilerek istendiği gibi söz ettiğim diğer tetikleyici durumlarında olduğu gibi istenen bir şey olmayabilir.

Bu ikinci rotanın bizi uykuya götüren yolla çok ortak noktası vardır ama aralarında farklar da söz konusudur. Düş görmek herkese halüsinasyonların nasıl bir şey olduklarına ilişkin bir fikir verir. Çoğu modern Batılı için düşler halüsinasyonlar kadar yoğun değildir ama daha önceki Batı değerleri (ve pek çok başka toplumun değerleri) düşleri ciddiye alma ve onları unutulmaktan kurtarma eğilimindeydi.[232] Belki de iki spektrum arasındaki farkların türden ziyade derece farkı oldukları söylenebilir. İki yol arasında bir ayrım yapıyorum çünkü geliştirmekte olduğum sav için daha yararlı.

Yoğunlaşmış rotanın uzak ucuna yakın durumlara –hayaller ve beş duyunun herhangi birinde oluşabilecek halüsinasyonlara– genellikle değişmiş bilinç durumları denir. Bu ifade normal rotadaki düş görme ve "içe yönelik" durumlar için de kullanılabilir ama bazıları kullanımını aşırı halüsinasyon ve trans durumlarıyla sınırlandırmayı tercih eder. Bu sık karşılaşılan ifadenin artık temelde Batılı bir kavram olan "akılcılık bilinci" düşüncesi tarafından belirlenmiş olduğu çok açık olmalı. Bir sahici ve iyi "sıradan bilinç" vardır, bir de sapkın veya "değişen" durumlar olduğunu ima eden. Ama gördüğümüz gibi spektrumun tüm bölümleri "sahicidir". "Değişmiş bilinç durumları" ifadesi yeterince kullanışlı ama sırtında ağır bir kültür yükü olduğunu da unutmamak gerek.

Betimlediğim tüm bilinç durumlarının insanın sinir sisteminin nörolojisi tarafından yaratıldığını belirtmek zorundayız. Bunlar beyin donanımının bir parçası. Aynı zamanda değişmiş durumlarda deneyimlediğimiz zihinsel imgelerin de çok büyük ölçüde (ama göreceğimiz gibi tamamen değil) bellekten doğduğunu, bu yüzden de kültüre bağlı olduğunu belirtmemiz gerek.[233] Kanada'nın karla kaplı topraklarında yaşayan bir İnuit'in gördüğü hayaller ve halüsinasyonlar Hildegaard von Bingen'in kendisine Tanrı tarafından gönderildiğine inandığı canlı vahiylerden farklı olacaktır. İnuit kendisiyle

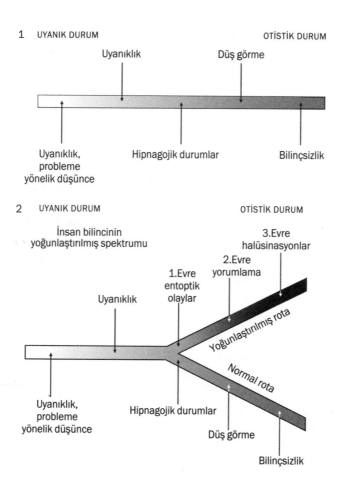

25. Bilincin iki spektrumu: (1) uyanık durumdan uykulu duruma sürüklenen "normal bilinç" ve (2) halüsinasyonlara yol açan "yoğunlaşmış rota".

konuşabilen kutup ayıları ve foklar "görecektir"; Hildegaard iyi bildiği kutsal kitapların, Ortaçağ duvar resimlerinin ve elyazması tezhiplerin akla getirdiği melekler ve garip yaratıklar görmüştü. Bilinç spektrumu beynin "fiziksel donanımında" yer alır ama içeriği çoğunlukla kültüreldir.

NÖROPSİKOLOJİK BİR MODEL

Özetlediğim bilinç kavramı Üst Paleolitik dönem sanatının pek çok belirli özelliğini açıklayacak. Bu noktada (sanat için sanat veya bilgi işlem gibi) neredeyse tüm imgelere uygulanabilecek genel, geniş kapsamlı bir anlayıştan farklı olacak. Ama Üst Paleolitik döneme doğru giden nörolojik köprüden geçmek istiyorsak yoğunlaştırılmış spektrumun görsel imgelemine daha yakından bakmamız ve bu süreç yaşanırken ne türden algıların deneyimlendiğini görmemiz gerek. Her biri belirli türden imgelemle ve deneyimle nitelendirilmiş üç durum tanımlayabiliriz (26. resim).[234]

İlk ve en "hafif" durumda insanlar noktalar, ızgaralar, zikzaklar, iç içe geçmiş zincir eğrileri ve dalgalı çizgiler içeren geometrik görsel algılar deneyimleyebilir.[235] Bu algılar insanın sinir sistemi içine "gömülü" olduğu için, herkes, kültürel geçmişi ne olursa olsun, bunları deneyimleme potansiyeline sahiptir.[236] Titreşirler, parıldarlar, genişleyip daralırlar ve birbirleriyle birleşirler; türleri bu listeden daha değişkendir. En önemlisi bir dış ışık kaynağından bağımsızdırlar. Gözler açıkken veya kapalıyken deneyimlenebilirler; gözler açıkken çevreye ait görsel algılara yansıtılır ve bu algıları kısmen bozarlar. Örneğin güçlendirme yanılsaması denen algıda dışı tırtıklı veya zincir halkaları gibi olan titreşen bir eğri ve merkezindeki görünmez bir "kara delik" başın bir hareketiyle yakınlarda duran birinin üstüne getirilebilir, böylece o kişinin kafası görünmez olur (5. Bölüm). Bu özel algı migren krizleriyle ilişkilidir, bu nedenle bu hastalığı çekenler tarafından çok iyi bilinir. Bu tür algılar bilinçli olarak kontrol edilemez; kendilerine ait bir yaşamları varmış gibidir.[237] Bazen bir görüş alanının merkezindeki parlak bir ışık, merkez dışı çevredeki imgeler dışındaki her şeyi karanlığa gömer.[238] Bir şekilden diğerine değişimin hızı bir uyuşturucu maddeden diğerine değişiklik gösterir ama genellikle hızlı olur.[239] Bu deneyimin acemisi olan laboratuvar denekleri hızlı imgelem akışını izlemekte zorlanır ama sonraki bölümlerde geliştireceğim anlayış için önemli olacak biçimde, alıştırma ve bu deneyime alışık olma onların gözlem ve betimleme gücünü artırır.[240]

Yazarlar bu geometrik algılara fosfenler, biçim sabitleri ve entoptik olaylar gibi adlar vermiştir. Ben *entoptik olay* ifadesini kullanıyorum çünkü (Yunancadan türetilmiş) "entoptik" "görme içi" anlamına gelir, yani gözün kendisi ile beyin korteksi arasındaki herhangi bir yerde doğabilir. Bu kapsamlı terimi ben görme sisteminin farklı yerlerinden kaynaklanırmış gibi görünen iki geometrik algı sınıfını içerecek biçimde kullanıyorum. *Fosfenler* göz yuvarına baskı gibi fiziksel uyarılarla yaratılabilir, bu nedenle de entoftalmiktir ("göz içi").[241] Öte yandan *biçim sabitleri* optik sistemden, muhtemelen göz yuvarının ötesindeki bir yerden kaynaklanır.[242] Bu iki tür entoptik olayı, optik sistemin yapısıyla hiçbir ilgisi olmayan *halüsinasyonlardan* ayrı tutuyorum. Fosfenlerden ve biçim sabitlerinden farklı olarak halüsinasyonlar, hayvanlar gibi kültürel olarak belirlenmiş öğelerin simgesel imgelemlerinin yanı sıra dokunma, işitme, tatma ve koku alma duyularıyla ilgili deneyimler de içerir.

Entoptik olayların insanın sinir sistemi "donanımı" içinde nasıl yer aldıkları son zamanlarda araştırılan bir konudur. Retina ile (V1 olarak bilinen) striat korteks arasındaki ve striat korteks içindeki sinir devrelerinin bağlantı örüntülerinin bu geometrik şekilleri belirledikleri bulgulanmıştır.[243] Basitçe söylemek gerekirse retina ile görsel korteks arasında mekânsal bir ilişki vardır: Retinada birbirlerine yakın noktalar kortekste benzer biçimde yer alan nöronların ateşlenmesine neden olur. Bu süreç, uyuşturucu maddelerin alınması gibi bir yöntemle tersine çevrildiğinde korteksteki örüntü görsel bir algı olarak duyumsanır. Başka bir ifadeyle, bu durumdaki insanlar kendi beyinlerinin yapısını görmektedir.

Yoğunlaştırılmış rotanın 2. Evresi'nde denekler entoptik olayları simgesel biçimlerle,[244] yani gündelik yaşamdan tanıdıkları nesnelerle donatarak anlamlandırmaya çalışır. Uyanık, problem çözücü bilinç durumunda beyne sürekli bir duyu izlenimleri akışı ulaşır. Beyne ulaşan bir görsel imgenin şifresi (elbette diğer duyu izlenimlerindeki gibi) bir deneyim deposuyla karşılaştırılarak çözülür. Bir "eşleşme" olması durumunda imge "tanınır". Değişmiş bilinç durumlarında sinir sisteminin kendisi, aralarında entoptik olayların da olduğu çeşitli imgeler meydana getiren bir "altıncı his" olur.[245] Beyin, sinir sisteminin uyanık, dışa yönelik durumda ilettiği izlenimlerde olduğu gibi, bu şekillerin de şifrelerini çözmeyi dener. Bu süreç kişinin içinde bulunduğu duruma bağlıdır. Örneğin belirsiz yuvarlak bir şekil, kişi açsa bir portakal, cinsel isteği yüksekse bir göğüs, susuzsa bir bardak su veya korku içindeyse bir anarşistin bombası olarak "yanılsanabilir."[246]

Denekler 3. Evre'ye geçtiğinde imgelemde belirgin değişiklikler olur.[247] Bu noktada pek çok insan çevrelerini kuşatırmış ve onları derinliklerine çekermiş gibi görünen dönen bir girdap veya tünel olduğu hissine kapılır.[248] Dışarıdan bilgi akışı gitgide azalır: Denek gittikçe daha çok otistik olur. Girdabın kenarlarında televizyon ekranlarına benzeyen kare biçimli kafes şekilleri dikkat çeker. Bu "ekranlardaki" imgeler kendiliğinden oluşan simgesel halüsinasyonların ilkidir; entoptik olaylar yerlerini simgesel halüsinasyonlara bıraktığında zamanla girdabın yerini alır.[249] Tünel halüsinasyonu ölüme yaklaşma deneyimleriyle de ilişkilidir.[250]

Bazen görüş alanının merkezindeki parlak bir ışık da bu tünel benzeri perspektifi yaratabilir. Denekler "görüntülerinin çoğunu bir tünelle ilişkili olarak gördüklerini... İmgelerin titreşme eğiliminde olduklarını ve tünelin merkezine doğru veya parlak ışıktan uzaklaşacak biçimde, bazen de her iki yönde de hareket ettiklerini" bildirmektedir. Bir denek şunları söylemişti: "Bir tür tren tünelinde hareket ediyorum. Her türlü ışık ve renk var, özellikle de merkezde, çok ama çok uzakta, bir de küçük insanlar ve şeyler tünelin [duvarları] etrafında karikatürlerdeki zavallılar gibi koşturup duruyor, çok yakındalar." Siegel sekiz tür halüsinasyonla ilgili 58 bildirim arasında bu türden tünelin en sık karşılaşılan sanrı olduğunu belirledi.[251]

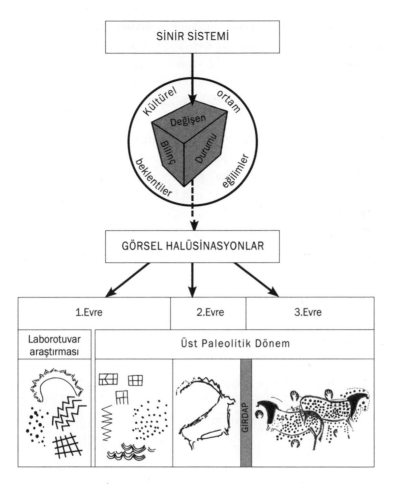

26. Nöropsikolojik model. İnsan sinir sistemi, değişmiş bilinç durumları yaşayan insanların kültürel koşullarıyla nasıl biçimlenir.

Batılılar "huniler, ara sokaklar, koniler, kanallar, çukurlar [ve] koridorlar" gibi kültüre özgü sözcükler kullanır.[252] Başka kültürlerde bu durum sıklıkla yerdeki bir deliğe girilircesine deneyimlenir. Şamanlar genellikle böyle bir delikten ruhlar dünyasına ulaşmaktan söz eder. Hudson Körfezi İnuitleri örneğin, ayinlerini gerçekleştirdikleri evden başlayan "toprağın içinden aşağıya giden yolu" betimler. Denizin içinden geçen bir şamandan da söz ederler: "Sanki bir boru içinde düşermişçesine" adeta kayar.[253] Kuzey Amerika'nın kuzeybatı kıyısındaki Bella Coola vadisi halkı böyle bir deliğin kapı eşiğiyle şömine arasında bir yerde bulunduğuna inanır.[254] Kanadalı Algonkian yerlileri yer katmanlarından geçerek yolculuk eder: "Dünyanın bağırsaklarına yönlendiren bir delik ruhlara giden yoldur."[255] Yukarı Amazonlar'daki Conibo yerlileri toprağın derinliklerine giden bir ağacın köklerini izlemekten söz eder.[256] Benzer bildirimlerin sayısı kolaylıkla artırılabilir. Girdap ve onun imgelemlerinin algılanma biçimleri evrenselliği açık insani deneyimlerdir ve burada yer verdiğim betimlemeleri sonraki bölümlerde önemli bir rol oynayacaktır.

3. Evre'deki simgesel imgeler bellekten türer ve genellikle güçlü duygusal deneyimlerle ilişkilendirilir.[257] İmgeler birbirlerine dönüşür.[258] Simgesel imgelemdeki bu kayma aynı zamanda bir canlılık artışıyla beraber yaşanır. Denekler deneyimlerini betimlemek için benzetme kullanmaktan vazgeçip imgelerin gerçekten de göründükleri şeyler olduklarını öne sürer. "Gerçek anlam ile analojik anlam arasındaki farkı kavrayamaz olurlar."[259] Bununla birlikte, bu temelde simgesel evrede bile entoptik olaylar sürmekte olabilir: Simgesel görüntüler geometrik şekillerden[260] oluşan bir fona yansıtılabilir veya entoptik olaylar simgesel imgelemlere biçim verebilir.[261] Bir dağılma ve birleşme süreciyle birleşik imgeler oluşturulur: Örneğin zikzak bacaklı bir insan görülebilir. Son olarak bu evrede, denekler kendi imgelemlerine girer ve onun bir parçası olur: Garip bir âlemin parçası haline gelirler. Hem geometrik hem simgesel imgelemleriyle kaynaşırlar.[262] İnsanlar bir hayvana dönüştüklerini[263] ve başka korkutucu veya yüceltici dönüşümlere uğradıklarını bu evrede hisseder.

Yoğunlaştırılmış bilinç spektrumunun bu üç evresi kaçınılmaz biçimde sıralı değildir. Bazı denekler doğrudan üçüncü evreye fırlatıldıklarını bildirirken diğerleri ilk evreden ileriye gidemez. Üç evreyi sıralı değil birikimli olarak görmek gerekir.

BEYİNDEN YARALANMAK

Geçiş'i anlamak için şimdiye dek söz ettiğim şeylerin sonuçları, zekâya odaklanan çalışmaların kapsadığından daha açık ve farklıdır. Günümüzün ve Geçiş döneminin anatomik olarak modern insanları aynı sinir sistemine sahiptir. Bu nedenle:

- insan bilincinin bütün spektrumunu deneyimlemeye engel olamamışlardır, olamazlar,
- düş görmekten kaçınamamışlardır, kaçınamazlar,
- halüsinasyon görme potansiyelinden kaçamamışlardır, kaçamazlar.

O dönemin *Homo sapiens* nüfusu eksiksiz insan olduğu için, farklı durumları görme ve değerlendirme biçimleri büyük ölçüde kültür tarafından belirlenmiş olsa da, bilinçlerinin bizimki kadar değişken ve parçalı olduğunu rahatlıkla düşünebiliriz. Ayrıca, düşlerinin ve otistik hayallerinin farklı olmasına karşın, betimlediğim her iki rotadan da geçebilme yeteneğine sahiplerdi. İleride göreceğimiz gibi bunu Neandertaller için kesinlikle söyleyemeyiz. Bu nedenle Üst Paleolitik dönem ile aramızda bir nörolojik köprü vardır ama muhtemelen Orta Paleolitik dönem ile yoktur.

Dahası, tüm toplumlar, renk spektrumunu şu ya da bu şekilde bölerken bile, bilinç spektrumunu (muhtemelen) adlandırılmış bölümlere ayırmaya mecbur kalmıştır. İnsan toplulukları hangi durumların değerli bulunacağı ve hangi durumların görmezden gelineceği veya kötüleneceği konusunda (muhtemelen tartışmalı) bir fikir birliği olmadan ayakta kalamaz. Açık söylemek gerekirse delilik kültürel olarak belirlenir: Bir toplumda delilik olarak görülen bir davranış bir başkasında değerli olarak kabul edilebilir. Bir toplumda utanç yaratan ve göz ardı edilen durumlar bir başkasında teşvik edilir. Ama böyle kültüre özgü olma durumuna karşın, sinir sistemi devre dışı bırakılamaz: Herkes ilk rotada düşler deneyimler ve hepsi otistik rotaya özgü durumlar deneyimleme potansiyeline sahiptir. Bunları da kendi kültürleri ve değer sistemleri bağlamında deneyimlerler; "transın evcilleştirilmesi" denen şey budur.[264]

Kurumsallaşmış değişmiş bilinç durumlarının yaygınlığı Murdock'ın *Etnografya Atlası*'nda yer alan 488 toplumla ilgili araştırmasında kanıtlanmıştır.[265] Bu araştırmayı yürüten Erika Bourgignon, bu toplumların 437'si ya da % 90'ı gibi ezici çoğunluğunda "değişmiş bilinç durumlarının kültür örüntülü biçimlerinin"[266] olduğunu bulgulanmıştır. Değişmiş bilinç durumlarının deneyimlenmesi "*kapasitesinin* türün psikobiyolojik bir yeteneği olduğu ve bu nedenle de evrensel nitelikte olduğu, kullanımının, kurumsallaştırılmasının ve örüntülenmesinin ise kültürün bir yansıması olduğu, bu nedenle de değişken olduğu"[267] sonucuna varmıştır. Bununla birlikte *Etnografya Atlası*'nın oluşturulmasında yararlanılan malzeme her zaman güvenilir kaynaklar değildi, kullanılan değişmiş durum tanımıysa çok dar bir çerçevedeydi. Örneğin Sahra altı Afrika'da değişmiş durumların söz konusu olmadığı görece yüksek oranda ülkeler olduğu gösterilir. Ama bunun doğru olmadığını biliyoruz. Tüm Sahra altı Afrika ülkeleri dünyanın başka bölgelerindeki gibi açıkça kurumsallaşmış olmasa da değişmiş durumların öneminin farkındadır. Düşler, örneğin, bu toplumlarda önemli bir rol oynar. Değişmiş durumların varlığı tüm kapsamıyla kabul ediliyor ve bunların kurumsallaştırılma biçimleri çok değişkenlik gösteriyorsa, o zaman Bourguignon'un kullandığı *kapasite* sözcüğünün *gereksinim* kavramıyla değiştirilmesi gerekir gibi görünüyor.

Bilincin bütün spektrumunu kabullenmek dışında bir seçenek olmadığına göre, Üst Paleolitik dönem insanları yalnızca bütün spektrumu deneyimlemekle kalmamış, aynı zamanda onu kendilerince bölümlere ayırmış ve böylece kendilerine özgü insani bilinci yaratmış olmalı.

İtalik harflerle yazılmış bu paragraf savımın iki temel adımını kapsıyor. Her ne kadar bugün pek çok Batılı bu rotayı olduğu gibi kabul edip imgelemine derin bir anlam yüklemese de, bu "kuşkucu" yaklaşım geçmişte olduğu gibi bugün de evrensel nitelikte değildir.

Batılı olmayan bir yaklaşım örneği olarak Kuzeydoğu Kolombiya Amazon havzasının Tukano halklarına dikkat çekmek ve *yajé* kaynaklı görsel deneyimlerinin aşamalarına göz atmak istiyorum.[268] *Yajé* pek çok farklı çeşidi olan psikotrop bir bitkidir. Tukanolar "ızgara şekilleri, zikzak çizgiler ve dalgalanan çizgiler ile göz biçiminde motifler, çok renkli iç içe geçmiş daireler veya parlak noktalardan oluşan sonsuz zincirlerin yer değiştirdiği" bir ilk evreden söz eder (26. resim).[269] Bu evrede "pasif olarak yaklaşırmış veya geri çekilirmiş ya da değişip çok sayıda renkli tablo oluşturmak için birleşirmiş gibi görünen bu sayısız göz kamaştırıcı örüntüleri" izlerler. Tukanolar bu şekilleri evlerine ve kayıklarına çizer ve açıkça kendi *yajé* hayalleri olarak tanımlar. Tukanolar ve Amazon havzasındaki başka insanlarla uzun yıllar çalışmış olan Geraldo Reichel-Dolmatoff, Tukanoların gördükleri ve çizdikleri ile laboratuvar araştırmalarında bağımsız olarak ortaya konan entoptik şekiller arasındaki paralellikleri kanıtlamıştır. Benzer ama önemli ölçüde daha detaylı işlenmiş ve biçimlendirilmiş tasarımlar Doğu Peru'daki Shipibo-Conibo şamanlarının *ayahuasca* kaynaklı halüsinasyonlarına "göz ruhlarından" gelir. Bu tasarımların tedavi edici özellikleri olduğuna inanılır ve "şamanların bilincinin içine işlemiş" şarkılarla ilişkilendirilir: Şarkı ve tasarım bir ve aynı şey haline gelir.[270]

Tukanoların tanımladığı ikinci evrede bu örüntüler azalır ve yavaş yavaş daha büyük imgeler oluşmaya başlar. Artık insanlara, hayvanlara ve garip canavarlara ait tanıdık biçimler algılarlar. Hayvanları avcılardan saklayan veya onlara veren Hayvanların Efendisi *"yajé* yılanları", Güneş Baba, Anakondanın Kızı gibi başka efsanevi hayvanlar görürler. Bu evredeki yoğun etkinlik son evrede yerini daha sakin görüntülere bırakır. Tukanoların birinci ve ikinci evrelerinin açıkça bizim 1. ve 3. evrelerimize denk geldiği görülüyor.

Öyleyse burada insanların yoğunlaştırılmış rotanın olanaklarını yakalamalarının –insan beyninin doğal özelliklerinden yararlandıklarının– ve gördükleriyle onlar için günlük yaşamın dünyasından daha gerçek olabilen bir "alternatif gerçeklik" hakkında derin bir anlayış sahibi olduklarına inanmalarının bir örneğine sahip oluyoruz. Bu, dünyanın her tarafında görülen bir deneyimdir. Aslında bu kendinden geçme deneyimi tüm dinlerin bir parçasıdır – daha önce belirttiğim gibi, insanlar bilincin bütün spektrumuna bir şekilde uyum sağlamak zorundadır.

Avcı-toplayıcı (ve diğer bazı) topluluklar arasında Tukanoların tanımladığı türden deneyimlere "Şamanizm" denir. Sözcük Orta Asya dili Tunguzcadan gelir.[271] Bugün tartışmalı bir sözcüktür.[272] Bazı araştırmacılar terimin herhangi bir işe yaramak için çok genel anlamda kullanılageldiğini ve kökeni olan Orta Asyalı topluluklarla sınırlandırılması gerektiğini düşünür. Bu yazarların değindiği bu noktayı takdir etmekle birlikte, ben ve pek çok insan aynı fikirde değiliz. "Şamanizmin" yararlı bir biçimde insanın evrensel bir özelliğini –değişken bilince bir anlam verme ihtiyacını– ve her zaman değilse de özellikle avcı-toplayıcılar arasında bunun nasıl başarıldığını gösterdiğine inanıyoruz. Sözcüğün dünyadaki Şamanizm çeşitliliğini, Hıristiyanlığın Rus Ortodoks, Rum Ortodoks, Katolik ve çok sayıdaki Protestan kilisesi arasındaki teolojik, törensel ve toplumsal farkları karartmasından daha fazla belirsizleştirmesi gerekmez. "Hıristiyanlık" bu geleneklerde geçtiğimiz iki bin yılda yaşanan değişimleri de örtmez. Farklılıklara çok fazla odaklanmak ormanı görme kaybı tehlikesi taşır.

Sonraki bölümlerde "Şamanizm" sözcüğünü sık sık kullanacağım için, avcı-toplayıcı toplumlardaki ritüel uzmanlarından söz ettiğimde sözcüğü hangi anlamda kullandığımın kısa bir açıklamasını vereyim. Son hedefimiz bütün insanların avcı-toplayıcı olduğu Üst Paleolitik dönemdir, dolayısıyla Şamanizm'in, bazen diğer dinlere eşlik eden veya onlarla kaynaşmış daha geniş dışavurumlarını göz önünde tutmamız gerekmez.

- Avcı-toplayıcı Şamanizmi temel olarak kurumsallaşmış bir dizi değişmiş bilinç durumunu temel alır.
- Bu durumların görsel, işitsel ve bedensel deneyimleri, sıklıkla katmanlara ayrılmış bir alternatif gerçeklik algısı doğurur (avcı-toplayıcılar günlük yaşam dünyasının altında ve üstünde yer alan ruh âlemlerine inanır).
- Özel güçleri ve becerileri olan insanların, yani şamanların bu alternatif gerçekliğe erişimi olduğuna inanılır.
- İnsan sinir sisteminin davranışı bazı değişmiş durumlar içindeyken bedenden ayrılma yanılsaması yaratır (bu, avcı-toplayıcı Şamanist toplumlarda daha az sıklıkla ruhlar tarafından ele geçirilme olarak anlaşılır).
- Şamanlar bedenden ayrılma ve değişmiş bilinç durumlarının diğer deneyimlerini en az dört amaca ulaşmak için kullanır. Şamanların:
- ruhlarla ve doğaüstü varlıklarla temas kurduğuna,
- hastaları iyileştirdiğine,
- hayvanların hareketlerini ve yaşamlarını kontrol ettiğine ve
- hava durumunu değiştirdiğine inanılır.

Şamanların bu dört işlevi ile değişmiş bir bilinç durumuna girmelerinin doğaüstü varlıklar tarafından sağlandığına inanılır; bunlar arasında şunlar yer alır:

- farklı biçimlerde hayal edilen doğaüstü kuvvetler veya güçler ve
- şamanlara yardım eden ve güçle ilişkilendirilen hayvan biçimli koruyucular ve başka türden ruhlar.

Avcı-toplayıcı şamanizminin bu on özelliğini sıralarken bazı yazarların bir dinin Şamanist olarak sınıflandırılması için temel ya da en azından önemli olarak gördükleri özellikleri dışarıda bıraktım. Örneğin bazı şamanlar gerçekten de epilepsi, şizofreni, migren ve bir dizi başka patolojiye sahip olsa da şamanizmi herhangi bir zihin rahatsızlığına bağlamadım. Şamanist bir toplumda kaç kişinin dinsel uygulamalara dahil olması gerektiği konusunda bir şart da öne sürmüş değilim; bazılarında bu sayı yüksek, bazılarında çok düşüktür. Bazı şamanlar politik güç sahibidir, bazıları değildir. Değişmiş bilinç durumlarını tetikleyen belirli bir yöntem veya yöntemler konusunda da bir koşul getirmiyorum. Hele ruh ve kademelere ayrılmış evrenin alt katları gibi kavramlarsa hiç ilgimi çekmiyor.

Bütün bunlara ek olarak değişmiş bilinç durumlarının çeşitliliğini vurgulamak isterim. Bazı yazarların yaptığı gibi, "trans" sözcüğü üzerinde çok fazla durur, "değişmiş durumların" derin, görünürde bilinçsiz koşullarla sınırlı olduğunu düşünürsek, Şamanist deneyimlerin değişkenliğini gözden kaçırmış, hatta değişmiş bilinç durumlarının dinsel uygulamalardaki varlığını büsbütün fark edememiş oluruz.[273] Laponya ve Kuzey İskandinavya'nın Saami şamanları örneğin çok çeşitli bilinç durumlarında imgeler görüp beden dışı yolculuk deneyimi yaşar. Bunlar şamanların hâlâ çevrelerinin farkında oldukları ama ruhsal koruyucuların yine de göründüğü ve şamanların hastaları iyileştirdiği ve kehanetlerde bulunduğu "hafif trans" halinden daha ileriki düzeylere kadar uzanır. Ruhlar Saami şamanlara "sıradan" düşlerde de görünür. Sonra "derin trans" halinde şamanlar ölü gibi yatar; bu durumdayken ruhlarının bedenlerini terk ettiğine ve ruhlar âlemine yolculuk ettiğine inanılır. Her üç bilinç durumunda da şamanların ruhlar âlemiyle doğrudan temasta olduklarına inanılır. Antropolog Anna-Leena Siikala, Sibirya şamanizmi araştırması için Arnold Ludwig'in değişmiş bilinç durumları hakkındaki çalışmasını başlangıç noktası olarak almıştır. Siikala, Şamanların "kendinden geçme deneyimi" denen şeyin genelde düşünüldüğünden çok daha yaygın olduğunu bulguladı.[274] Bu örneklerin sayısı bütün dünyada kolaylıkla artırılabilir. Dolayısıyla Şamanizm başlığı altına giren dinsel dışavurumları ele alırken bütün spektrumu (ya da, benim sunduğum şekliyle, tüm spektrumları) akılda tutmak birinci derecede önemlidir.

Değişmiş bilinç durumlarının hangi evrelerinin vurgulandığı ve çok değerli bulunduğu, bir Şamanist dışavurumun toplumsal bağlamına bağlıdır. Tukanolar gibi bazı toplumlar 1. Evre entoptik olaylarına oldukça önem verir; diğerleri 1. Evre'yi neredeyse göz ardı eder ve 3. Evre halüsinasyonlarının peşine düşer. Herhangi bir evrede, bu arada hipnagojik halüsinasyonlar sırasında da şamanlar zihinsel imgelemlerinin canlılığını artırmayı ve içeriklerini kontrol etmeyi öğrenir. Yeni başlayanlar bunu "hayali olaylara etkin olarak katılma ve onları yönlendirme"[275] yoluyla öğrenir. Bu katılıma, sözcüğün normal anlamının ötesine geçen bir hayal gücü şekli olan "güdümlü hayal gücü" eşlik eder: Siikala'nın ifadesiyle "değerlendirme yetisini bir kenara bırakıp, duyguların, fantezilerin ve imgelerin farkındalık düzeyine çıkmasına izin vermekten" ibarettir. Bu "fanteziler ve imgeler" arasında şaman adayına öğretilen ve bir şaman olmak ile çırağın ruhsal yolculuğunda içinden geçeceği evrenin yapısıyla ilgili mitlerden varlıklar ve öyküler vardır; böyle imgeler "genellikle... öte dünyaya ilişkin duygular ve deneyimler oluşturma aracı olarak kullanılır."[276] Şamanist zihin, zihinsel durumların, görüntülerin ve duyguların karmaşık biçimde iç içe girmiş halidir. Basit bir değişmiş zihin durumunu Şamanist zihin durumunun *ta kendisi* olarak ortaya atmamaya dikkat etmeliyiz.

Değişmiş zihin durumlarının dinin ortaya çıkışındaki rolünü yorumlamaktaki önemini vurgulayan yalnız ben değilim. Bir dönem Harvard Botanik Müzesi'nde araştırma görevlisi olan Peter Furst şöyle yazmıştı: "Şamanizm uygulamasının... başından –yani dinin ilk dönemlerinden– itibaren doğal çevrenin sanrısal potansiyelini işin içine sokmuş olması, kesinlikle kanıtlanabilir olmamakla birlikte, en azından mümkündür."[277] James McClenon, psikotropik bitkilerin bilinç değiştirme için kullanımlarının üzerinde fazla durmadan durumu şöyle özetler: "Biyolojik temelli [değişmiş bilinç durumlarının] kültürel uyumunun bir sonucu olarak Şamanizm sonraki tüm din biçimlerinin kökenidir."[278] Weston La Barre da aynı sonuca ulaşır: "Bütün disosiyatif 'değişmiş bilinç durumları' –halüsinasyon, trans, cin çarpması, hayali görüntüler, duyusal yoksunluk ve özellikle REM evresi düşler– kültürel bağlamları ve simgesel içerikleri dışında, temelde insanlar arasında her yerde bulunan aynı psişik durumlardır... Şamanizm veya bu durumlar içindeyken doğaüstüyle doğrudan kurulan temas... tüm vahiylerin ve sonuçta tüm dinlerin asıl fiili kaynağıdır."[279]

Bu bölümün insan beyni/zihni ve dinin doğuşuyla ilgili ortaya koyduğu şeylerin ışığında Üst Paleolitik dönemle ilgili Batı Avrupa kaynaklı kanıtları incelemeye geçmeden önce, kaya sanatı yapan iki Şamanist toplumu betimleyeceğim: Güney Afrika'nın San kabilesi ile California'nın yerli toplulukları. Her iki örnekte de elimizde inanışlarına ilişkin önemli miktarda bilgi var. Genellikle kaya sanatı araştırmalarıyla ilişkilendirilen körleme-sine (ve genellikle kabaca) tahmin yapma dürtüsüne kapılmamıza gerek yok. Bu iki vaka çalışması avcı-toplayıcı toplumlarda beynin çalışmasından nasıl yararlanılabileceğine ilişkin anlayışımızı geliştirecek, aynı zamanda şamanizmin Üst Paleolitik dönem sanatı için önemli olan ek özelliklerini ortaya koyacak.

5. BÖLÜM
VAKA ÇALIŞMASI 1:
GÜNEY AFRİKA SAN KAYA SANATI

21 Haziran 1874'te /Xam San kabilesinden Diä!kwain adlı bir adam halkının inançlarına ve dinine yeni bir pencere açtı (27. resim). Bir kaya resminin kopyasına baktığında bunun bir *!khwa-ka xorro*'nun resmi olduğunu ve ilgili olduğu kişilerin de *!khwa-ka !gi:ten* olduklarını söyledi. Bu sözcüklerdeki ünlem ve kesme işaretleri Batılıların çıkarmakta olağanüstü zorlandıkları damaktan çıkarılan San dillerine özgü sesleri temsil ediyor. Diä!kwain'in /Xam sözcüklerine San dininin özünün ta kendisini içerdikleri için yine değineceğim.

Diä!kwain, Zulu dilinin dilbilgisini hazırlamak için Güney Afrika'ya gitmiş olan Alman dilbilimci Wilhelm Heinrich Emmanuel Bleek'le konuşuyordu.[280] Bleek Natal'da Zuluların yaşadığı İngiliz kolonisinde kısa bir süre geçirdikten sonra Cape Town'a gitti ama öncesinde Drakensberg Dağları'nın ücra köşelerinde gizlenen, o zamanlar Sanlara dendiği şekliyle "Buşmenlerin" varlığından haberdar olmuştu. Bir dilbilimci olarak onların dili hakkında söylenenler merakını uyandırdı ama onlarla temas kuramıyordu.

Cape Town'a varmasından kısa süre sonra Cape Town hapishanelerinde tutsak Sanlar olduğunu keşfetti. Bu tutsaklar Drakensberg'den değil, o zamanlar Ümit Burnu kolonisi olarak bilinen bölgenin içlerindendi. Kendilerinden /Xam olarak söz ediyorlardı ama Bleek bu ad için bir çeviri bulamadı. Zulu araştırmalarını hemen bıraktı ve /Xam San dilini öğrenmeye koyuldu ama kısa

27. Wilhelm Bleek ve Lucy Lloyd'un /Xam San öğretmenlerinden biri, Diä!kwain. Elinde flütünü ve şapkasını tutuyor.

süre sonra hapishane koşullarının başarılı bir çalışma yapmak için uygun olmadığını anladı. Sonra Cape kolonisi valisini mahkûmlardan bazılarını kendi kontrolü altında serbest bırakmaya ikna etti, onlar da Bleek'in Cape Town banliyösündeki evine taşındı.

Kaçmak için bir girişimde bulunmadılar. Tam tersine Bleek'e dillerini ve kültürlerini öğretme fırsatından dolayı memnun oldular. Yaşam biçimlerinin, dillerinin, dinlerinin ve aslında tüm halkın sömürgeci yayılmanın tehdidi altında olduğunun farkına varmışlardı. Cezaları bittiğinde bazıları gönüllü olarak Bleek'in evinde kalmaya ve eğitim vermeye devam etti; diğerleri ailelerini harabeye çevrilmiş yurtlarından yanlarına getirdi (7. renkli resim). Kendileri, inançları ve sömürge güçlerinin suç olarak gördükleri şeyler yüzünden tutuklanmadan on ya da yirmi yıl öncesine kadar yaşadıkları doğal yaşamlarını dünyanın öğrenmesini istiyorlardı. Bugün Güney San topluluklarının hiçbiri eski yaşam biçimlerini sürdürmüyor ve eski dillerini konuşmuyor; diğer topluluklara karışmış veya ötekileştirilmiş durumdalar.

Bleek çalışmasını kolaylaştırmak amacıyla San dillerindeki zor damak sesleri ile diğer garip seslerin üstesinden gelebilmek için fonetik bir yazı geliştirdi. Çoğunluğu bir diğeri tarafından anlaşılmayan çok sayıda San dili vardır; bazılarına daha sonra değineceğiz. Bleek çalışma arkadaşı (ve baldızı) Lucy Lloyd'la birlikte /Xam San dilinde ustalaştı. Bleek kendini dilbilgisi ve fonetiğe adayıp bir /Xam sözlüğü oluşturmaya başlarken Lloyd da /Xamlara ait kişisel öyküler, gündelik yaşam, ritüeller, inançlar ve mitlerle ilgili anlatılanları kayda geçirdi. Bu yazılı kayıtlar artık yok olmuş /Xam dilindedir ve çoğu yerinde satır satır İngilizce çevirileriyle birlikte verilmiştir. Bleek ve Lloyd sonunda, /Xam halkının yaşamlarını eşi bulunmayacak biçimde kavramamızı sağlayacak 12.000 sayfa metin oluşturdu. Bu malzemenin çoğu hâlâ yayımlanmamıştır.[281] Bunlar San kaya sanatı çalışmalarımda vazgeçilmez bir unsur oldu.

Bleek ailesinin birlikte çalıştığı ailelerin hepsi, topraklarında gittikçe daha ileriye doğru yayılan ve ilerledikçe o yarı kurak ovaların bitki örtüsünü yok edip daha öncesinde özgürce dolaşan büyük av hayvanı sürülerini mahveden beyaz yerleşimcilerle karşılaşmıştı. Ama ebeveynleri beyazlar gelmeden önce oralarda yaşamıştı ve atalardan kalma kültürlerinin belleğini koruyorlardı. Hem Cape Town'a gelenler hem de ebeveynleri taş aletler yapıyor, ok ve yayla avlanıyor, zayıf oklarının sınırlı etkisini telafi etmek için öldürücü zehirleri nasıl kullanacaklarını biliyordu. Bir Taş Çağı avcı-toplayıcı topluluğuydular.

İKTİDAR SAHİPLERİ

Bleek ve Lloyd Sanların kaya resimleri (piktograflar) ve oyma gravürler (petroglifler) yaptıklarını biliyordu ama ikisi de o günlerde göz alıcı biçimde parlayan yeni yapılmış resimlerin ve kayaya daha yeni oyulmuş gravürlerin bulunduğu alanları ziyaret edememişti.[282] Birkaç kötü yapılmış kopya görmüşlerdi ama bunlar jeolog George William Stow'un yaptığı çok renkli nefis kopyaları görene kadar onlara pek fikir vermemişti. Bunların bir bölümü Cape Town'a 1875'te ulaştı.[283] Bleek bunları gördüğüne çok memnun oldu. "Son derece ilgi çekiciler ve en yaratıcı hayal gücümüzün öngörebileceğinden katbekat daha yüksek bir zevki ve çok daha büyük bir sanatsal beceriyi açıkça ortaya koymaktalar" diye yazdı.[284] Bunların yayımlanmasının "Buşmenler ve onların zihinsel durumuyla ilgili genelde sahip olunan fikirlerde kökten değişiklikler yaratacağını" da ekledi. San kaya sanatının benzersiz zarafeti, titiz ayrıntıları, ince gölgelendirmeleri, hassas çizim teknikleri, Sömürgecilerin Sanlarla ilgili küçümseyici fikirleriyle adamakıllı çelişiyordu.[285]

Bleek hiç zaman geçirmeden Stow'un kopyaları ile Cape kolonisinin doğu bölgelerinde oturan İngiliz Joseph Millerd Orpen'ın yaptığı başka kopyaları /Xam öğretmenlerine gösterdi. San dininin gizemleri hakkında soluk kesici açıklamalara bir adım uzakta olduğunu fark etti: "Bu resimlerin gözden geçirilmesi ve Buşmenler tarafından açıklanması henüz yeni başladı; ama bazı değerli sonuçlara ulaşmayı ve şimdiye kadar anlaşılmaz olan pek çok şeyi aydınlatmayı vaat ediyor."[286] Bleek ne yazık ki aynı yıl öldü ve başka açıklamalar arayamadı. Ama onun çalışmalarını 1914'teki ölümüne kadar Lucy Lloyd sürdürdü. Bundan sonra da işi Bleek'in kızı Dorothea 1948'deki ölümüne kadar devraldı (ama /Xam öğretmenlerinden yararlanamadı). Her ikisi de San kaya sanatının öneminin farkındaydı.

"Şimdiye kadar anlaşılmaz pek çok şey" arasında *!gi:ten* (tekili: *!gi:xa*) hakkındaki inançlar vardı; bu sözcük Orpen'ın Güney Drakensberg'de yaptığı kaya resmi kopyalarına tepki verdiği zaman Diä!kwain'in kullandığı sözcüklerden biriydi. Sözcüğün ilk hecesi *!gi* doğaüstü güç, /Xam'ın dalavereci ilahı /Kaggen'in insanlara verdiği ve büyük hayvanlarda, özellikle Afrika antiloplarının en büyüğü olan boğa antilobunda bulunan bir tür "elektrik" anlamına geliyordu.[287] İkinci hece "ile dolu" anlamına gelir. Bir *!gi:xa* böylece doğaüstü güçlerle dolu bir erkek veya kadındı. Lloyd sözcüğü "büyücü" olarak çevirdi. Ama dünyadaki Şamanizm uygulamaları, değişken bilinç durumları veya halüsinasyonların nörolojisi hakkında hiçbir şey bilmediğini, /Xam *!gi:ten*'in ritüellerini yerine getirirken hiç görmediğini anımsamamız gerek. Günümüzde *!gi:xa* bazen "büyücü hekim" gibi sunulur ama ben günümüzde uluslararası düzeyde kullanılan "şaman" sözcüğünün uygun bir çeviri olacağına ve ayrıca San *!gi:ten*'in evrensel yönlerine ışık tutacağına inanıyorum.[288]

1950'lerde, Bleek'in ölümünden yaklaşık 75 yıl sonra, Marshall ailesi, /Xamların yaşadığı bölgenin 1.200 km kadar kuzeyinde Namibya ve Botsvana'daki Kalahari Çölü'nde yaşayan ve /Xamlardan farklı bir dil konuşan Ju/'hoan (!Kung) Sanları arasında ciddi, bilinçli bir antropolojik çalışma başlattı. II. Dünya Savaşı'ndan sonra Amerikalı sanayici Laurence Marshall, karısı Lorna ve çocukları John ve Elizabeth'i Afrika'nın güneyindeki Kalahari Çölü'ne götürdü. Lorna önde gelen bir etnograf oldu,[289] Elizabeth duyarlı ve büyük etki yaratan *The Harmless People*[290] [Zararsız İnsanlar] başlıklı bir kitap yazdı, John aralarında çok çarpıcı San "hekimlik dansı" kaydı olan "N/um Tchai" gibi örneklerin de bulunduğu biri dizi olağanüstü etnografik film çekti.[291] Aile o günlerden beri değişimin tırmandığı dönemlerde Sanlarla yakından ilgilenmekte.[292]

Lorna Marshall ve kızı Elizabeth, Ju/'hoansilerin *n/om k"aussi* (tekili: *n/om k"au*) adını verdikleri kişilerin etkili olduklarına inandıklarını anladı. Bugün *n/om* sözcüğünün *!gi*'nin Ju/'hoan dilindeki karşılığı olduğunu, k" hecesinin de "sahip olan" veya "elinde tutan" anlamına geldiğini biliyoruz. Dolaysıyla *n/om k"aussi* X/am dilindeki *!gi:xa* sözcüğünün karşılığıdır. Herhangi bir San yerleşiminde erkeklerin yaklaşık yarısı, kadınların da üçte biri şamandır.

Şimdi dikkatimizi San şamanlarının o zamanlar –bugün de hâlâ Kalahari'de– içinde çalıştıkları evrene çevirebiliriz. Sanlar Tanrı'nın, onun ailesinin, çok geniş hayvan sürülerinin, ölülerin insanlara "hastalık okları" atan ruhlarının ve aralarında Diä!kwain'in, az sonra geri döneceğim *!khwa-ka xorro*'nun da olduğu garip canavarların bulunduğu bir ruhlar âlemine inanır. San şamanlarının görevi doğaüstü güçlerini harekete geçirmek, kafalarında patlayıp onları ruhlar âlemine götürüne kadar omurgalarında "kaynatmaktır" – yani yoğunlaştırılmış rotanın en uzak noktasındaki bir trans durumuna girerler.

Sanlara göre bu türden trans-kozmolojik yolculuk bir "hekimlik", "iyileştirme" veya "trans" dansı, rüyalar veya yalnızca birkaç kişinin hazır bulunabildiği "özel tedavi" sırasında gerçekleşir.[293] Büyük dans Sanların esas dinsel ritüelidir. Herkes –erkekler, kadınlar, çocuklar ve ziyaretçiler– dansa katılır. İnsanlar farkında olmadan hastalık okları taşıyabileceği için herkes üstlerine eller konarak iyileştirilebilir. Bugün Kalahari'de şaman dansları standart bir örüntüye uygundur, bununla birlikte güneydeki kaya resimleri daha güneyde birkaç farklı biçimin olduğunu gösterir (28. resim).

Günümüzdeki örüntü daire şeklindedir. Ortada bir güç kaynağı olarak ateş vardır. Çevresinde kadınlar omuzları birbirlerine değecek biçimde dar bir daire oluşturarak oturur. Güç içerdiklerine inanılan "hekimlik şarkılarının" karmaşık ritimleriyle el çırpıp şarkı söylerler. Kadın çemberinin dışında erkekler bir başka çemberde dans eder. Dansın ritmiyle ayaklarını yere vu-

28. San "hekimlik dansını" gösteren iki Güney Afrika kaya resmi: Antilop kulaklı başlıklar takan beş adam, mide kaslarının acı verici kasılmalarından dolayı ileri doğru eğilmiş durumda dans ediyor; ağırlıklarını dans bastonlarıyla destekliyorlar. Sağda ve solda adamların değişmiş bilinç durumlarını yoğunlaştıran güçlü bir "hekimlik şarkısının" ritmiyle alkış tutan kadınlar var.

(Sağda) Dört erkek trans veya şifa dansı ediyor. Aralarından birinin burnu, değişmiş bilinç durumları ve yoğun fiziksel koşullarından ötürü kanıyor. Oturan kadınlar şarkıya alkışla ritim tutuyor. Kadınların yukarısında, bir hayvana dönüşmeyi simgeleyen deri torbalar var.

rurlar ve bunu ineklerinin boynuna bağladıkları çıngırakların çınlamasıyla belirginleştirirler. Hastalık oklarını defetmek için hayvan kuyruğundan yapılma sinek kovucu taşırlar; yelpazeleri yalnızca dans ederken kullanırlar. Dans süresince çocuklar, bazen trans halindeki şamanları neşeli bir biçimde taklit ederek çevrede oyun oynar. Kimse, "kutsal" olarak görebileceğimiz şeyin "dünyevi" etkinliklerle karıştırılmasını hiçbir şekilde rahatsız edici veya saygısızca bulmaz.

Sanlar halüsinasyon yaratan maddeler kullanmaz; bunun yerine değişmiş bir bilinç durumunu yoğun konsantrasyon, işitsel etkiler, uzun süreli ritmik hareket ve hipervantilasyonla [hızlı hızlı ve derin olmayacak biçimde nefes almayla] yaratırlar. Dans sırasında kadın şamanlar bazen ateş çevresindeki çemberlerinden çıkarak daha zarif adımlar ve hareketlerle erkeklere katılır. Danslar neşeli bir biçimde başlar ama şarkıların sesleri ve şamanların çığlıkları geceyi doldurdukça yoğunluk kazanır. Çok sayıda insan olduğunda ve özellikle büyük bir hayvan öldürüldüğünde Sanlar haftada birkaç kez dans edebilir; yılın diğer dönemlerinde, gruplar daha küçükken, daha az sıklıkla dans ederler.

Böyle bir dans pisti fosilleşmiş bir toprak yüzey olarak korunabilseydi, uzak gelecekteki arkeologlar için sorunlar yaratırdı. Merkezdeki ocağı, kadınların oturduğu yerde aşınmış kumu, dans eden erkeklerin ayaklarının açtığı derin dairesel oyuğu bulurlardı ve bütün bunlar belki de bir tür törensel, ritüel etkinliğini akla getiriyor olurdu. Ama sonra çocukların örüntünün içine girip dışına çıkan ayak izlerini ve yakınlardaki yaşam alanlarını bulurlardı. Gelecekteki bu arkeologlar buluntularını sıkı sıkıya törensel "dinî" etkinlik olarak görürse, ortaya çıkardıkları örüntünün belki de kafa karıştırıcı bir dünyevi yaşam alanı kalıntılarından başka bir şey olmadığı sonucuna pekâlâ varabilirler.

Yine de Sanlar için dans hiç şüphesiz en önemli dinsel ritüelleridir.[294] Şamanlar için bu kesinlikle ciddi ve sıklıkla korkutucu bir iştir. Bazen, "kaynama" güçlerini kontrol edemediklerinde kendilerinden geçip bedenleri kaskatı biçimde yere düşebilirler. /Xamlar Bleek ve Lloyd'a şiddetle titreyerek yere düştüğünde bir şamanın arkasında "aslan yelesi" oluştuğunu söylemişti. Bir aslana veya başka bir hayvana dönüşmek San ruhsal deneyiminin önemli bir parçasıdır. Güçlerinden yaralanmayı öğrenmiş olan "büyük" San şamanları etrafta dolaşıp ellerini insanlar üzerine koyarak onlardaki hastalıkları alıp kendi bedenlerine geçirebilir; sonra vahşi bir çığlıkla enselerinin arkasındaki bir "delikten" dışarı atarlar. Hastalık böylece başta gönderildiği yere, ölülerin ruhlarına geri döner.

San şamanları derin transa girdiklerinde bazen burunlarından kan gelir (28. resim, 9. renkli resim). Eskiden /Xamlar bu kanı, kokusunun hastalıkları uzakta tutacağı inancıyla, hastalarına sürerdi. Kokunun güç aktarımı sağlayan bir araç olduğuna inanılırdı.

Derin trans esnasında şamanların ruhlarının bedenlerini başlarının üstünden terk ettiğine inanılır. Sonrasında arkadaşların ve akrabaların nasıl olduklarını öğrenmek için ülkenin diğer bölgelerine yolculuk edebilir veya hastaların yaşamları için yakarıda bulundukları Tanrı evine gidebilirler.

Bugün Kalahari'de şamanlar ünlü olabilir ve insanlar tedavi için onları çok uzaklardan çağırabilir ama herhangi özel bir maddi ayrıcalıktan yararlanmazlar. Herkesle birlikte onlar da avlanır ve bitkisel yiyecek toplar. Başarılı bir tedavi sonucunda en fazla küçük bir armağan bekleyebilirler; aynı şey on dokuzuncu yüzyıl /Xamlarında da geçerliymiş gibi görünüyor.

Bununla birlikte Kalahari'de toprağın artık çiftçilere ait olduğu ve Sanların da çiftliklerde serf olarak yerleşmesinin talep edildiği bazı bölgelerde çok önemli bir değişim yaşanıyor. Antropolog Mathias Guenther[295] bu koşullarda daha az şamanın var olduğunu, onların da ritüellerini gerçekleştirmek için çiftlik çiftlik dolaşan gezginler olduğunu ortaya çıkardı. Sonrasında da yerleşiklerin ve yoksullaşmış toplulukların özlemlerini dile getiren siyasi önderler olarak ortaya çıkmaya başlıyorlar. Güney Afrika'nın Drakensberg Dağları'nda kaya sanatı araştırmaları yapan arkeolog Thomas Dowson,[296] o bölgelerdeki insanların gerek beyaz gerek siyahi çiftçilerin ilerlemesiyle gittikçe daha küçük bir bölgeye sıkışmak zorunda bırakıldıklarında da benzer bir şeyin yaşandığını öne sürer. O zamana dek temelde eşitlikçi bir toplumdan güçlü şamanların doğması, sanata, çok belirgin yüz hatları ve şaman olduklarını belirten başka çarpıtmalara sahip olağanüstü büyüklükteki insan figürlerinin ortaya çıkmasıyla yansıtılmıştır.[297]

/Xam ile Ju/'hoansi arasındaki dil farkına ve başka ayrılıklara karşın, bu halklar ve diğer San gruplarının hepsi ortak bir dinsel temel paylaşır.[298] Bu temelin merkezinde ruhlar dünyasıyla ilişki, büyük trans dansı ve şamanların etkinlikleri vardır. Bu nokta üzerinde ne kadar önemle durulsa azdır. Ju/'hoansi Sanlarıyla bir ömür boyu ilişkide olan ve dillerini akıcı biçimde konuşan Amerikalı antropolog Megan Biesele şöyle bir yorumda bulunuyor:

> Düşlerin herhangi bir zaman görülebilmesine karşın, Ju/'hoan yaşamının temel dinsel deneyimlerine, bilinçli olarak ve işin doğası gereği, trans yoluyla yaklaşılır. Trans dansına toplumun her kesimi, transa girip öte dünyanın gücünü doğrudan deneyimleyenle birlikte kendilerine transçıların öte dünyanın yararlarını –tedavi ve sezgisel bilgiyi– getirdiği herkes katılır.[299]

Trans aracılığıyla aydınlanma esastır; bu yalnızca onun "dinin" bir parçası olması anlamında değildir, yaşamın tüm yönlerini kapsar. Sanlar ve diğer tüm şamanist toplumlar için Şamanizm gündelik yaşamın olmasa da olur türden bir eklentisi değildir: Bilakis tüm yaşamın özüdür. Biesele bu konu için şu yorumda bulunur:

> Dans ve "üretim" ve "üreme" kutlaması içeren iki başka ritüel, erkek çocukların avcılığa geçişi ve bir kız çocuğun ilk regli için yapılan boğa antilobu dansı, folklorun bu temel temalarıyla yakın bağlantıya sahiptir ve bunlar aracılığıyla büyük [Şamanist] iyileştirme dansıyla ilişkilidir.[300]

Ayrıca, bunlarla ilgili üç kavram, !aia (trans), n/om (doğaüstü güç) ve n!ao (hava durumu, doğum ve avcılıkla ilgili bir güç) Ju/'hoan halk masallarının analizinde "referans noktaları olarak" kullanılmalıdır.[301] Trans deneyimi böylece masalların ve mitlerin içine işler.[302] Aynı şey San kaya sanatı için de söylenebilir.

BİR BAŞKA DÜNYANIN İMGELERİ

Yirminci yüzyılın ilk yarısındaki etkisini önceki bölümlerde aktardığım Fransız Üst Paleolitik dönem sanatı uzmanı, Başrahip Henri Breuil birkaç kez Güney Afrika'yı ziyaret etmiş, hatta II. Dünya Savaşı sırasında Johannesburg'daki Witwatersrand Üniversitesi'nde birkaç yıl kalmıştı. Tamamen olmasa da büyük ölçüde onun etkisiyle San kaya sanatı, sanat için sanat ya da av büyüsü için süslemeler olarak görülmeye başlamıştı: Üst Paleolitik dönem sanatı hakkında o dönem için güncel olan yorumlar sorgusuz sualsiz Güney Afrika'ya ithal edildi. Breuil kendini Avrupalıların erken dönemlerde Afrika'ya girmelerinin kanıtlarını bulmaya da adamıştı. Avrupa onun için sanatın beşiğiydi. Avrupa'dan yayılma konusundaki arayışlarında en kalıcı çabası Namibya'daki bir imgenin Minos veya Girit kökenli bir genç kadını temsil ettiğini belirlemesi oldu. Böylece yanıltıcı "Brandberg'in Beyaz Hanımı" mitinin doğmasını sağladı. Bugün üstünkörü bir incelemenin bile figürün bir erkeğe ait olduğunu ortaya çıkaracağını ve ne kadar nitelikli olursa olsun, sadece sıradan bir San kaya resmi olduğunu biliyoruz.

Ama araştırmacılar Güney Afrika kaya sanatını çoğunlukla basit, çocuksu insanlar tarafından yapılmış, basit bir yaşam biçiminin basit resimleri olarak düşündüler. Ne Breuil ne de ondan sonraki Güney Afrikalı araştırmacılar Bleek ve Lloyd'un kayıtlarına veya Kalahari'de ele geçirilenlere dikkat etti. Bleek 1870'lerde San kaya sanatının "Buşmen zihnini derinden etkileyen ve onu dinsel duygularla dolduran düşüncelerin tam anlamıyla sanatsal bir dışavurumu" olduğu sonucuna varmıştı.[303] Bu korkusuzca dile getirilmiş ifade, Sanların hiçbir şekilde bir dinleri olmadığı, hatta Hıristiyanlığın anladığı anlamda Tanrı kavramını algılayamayacak kadar zihinsel açıdan az gelişmiş oldukları yönündeki sömürgeci görüşe doğrudan meydan okuyordu. Ama Bleek'in kavrayışı, Sanların hiçbir duyarlıkları ve kesinlikle ruhsal deneyimleri olmayan, hain, ilkel insanlar oldukları yönündeki sömürgeci kavramlarla boğuldu.

Bu durum 1960'ların sonunda ve 1970'lerde, bazı Güney Afrikalı araştırmacıların, göz ardı edilmiş Bleek ve Lloyd koleksiyonlarına başvurmaları ve Marshall ailesinin Kalahari'de yürüttüğü çalışmalara ilgi göstermeleriyle değişti.[304] Başlangıçta San etnografyasıyla ilgili her şeyi anlaşılmaz buluyordum: Bunları kaya sanatı imgeleriyle nasıl ilişkilendireceğimi görmek kolay değildi.

Sonra önemli bir ilerleme oldu. Etnografyanın –San mitlerinin ve onların belirli imgelerle ilgili kendi açıklamaları– sanatı herhangi bir biçimde doğrudan açıklamadığını fark ettim. Sanların, Orpen'ın[305] topladığı paha biçilmez olanlar gibi belirli kaya resimleri hakkındaki yorumları bile araştırmacıların umduğu basit yanıtları veremiyordu. Aksine, hem etnografyanın hem de sanatın açıklanması gerekir çünkü bir grup metafor ve Sanların biraz sonra ayrıntılı olarak tartışacağım evren kavramları, *her ikisinin de* içine işlemiş ve yapılarını belirlemiştir. Resmi yapılmış ve oyulmuş imgelerin çoğu, hatta en "gerçekçi" görüneni bile, bu metaforlarla doludur ve bilinç spektrumu boyunca ileri geri yön değiştiren insan zihni tarafından "işlenmiş" olduklarına dair belirtiler gösterir.[306] Aynı metaforlar ister istemez Sanların imgeler hakkında yaptıkları açıklamaları da yapılandırır. Sanlar imgeleri antropologların diliyle değil, kendi terimleriyle açıklamıştı.

Metafor, zihin, imge, toplum ve evrenin nasıl bir araya geldiğini –bu kitabın ana fikirlerinden biri– göstermek için San evreni ile ruhlar âlemini betimleyeceğim. Bu temel düzeyde evrensel insan sinir sisteminin ana biçimlendirme aracı olduğunu öne süreceğim. Bu tartışmanın Batı Avrupa Üst Paleolitik dönem sanatı açısından önemi, insanın sinir sisteminden kaynaklanan deneyimler ile kültürün katkıda bulunduğu ve bu nedenle de Sanlara özgü olan deneyimler arasında ayrım yaptıkça gittikçe daha çok ortaya çıkacak.

BEYİNDE BİR EVREN

San dini, katmanlı bir evren inancı çevresinde oluşturulmuştur. Dünyadaki diğer Şamanist halklar gibi Sanlar da dünyada, yaşadıkları yüzeyin üstünde ve altında birer âlem olduğuna inanır.

Katmanlı evren anlayışı, tabii ki Şamanist dinlerle sınırlı değildir. Cennet yukarıdadır, cehennem aşağıda, aradaki endişeli insanlık düzeyi de tüm dünyada şu ya da bu biçimde ortaya çıkar. Bu neden böyle olmalıdır? Gündelik yaşamın maddeselliği içinde, sonuçta, aşağıda veya yukarıda yer alan gizli ruhlar âlemi için hiçbir kanıt yoktur. Bu sorunun yanıtının yaygın biçimde bildirilen zihinsel deneyimlerde yattığını öne sürüyorum. Bu bildirimler yalnızca laboratuvar deneylerinden değil, aynı zamanda son derce geniş bir yelpazede yer alan Şamanist (ve diğer) toplumlardan da geliyor. Deneyimler iki sınıfa ayrılıyor: Yeraltı dünyasıyla ilgili olarak görülenler ve gökyüzündeki âlemle ilgili oldukları şeklinde yorumlananlar (29. resim).

Yeraltı dünyasını tartışırken yeraltı ve sualtı deneyimlerini bir araya getirebiliriz. 4. Bölüm'de, deneklerin yoğunlaştırılmış spektrum boyunca ve 3. Evre'deki derinden değişmiş bilinç durumlarına girdiklerinde, bir girdaptan veya tünelden geçtikleri duyusuna kapıldıklarından söz etmiştim. Tünel deneyimleri düşler ve ölüme yaklaşma deneyimlerinde de görülür. Sıklıkla tünelin ucunda bir ışık vardır. Daha önce gördüğümüz gibi, Siegel[307] ilk simgesel imgelerin çevredeki bu girdabın kenarlarında görüldüğünü belirtir. Bana kalırsa dünya üzerindeki bu kadar çok insanın yeraltına geçerek toprakaltı âlemine geçtiklerine inanmasının nedeni budur. Bu kavramın kaynağı değişmiş bilinç durumlarıdır, sonra da toplumsal olarak aktarılmış

ŞAMANİST EVREN

NÖROPSİKOLOJİ	ÜÇ KATMAN
Ağırlıksız olma	Yukarı ruhlar alemi
Hareket kaybı	(Geçiş)
Enerji kaybı	
Değişmiş bilinç durumları	Gündelik yaşam
Girdap	Aşağı ruhlar alemi
Nefes alma güçlüğü	(Yeraltı, sualtı)
Kulaklarda sesler	

29. Üç katmanlı Şamanist evren ve değişmiş bilinç durumları içinde yaratılması. Yukarıdaki ve yeraltındaki âlemlere inanç insan beyninin donanımından ve işleyişinden doğar.

kültürün bir parçası olur, öyle ki yoğunlaştırılmış rotanın uzak ucunu hiç deneyimlememiş insanlar bile inançları kabul eder.

Denekler aynı zamanda sıklıkla kesik kesik soluma, çarpık görüş, kulaklarda sesler, hareket zorluğu, ağırlıksız olma duyuları ile bir başka dünyada olma hissini deneyimler. Bu duyular genellikle su altında olmak biçiminde yorumlanır. Gerek yeraltı, gerek sualtı yolculukları yaygın olarak bildirilen Şamanist deneyimlerdir.[308]

Bu deneyimlerin insan beyninin ve sinir sisteminin nörolojik yapılanmasının ve değişmiş bilinç durumlarında elektrokimyasal olarak çalışma biçiminin bir sonucu olduğunu anımsamak önemlidir. Bu anlamda deneyimler evrenseldir. Akla uygun hale getirilmelerinin *kesin* yöntemi kültür tarafından belirlenir, bu nedenle de bazı açılardan toplumdan topluma değişiklik gösterirler: Bazı insanlar mağaralara girmekten, diğerleri bir ağacın köklerini izlediklerinden, başkaları da, tıpkı Alice gibi, hayvan yuvalarından içeri girdiklerinden söz eder. Benzer şekilde ve bir ölçüde insanların yaşadığı çevreye bağlı olarak bazı insanlar da denize veya derin havuzlara daldıklarını söyler.

Gerek sualtı, gerek yeraltı deneyimleri Coleridge'in "Kubilay Han: Veya Rüyada Görülen Bir İmge" başlıklı şiirinde yansıtılmış gibi görünüyor. Sakinleştirici olarak afyon alan şair "en azından dış duyulara karşı kapalı, derin bir uykuya daldı" ve bu süre içinde canlı imgelemler deneyimledi. Gördüğü hayalinden anımsadıklarını acilen yazma işi, artık ünlü olan Porlocklu adam yüzünden kesintiye uğrayınca, daha sonra "sekiz ya da on dağınık dize ve imge dışında" pek az şey anımsadığını fark etti. Bunlarla "Kubilay Han'ı" oluşturdu; şiirin başlarında şu dizeler yer alıyordu:

Kutsal nehir Alph'in,
İnsan aklının alamayacağı mağaralardan akarak
Gün yüzü görmeyen bir denize döküldüğü yerde.[309]

Nasıl yorumlanırlarsa yorumlansınlar, temel sualtında veya yeraltında olma duyguları evrensel kalmaya devam etmektedir: Bunlar sinir sisteminin değişmiş bilinç durumlarındaki davranışlarının yarattığı etkilerin en bariz, en akılcı açıklamalarıdır. Bir "iç-evren" bir kozmoloji yaratmak üzere maddesel dünyaya yansıtılır.

Şimdi San kayıtlarına geri dönerek, tarif ettiğim bu duygulara kendi ifadeleriyle nasıl tepki verdiklerini görebiliriz.

Hem yeraltı, hem sualtı deneyimleri, Ju/'hoan San şamanı K"au Zürafa'nın Megan Biesele'ye anlattığı Şamanist yolculukta çok belirgindir.[310] Sözlerine "koruyucusunun" (veya "koruyucu hayvanının" ve Kaoxa'ın (Tanrı'nın) gelip onu "götürdüklerini" söyleyerek başlar.

> Çok geniş bir su kütlesine gelene kadar yolculuk ettik… Kaoxa suları yukarı tırmandırdı, ben de bedenimi akışı yönünde yatırdım. Ayaklarım arkada, başım öndeydi… Sonra akarsuya girdim ve ilerlemeye başladım. Yan taraflarımdan metal parçalarla sıkıştırılıyordum. Yanlarıma metal şeyler takılmıştı. Böylece ilerledim, dostum… Ruhlar da şarkı söylüyordu.

Ruhlar dünyasına vardıktan sonra, Kaoxa K"au'ya dans etmeyi öğretmiş ve ona koruyucusu Zürafa'nın güç vereceğini söylemiş. Sonra, K"au birdenbire kendini yeniden suyun içinde bulmuş:

> Suyun altındaydım! Nefesim kesiliyordu, bağırdım, "Öldürme beni! Beni neden öldürüyorsun?" Koruyucum cevap verdi, "Böyle ağlarsan sana bir şey içiririm. Bugün sana su içireceğim…" İkimiz yorulana kadar boğuştuk. Dans ettik ve tartıştık, bir de çok ama çok uzun süre suyla mücadele ettim…
> Sonra, dostum, koruyucum benimle konuştu ve tedavi etme yeteneğimin olacağını söyledi. Ayağa kalkıp transa geçeceğimi söyledi. Transa gireceğimi söyledi. Söz ettiği transa da, dostum, zaten giriyordum. Koruyucum sonra yere gireceğimi söyledi. Toprak altında çok uzaklara gideceğimi ve başka bir yerden çıkacağımı söyledi.[311]

Burada yeraltı ve sualtı deneyimleri bir aradadır. Ama Sanların evrensel değişmiş durum deneyimlerini nasıl anlamlandırdığını görebiliriz. Mücadele, korku, ölüm düşüncesi, nefes kesilmesi, bedenin yan taraflarındaki kısıtlayıcı baskı, hepsi vardır.

Bir başka tür duygu da insanın sinir sistemin yapısından ve çalışma biçiminden doğar. Denekler yerçekiminden kurtulma ve genellikle hafiflemeyle ilişkilendirilen bir yükselme duygusu deneyimler. Çevrelerine yukarıdan bakarmış gibi hissederler ve uzuvlarının ve bedenlerinin aşırı uzadığını sanırlar. Bu deneyimler bütün dünyada, anlaşılır şekilde, havada süzülme ve uçma olarak açıklanır. Bu duyguların en bariz açıklaması deneğin havada uçmasıdır. Şamanist uçuş, tabii ki, yeraltı yolculukları kadar sık bildirilen deneyimlerdendir.[312]

Yeraltı deneyimi gibi gökyüzünde uçma da K"au Zürafa'nın anlattıklarında karşımıza çıkıyor. Göğe yükselmesini şöyle anlatıyor:

> [Yerden] yükselmeye başladığımızda, ipe tırmanmaya başladık – bu, göğün ipiydi! Evet dostum. Göğe çıktığımızda, oradakiler, ruhlar, oradaki ölüler, dans etmem için şarkı söyledi.[313]

Birlikte ele alındığında nörolojik olarak yaratılan yeraltında yolculuk ve uçma deneyimleri, kanımca üç düzeyli evren kavramlarının kökenini oluşturmaktadır. Bunun bu denli yaygın olan ve gündelik yaşamın maddesel deneyimiyle hiçbir ilişkisi olmayan inançlar için en iyi açıklama olduğuna inanıyorum. Buna benzer inançlar doğal çevrenin gözlenmesinden doğmaz. İnsanların yaşadığı dünyayı mükemmel biçimde açıkladıkları için, coğrafi olarak tek bir noktadan kolayca ve hızla yayılmış da değildir. Daha çok, insan bilincinin bütün spektrumunun doğal deneyimlerinin bir parçasıdır.

Yeraltı ve uçma deneyimlerinin her ikisi de San kaya sanatında temsil edilir. Birkaç örnek, San evreni ile sanatının birbirlerinden ayrılamayacağını göstermek için artık yeterli olacaktır.[314]

EVREN VE SANAT

30. resimde kaya yüzeyinde siyah boyayla sıvanmış derin bir kıvrım veya çatlak görünüyor. Kıvrımdan ve boyadan yedi figür yükseliyor; boya sanki kaya yüzeyindeki çatlağı daha geçirgen kılan bir inceltici işlevi görüyor. En iyi korunmuş olan soldakinde net bir boğa antilobu kafası var; daha küçük dört figür yalnızca boyun ve başlardan oluşuyor, bedenlerinin geri kalanı görünüşte kaya yüzeyinin "arkasında" kalmış. Trans halindeki başlardan birinin burnundan kan geliyor. Boğa antilobu figürünün başının yakınında, gündelik San yaşamında bir arada görülmesi pek beklenmeyecek biçimde en az on sinek kovucudan oluşan bir demet var. Boğa antilobunun çevresinde sekiz balık, iki yılanbalığı ve iki kaplumbağa bulunuyor. Burada ressam hem yeraltı, hem sualtı deneyimleri hakkında fikir vermeyi başarmış: Figürler kayanın içinden, yani yeraltından yükseliyor ve sualtı yaratıklarıyla ilgili.[315] Aslında kaya barınaklarının duvarlarındaki çatlakların yanı sıra ek yerlerinden ve katman yüzeyleri arasından genellikle su sızar.

Bunlar hiçbir şekilde kaya yüzeyin arkasından çıkarmış gibi görünen tek resim değildir: Hayvanlar, insanlar ve "canavarlar" hep dışarı fırlar. Sonra San

30. Siyah boyayla sıvanmış bir kaya yüzeyindeki derin bir yarıktan çıkan figürleri gösteren bir Güney Afrika kaya resmi. Balıklar, yılan balıkları ve kaplumbağalar şamanların değişmiş bilinç durumundaki "sualtı" deneyimini simgeliyor. Gerçekçi olamayacak denli geniş sinek kovucu demeti trans veya şifa dansıyla bağlantılı. Sağ taraftan beliren küçük insan başlarından birinin burnundan, trans durumlarının bir göstergesi olarak kan geliyor.

şamanlarının gökyüzündeki Tanrı evine çıkarken tırmandıklarını söyledikleri "ışık iplerini" temsil eden boyanmış çizgiler vardır.[316] Genellikle kırmızıya boyanmış ve kenarlarına küçük beyaz noktalar serpiştirilmiş bu "ipler" kaya yüzeyinin içiyle dışı arasında mekik dokur gibi görünür. Görünüşe bakılırsa kaya barınaklarının duvarları, bu dünya ile ruhlar âlemi arasına gerilmiş bir "perde" olarak düşünülmüştü. Şamanlar bu "perdeden", bazen "ışık ipleri" resimlerini izleyerek geçiyordu, geriye de öte dünyada neler olduğuyla ilgili vahiylerle dönüyordu. Elimizde *yalnızca* şamanların resim yaptıklarını düşündürecek bir kanıt yok ama şamanların kendilerinin canlılar dünyasına geri dönüşleriyle ilgili imgeler ve ruhlar dünyasında gördüklerini çizmiş olması mümkün.[317] Şamanların trans halindeyken resim yaptıklarını da ima etmek istemiyorum; imgeler transtaki birinin titreyen elinden çıkmış olamayacak kadar zarif ve ince. San şamanları daha çok doğaüstü âlemindeki deneyimlerini dışa vuruyor veya yeniden yaratıyordu – belki de yeniden yaşıyordu.

Ressamlar bu yolla katmanlı evren düşüncesini ve bunlar arasındaki yolculukları yaşama geçiriyordu. Katmanların sadece kavramsal olmadığını düşünüyorum: Kaya barınaklarda açıkça gösteriliyorlardı. Bir başka dünyanın resimleri, maddesellik ile ruhanilik arasındaki arayüz olan "perde" üzerindeki konumları nedeniyle bir anlam ifade ediyordu. Resimlerin yerleştirildiği kaya duvar boş bir sayfa değil, imgelerin bir parçasıydı; bir anlamda imgeleri anlamlandıran bir mecraydı. Sanat ve evren gerçekliğinin karmaşık doğası hakkında ortak bir ifadede birleşiyordu. Barınakların duvarları böylece sıradan insanların ziyaret edemediği –ama K"au Zürafa gibi şamanların yolculuklarını betimlemeleri ve süzülüp gelen imgelerle o âlemin nasıl bir şey olduğuna göz atabildikleri– âlemlere erişim sağlayan geçitler oldu.

Bir sonraki imge grubu (31. resim) Diä!kwain'in *!khwa-ka xorro* dediği şeyi içerir.[318] Sözcüğü sözcüğüne çevrildiğinde bu ifade "yağmurun (*!khwa*) büyük hayvanı (*xorro*)" anlamına gelir. /Xam Sanlar yağmurdan bir hayvan gibi söz ederdi. Bir yağmur-boğa gürleyen ve insanların kulübelerini yerle bir eden gök gürültülü sağanaktı; yağmur-inek daha yumuşak, sırılsıklam eden yağmurdu. Bir gök gürültülü sağanağın alt tarafından düşen yağmur sütunlarına "yağmurun bacakları" denirdi, yağmurun da yerde bacaklarının üzerinde yürüdüğü söylenirdi. Yağmur şamanlarının (*!khwa-a !gi:ten*) bir hayvan-yağmuru bir su birikintisinin dibinde yakaladığına ve gökyüzünde kendi halkının topraklarına doğru yönelttiğine inanılırdı. Kanları ve (eğer dişiyse) sütleri yağmur olarak düşsün diye onları kesip öldürürlerdi. Kavrulmuş toprak böylece yenilenir, tatlı otlar yeşerir ve antilop sürüleri buranın çekimine kapılırdı. Bleek ve Lloyd'un, kendi de bir yağmur şamanı olan öğretmenleri //Kabbo, uzun süreden beri beklenen bir yağmurdan duyulan sevinci şöyle ifade etmişti:

> Sütü olan bir dişi-yağmur keseceğim, onu sağacağım, sonra o toprağın ortası derinlere kadar ıslanacak şekilde yumuşakça yağacak. Sonra çalılar açacak ve çok güzel bir yeşil olacak, o kadar ki keseli antiloplar dört nala gelecek... hoplayıp zıplayacaklar çünkü dişi-yağmur her bölgeyi ıslatmak istediği için her yere yağmış olacak.[319]

31. resimdeki yağmur-hayvanın çevresinde son derece değişime uğramış altı şaman vardır. Ortadakinin ensesinden çıkan iki sinek kovucusu mevcut. O ve diğerlerinin kanatları varmış gibi görünür, her bir tüy ayrıca çizilmiştir. "Sualtı" böylece bir su birikintisinin yüzeyinin altında yakalanmış yağmur-

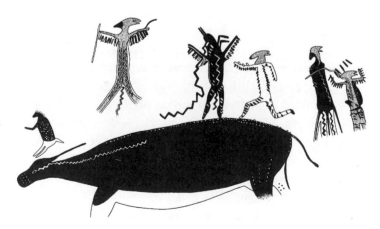

31. Çevresinde değişim geçirmiş, kanatlı San şamanların olduğu bir yağmur-hayvana ait bir Güney Afrika kaya resmi. Muhtemelen entoptik olayları temsil eden zikzaklar dikkat çekiyor.

32. Sualtından (balıklar sağ tarafta) gökyüzüne
(kuşlar sol tarafta) ilerleyen bir yağmur-hayvanı
betimleyen bir San kaya resmi. Yağmur şamanları
trans halüsinasyonları içindeyken onu daha sonra
kanı yağmur olarak yağsın diye öldürecektir.

hayvanla, "uçma" ise kanatlar ve tüylerle temsil edilir. İnsan figürleri ile
yağmur-hayvan ayrıca 3. Evre hayallerinde bulunması şaşırtıcı olmayan
zikzaklarla yakından ilişkilendirilir. 3. Evre'de geometrik entoptik imgelerin,
simgesel imgelerin çevresinde yer aldıkları veya onun bir parçası oldukları
anımsanacaktır (4. Bölüm). Pek çok San duvar resmi ve oyma gravürü gibi
bu imgeler de uzun zaman önce ölmüş şamanların iç deneyimlerine canlı
bir biçimde göz atmamızı sağlar. Bugün bile bakanlar üzerinde gizemli,
büyüleyici bir etki yaratır.

Bir yağmur-hayvanın suyun dibinden evrenin öte tarafına, gökyüzüne
yönlendirilmesi 32. resimde açıkça gösterilmektedir. Bir yağmur-hayvan yatay
bir hat üstünde yürümektedir (soldaki boşluk silinme sonucu olmuş olabi-
lir). Sağda, yağmur-hayvanın geldiği noktada bir balık sürüsü vardır; solda,
yağmur-hayvanın gittiği yönde, uçan kuşlar vardır. Üç katmanlı evren ve o
evrene yağmur şamanlarının yağmur-hayvanlarını aşağıdan yukarı götürme
biçimleri yoluyla aracılık edilmesi, insan sinir sistemi donanımında bulunan
ve belirli değişmiş bilinç durumlarıyla tetiklenen duyularla ilişkili yaratıkları
(balıklar ve kuşları) temsil edilerek çizgilerle resmedilmiştir.

Şu ana dek sunduğum imgeler değişmiş bilincin yoğunlaştırılmış rotasının
en uçtaki noktasından türer (gerçi bazıları düş görme sırasında da deneyimle-
nebilir). Bu nedenle şimdiye dek benim 3. Evre dediğim aşamanın imgelerini
ele almış olduk. Şimdi 1. ve 2. Evre'nin daha güç algılanan ve daha gizemli
imgelemlerine dönebiliriz.

33. Bir entoptik olaya ait Güney Afrika kaya gravürünür (artık kullanılmayan) ovalama tekniğiyle yapılmış kopyası.

EVRENSEL KAVRAMLARI ANLAMLANDIRMAK

Güney Afrika Sanlarının kayalara hem resimler hem de gravürler yaptıklarını belirtmiştim. Resimler daha çok iç bölgelerdeki yaylayı kıyıdaki alçak düzlüklerden ayıran dik bayırların daha dağlık yamaçları tarafında yoğunlaşma eğilimindedir. Daha önce gördüğümüz gibi, aynı zamanda yaşam alanı olarak kullanılan ve fazla derin olmayan kaya barınaklarında bulunmuştu bu çizimler. Afrika'nın güneyinde çok az sayıda derin kireçtaşı

A

mağara bulunur (Batı Avrupa'dan çok daha az), mevcut birkaç tanesi de Sanlar tarafından kullanılmamış gibidir. Öte yandan oyma gravürlere, merkezi yaylanın açık ovalarında daha sık rastlanır. Bunlar yassı kayalara, alçak taş bloklarına ve aralarında nehir yataklarındaki buzul erozyonuna uğramış taş yüzeylere kazınmıştır.

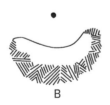

B

Güney Afrika resimleri ile oymaları arasındaki en ilgi çekici fark belki de oymacıların 1. Evre'nin aydınlık, geometrik biçimli imgelerine ressamlardan daha çok ilgi göstermiş görünmeleridir.[320] Ressamlar entoptik olayları ele aldıklarında, bunları daha çok simgesel imgelere katma eğilimi göstermiştir – bu da aslında 3. Evre'nin artık entoptik imgeleriyle uğraştıklarını düşündürür (31. resim).

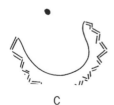

C

Oymalar arasında bazen laboratuvar araştırmalarıyla ortaya konan entoptik olay türlerine çok uyan imgeler bulunur (33.

34. Batı'da laboratuvar araştırmaları sonucu ortaya konan naviküler entoptik olayların üç çeşidi.

35. Aynı entoptik olaya ait oldukça basit üç San kaya resmi örneği. Geçmişte bu resimler yanlışlıkla, eski Batılı denizcileri Güney Afrika'ya getiren gemilere ait resimler olarak yorumlanmıştı.

A

resim). Başka örneklerde zikzaklar ve diğer geometrik şekille hayvan imgeleriyle ilişkilidir. Hem tekil hem birleştirilmiş entoptik olaylara gravürler içinde sık rastlanır. Oymacılar sanki entoptik olaylara daha çok değer vermiş ve anlam yüklemiş ama ressamlar bunlarla daha az ilgilenmiş gibidir. Ressamlar ile gravürcüler arasında bu vurgu farkının nede olduğunu bilmiyoruz.

B

2. Evre, entoptik bir şeklin bir nesne olarak yorumlanması aşaması, Şamanların nörolojik evrensellerle nasıl başa çıkmaya ve onları anlamlandırmaya çalıştığını gösterdiği için resimler için özel bir ilgiyi hak eder. 34.-39. resimler belirli bir entoptik olayla ilgiliyi olarak San yorumlama sürecinin nasıl gerçekleştiğini gösteriyor.[321]

C

34. resimde, bazen "güçlendirme yanılsaması" olarak bilinen, naviküler (kayık biçimli) entoptik olayın üç çeşitlemesi (A-C) var; bunun biçimi laboratuvar araştırmalarıyla ortaya konmuş durumdadır.[322] Bu migren hastalarının sıklıkla deneyimlediği kör noktadır.[323] Daha gelişkin biçimde bu algı iki öğeden oluşur: Rengârenk, yanıp sönen ışık çubukları veya zikzaklardan oluşan bir dış yay ve yayın içinde, hilal biçiminde görünmez bir alan – doğru imgeyi silen bir "kara delik". Görülemeyen bölgenin ötesine 34. resim A-C'deki noktalarla belirlenmiş görme merkezi vardır. Bu, San şamanlarının (ve bazı koşullarda başkalarının da) "göreceği" zihinsel imgelerden biridir. Sanların sık sık trans durumlarına girdiğine en ufak bir şüphe yok; ayrıca aynı entoptik olayları, nörolojik açıdan diğer herkes kadar görebilme potansiyelleri olduğuna emin olabiliriz. Ama bunları nasıl anlıyor veya yorumluyorlardı?

35. Resim, Güney Afrika kaya sanatında görüldükleri şekilde, benim "asgari ölçüde anlamlandırılmış" dediğim çeşitlemeleri gösteriyor: Bu kaya resimleri, laboratuvar araştırmalarının ortaya koyduğu gibi, şeklen "güçlendirme yanılsamasına" yakın. Geçmişte hatalı olarak, bu ve buna benzer resimlerin sandalları temsil

36. Arıları olan bir kovan olarak anlamlandırılan naviküler entoptik olaya ait kaya resmi. Güney Afrika ormanlarında kovanlar bu şekli alır.

ettiği sanılırdı. Entoptik olay gravürleri gibi Sanların bunlardan ne anlam çıkardığını bilmiyoruz.

36. resim ışıltılı, iç içe geçmiş U biçimleri gibi görünen entoptik olayın daha gelişmiş bir yorumunu gösteriyor. Beş zincir gibi çizilmiş eğriyle doğal yaşamda –eklemek gerekir ki sıklıkla kaya barınaklarda da– göründükleri biçimiyle arı kovanlarını temsil ediyor.[324] Ressam beyaz kanatları olan küçücük kırmızı arılar da çizmiş. Bazı araştırmacılar böyle resimleri sadece gerçek yaşamdaki şeyleri temsil ettiklerini kabul etmiştir ve Sanların bunları balı sevdikleri için çizdiklerini varsaymıştır – ki hâlâ severler. Ama şimdiye kadar basit, "öyküye dayalı" yorumlardan şüphe edecek kadar çok San kaya sanatı örneği gördük. İki kanıt dizisi –nöropsikolojik ve etnografik kanıtlar– bazı kaya ressamlarının sandal biçimli hayallerini neden böyle somutlaştırdıklarını açıklar.

Birincisi, daha önce belirttiğim gibi, değişmiş bilinç durumları, yalnızca görme duyusunun değil, tüm duyuların halüsinasyon algılamasına neden olur. Sık rastlanan işitsel bir deneyim vızıltı veya uğultu duymaktır.[325] Entoptik olaylar gibi bu işitsel deneyimler de çok çeşitli yorumlara açıktır. Amazon havzasındaki Amahuaca şamanları örneğin, trans sırasında deneyimledikleri uğultu sesini, kurbağa, çekirge, ağustosböceği sesi olarak yorumlar;[326] başkalarıysa rüzgâr, su damlaması veya yağmur olarak anlamlandırır.[327] Güney Afrika'da bazı Sanların bu işitsel deneyimi aynı anda görmekte oldukları sandal biçimli entoptik olayların pırıltılı görsel halüsinasyonlarıyla birleştirdikleri ve böylece bal kovanları çevresine üşüşen arıları hem gördüklerine hem duyduklarına inandıkları düşünülebilir.

Bu görüş, kısa süre içinde bu resimlerin Sanların gözünde ne anlama geldiğine yönelik bir ipucu sunduğunu keşfettiğim etnografik kanıt dizisiyle desteklenmektedir. Ju/'hoansi Sanları arıları Tanrı'nın elçisi ve büyük güç sahibi olarak görür.[328] "Bal" denen bir "tedavi" veya trans dansları da vardır. Elbette bir arı sürüsü gibi dans etmezler ama ışıltılı ve sürekli vızıldayan sürünün görüntüsünün ve sesinin nasıl yalnızca bir değişmiş bilinç durumuyla ilişkilendirilebileceğini değil, ayrıca bir de-

37. Naviküler entoptik olay. Burada titreşen dış yay ışıldayan antilop bacakları olarak yorumlanmıştır. Şeklin içinden bir boğa antilobu çıkar. Üstte bazı boğa antilobu kafaları yüzleri resme bakana dönük biçimde gösterilmiştir.

38. Altı küçük antiloba ait bir San duvar resmi. Bacaklarının çiziliş biçimi 37. resimdeki kaya resmini aydınlatmaya yardımcı olur.

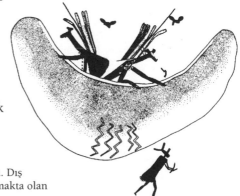

ğişmiş durumu yaratıp yoğunlaştırabileceğini de anlamak kolaydır. Bu nedenle bazı şaman-sanatçıların birleşik görsel ve işitsel deneyimlerini güçlü ve duygu yüklü simgelerin –arılar ve bal– görüntüsü olarak yorumladıklarını savunuyorum. Nöropsikolojik ve etnografik kanıt dizileri böylece sanatın kendi özellikleriyle birleşerek San Şamanist inanç ve uygulamalarının yalnızca tek bir kanıt dizisiyle belirlenemeyecek bir unsurunu ortaya koyar.

37. resim Sanların ruhsal deneyimlerine bir adım daha yaklaştırır ve sandal biçimli entoptik olayın bir başka yorumlanma biçimini gösterir. Bu noktada entoptik olayın titreşen dış yayı ile görülemeyen iç bölge arasında bir ayrım yapmamız gerekir. Burada bazı şaman-sanatçıların dış yayı nasıl yorumladıklarını görürüz: Yay çevresinde saat yönünde dizilmiş, yüzleri resme bakan dönük altı antilop kafası, iki boğa antilobu profili ve on iki antilop bacağı. Eğri içinde daha önceki dönemlere ait, artık anlamları çözülemeyen bazı imge kalıntılar ile beyaz noktalardan oluşan bir bulut vardır. Bu resmin genel biçimi 35. resim A-C'de görülen daha basit şekillerle paralellikler gösterir ama titreyen zikzaklar veya diş diş çizilmiş kenarlar yerlerini antilop bacakları ve başka öğelerle oluşturulmuş "püsküllere" bırakmıştır.

Bu yorumu ressamların aklına getiren, sanırım, 38. resimde gösterilen zarif resmin temsil ettiği, oldukça sıradan bir görüntü olsa gerek. Altı antilop birbirlerinin arkasına yığılmıştır; altı antilobun yirmi dört bacağı da gösterilmiştir. Antilop sürülerini pusuda bekleyen avcılara doğru sürme gücüne sahip olduklarına inanılan şamanlar için değişmiş bilinç durumlarıyla aynı zamanda beliren titreşen yayla birlikte uğultu sesi, çok yakından dörtnala geçen antilopların yanıp sönermiş gibi görünen bacaklarının görüntüsüne ve toprağı döven toynaklarının sesine tanık

39. Naviküler entoptik olayın karmaşık bir yorumu. Dış yüzeydeki zikzaklar ve görünmezlik alanından çıkmakta olan dönüşmüş iki figür dikkat çekici.

olmanın duygu yüklü deneyimini anımsatmış olabilir. Av şamanları olarak, antilop sürülerinin hareketlerini kontrol ettikleri ruhlar dünyasında aradıkları deneyim tamı tamına budur.

Sandal biçimli entoptik olayların nasıl anlamlandırıldığına ilişkin son bir örnek için 39. resime bakalım. Bu resim daha önce "perdeye" ilişkin olarak söylediğim şeyle birleşmektedir. Burada dış kenarında beş beyaz zikzak olan kırmızı beyaz renkte bir sandal biçimi var. Bu resimde San şaman-sanatçı Batı'daki laboratuvar deneklerinin titreşen yay ve zikzak temsillerine çok yaklaşmıştır. İki yarı hayvan yarı insan figürü iç yaydan çıkar ve böylece 30. resimdeki derin çatlaktan figürleri anımsatır. Bir tanesi, bazıları beden dış çizgisinin dışına taşan beyaz noktalarla kaplıdır. Her iki yarı hayvan yarı insanın da arkalarından, yine gerçek yaşamda görülmesi beklenenden daha çok sayıda sinek kovucu çıkar.

Görülmez bir alana girip ortadan kaybolma ve bir hayvana dönüşme, derin transa yönlendiren girdaba girişle ilişkilidir. On dokuzuncu yüzyıla ait bir San mitinde,[329] kendi de bir şaman olan /Kaggen üç kez toprağın içine girmiş ve her defasında başka bir yerden çıkmıştır. Yeraltındaki yolculuğunun üçüncü ayağında büyük bir boğa antilobu olarak çıkmıştır. Görünüşe göre bazı ressamlar sandal biçimli entoptik olayın içindeki görünmez alanı, ruhlar dünyasına bir giriş noktası ve dönüşüme geçiş kapısı olarak ele almıştır; görünmezlik alanı böylece girdapla benzerlik gösterir.

Sanat, evren ve ruhsal deneyim yine bir bütün haline gelmiştir. Sanlar değişmiş durumların "soyut" deneyimlerini içinde yaşadıkları dünyanın maddeselliğiyle kaynaştırmıştır. Belki de en çarpıcısı, bu kaynaştırmanın "ışık ipleri" resimlerinin birbirlerinden çok uzakta yer alan kaya barınaklarında nasıl birbirlerinin aynı biçimde çizilmiş olmalarıdır: Çizginin kalınlığının ve beyaz noktalar arasındaki boşluğun hep aynı olması o kadar belirgindir ki bazı araştırmacılar bütün çizgilerin tek bir ressam tarafından çizilmiş olması gerektiğini düşünmüştür ama bunun mümkün olmadığını biliyoruz. Sanki bütün barınakları birbirlerine bağlayan tek bir "ip" vardı: Şamanlar böylece uzak toplulukları birleştiren ve insanların yaşam alanlarında görünür kılınan bir beden dışı yolculuk ağı oluşturmuştu.

Şimdi şöyle bir soru sorabiliriz: Eğer kaya yüzeyi iki âlem arasında somut bir arayüz olarak bir öneme sahip idiyse, üstüne sürülen boyanın önemi neydi ve boya yapımı ile resim yapımı eylemleri, resimlere bakmakla nasıl bir bağlantı içindeydi?

TEKNOLOJİ, GÜÇ VE TOPLUMSAL İLİŞKİLER

Bugün boyalar kolaylıkla sadece teknik bir malzeme olarak, nalburdan alınan bir şey olarak görülebilir. Ama daha önce kısaca belirttiğim gibi Sanlar için boyaların kaya yüzeyini "eritmek" ve diğer dünyanın imgelerinin sızmalarını sağlamak anlamında özel güçleri vardı. Bu durumda da boya yapımının, imge yapma ve imgeleri seyretmeyi de içeren karmaşık bir ritüel zincirinin bir parçasından başka bir şey olmaması çok da şaşırtıcı değildir. Resim yapmak münferit bir olay değildir.

Bu işlem zincirinin toplumsal olarak nasıl konumlandığını göstermek için San kaya sanatı imgelerinin "toplumsal üretimi ve tüketimi" içinde dört aşama tanımlayacağım.[330] Bunu yaparken, kariyerinin başlarında taş aletlerin üretimi hakkındaki tartışmalar için *chaîne opératoire* [işlem zinciri] terimini bulmuş olan André Leroi-Gourhan'ın fikirlerini ödünç alacağım; başka, daha yeni araştırmacılar onun düşüncelerini ileri noktalara taşımıştır.[331] Teknolojiyi bir toplumsal çerçeveye oturtmamız gerekiyor. İnsan eliyle yapılan her şey, bu arada kaya sanatı resimleri de kamusal bir alanda yapılır. Yani bireyler yalıtılmış durumda değil, bir toplumsal ilişkiler akışı içinde, bilinen bir "işlem zinciri" içinde çizim yapmıştı ve Max Raphael'in belirtebileceği gibi, bu ilişkiler sıklıkla çatışmacı özellikteydi.

1. Aşama: İmge Edinme

San şamanlarının ruhlar dünyasıyla ilgili bilgi aldıkları en az dört bağlam vardı:

- trans dansı
- özel tedavi ritüelleri
- kaya sanatı örneklerine bakmak ve
- düşler

Bu bağlamların her biri, insanların toplumsal veya politik bölünmeler yaratmak veya bunları sürdürmek için sömürebilecekleri iki bağlantılı karşıtlıkla ilişkiliydi:

- toplum/birey karşıtlığı ve
- toplumun onayladığı hayali görüntüler/değişmiş bilinç durumlarının kaçınılmaz olarak ürettiği yeni, beklenmedik hayali görüntüler.

Sonraki bölümlerde öne çıkacak ilkeyi işte bu karşıtlıklar içinde görürüz: İnsan bilincinin bütün spektrumuyla uzlaşmak gibi kaçınılmaz bir süreç üstünde toplumdakilerin çoğunun anlaşması gerekir; böyle bir anlaşma olmadan olağan yaşam imkânsızdır. Ayrıca sadece bazı insanların yoğunlaştırılmış rotanın en uzak noktalarını deneyimlemeye izin verilmesi de toplumsal olarak belirlenir.

Bir san transı sırasında herkes şamanların vahiyler aldıkları, ülkenin başka bölgelerine gittikleri ve evrenin ruhani düzeylerine girdikleri konusunda hemfikirdir. Bu fikir birliği şamanları onların yeteneklerine sahip olmayan sıradan insanlardan ayırır. Toplum "görenlerden" ve "görmeyenlerden" –"görenler" ve "alıcılardan"– oluşur. Bu ayrım şamanların gördükleri imgeleri nasıl paylaştıklarına bağlı olarak güçlenme eğilimi gösterir. Bir dans sırasında bir şaman görebildiği şeylere, belki ateş ışığının ötesinde yarı karanlıkta ayakta duran birkaç boğa antilobu-ruha, diğerlerinin dikkatini çekebilir. Diğerleri işaret edilen yöne bakar ve onlar da aynı görüntüyü görür. Böylece görüntülerin ortak olmasını sağlayan bir kavrayış paylaşımı ve şamanlar arasında ortak bir deneyim bağı var olur.

Aynı zamanda, aksi yönde kuvvetler de vardır. Bilgilendirici toplumsal etkiler ne kadar güçlü olursa olsun, değişmiş durumdaki bir insan beyni her zaman yeni, kurala uymayan halüsinasyonlar üretir. Tüm toplumlarda çoğu insan, insan sinir sisteminin bu oyunlarını görmezden gelir çünkü bir top-

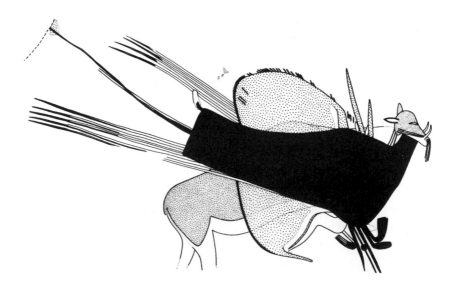

40. Yan yana çizilmiş iki neredeyse eş imgelerden biri, kıvrılmış, uyumakta olan bir boğa antilobu. Hayvan başlı bir varlığa dönüşmüş (antilop derisinden yapılma) bir av torbası bunun üstüne bindirilmiş. Boğa antilobunun kulakları ve boynuzları omuz kamburu olan sırtının üzerinden görülebiliyor. Trans nedeniyle burnundan kan geliyor. Ucu ayrılabilen okları temsil etmek üzere çizilmiş "huzmeler" dikkat çekici. Yaratığın göğsünden erkeklerin trans dansı donanımı olan üç sinek kovucu ve (kadınların ruhları çağırmak için kullandıkları ortasından delinmiş bir kemikle ağırlaştırılmış) bir eşeleme sopası çıkıyor.

lumsal grubun parçası olduklarını hissettirecek belirli görüntüler ararlar. Ama bazı insanlar yeni halüsinasyonları elden kaçırmaz ve bunları başkalarına, onları diğerlerinden daha üstün bir konuma yerleştirecek veya daha büyük bir mücadele içinde, bütün toplumsal yapıya meydan okuyacak biçimde, özellikle ayrıcalıklı anlayışlar olarak sunar. Bu yolla, toplumsallaşmış ve kişiye özgü zihinsel imgelemler arasındaki gerilim, San şaman-sanatçılara, bazı zihinsel imgelem sınıflarını, toplumsal olarak kabul edilmiş parametreler çerçevesinde kullanarak toplumsal konumlarını sağlamlaştırma fırsatı sunmuştur. Ayrıca, bu kimlik pazarlığının resmedilmiş imgelerle kolaylaştırıldığı neredeyse kesin gibidir: Görüntülerin güçlü biçimde yeniden yaratılmasının rolü inkâr edilemez.

San şamanlarının içgörü elde etmek için kullandığı ikinci bağlam, özel tedavi olarak bilinir ve çok hasta olan biri için gerçekleştirilir. Bir veya iki şaman, kadınların şarkıları ve el çırpmaları olmaksızın transa girer. Bu koşullarda şaman, hastanın içini "görür" ve hastalığın nedenini –belki bir hastalık okunu– algılar. Bazı şamanlar özel tedavi yetenekleriyle ünlü olur ve hasta birinin tedavisi için çok uzaklardan çağrılabilir. Özel yetenekleri onları diğer şamanlardan ayırır.

Üçüncü bağlam olan kaya sanatına bakmak da muhtemelen şamanlara kendi değişmiş bilinç durumlarının bir parçası olabilecek kavrayışlar vermiştir. İnsanlar halüsinasyon sırasında görmeyi bekledikleri şeylerin halüsinasyonunu görmeye eğilim gösterir. Bu nedenle kaya sanatı imgeleri ile hayali görüntüler arasında muhtemelen bir döngü vardır: Görüntüler kaya duvarlara çizilmiş, sonra bu resimler insanların benzer görüntüler görmelerini tetiklemiştir. Sonuç olarak kaya sanatı şamanların deneyimlediği zihinsel imgelem üzerinde muhtemelen tutucu, dengeleyici bir etki yaratmıştır.

Her bir şamanın rolü, görüntü elde ettikleri bağlamların dördüncüsü ve en kişisel olanı düşleri anlama yöntemlerinde de belirgindir. Yeni hekimlik şarkıları düşler sırasında edinilebilir ve diğer şamanlara aktarılabilir; şaman olmayan biri bile bir hekimlik şarkısı alabilir ve onu kullanabilecek bir şamana verebilir.[332] Dikkat çekici bir grup imge, her birinin üstüne uçan bir yaratığa dönüşmüş bir av torbası örtülmüş, uyuyan iki boğa antilobunu gösterir (40. resim).[333] Uyuyan boğa antilobu düş gören şamanları temsil eder, imgenin geri kalanı da deneyimledikleri dönüşümü gösterir. İlginç bir biçimde, Bleek'in San öğretmenlerinin birinin takma adı, /Xam dilinde "düş" anlamına gelen "//Kabbo" idi. Bir !gi:xa'ydı ve "düş görürken" yağmur yağdırırdı.

2. Aşama: Boya Yapımı

On dokuzuncu yüzyıl sonlarında Sanlarla birlikte kaya barınaklarda resim yapmayı öğrenen Sotholu Mapote, 1930'ların başlarında Lesotho'da bir bölge yöneticisinin eşi olan Marion How'a, Sanların nasıl boya yaptıklarını açıklamıştı.[334] Bu, dikkat çekici ve etkileyici bir durumdu. Öncelikle Sanların *qhang qhang* diye bilinen özel bir tür kantaşı pigmentine büyük arzu duyduklarını söyledi: Bu pigment parıldayıp ışıldıyordu ve yalnızca yüksek bazalt dağlarda bulunabiliyordu. Ressamlar bu yüzden, bu pigmenti kullanmak istemeleri durumunda Drakensberg'in yüksek zirvelerine bir "hac" yolculuğuna çıkmak zorundaydı. Sotholar da bu pigmentin onları yıldırımdan koruyacağına inanıyordu. Mapote bir kadının *qhang qhang*'ı dolunay zamanı dışarıda kıpkırmızı olana dek ısıtması gerektiğini anlattı. Daha sonra ince bir toz haline gelene kadar iki taş arasında öğütülüyordu. Kırmızı pigmentin yapımı, en azından kimi zaman, ortaklaşa yapılan bir işlemdi. Kadınlar ve erkekler trans dansında ortaklaşa yer aldıkları gibi boya yapımında da işbirliği yapıyordu.

Öğütülmüş *qhang qhang* daha sonra son derece anlamlı bir maddeyle karıştırılıyordu: Yeni öldürülmüş boğa antilobu kanı. Mapote *qhang qhang*'ın antilop kanıyla karışan tek pigment olduğunu söyledi. How'ın belirttiği gibi, bu, bazı resim türlerinin yalnızca başarılı bir boğa antilobu avından sonra yapıldığını akla getirir. 1980'lerin başında, Drakensberg'in hemen yakınında oturan ve babası bir şaman-sanatçı olan San asıllı yaşlı bir kadın, bazı durumlarda San avcılara bir genç kızın eşlik ettiğini açıkladı.[335] Genç kız yalnızca boğa antilobunu "parmakla göstererek" hayvanı "hipnotize" eder, onu kampa kadar götürürmüş. Yaşlı kadın boğa antilobu kanının güç içerdiğini, bu yüzden de boyayla karıştığını açıkladı. Sözlerinden ve hareketlerinden boğa antilobu kanından yapılmış boyanın bir tür güç havuzu olduğu anlaşılıyor. Kaya barınakta önümüzde dans etti ve babasının çok uzun süre önce yapmış olduğu resimlere döndü. Ellerini kaldırdı ve gücün onun içine aktığını söyledi. Çok açık ki Sanlar için kaya resimleri basit resimlerden çok daha fazlasıydı.

3. Aşama: Kaya Resimlerinin Yapılması

Güney Afrika'nın her yerinde belirgin olan ince işçilik ve çizgilerin kesinliği, büyük olasılıkla şamanların hepsinin resim yapmadığı anlamına gelir. Kimi yerlerde ve zamanlarda kaya resmi yapmak, bu yeteneğe sahip olanlar için ayrıcalıklı bir konum kazandırmış olabilir.[336] Daha önce belirttiğim gibi şamanların derin trans durumunda resim yapmış olmaları pek olası görünmüyor. Daha büyük olasılıkla, ruhlar dünyasının canlı görüntü parçalarını anımsayarak ve bu görüntülerin güç dolu imgelerini yaparak, "normal" bilinç durumunda resim yapmışlardır. Yine muhtemelen, resim yapma eyleminin kendisi, ruhani şeylerin normalde bir anlık geçici olacak görünümlerini anımsamaya, yeniden yaratmaya ve somutlaştırmaya yardımcı olmuştu: Ressamlar zihinsel imgeleri tıpatıp kopyalayan otomatik fotokopi makineleri değildir. Wordsworth'ın şiir için yaptığı gözlem gibi, San kaya sanatının dinginlik içinde anımsanan güçlü bir duygu olarak görülmesi gerekir. Görüntülerin "perde" üzerine yerleştirilmesine ritüellerin eşlik edip etmediğini veya bir şaman-sanatçının kendini bu göreve nasıl hazırladığını ne yazık ki bilemiyoruz. Belki, görüntülerin elde edildiği dans gibi bu görüntülerin resimlerle sabitlenmesi de şamanlara işleri sırasında güç vermek amacıyla söylenen hekimlik şarkıları için uygun bir an olarak görülebilir. Her halükârda San ressamlarının Batı Romantizmi kurmacalarındaki münzevilerle en ufak bir benzerliklerinin olması pek mümkün görünmüyor.

4. Aşama: San Kaya Resimlerinin Kullanımı

Pek çok San imgesi, yapıldıktan sonra önemli işlevler yerine getirdi ama ne yazık ki bu güçlü imgelerin yapıldıktan sonra akıbetlerinin tam olarak ne olduğu konusunda çok az etnografik bilgi vardır.

Daha önce gördüğümüz gibi, Drakensberg'in güneyinde yaşayan yaşlı kadın, insanların bazı imgelerden güç aldığını söylemişti. Ayrıca "iyi" bir insan bir boğa antilobu resminin üstüne elini koyduğunda, resimde hapsolmuş gücün o kişiye geçtiğini, böylece ona özel güçler verdiğini de söylemişti. Bunun nasıl yapıldığını göstermek için parmaklarımı, bütün elim bir boğa antilobu resminin üstünde olacak şekilde yerleştirmişti. Bu sırada, bunu "kötü" birinin yapması durumunda elinin kayaya yapışacağı ve o kişinin sonunda eriyip biteceği, sonunda da öleceği uyarısını yapmıştı.

Kaya resimlerine yalnızca bakmayıp onlara dokunmanın önemi, kaya barınakların duvarlarına ve tavanlarına yerleştirilmiş, sonra da ovalanarak cilalanmış boya lekeleriyle kanıtlanmıştır.[337] Lekelerin neyle ovulduğu açık değil ama kayanın, özellikle lekelerin merkezindeki pürüzsüzlüğü genelde kolayca ayırt edilebilir. Çok sayıda insan ve hayvan figürüne de dokunulmuştur, boya da etrafa bulaşarak imgeler çevresinde bulanık "haleler" yaratmıştır. Yine benzer şekilde, pozitif el izlerinin çıkarılması, muhtemelen el "resimleri" yapmaktan çok kayaya dokunma ritüeliyle yakından ilişkilidir.[338] San resimlerine sadece bakılmazdı; ayrıca onlara dokunulurdu da.

Zaman geçtikçe, bazı kaya barınaklar imgelerin üst üste yığılmasıyla gittikçe daha çok güç kazandı; bir kaya barınaktaki resimler hiçbir zaman "tamamlanmış" olmazdı. En yoğun resimlere sahip olan kaya barınaklar muhtemelen olağanüstü bir kişiye veya bir gruba ait gücün bulunduğu yerler olarak görülürdü.[339] Tarihi kayıtlar, belirli büyük ve çarpıcı resimlerle dolu kaya barınakların, Sanların geleneksel yaşam biçiminin son dönemlerinde ortaya çıkmaya başlayan belirli "şeflerle" ilişkili olduğunu düşündürür.[340]

San topluluğu içinden insanlar tarafından seyredildiklerinde veya dokunulduklarında, resimler San bireyler ve çeşitli gruplar arasındaki toplumsal ilişkileri sağlamlaştırmış veya bunlara meydan okumuş olmalı: Birisi ruhlar dünyasında ya bulunmuştur ya da bulunmamıştır; bazı insanlar imgelere dokunabilir; diğerleri için resimlere dokunmaktan kaçınmak daha akıllıca olacaktır. Her ne nedenle olursa olsun, çevrede San topluluğu dışından birileri olduğu zaman, başka durumlarda bölücü nitelikte olacak imgeler, Sanlar için dışarıdan gelenlerin yarattığı mücadele karşısında birleştirici bir rol üstlenmiş olabilir. İmgeleri her zaman üretim-tüketim "işlem zinciri" içine mümkün olduğu kadar kesin bir biçimde yerleştirmek bu nedenle gereklidir. İmgeleri "zincirden" ayrı tutmamak ve onları çözülmeyi bekleyen bir şifreden başka bir şey değilmiş gibi ele almamak gerekir.

BİRÇOK ANLAM

Şimdiye kadar *tüm* San imgelerinin aynı şeyi *söylediğini* ve San kaya sanatının yapımının ve kullanımına ait Şamanist bakış açısının yekpare ve ince anlam farklarına duyarsız olduğu izlenimi vermiş olabilirim. Bu, gerçeğe son derece aykırı olur.

Boğa antilobu resimleri örneğin, bir kız ilk regl olduğu zaman gerçekleştirilen Boğa Antilobu Dansı'na, bir erkeğin boğa antilobu yağıyla yüzünün çizildiği ilk av ritüeline ve gelinin antilop yağıyla yağlandığı düğünlere de gönderme yapar.[341] Boğa antilobu yağı, iyi, bereketli ve koruyucu her şeyi simgeler. Boğa antilobu bu nedenle çok yönlü bir simgedir. Ama boğa antilobunun bu yan anlamlarını bariz biçimde ifade eden veya bunlara açıkça göndermede bulunan resmedilmiş bağlamlar aranırsa, ya hiç bulunamaz ya da çok az bulunur. İmgelerin çoğu açıkça şu ya da bu biçimde ruhlar dünyasına göndermede bulunur. Sonuçta maddi âlem ile ruhlar âlemi arasındaki "perdeye" yapılmışlardır. Yine de boğa antilobunun diğer yankıları, imgelere zenginlik ve fazladan güç katan bir ima olarak bulunurmuş gibi görünüyor.[342] San kaya sanatının bu nedenle pek çok anlamı vardı ve çeşitli ritüel bağlamlarına ve insanların evrendeki yerine ima yoluyla göndermede bulunuyordu. Bununla birlikte sanatın çokanlamlılığı yaygın ve tamamen kontrolsüz değildi: İmgeler katmanlı evrenin parçasıydı ve onun içine eklenmişti. Öncelikle o evrenden ve onun içinden geçebilen özel insanlardan söz ediyorlardı. İmgelerin yapılması ve seyredilmesi San topluluklarının değişen toplumsal dokusunun içine işlenmişti.

Her şeyden önemlisi, San resim yapma eyleminin bazı karmaşıklıklarını ayrıntılarıyla açıklamaya çalıştım. Sanların (aslında herkesin) insan sinir sisteminin bilinç durumları spektrumu içindeki işleyişini nasıl anlamlandırdıklarıyla ve bunu yaparak nasıl katmanlı bir evren kurduklarıyla başladım. Bu evrenin ruhani düzeylerine, yalnızca Sanların günümüzde de *!aia* dedikleri ve yoğunlaşmış rotanın en uzak noktasındaki durumlar olarak anladığımız tekniklerde ustalaşmış olanlar erişebilirdi. Katmanlı evren parametreleri içinde gerçekleştirilen resim yapma işlemi evrenin ruhani düzeylerine *ve* kaya barınaklar ile su birikintilerinin maddi dünyasına sıkı sıkıya dahil edilmişti. Sanların anladıkları biçimiyle sanat ve fiziksel çevre birbirlerinden ayrılamazdı. Resim yapmanın yalnızca bir halkasını oluşturduğu işlemler zinciri hem maddi hem toplumsal olarak oluşturulmuştu: Ressamlar ister istemez değişen toplumsal ilişkiler içinde yer alıyordu. Atalarının topraklarını ellerinde tuttukları dönemin sonlarına doğru, eski toplumsal yapılar yıkıldı, bireyler ve çıkar grupları yeni toplumsal kimlikler ve ayrımlar oluşturdukça imgeleri yeni yöntemler çerçevesinde kullanmaya başladı.

6. BÖLÜM
VAKA ÇALIŞMASI 2:
KUZEY AMERİKA KAYA SANATI

Şamanist kaya sanatının ikinci vaka çalışması için –Güney Afrika'ya yaklaşık en uzak nokta olan– Kuzey Amerika'ya yöneleceğim. İki bölge arasında etkileşim olması veya birinden diğerine dinsel inanç yayılması olasılığı söz konusu değildir: Kuzey Amerika şamanizmi kutup çevresi bölgeleri ile Sibirya'ya ait ifadelerle ilişkilidir; Güney Afrika'nın San şamanizmi farklı bir ifadedir.

Kuzey Amerika devasa bir kıtadır ve burada birçok Yerli Amerikalı geleneği ve dil grubu vardır. Bu kısa bölümde bu çeşitliliğe sınırlı, genel bir yaklaşım benimseyeceğim ve bölgeler ile kültür grupları arasındaki belirgin farkların varlığını kabul etmekle birlikte genel anlamda Uzak Batı ve Great Basin'de [Kuzey Amerika'nın batı eyaletlerinin pek çoğuna yayılmış olan Büyük Havza] yaşayan topluluklar arasındaki ortak noktalara odaklanacağım. Bu genel yaklaşımı benimserken uzun Amerika antropoloji araştırmaları tarihini izleyeceğim; Uzak Batı'nın kültürel birliğe sahip olduğu bir yüzyıldır biliniyor. Bölge California Üniversitesi'nde çalışmış olan Kuzey Amerika'nın ilk antropologlarından Alfred Kroeber'ın tanımladığı üzere birbirleriyle yakından ilişkili üç "kültür alanına" sahiptir.[343] Bu üç alan arasındaki farklar uyumsal niteliklidir ve inançtan çok geçimle ilişkilidir. En son ve en aydınlatıcı kaya sanatı araştırmalarının gerçekleştirildiği yerler de bu bölgededir. Bu coğrafi odaklanmanın, bir açıdan tatmin edici olmayan bir uzlaşma olduğu öne sürülebilir ama yerimizin kısıtlı olması ister istemez bir özet yapmayı zorunlu kılıyor. Yine de bu yaklaşımı benimseyerek Kuzey Amerika kaya sanatının bu kitabın ana fikirleriyle ilgili yönlerine odaklanabilirim.

5. Bölüm'de şu konularla ilgili bazı kilit noktaları vurgulamıştım:

- katmanlı Şamanist evrenin nörolojik kökenleri,
- değişmiş bilinç durumlarının evrensel duygularının akla uygun hale getirilmesi (uçma ile sualtı ve yeraltı yolculuk),
- görüntülerin kaya yüzeylerinde ortaya konması
- inanç, görüntü ve evrenin birleşmesi ve
- "sabit" görüntülerin toplumsal etkisi.

Bu temel noktaları burada tekrar etmeme gerek yok. Bunun yerine doğrudan, Güney Afrika vaka çalışmasında temas ettiğim noktaların bir Kuzey Amerika kaya sanatı araştırmasında nasıl yeniden ortaya çıktığı konusuna geçeceğim.

TARİHSEL ÇERÇEVE

Kaya sanatı araştırmalarının Güney Afrika ve Kuzey Amerika'da nasıl yürütüldüğünün bir karşılaştırması, araştırmacıların iki kıtada benimsediği yöntemsel yaklaşımlardan kaynaklanan benzerlikler ve farklılıklar ortaya koyar. Güney Afrika'dakilerin aksine, Kuzey Amerika'dakiler, kıtanın avcı-toplayıcı kaya sanatının çoğunun (kesinlikle *hepsinin* değil) bir şekilde şamanizmle ilişkili olduğundan hiçbir zaman gerçekten kuşku duymamıştır.[344] O kadar çok Yerli Amerikalı toplayıcı kabile farklı Şamanizm biçimlerini uygulamıştı ki bu sonuç kaçınılmaz görünüyordu. Ama öykünün tamamı bu değildi.

Kuzey Amerika'da, Güney Afrika'daki gibi Başrahip Henri Breuil'ün şahsında somutlaşmış herhangi bir Batı Avrupa etkisinin olmamasına karşın, uzun süreden beri yerleşmiş, belki şamanizmin bir türünün parçası olarak ama yaygın olarak daha geniş çerçeveli din, mit ve toplum kavramlarından yalıtılmış biçimde, avcılık büyüsü açıklamaları geleneği vardı.[345] Avcılık büyüsü açıklamalarının farklı türlerini ele almamız gerekmiyor: Araştırmacılar son dönemlerde bunların yetersiz ve etnografik kanıttan yoksun olduklarını gösterdi.[346]

Kuzey Amerika kaya sanatının astronomik inançlarla ilgili olduğu ve bu arkeolojik bölgelerin mevsimlerin geçişini izleyen yerler olduklarına ilişkin yaygın inanış üzerinde durmaya da gerek yok. Astronomik inançların Yerli Amerikalıların kozmolojisinin içine işlediği ve bazı gök olaylarının kaya sanatında işlendiği doğrudur. Ama sit alanlarının gündönümü gözlemleri için kullanıldığı düşüncesinin etnografik bir kanıtı yoktur. Amerikalı arkeolog David Whitley'nin[347] belirttiği gibi, varsayılan hizalanma araştırmaları "sadece isabetli atışları sayıp karavanaları göz ardı etmeye" dayanır. Savı destekler gibi görünen nadir alanlar muhtemelen rastlantı eseriydi.

Hiçbir etnografik temeli olmayan bu ve buna benzer açıklamaların peşine düşmek yerine, Yerli Amerikalıların inançlarının, ritüellerinin ve yaşam biçimlerinin öneminin farkına varan yazarlara geçmek daha verimli olacaktır. Whitley'nin bilgece söylediği gibi "bu geleneksel sanatı anlamak için bize yol göstermesi amacıyla, yerlilerin seslerini doğrudan veya dolaylı olarak kullandığımızda her zaman daha sağlam bir yorum zemini üzerinde bulunacağız."[348] Lévi-Strauss "Gözlemci kuramcıya karşı her zaman son sözü söylemeli, yerli de gözlemciye karşı" diye yazdığında konunun tam üstüne basmıştı.[349]

KUZEY AMERİKA ETNOGRAFYASI

1970'lerin başında Thomas Blackburn, yirminci yüzyılın başlarına ait bir Kuzey Amerika etnografya koleksiyonunu incelemeye başladı ama amacı özellikle kaya sanatını açıklamak değildi. Daha başından itibaren "sözlü anlatıma yapısal yaklaşımın kafa karıştırıcı laf kalabalığına" şiddetle karşı çıktı.[350] Blackburn Lévi-Strauss'un Kuzey ve Güney Amerika mitleriyle ilgili muazzam ve bir ölçüde göz korkutucu araştırmasında yaptığı gibi ikili zıtlıklar aramak yerine "sözlü anlatımlar ile kültürün diğer yönleri arasındaki ilişkileri gibi temel bir konuyu" aydınlığa kavuşturmakla ilgileniyordu.[351] Bu, elbette Güney Afrikalı araştırmacıların, 1960'ların sonlarında Bleek ve Lloyd'un on dokuzuncu yüzyıl etnografyası ile kaya sanatı imgeleri arasında bağlantılar aradıkları zaman benimsedikleri yöntem yaklaşımıydı.

Blackburn için Bleek ve Lloyd'un yerini John Peabody Harrington aldı. Harrington 1884'te doğmuş bir etnolog ve dilbilimciydi; 1961'de öldü. Renkli yaşamı boyunca hemen hemen her Kuzey Amerika dil grubundan muazzam miktarda malzeme topladı. Uzun yıllar boyunca hizmet ettiği Smithsonian Enstitüsü, onun kayıtlarını ölümünden sonra bir araya getirdi. Malzemenin çoğu halen yayımlanmamış durumdadır. Blackburn, Smithsonian'daki 400 büyük kutunun hepsini tarayamadı; bunun yerine Harrington'ın Kuzey Amerika'nın batı kıyısında, bugünkü Santa Barbara yakınlarında yaşamış olan Chumash kabilesine ait çalışmalarına yoğunlaştı. Harrington Chumashlarla 1912'de çalışmaya başlamıştı. Bleek ve Lloyd gibi o da yerli dilini konuşmaya başlamıştı.

Blackburn "sihir ve doğaüstünün [Chumash] anlatılarında başat bir rol oynadığını" fark etti.[352] Bu, Bleek ve Lloyd Koleksiyonu'nda karşılaştığımız şeyle tıpa tıp aynıdır. Aslında doğa ile doğaüstü arasındaki herhangi bir ikilik muhtemelen geleneksel avcı-toplayıcı topluluklar üzerine Batılıların yapıştırdığı bir yaftadır. Bir başka ilişkili paralellik de önemlidir. Blackburn'e göre "Chumash evreni... birbirleri üzerinde yer alan bir dizi âlemden oluşur. Genellikle böyle üç âlem betimlenir."[353] Bu, tabii ki, 4. Bölüm'de tarif ettiğim ve 5. Bölüm'de Sanlar için belirlediğim üç katmanlı Şamanist evrendir. Yine Sanlar gibi Chumashlar da çeşitli türlerde şamanlar olduğunu biliyordu; bu şamanlar 4. Bölüm'de sıraladığım türden görevler yerine getiriyordu. Harrington'ın notlarını okuduktan sonra Blackburn Chumash kaya sanatının şamanların işi olduğu sonucuna vardı.[354] Bu noktadan sonra Geraldo Reichel-

Dolmatoff'un Columbia Tukanolarıyla ilgili çalışmasını (4. Bölüm) ele almak ve Chumash geometrik kaya imgeleri ile değişmiş bilincin ilk evresine ait entoptik olaylar arasında benzerlikler bulmak için yalnızca küçük bir adım atmak yeterliydi.[355] Başka Kuzey Amerikalı yazarlar da kervana katıldı; bunlar arasında Klaus Wellman,[356] Werner Wilbert[357] ve özellikle San Diego İnsanlık Müzesi'nden Ken Hedges da[358] vardı. Bu çalışma Chumashlarla sınırlı değildi: Şamanist hayallerin resimlerine ilişkin kanıtlar tüm Amerika Düzlükleri ile Amerika'nın batısında bulundu.

Blackburn'ün başlattığı nöropsikolojik çalışma, hiç şüphesiz Kuzey Amerika kaya sanatı araştırmalarına zemin hazırladı hazırlamasına ama hâlâ bir yöntem sorunu vardı; Kuzey Amerika kaya sanatı araştırmaları, başta beklendiği gibi gelişmedi. Blackburn'ün haklı olarak belirttiği gibi, asıl zorluk etnografya ile –aralarında kaya sanatının da olduğu– diğer kültür unsurları arasındaki bağlantıları kanıtlamaktır. İhtiyaç duyulan şey, üç sürdürülebilir, ayrıntılı, ikna edici kanıt dizisinin birbirleriyle sarmalanmasıdır: Bunlar imgeler, etnografya ve nöropsikolojidir. Bunu başaran özellikle David Whitley olmuştur.[359] Whitley bugün Kuzey Amerika kaya sanatı konusundaki en verimli, en zeki ve en yaratıcı yazardır.

Whitley, kaya sanatını kimin icra ettiği konusundaki çok önemli soruya Kuzey Amerika etnografyasının yanıt vermediği yönündeki eski inanışın doğru olmadığını gösterdi. Daha önceki yazarlar ya bazen hemen göze çarpmayan metaforik göndermeleri kaçırmışlardı ya da etnografyayı incelemek için gereken zamanı ayırmakta isteksizlerdi. İpuçları orada keşfedilmeyi bekliyordu. Yalnızca Columbia platosunu inceleyen James Keyser ve Whitley,[360] kaya sanatı ile Şamanist hayali görüntü araştırması (bir kişinin güç sağlayıcı bir hayvan görüntüsü aradığı münzevi yolculuklar) arasında 19 etnografik bildirim ile şamanların kendilerinin kaya sanatıyla uğraştıklarına dair dokuz kaynak verir. Benzer kanıtlar kıtanın geri kalanında, özellikle batıda bulunur.

Yerli Amerikalıların yerel dinlerinin karmaşık ayrıntılarına girmeden, şimdi kaya sanatının anlaşılması için belirleyici olan unsurlar üzerinde duracağım.[361]

GÖRÜNTÜ ARAYIŞLARI

Güney Afrika San şamanları bir ruh yardımcısıyla temas kurmak üzere tek başına kalacağı yerler aramaz; görüntülerini uykuda veya bir trans dansı sırasında elde ederler. Buna karşın yerli Kuzey Amerikalı Şamanist dinler için görüntü arayışı esastır ama tüm görüntü arayışları şamanlar tarafından yürütülmez. Göreceğimiz gibi, şaman olmayanlar da bazı topluluklarda şamanlarla aynı şekilde güç bahşeden görüntüler arar. İlk örnek olarak, hâlâ atalarının Wind River Vadisi ve Grand Teton, Wyoming'deki topraklarından bazılarında yaşayan bir topluluk olan Wind River Shoshonileri arasındaki görüntü arayışlarını betimleyen Åke Hultkranza'ya[362] dönelim. Bu kabile ile o bölgedeki kaya sanatı arasında doğrudan tarihsel bir ilişki vardır.

Hultkranz önceleri güç sağlayan görüntülerin başlangıçta düşlerden elde edildiğini ve kurumsallaşmış görüntü arayışlarının sonraki bir gelişme olduğunu öne sürdü. Daha sonra başka etnografların topladığı kanıtları kabul etti ve görüntü arayışlarının önemli bir geçmişi olduğuna ikna oldu.[363] Her iki durumda da, görüntülerin düş görürken veya görüntü arayışları sırasında elde edilebileceği inancı Shoshonilerle sınırlı değildir; Kuzey Amerika boyunca oldukça yaygındır ve Shoshonilerinki genel uygulamanın tipik bir örneğidir.

Görüntü arayışının temel hedefi, arayıcının hayvan yardımcısı ve güç kaynağı olacak bir ruh hayvan "görmektir". Shoshoniler arasından bir görüntü arzulayan bir arayıcı atına biner ve kaya resimleri olan tepelere çıkar. Yıkanır ve üzerinde yalnızca bir battaniyeyle imgelerin altında bir kaya tabakasının üstüne uzanır. Görüntüleri oruçla, soğuğa ve uykusuzluğa dayanmayla ve halüsinasyon yaratan tütünle tetiklenir. Bazı bildirimler bir görüntünün bir yakarıcıya gelmesinin üç dört gün sürdüğünü aktarır – görüntüler hiç gelmeyebilir de. Görüntünün arayıcı uyanıkken mi yoksa düş görürken mi geldiğini söylemek zordur.[364] Tütün bazen uyumadan hemen önce içilir; uyuşturucudan kaynaklanan halüsinasyonlar böylece uyku sırasında deneyimlenebilir.[365] İnsanlar uyanık halde kendiliğinden oluşan görüntüler de deneyimleyebilir.

Shoshoniler anlamlı bir biçimde *navushieip* sözcüğünü hem düş görme hem de uyanık olma için kullanır.[366] Bu, Yokutlar gibi başka gruplar için de geçerlidir.[367] Bilinç spektrumunu bölme biçimleri bu nedenle düş görmeye bilgi edinmek açısından uyanıklık durumuyla aynı statüyü verir (bununla birlikte Kuzey Amerika'nın bazı bölgelerinde "uyanık haldeki hayaller" daha az değerlidir). Ruhların ortaya çıktığı düşler diğer düşlerden daha canlıdır; Shoshoniler dikkatinizi ele geçirdiğini ve bitmeden uyanamayacağınızı söyler. Görüntüler değişken olabilir: Örneğin, bir "şimşek ruhu" bir su kütlesi gibi, sonra bir insan gibi, sonra da bir hayvan gibi görünebilir. Korkutucu hayvanlar sık sık yakarıcıları tehdit etmek için gelebilir, onlar da güç veren ruh hayvanlarının ortaya çıkması için bunlara cesaretle karşı koymalıdır. Görüntüler sırasında arayıcılar –beden dışı yolculuk duygusuyla– bedenlerini terk ettiklerini hisseder.

Tüm Kuzey Amerika boyunca bu yolculuk genellikle kayadaki bir delikten girme, bir tünelden geçme, çeşitli canavarlardan kurtulma ve bir ruhani kişiliği, Hayvanların Efendisini ve onun yaratıklarını görme aşamalarını içerir. Gücü elde ettikten sonra şaman başka bir yerden, bazen bir pınardan dışarı çıkar. Whitley'ye göre bir kayaya veya "Bir mağaraya girmek" şamanın değişmiş bilinç durumunun bir metaforudur; bu nedenle mağaralar (ve daha genel olarak kayalar) doğaüstü dünyaya bir giriş veya bir geçit olarak görülür. Uçmanın ve bir buluta girmenin de Şamanist yolculuğun diğer metaforları olduğunu ekler. Görüntü arama sırasında Kuzey Amerikalı şamanların bazen ağızlarından ve burunlarından kan gelir.[368] Güney Afrika beden dışı, halüsinasyon altında yolculuk anlatılarıyla benzerlik çok çarpıcıdır. Bir kayanın içine girmek, bir tünel boyunca hareket etmek, ruhlarla ve hayvanlarla karşılaşma, bir başka yerde suyun içinden yeryüzüne çıkma, uçma ve burun kanaması her iki kıtanın ortak deneyimleridir.

Bazı etnografya raporları Yerli Amerikalıların kaya sanatı imgelerini arayıcıların değil, yaygın olarak "su bebekleri", "kaya bebekleri" veya "dağ cüceleri" olarak adlandırılan ruhlar tarafından yapıldıklarına inandıklarını gösterir. Bu ruhlar özellikle güçlü şaman ruh yardımcılarıdır; yalnızca bir değişmiş bilinç durumunda görülebilirler. Whitley'nin belirttiği gibi,[369] bir şaman ruh yardımcısıyla o kadar özdeşleşmiştir ki bir kaya sanatı imgesinin bir "kaya bebeği" tarafından yapıldığını söylemekle şamanın kendisinin yaptığını söylemesi aynı şeydir. Whitley bu noktayı açıklamak için Harold Driver'dan[370] alıntı yapar: Bir Yerli Amerikalı Driver'a bilgi verirken kaya sanatı alanlarının "kendilerini göstermek, başkalarının onların neler yaptığını görmelerini sağlamak için ruhlarını (*anit*) kayalara çizen" şamanlar tarafından yaratıldığını söylemiş. Ruhun önce bir düş sırasında gelmesi gerekirmiş.[371]

Maurice Zigmond[372] Orta-Güney California'nın Kawaiisuların Kaya Bebeği adındaki bir ruhun kaya içinde yaşadığına ve kaya resimleri yaptığına inandığını bulmuştu. Eğer biri bir kaya sanatı alanına geri dönüp de bir önceki ziyaretinden sonra daha çok imgenin ortaya çıktığını fark ederse, bunların "Kaya Bebeği"nin elinden çıktığı söylenirdi. Biri bir kaya resmine dokunur ve gözlerini ovuşturursa bu uykusuzluğa ve ölüme neden olabilirdi. Dolayısıyla imgelerin, tıpkı Güney Afrika'dakiler gibi, içsel güçleri vardı; yalnızca basit birer resim değillerdi.

1870 gibi erken bir tarihte, J. S. Denison bir Klamath'ın ona kaya resimlerini "Kızılderili doktorlar [şamanlar] tarafından yapıldığını ve doktorun doğaüstü gücünden korkma duygusu aşıladığını" söylediğini belirtir.[373] Yine 1900 tarihli bir rapora göre Thompsonlar arasında "kaya resimlerinin tanınmış şamanlar tarafından yapıldığı" kaydedilir,[374] 1920'lerde de Glenn Ranck şöyle yazar: "Bir gece bir Wishram büyücü doktor [şaman] gece boyunca resim yazı çizmek için görünmez bir güç kullanmıştı. Ertesi sabah resmin dibinde trans halde bulundu."[375] Benzer bildirimlerin sayısını artırmak mümkün: Kuzey Amerikalı şamanlar ile kaya sanatı arasındaki bağlantı su götürmez. Ama bunun farkına varmak araştırmanın –sonu değil– yalnızca başlangıcıdır.

Görüntü arayışları bir kereye özgü işler değildi. Şamanlar genellikle yaşamları boyunca arayışlarını tekrarlamışlardı. Güçlerinin bu yolla artabileceğine inanıyorlardı. Bir şaman düş sırasında bir görüntü aldığında uyanır ve unutmamak için dikkatini yoğunlaştırırdı. Şafakta daha çok düş deneyimlemek için tepeye giderdi. Yeteri kadar vahiy aldığında ruh yardımcısıyla konuşmak için kendi "şaman zulasına" girerdi.

ŞAMANLARIN MAĞARALARI

"Şaman zulası" terimi ilk kez Yokut kaya sanatını ifade etmek için Anna Gayton tarafından kullanıldı;[376] California'daki başka gruplar "doktorun mağarası", "koruyucu ruhun mağarası" ve "şamanın hekimlik evi" terimlerini kullanıyordu. Bu zulalar kaya barınaklarda, onlar yoksa alçak kaya çıkıntılarında yer alıyordu. "Zula" sözcüğü buralarda şamanlara ait eşyaların –ritüel giysileri, tılsım desteleri, tüyler ve diğer donanımların– bulunmasından ötürü önerilmişti. Kaya barınaklar yaygın olarak kaya sanatı imgeleriyle süslüydü.

California'da zulalar göründüğü kadarıyla kişisel olarak birine aitti ve gelecek kuşaklara aktarılabiliyordu. Öte yandan Great Basin'de bu alanlar pek çok şaman tarafından kullanılıyordu. Bu bölgedeki bazı alanlar güçlerinden dolayı ünlenmişti, şamanlar da buralarda görüntü aramak için, bazen Kuzey Utah kadar çok uzak yerlerden hâlâ buraya gelir.[377] Bu bölgedeki temel motif, yağmur şamanlarının koruyucu ruhu olan Kanada koyunudur.

Asıl zulanın, açılarak şamanın içeri girmesine izin veren kayanın *içinde* olduğuna inanılırdı. Yokutlar giriş ağzının, şaman olmayanlar ne kadar dikkatle ararsa arasın onlar için görünmez olduğunu söylerdi.[378] Beklendiği gibi görüntü arayanların ruhlar âlemine girdikleri yer böyle girişlerdi. 1930'larda Yokutlar arasında çalışmalar yapan Gayton bir zuladaki görüntü arayışını şöyle betimlemişti:

> Bir insan [güç elde etmek için hazırlık amacıyla] yeteri kadar düş gördüğünde kendi aşiret bölümündeki tüm hayvanlar zula yakınındaki bir tepenin üstünde toplanırdı. O kişi de orada bulunurdu ve hayvanlar [alanı] açarak ona içeri girmesini söylerdi. O da içeride dört gün kalırdı. Kimse nerede olduğunu bilmezdi ve insanlar sık sık onu aramaya çıkardı. [Alandayken] hayvanlar ona ne yapması gerektiğini söylerdi. Ona şarkılar verirler ve bütün gece onunla dans ederlerdi. Ona güç simgeleri verirlerdi: "Birden üstünde belirirdi, kimse nereden geldiğini bilmezdi…" Dördüncü günün sonunda hayvanlar onu dışarı gönderirdi…[379]

Amerikalı arkeolog Thor Conway Salinan Mağarası olarak bilinen California kaya sanatı sit alanında kayaya giriş deneyiminin nasıl yaratılabileceğini ortaya çıkardı.

> Kırmızı ve siyah resimler duvarların kenarına doğal yollarla açılmış iki küçük deliği çevreliyor. Dikkatle bir başka âleme giriş noktalarına baktığınızda, aniden –ve istemli bir kontrol olmaksızın– çizimler varsaydığımız yapay görsel gerçekliği yıkıyor... Birdenbire girintili cepleri kuşatan resimler nabız gibi atmaya başlayarak bizi içeri çağırdı. Buna eklenen başka etkiler –gece olması, ateşin ışığı, duvarlarda dans eden gölgeler ve yerli şarkılarının yankıları– daha da derin deneyimlere yol açabilirdi.[380]

Kaya barınakların duvarlarına girip çıkarmış gibi görünen San resimlerinin de canlanıp şamanları "perdeden" geçirerek ruhlar âlemine çekmiş olması olasılığı çok yüksek.

Başka raporlar da bir şaman zulasından *mawyucan* –kasırga yeri– olarak söz edildiğini gösterir, çünkü bir şamanın uçma yetisi bazen "kasırga gücü" olarak adlandırılırdı. Bazı kabilelerde kasırga koruyucu ruhun eşanlamlısıydı. Güney Sierra Nevada'daki Sequoia Ulusal Parkı'nda, bir kaya sanatı

41. Erkek çocukların ergenlik ritüellerinin bir parçası olarak yapılmış Kuzey Amerika kaya sanatı. İmgeler kızların ergenlik törenlerinde yaptıklarından farklıdır.

alanı "altına girilecek yer" anlamına gelen ve sualtına geçiş ve boğulmaya gönderme yapan *pahdin* olarak bilinir.[381]

Bu raporların K"au Zürafa'nın koruyucu ruhunun nasıl gelip onu yeraltına ve sualtına götürdüğüne, kendisine nasıl özel şarkılar öğretildiğine ve birçok hayvanın varlığını nasıl deneyimlediğine yönelik anlatımlarıyla (5. Bölüm) karşılaştırılması, diğer Kuzey Amerika raporlarını –ve aslında dünyanın başka yerlerinden raporları– incelemek için yerimiz olsaydı çoğaltılabilecek benzerlikler ortaya koyar. Buna benzer anlatımlarda, insan beyninin değişmiş bilinç durumlarındaki nörolojisi tarafından yaratılmış deneyimlere ait belirli akla uygun kılma çabalarını ayırt etmek mümkündür. Bu benzerlikleri açıklamak için aklıma başka hiçbir şey gelmiyor: Bunlar insanın evrensel sinir sisteminin değişmiş bilinç durumlarının, kültürel bir süreçten geçmiş ama yine de sinir sisteminin yapısından ve elektrokimyasal işleyişinden kaynaklandığı belli olan ürünleridir.

ERGENLİK TÖRENLERİ

Şimdiye kadar Şamanist görüntüler üzerinde durdum. Kuzey Amerika kaya sanatı, bununla birlikte, bir başka görüntü arama türüyle daha ilgilidir. Puget Sound'un Quinault yerlilerinde, erkek çocuklar hayali görüntülerini gördükleri efsanevi su canavarlarının kaya resimlerini yapmıştı.[382] Güney California'da da ergenlik törenleri kaya resimleriyle sona ererdi. Güney California ritüelleri sırasında erkek ve kız çocuklar dinsel ve ahlaki gerçeklerle doğru davranış biçimlerini öğrenirdi. Çocuklar halüsinasyon yaratan şeyler –erkek çocuklar şeytan elması, kızlar da tütün– yutardı. Ritüellerin doruğa ulaştığı anda kabul töreniyle ergenlenmiş çocuklar önceden belirlenmiş bir kayaya kadar yarışırdı. Yarışı kazananın uzun ömürlü olacağına inanılırdı. Yarıştan sonra yetişkinliğe kabul edilen çocuklar kayanın üzerine kaya sanatı resimleri yapardı. Şamanlar hem erkek hem kız çocukların ritüellerini gözetip denetlerdi.

Kızların imgeleri aralarında baklava biçimli zincirler ve zikzakların olduğu kırmızı geometrik şekillerden oluşurdu; her ikisinin de kızların kültürel olarak kabul edilmiş koruyucu ruhu olan çıngıraklı yılanı temsil ettiği söylenirdi. Bu şekiller kızların yüzlerine çizilenlere karşılık gelir. Whitley böyle bir törenin en son 1890'larda yapıldığını bulgulamıştı.[383]

Erkek çocukların kabul ritüelleri daha önce on dokuzuncu yüzyılda sona ermişti ve daha zayıf biçimde belgelenmişti. Yine de görünüşe göre onlar da kızların törenine benziyordu ve kaya resimleriyle sona eriyordu. Eski bir anlatıya göre erkek çocukların motifleri arasında daireler, iç içe geçmiş eğriler ve bir insan figürü vardı (41. resim).[384]

Bu ritüellerin önemli bir yönü erkek çocukların ve kız çocukların farklı entoptik olaylara odaklanmasıdır. Her iki cinsiyet de entoptik olayların bütün yelpazesine sahip olmalıydı, ayrıca erkeklerin entoptik biçimlerinin kızların görüntülerine bir anda girip çıktığından ve aynı şeyin kızlar için de geçerli olduğundan oldukça emin olabiliriz. Ama ritüelleri yöneten şamanların rehberliği, her iki cinsiyeti de uygun imge olarak görülen şeylere odaklanmaya teşvik ediyordu. Motif kullanımındaki cinsiyet ayrımcılığı bebeklerin beşik başlıklarında da belirgindir; bunlar yaygın bir biçimde onaylanmış ve geçerli kabul edilmiş simgelerdi.

Bir kez daha nöropsikolojik yaklaşımın hiçbir şekilde zihinsel imgeler ile resimler arasında mekanik bir bağ olduğunu öne sürmediğini görüyoruz.[385] Kültürel müdahaleler potansiyel imgelerin bütün dağarcığından şekiller seçer ve bu seçim süreci toplumsal bir çerçevede gerçekleşir: Bilinç spektrumu yalnızca toplumun kendini bireylerin müdahalesiyle inşa etmek için kullandığı hammaddelerden biridir.

Whitley bu ergenlik törenlerinin bir Şamanist inanç sisteminin ayrılmaz parçası olduğunu belirtir. Daha önce söz ettiğim gibi, törenler yetişkinliğe kabul edileceklerin kültürel olarak onaylanmış görüntüler deneyimlemelerini sağlamak için uyuşturucu etkisindeki transları sırasında onlarla etkileşime giren güçlü şamanlar gözetiminde yapılırdı. Gençler ayrıca bu ritüeller sırasında koruyucu ruhlar edinir, onları kayalara çizerdi.

Ergenlik ritüelleri ile görüntü arayışları arasındaki bu benzerlikler, bazı araştırmacıların neden "şamanik" ve "şamanist" arasında ayrım yaptığını açıklar.[386] Onlara göre "şamanik" şamanların davranışlarını ve deneyimlerini belirtir; öte yandan "şamanist" çok daha geniş bir davranış yelpazesini, örneğin şamanların bazı Kuzey Amerika ergenlik ritüellerindeki rolünü gösterir. San trans dansının "şamanik", kızların Boğa Antilobu Dansı'nın "şamanist" olduğu söylenebilir. Boğa Antilobu Dansı sonunda yaşlı bir şaman bir erkek boğa antilobunun çiftleşme davranışlarını, kadınlar da dişi boğa antilobunun-kini taklit eder. Dansın zirvesinde, kabileye adını veren antilobun dansçılara doğru koştuğu söylenir. Korkarlar ama erkek boğa antilobunun rolünü üstlenen şaman onların endişelerini giderir: Bunun Tanrı'dan gelen "iyi bir şey" olduğunu söyler.[387] Boğa antilobu ruhunun görünmesi bu nedenle özellikle "şamanik" olmak yerine "şamanisttir".

BEYİNDEKİ METAFORLAR

Bu kısa özet, Kuzey Amerika'nın, muhtemelen birbirleriyle ilişkili olsa da bir ölçüde farklı anlamları olabilecek kaya sanatı motiflerinin yerel çeşitlemelerini dikkate almıyor. Araştırmacılar kesinlikle farklılıkları gözden kaçırma pahasına benzerlikler aramaya karşı çok dikkatli olmalıdır. Yine de Kuzey Amerika kaya sanatının çoğunun Şamanist görüntülerle olan bağlantısı göz ardı edilmemelidir. Bu, yerel çeşitlemeleri ele almak için bir temel sunar. Ayrıca, Kuzey Amerika (ve San) kaya sanatında hayali görüntülerin tartışma götürmez bir biçimde ifade bulması açıkça Üst Paleolitik dönem sanatı araştırmamızla yakından ilgilidir: Kuzey Amerika (ve Güney Afrika) kaya sanatını yapanlar ile Üst Paleolitik dönem sanatını yapanlar aynı sinir sistemine sahipti.

Belirtmiş olduğum gibi, bazı Kuzey Amerikalı arkeologlar çok çeşitli kanıtların değerini anlamış ve etnografik ve nöropsikolojik kanıt dizilerini –çok çarpıcı sonuçlarla– birlikte kullanmaya başlamıştır. Özellikle Whitley nöropsikolojik modeli sistemli olarak Kuzey Amerika kaya sanatına uygulamıştır (4. Bölüm).

Whitley 1. Evre entoptik biçimlerinin yedisinin Great Basin'de ve başka yerlerdeki kaya sanatında bulunduğunu göstermiştir (kafes biçimleri, paralel çizgiler, nokta kümeleri, zikzaklar, iç içe girmiş zincir eğrileri, telkâri benzeri ince işlemeler ve sarmallar).[388] Buna ek olarak değişmiş bilincin yoğunlaştırılmış rotası boyunca yaşanan üç geçiş aşaması için kanıtlar da bulmuştur.[389] Anımsamak gerekirse, denekler 1. Evre'de entoptik olaylar görür; 2. Evre'de bu gördüklerini önemli nesneler olarak anlamlandırırlar; 3. Evre'de entoptik unsurların merkez dışında yer almalarına veya hayvan ve insan görüntüleriyle birleşmelerine karşın tam anlamıyla gelişkin ha-

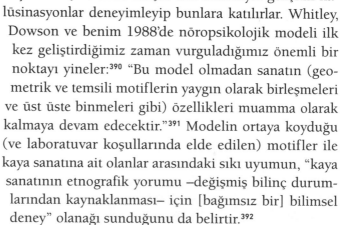

lüsinasyonlar deneyimleyip bunlara katılırlar. Whitley, Dowson ve benim 1988'de nöropsikolojik modeli ilk kez geliştirdiğimiz zaman vurguladığımız önemli bir noktayı yineler:[390] "Bu model olmadan sanatın (geometrik ve temsili motiflerin yaygın olarak birleşmeleri ve üst üste binmeleri gibi) özellikleri muamma olarak kalmaya devam edecektir."[391] Modelin ortaya koyduğu (ve laboratuvar koşullarında elde edilen) motifler ile kaya sanatına ait olanlar arasındaki sıkı uyumun, "kaya sanatının etnografik yorumu –değişmiş bilinç durumlarından kaynaklanması– için [bağımsız bir] bilimsel deney" olanağı sunduğunu da belirtir.[392]

Whitley bu türden bir karşılaştırmayı başlangıç noktası olarak ele alarak, Kuzey Amerika'da görsel, bedensel ve işitsel etkilerinin nasıl anlamlandırıldığına ilişkin yaygın

42. Bir Kanada koyununun öldürülmesi yağmur yağdırmayla ilişkilendirilirdi. Bir şaman bir koyun öldürdüğünde aslında kendini öldürürdü.

bildirimleri inceler. Aşağıdaki halüsinas-
yonları içeren bir "Şamanist simge dağar-
cığı" olduğu sonucuna varır:

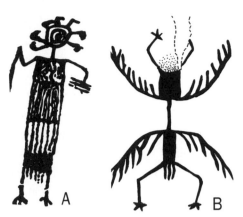

– ölüm/öldürme,

– saldırganlık/kavga etme,

– boğulma/sualtına girme,

– uçma,

– cinsel uyarım/cinsel ilişki ve

– bedensel başkalaşım.

Bu listede Whitley daha önceki bölümler-
de tartıştığımız değişmiş bilinç durumlarını akla uygun
hale getirme yollarını bir araya getirir ve önemli yeni
yöntemler ekler (42. ve 43. resimler). Ben de her birini
sırayla ele alıp Güney Afrika Sanlarıyla olan bazı ben-
zerlikleri belirteceğim.

Güney Afrika San dini ve sanatında olduğu gibi, Ku-
zey Amerikalı şamanların da bazen transa girdiklerinde
"öldükleri" söylenir. "Şamanların büyücülük etkinlikleri
veya onun bilinçli olarak doğaüstü dünyaya girme eyle-
mi bir tür *öldürmedir.*"[393] Ayrıca bir Numic yağmur
şamanı yağmur yağdırdığı zaman bir Kanada koyunu
öldürdüğü söylenirdi. Yani kendini öldürmüş olurdu
çünkü doğaüstü âleminde kendisi bir Kanada koyu-
nuydu. Belki de en ilginci bütün Mojave Çölü'nde
kayalara oyulmuş Kanada koyunlarının %95'inden
fazlasının –küçük, sarkık kuyruklu gerçek hayvan-
ların aksine– büyük, yukarı kalkık kuyruklarının

olmasıdır. Bir Kanada koyunu kuyruğunu iki koşulda kaldırır:
Ölüm ve dışkılama. Bu yüzden Kanada koyunu gravürlerinin
hemen hepsinin ölmüş veya ölmekte olan hayvanları temsil
etmesi büyük bir olasılık gibi görünüyor. San kabilesinden
Qing Joseph Orpen'la konuşurken şamanların boğa antilop-
larıyla aynı anda "bozulduklarını" –yani öldüklerini–, bunu

43. Şamanist deneyimi temsil eden Kuzey Amerika kaya sanatı
imgeleri: A: Uçma; figür bir bıldırcın başlığı takmış; B ve C: Kanatlı
uçuş; D: Sualtı, bir semender bir esmer tuzlu su yosunu çevresinde
yüzüyor; E: Bir şamanın çıngıraklı yılana dönüşümü; çıngıraklı yılan
şamanları yılan sokmalarını tedavi eder ve yılanları kontrol ederdi.

hem insanlara hem de antiloplara yapan şeyin danslar olduğunu söylemişti. Son olarak da, Kuzey Amerika'da burun kanaması, Güney Afrika'daki gibi, fiziksel ölümle ilişkilendirilir.

Whitley'nin ikinci metaforu, saldırganlık ve kavga etme kavramları, açıkça ölüm metaforuyla ilişkilidir. Kavganın Kuzey Amerika şamanlarıyla ilişkisi, örneğin Yokut dilinde koruyucu ruh, şaman tılsımı ve taş bıçak anlamlarına gelen *tsesas* terimiyle ortaya konur.[394] Ayrıca bazı Orta-Güney California kabilelerinde *şaman, boz ayı* ve *katil* için kullanılan sözcükler birbirinin yerine kullanılabilirdi.[395] Trans deneyiminin şiddet potansiyeli şamanların trans sırasında bazen gördükleri çatışmalarda ve kavgalarda açıkça ortaya çıkar. California yerlilerinin kaya sanatında, insanlar başkalarına ve çıngıraklı yılan ve boz ayı gibi tehlikeli hayvanlara simgesel oklar atarken görülür. En önemlisi şamanlar tepeden tırnağa silahlı –yaylar, oklar, mızrak fırlatıcılar, mızraklar ve bıçaklarla– resmedilir. Güney Afrika'da benzer dövüş resimleri grupların topraklarını işgalcilere karşı korumalarının kaydı olarak yorumlanmıştır. Ama Sanlar topraklarını korumaz. Bu resimler yakından incelendiğinde genellikle kavganın aslında ruhlar âleminde yapıldığını gösteren ayrıntılar ortaya çıkar.

Üçüncü olarak, boğulma ve sualtına girme, birçok Kuzey Amerikalı şamanın anlatılarında ortaya çıkan temalardır. Sanatta, bu deneyime sudaki koruyucu ruhların imgeleriyle göndermede bulunulur. Bunlar arasında su böcekleri, kurbağalar, karakurbağaları, kaplumbağalar, kunduzlar ve kılıçbalıkları vardır (resim 43 D). Kaplumbağalar bazen ruhlar dünyasına kapı gibi görülürdü. Görmüş olduğumuz gibi, Güney Afrika'da balık ve yılanbalığı resimleri sualtındaki yerleri akla getirir.

Dördüncü olarak, doğaüstü uçuş Kuzey Amerikalı şamanların öykülerinde çok yaygın olarak yer alır. Sanatta şamanlar bıldırcın tüylerinden başlıklarla resmedilir (resim 43 A). Bıldırcın şamanlarla birkaç farklı biçimde ilişkilendirilir. Örneğin şeytan elması demlenen kâsenin adı "bıldırcındır", şamanların ziyaret ettiği Hayvanların Efendisi de bıldırcın tüyünden bir pelerin giyer.[396] Şamanlar kuş ayaklı olarak da resmedilir (resim 43 B, C). Bazen de bıldırcınlar ve başka kuşlar genellikle şamanların başlarının üstünde oturur durumda resmedilir. Whitley, sıklıkla Şamanist figürlerle ilişkilendirilen eşmerkezli çemberlerin uçmayı ima ettiğini ve şamanın bir "güç yoğunlaştırıcı" olduğu anlamına geldiğini öne sürer.[397] Güney Afrika'da uçma ve kuşlar genellikle şaman imgeleriyle ilişkilidir.[398]

Beşincisi, cinsel uyarılma Whitley'nin listeye eklediği önemli bir temadır. Kuzey Amerika'da doğaüstü güçler cinsel iktidarla ilişkilendirilirdi ve şamanların cinsel açıdan özellikle güçlü olduklarına inanılırdı. Kaya sanatı alanları simgesel vajinalardı ve bir kaya sanatı alanındaki duvardan içeri girmek bu nedenle cinsel ilişkiye girmekle bir tutulurdu. Cinsel uyarılma

ve penis sertleşmesi hem değişmiş bilinç durumlarıyla hem de uykuyla iliş-
kilidir. Güney Afrika'da çok sayıda figür ereksiyon durumunda çizilmiştir.
Bu özellik genellikle –ve oldukça belirsizce– "erkekliğe" gönderme yaparmış
gibi algılanmıştır ama figürlerin resme aktarılan bağlamları, görünüşe göre,
Kuzey Amerika'daki gibi cinsel uyarılmanın değişmiş bilinç durumları için
bir metafor olduğunu onaylamaktadır.

Whitley'nin son metaforu, bedensel başkalaşım, hem Kuzey Amerika'da
hem de Güney Afrika'da o kadar yaygındır ki neredeyse hiç başka bir yoruma
gerek duymaz. Her iki kıtada da şamanlar hayvanlarla kaynaşır ve bedensel
biçim değişiklikleri deneyimler (Resim 43 E).

Bu metafor –veya değişmiş bilinç durumlarını mantığa uydurma– listesi,
transla ilişkili bedensel, işitsel, görsel ve zihinsel deneyimlerin bir karışımını
sunar. Özetlediğim benzerlikler temel nörolojik olayların çeşitli şekillerde
yorumlanabileceğini ama aynı zamanda bu olayların yine de belirli bazı bi-
çimlerde görülebileceğini gösterir. Tüm bu Şamanist deneyimlerin altında
yatan şey doğaüstü güç kavramı ve bu güçten değişmiş bilinç durumlarında
yararlanma yollarıdır.

KUVARS VE DOĞAÜSTÜ GÜÇLER

Son dönemlerde yürütülen Kuzey Amerika kaya sanatı araştırmalarının
ortaya çıkardığı en etkileyici buluntular gravürlerin oyulma veya işlenme
yöntemleri ile doğaüstü güçlerin ortaya konması arasındaki bağlantıyla
ilişkilidir. Bu bağlantıyı kanıtlamak için Whitley ve dört meslektaşı Mojave
Çölü'nde Sally's Rock Shelter olarak bilinen arkeolojik alana odaklandı.
Oyulmuş kayaların çevresine dağılmış durumda kuvars parçaları buldular;
bunlar taş çekiç olarak kullanılmıştı. Yaklaşık 12 cm uzunluğunda, işlenme-
miş iri beyaz kuvarslar da büyük kayalar arasındaki çatlaklara gömülmüştü
(10. renkli resim). Görüntü arama alanlarında boncuklar, değnekler, oklar,
tohumlar, orman meyveleri ve özel taşlar gibi adaklar yaygın olarak bulunur.

Burası, kesinlikle kuvarsla ilişkili tek kaya sanatı alanı değildir. Örneğin
son Numic yağmur şamanı Bob Tavşan, hava durumu kontrolü törenle-
rinde kuvars kristalleri kullanıyordu; kristallerin içinde de ruhların oldu-
ğuna inanılırdı.[399] Daha belirgin olarak bazı raporlar Colarado Çölü'ndeki
şamanist görüntü arayıcılarının "beyaz kuvars kayaları, içlerindeki büyük
ruhani gücün salıverildiğine ve kendi bedenlerine geçtiğine inandıkları için
kırdıklarını" gösterir.[400] Shelley's Rock Shelter'daki çevreye dağılmış kuvars
parçaları böyle bir uygulama sonucu olmuş gibidir.

Kuvars kırma uygulamasının nedeni, kuvars taşlarının birbirlerine sürtül-
düğünde parlak, şimşek benzeri bir ışık çıkarması olabilir. Sürtünme ışınımı

olarak bilinen bu özellik, doğaüstü güçlerin dışavurumu oldu. Bir resim yaparken kuvarsı bazalta sürtmek sürtünme ışınımı yaratmasa da kaya sanatı alanlarında bulunan çevreye dağılmış kuvars parçaları, bu mineralin içinde bir güç saklı olmasının önemini ortaya koyar. Bu da kaya sanatı alanlarında gerçekleştirilen ritüellere bir başka örnektir.

TOPLUMDAKİ İMGELER

Bu tartışmanın ve 5. Bölüm'ün ortaya koyduğu önemli bir nokta, şamanların içgörülerinin toplulukları tarafından kabul edilmesidir. Yoğunlaştırılmış spektrumun sonuna hiç gitmemiş insanlar yine de üç katmanlı evrene inanır, şamanların bu düzeyler arasında yolculuk edebildiğini kabul eder ve (görmelerine izin verilse de verilmese de) kaya imgelerine doğaüstü görüntülerin ve düşlerin somutlaştırılmış hali olarak saygı duyar. İnsanlar bunları neden bu kadar kolay kabul eder? Bunun birkaç nedeni vardır. Öncelikle kendi düşlerinde ruhlar dünyasına kısaca bir göz atıp ipuçlarını görmüşlerdir. İnsan nörolojisi hakkında herhangi bir bilgi olmaması durumunda düşler onlara ruhlar âlemine ait, aslında yadsınamaz kişisel bir kanıt sunar. Bu ruhlar dünyası şamanların av sahası olabilir ama sıradan insanların zihinlerini korkutucu biçimde ele geçirebilir. Bütün toplum böylece Şamanist bakış açısına çekilmiş olur. Şamanizm yalnızca toplumun bir bileşkeni değildir; tersine, Şamanizmin üç katmanlı evreniyle birlikte toplumun genel çerçevesidir denebilir.

Bu bağlamda, kaya sanatı imgelerinin Kuzey Amerika Yerlileri üzerinde ne etkide bulunduklarını soruşturabiliriz. Whitley'nin Great Basin'de şamanizmin ve kaya sanatının toplumsal rolünü araştırmış olmasına karşın, bu araştırma dalı üzerinde bugüne dek pek durulmamıştır.[401] Daha önce gördüğümüz gibi, Whitley bir Kanada koyunu öldürmenin yağmur yağdırma metaforu olduğunu göstermişti. Bu bölgedeki insanlar tohum toplama ekonomisine geçtiklerinde yağmur yağdırma daha da büyük önem kazandı. Whitley'ye göre bu değişim iki eşitsizlik sistemi bağlamında görülmelidir: Erkeğin kadın üzerinde ve şamanların şaman olmayan erkekler üzerindeki üstünlüğü çerçevesinde. Whitley, kaya sanatının cinsiyet eşitsizliğini ve bölgede gelişen politik örgütlenme yapısını sürdürme çabalarına eklendiğini öne sürdü. Güney Afrika'da şamanların ve kaya sanatının, özellikle sömürge döneminin toplumsal çalkantılarla dolu zamanlarındaki rolleriyle olan benzerlikler oldukça belirgindir.

Güney Afrika ve Kuzey Amerika şamanizmleri arasındaki en çarpıcı toplumsal fark gizlilikle ilgilidir. Güney Afrika'da Sanlar inançları konusunda genellikle daha açıktır. Ruhlar âlemine ve insanların yaşadığı diğer katmanlardaki yerlere yaptıkları Şamanist yolculuklardan sonra şamanlar deneyimlerini herkese anlatır: Tüm erkeklerin, kadınların ve çocukların dinlemesine izin verilir – aslında herkes ruhlar dünyasında neler olup bittiğini öğrenmeye heveslidir. Wilhelm Bleek ve Lucy Lloyd'un on dokuzuncu yüzyılda buldukları, benim ve çok sayıda antropoloğun yirminci –ve yirmi birinci– yüzyılda Kalahari Çölü'nde yaptığımız çalışmalardan bulduğumuz üzere, Sanlar herkesin onların neye inandıklarını ve neler deneyimlediklerini öğrenmeleri konusunda isteklidir. Ben Kalahari'deyken bazı yaşlı Ju'/hoansiler Megan Biesele'den neler yazdığımı kontrol etmesini istemişti: Dünyanın her şeyi öğrenmesini istiyorlardı.

Buna karşın Kuzey Amerika'daki Şamanist etkinliklerin çoğu gizlilik içinde yürütülmüştü. Gizliliğin derecesi gruptan gruba değişir. 1948'de Shoshoniler arasında çalışan Hultkranz, dinsel inançları ve deneyimleri konusunda Great Plains Kızılderililerinden daha açık olmalarına karşın bu kabilenin görüntülerinin ayrıntılarını yakın akraba ve arkadaşlar dışında paylaşmaya isteksiz olduklarını görmüştü.[402] Geçmişte avları başlattıkları da oluyordu. Shoshoni şamanlarının görüntüler elde ettikleri yerler güçlü, ruhlarla dolu ve uzak durulması gereken yerler olarak görülür. Shoshoniler önceden göçebeydi, bu nedenle de kutsal yerler topraklarında oraya buraya dağılmıştı: Bütün bölgeyi kaplayan bir kutsal yerler ağı vardı.

Kuzey Amerikalı şamanlar gündelik toplumsal ilişkilerden uzakta, ıssız yerlerde görüntü arardı. Kaya sanatı alanlarının doğaüstü güçler, böcek sürüleri ve gizemli ışıklarla korunduklarına inanılırdı.[403] Yerleşim yerlerine yakın olmaları durumunda şaman olmayan herkes buralardan uzak dururdu. Bu inziva şamanları sıradan insanlardan gerek fiziksel gerek simgesel olarak ayırırdı. Bu ıssız yerlerde neler "gördükleri" konusunda konuşmaya ve koruyucu ruhlarının kimliklerini açıklamaya isteksiz olurlardı.[404] Bu gizlilik bir korku halesi yaratıyordu: İnsanlar şamanlara saygı duymakla kalmıyor, onlardan korkuyordu da. Bilgi güçtür. Denison 1870'lerde Klamath şamanlarının kaya resimlerinin "doktorun doğaüstü gücünden duyulan bir korku uyandırdığını" belirtmişti.[405] Gerçekten de şamanlar kendilerine itaatsizlik edenlere veya dinsel kurallara uymayanlara zarar verebiliyordu. İmgeler şamanların korkunç gücünün yadsınamaz simgeleri işaretleri olarak kaldı.

Bu alanlar, şamanların zulaları, şaman olmayanlar tarafından çok zengin yerler olarak algılanıyordu. Böyle yerlerin tehlikeleri yanında zenginliklerini de vurguluyorlardı. Whitley şaman olmayanların zulalarla ilgili algılarının "muhtemelen şamanlar ile şaman olmayan arasında, algılanan maddi zenginliğe, potansiyel kötü niyete ve bazı şamanların cinsel açıdan saldırgan doğalarına dayanan gerilimin bir sonucu olduğunu belirtir.[406] Böylece şamanların etkinliklerinin maddi dışavurumları –kaya sanatı imgeleri ve şamanların zulaları– toplumsal ilişkilerin belirlenmesinde ve bunların yaşamın doğal düzeninin bir parçası olarak gösterilmesinde bir rol oynamıştı. İmgelerin gücüne olan inanç, insanların kendi düşleriyle de desteklenince, şamanların toplum içindeki güçlü konumlarının kaçınılmaz bir şey gibi görülmesine neden oldu. Şamanlar ruhlar dünyasından elde edilen güçlü imgeler yaparak toplumsal konumlarını yaratıyor ve pekiştiriyordu: İmgelerin, aslında kendilerinin sahip oldukları etkiyi başkalarının üzerinde göstereceğini biliyorlardı. Kuzey Amerika kaya imgeleri, Sanlardaki gibi, bu nedenle yapıldıktan sonra da bir rol oynamaya devam ediyordu.

Anna Gayton, Yokut ve Mono kabile şefleri ile şamanları arasındaki ilişkiyi incelediğinde, dünyevi ve ruhani otorite arasında bir ittifak sistemi buldu.[407] Bir şef bir şamanla yakın ilişkide olduğunda servetini artırabiliyor, şaman da bunun karşılığında şefinin korumasını talep edebiliyordu. Zenginlik büyük ölçüde yıllık yas töreninden elde ediliyordu; bu önemli güne katkıda bulunmayı reddeden zenginler şefin şamanı tarafından ruhların saldırısına uğrama tehlikesi içinde oluyordu. Aşiretler arasındaki, bazen her iki taraf için de ölümcül olan çatışmalara şefler de şamanlar da bulaşıyordu. Din kesinlikle politikadan ve güç elde etme çabalarından bağımsız değildi.

Bu tür ilişkinin, kaya sanatı imgelerinin yapıldıktan uzun süre sonra bile devam eden toplumsal etkisiyle birlikte, Üst Paleolitik dönemde Batı Avrupa'da geçerli olup olmadığını kendimize sorabiliriz. Üst Paleolitik dönem dini de politik konulara bulaşmış mıydı? Bu soruya yanıt vermeye başlamak için bir adım geriye, Orta Paleolitik dönemden Üst Paleolitik'e Geçiş'e dönmemiz ve her şeyden önce insanların resim yaptıkları koşullar hakkında düşünmemiz gerekiyor.

7. BÖLÜM
RESİM YAPMANIN KÖKENLERİNDEN BİRİ

5. ve 6. bölümlerdeki gibi vaka çalışmaları, insanların değişen bilincin bütün spektrumuyla yalnızca baş edebilme değil onu etkin bir şekilde kendi çıkarına kullanma yöntemlerini anlamamıza büyük katkıda bulunur. Etnografya nöropsikolojinin sağladığı iskeleti –çerçeveyi– ete kemiğe büründürür. Ama sunduğum iki araştırma bile basit, bir kereye özgü etnografik analojinin tamamen yanıltıcı olabileceğini gösterir. Kuzey Amerika şamanizmi için son derece önemli olan tek başına görüntü arayışı örneğin, Güney Afrika Sanlarında yoktur, bu fark da şamanlar ile toplulukları arasındaki farklı toplumsal ilişkileri ortaya koyar.

Her şeyden önce, zekânın hiç şüphesiz önemli olduğunu görüyoruz. Ama bu, insanların kozmoloji, kozmoloji deneyimleri, doğaüstü âlem kavramları ve sanatın bir araya geldiği değişken bilinci anlama biçimleriyle ilgilidir. Üst Paleolitik döneme geçtiğimizde elimizde tabii ki etnografya olmayacak, bir bakıma kanıt dizilerimizi yeniden düzenlememiz gerekecek.

İÇ İÇE GEÇMİŞ DEĞİŞİMLER

Batı Avrupa'daki Üst Paleolitik Çağ'ın, birçok yazarın da söz ettiği, en çarpıcı özelliği, değişim hızındaki ani artıştır. Bir önceki dönem, Orta Paleolitik'le karşılaştırıldığında, görece kısa süre içinde çok şey oldu. Eşya üretiminde kullanılan hammadde türlerinin çeşitlenmesinden, yeni alet tiplerinin ortaya çıkmasından, bölgesel alet tarzlarının gelişmesinden, toplumsal ve bilişsel olarak daha gelişmiş avlanma stratejilerinden, örgütlü yerleşim örüntülerinden ve "özel" eşyaların yaygın ticaretinden söz etmiştik. Daha da çarpıcısı, beden süslemedeki, ölülerin mezar eşyalarıyla birlikte özenle gömülmelerindeki ve tabii ki taşınabilir imgeler ile duvar resimlerindeki patlamadır. Tüm bu değişim alanlarının birbirlerine bağlı olduğu açıktır. Bunlar, daha zeki bazı insanların yarattığı birbirlerinden farklı "buluşların" bir dağılımı değildi; aksine, dinamik bir toplum dokusunun bir parçasıydı. Aynı zamanda, arkeolojik kanıtlar bu değişimlerin bölünmez bir paket oluşturdukları anlamında (3. Bölüm) birbirlerine bağlı olmadıklarını düşündürmektedir. Batı Avrupa'daki Üst Paleolitik dönem kesinlikle toplumsal, teknolojik ve kavramsal durgunluk dönemi değildi.

Önemli, her şeyi kapsayan bir değişimin sonunda hareketlenmiş olduğu konusunda kuşku yoktur.[408]

Bu yeni dinamiğin sonuçlarından biri Üst Paleolitik'in bir *toplumsal çeşitlilik* çağı, toplumsal ayrımların ve toplumsal gerilimlerin yayıldığı ve toplum içinde itici güç olduğu bir dönem olmasıdır. Batı Avrupa'daki "Yaratıcı Patlama" için bir itici güç arayacak olursak, bu güç, toplumsal çeşitlilik ve değişim olur. Bu, imge yaratımının *ayrıştırıcı* işlevlerini göz önünde tutmamız gerektiği anlamına gelir. Bunu yaparken, tümü de sanatı toplumsal istikrara katkıda bulunan bir şey olarak gören sanat için sanat, büyü, ikili mitogramlar ve bilgi alışverişi gibi daha önce getirilmiş işlevsel açıklamalardan uzak duracağız. Bunun yerine Max Raphael'in düşüncelerini izleyip geliştireceğiz. Üst Paleolitik dönem topluluklarının "tarih yazan toplum örneklerinin en iyisi" olduğunu söyleyen oydu;[409] sanatlarının basitçe hoşnutluğun saf bir biçimde dışavurumu ve "yüksek" estetik duyguların yeşermesi olmadığını, aksine bir mücadele ve rekabet arenası olduğunu fark etmişti.

Resim yapmanın toplumsal rekabet içinde nasıl doğduğunu anlamak için, önceki bölümlerde geliştirdiğim bilinç kavramlarına geri döneceğim ve iki yeni kavram sunacağım: Tam anlamıyla insani bilinç ve insan öncesi bilinç.

BİLİNÇ VE ZİHİNSEL İMGELEM

İnsan ve hayvan imgeleri yapmanın, diyelim ki beden boyamadan doğmuş olamayacağını göstermiştim. Bir imgenin bir başka şeyin (diyelim ki bir atın) ölçekli modeli olması kavramı, birinin göğsündeki kırmızı işaretlerin toplumsal sembolizmini algılamaya yarayanlardan farklı bir dizi zihinsel olay ve düzen gerektirir. Beden süslemesi resim yapmaya doğru evrilmemiştir – evrilemezdi. Sanat tarihçileri grafik imgelerin zihinsel imgeler ile dünyadaki nesnelere uygun olarak algılanıp biçimlendirilmesine yakın ilgi göstermiştir; ölçek, perspektif ve ayırt edici özelliklerin seçimi, tartıştıkları konulardan yalnızca birkaçıdır. Bu kavramlar insanların bugün bir yüzey üstündeki çizgi örüntülerini bir şeyin kendisi gibi değil, onun imgesi olarak nasıl yorumladıkları konusunda bir açıklama getirmeye yardımcı olsa da, insanların böyle işaretlerin akla bir bizonu, bir atı veya bir tüylü mamutu getirebileceğine inanmaya nasıl başladıklarını açıklamaz – gerçekten inanıyorlardıysa.

Başrahip Henri Breuil'ün sanatın kökenleri konusunda, beklenecegi gibi keskin görüşleri vardı. Bütün düşünceleri doğuştanlık varsayımına dayanıyordu. 2. Bölüm'de insanların doğuştan gelen bir sanat dürtüsüne sahip oldukları ve zihinlerinin bu özelliğinin onları resim yapmaya ittiği, hatta neredeyse zorladığı gibi bir kavramın bazı kısıtlarını görmüştük. Bu varsayılan dürtüye "Güzelliğe hayran olan sanatsal mizaç" diyordu.[410] Ama insanların temsili imgeler yapmayı nasıl düşünmeye başladığını merak ederek, soruna daha pratik bir açıdan da yaklaştı. Önerilerinden biri imgelerin maskelerden evrilmiş olsada bunun tam anlamıyla nasıl olduğunu söylemiyordu. Onun ortaya attığı daha etkili bir kavram, insanların bir kaya duvarındaki doğal işaretleri aniden, diyelim ki bir atın konturu olarak algılamalarıydı. Birden bu işaretleri kendilerinin de yapabileceklerini fark ettiler – hem de yalnızca atlara değil başka hayvanlara ait olanların da. Breuil insanların Üst Paleolitik dönemde mağara duvarlarındaki yumuşak çamura parmaklarıyla çizdikleri "makarnalar", arabesk bezemeler ve kıvrımlara da işaret etmişti. Breuil'e göre bu başı boş döngüler ve işaretler arasında insanlar hayvanlara ait parçalar algıladı ve bu yolla resim yapabileceklerini fark etti. Breuil el izlerine de değindi ve bu izlerin bir şekilde hayvanlara ait temsili resimlere evrildiğini öne sürdü ama bunun tam anlamıyla nasıl olduğunu ve aradaki aşamaların neler olduğunu açıklamadı.

Sonra bir de resim yapmanın kökenine ilişkin daha önceden var olan işaretlere veya "makarnalara" gerek duymayan kestirme bir açıklama vardır. Olağanüstü zeki bir insan birdenbire resim yapmayı icat etmiştir. Fikir hemen yayılmış ve başkaları da kendi hayvan imgelerini çizmeye başlamıştır. Fransız arkeolog ve kaya sanatı uzmanı Brigitte ve Giles Delluc bu bakış açısını şöyle özetler:

> Yaklaşık 30.000 yıl önce, Üst Paleolitik dönem başlangıcında, Orinyasyen sırasında, Eyzies bölgesinden biri veya bir grup çevrede üç boyutlu olarak görülen bir şeyin düz bir taş üzerinde iki boyutlu olarak temsil edilmesini, yani çizim yapmayı icat etti.[411]

Halen popüler olan ve yaygın biçimde yayımlanan bu açıklamaların ciddi sorunları vardır. İlk olarak mağaralardaki kanıtlar "makarnalar"ın ilk duvar işaretleri olmadıklarını gösteriyor; bu şekiller bütün Üst Paleolitik dönem boyunca yapılmıştı. İkincisi açıklamalar sıklıkla çoğul ifade edilir: "İnsanlar birdenbire fark etti ki…" Ama burada dile getirilmek istenen şey (Delluclerin düşündüğü gibi) Batı Avrupa'nın farklı yerlerindeki olağanüstü zeki *bireylerin* resmi icat ettikleri veya doğal işaretler veya "makarnalar" ile bir hayvan arasında bir benzerlik fark ettikleri ve sonra da bunu başkalarına söyledikleridir. O zaman bir birey, işaretler ve "makarnalar" içinde neler bulacağı hakkında önceden bir beklentisi yoksa, bunları neden bu kadar yakından incelemiş olsun ki? Yirmi birinci yüzyılda yaşayan bir Batılının, diyelim ki duvardaki nem izlerine şans eseri, gelişigüzel bir biçimde bakışının bir işe yarayabileceği kabul edilse bile, o kişinin, halihazırda bir imge kavramına sahip olmadığı sürece bir çizgi yığını arasından bir imge temsilini "fark edemeyeceğini" söyleyebiliriz. Böyle bir kavram da toplum tarafından benimsenmiş olmalıdır; bir bireyin tek başına özel mülkiyetinde bulunamaz.

Bu sonuca varmanın iyi bir nedeni vardır. Aslında Breuil , kendi açıklamasına aykırı bir öykü anlatır. Erken dönemlerden itibaren büyü kavramını yaygınlaştıran Salomon Reinach'ın, öğrenciyken Atina'da tanıştığı bir Türk subayının bir at çizimini tanıyamadığını "çünkü onun çevresinde dolaşamadığını" keşfettiğini anlatır.⁴¹² İslam, bilindiği gibi, temsili imgelerin yapılmasını yasaklar. Müslüman olan subay, temsili resimlere tamamen yabancıdır.

Antropolog Anthony Forge, Yeni Gine'de Abelamlarla ilgili çalışmalar yaparken benzer bir şey keşfetmişti. Bu insanlar ritüel yapılarının üstüne ruhların üç boyutlu oymalarını yapmışlar ve parlak, iki boyutlu, çok renkli ruh motifleri çizmişlerdi. Motifin kendisinin her iki durumda da aynı olmasına karşın, iki boyutlu olanlarda öğeler farklı biçimlerde düzenleniyordu; örneğin kollar figürlerin burunlarının altından çıkarken üç boyutlu oymalarda kollar normal yerlerindeydi. Abelamlar bu farkı neden garipsememişti? Bu sorunun yanıtı ne üç boyutlu örneğin ne de iki boyutlunun bir temsil olmasıdır: Ruhların nasıl göründüklerini göstermezler; daha çok ruhların somut simgeleridir. Forge, "düz bir yüzey üstündeki resmin bir oymanın izdüşümü veya üç boyutlu bir nesnenin iki boyutta temsil edilmesi girişimi olmasının hiçbir anlamı olmadığını" bulgulamıştı.⁴¹³ Resimler, bizim hemen varsaydığımız gibi, doğadaki bir şeye "benzemek" üzere yaratılmamıştır.

Resmin temsili olmayan doğası anlayışlarının bir sonucu olarak Abelamlar fotoğrafları "görmekte" zorluk yaşamıştı.⁴¹⁴ Yüzü tam cepheden çekilmiş bir insan fotoğrafı gösterildiğinde, gösterilen şeyin ne olduğunun farkına varıyorlardı. Ama fotoğraf bir kişiyi hareket halinde gösterecek biçimde veya doğrudan kameraya bakmak dışında bir pozda çekilmişse tam anlamıyla şaşırıp kalıyorlardı. Forge'un bazen insanların bir fotoğraftaki kişiyi "görmeyi" sürdürmeleri için o kişi çevresine kalın bir çizgi çizmesi gerekiyordu. Bu, Abelamların fotoğrafları anlamak için doğuştan yeteneksiz oldukları anlamına gelmez. Forge bazı Abelamlı çocuklara birkaç saat içinde fotoğrafların şifrelerini öğretmişti ama onun eğitimine kadar fotoğrafları "görmek" onların yetenekleri arasında yer almıyordu. Forge'un söylediği gibi, "Görme duyuları, fotoğrafları özellikle anlaşılmaz kılacak şekilde toplumsallaşmıştı."⁴¹⁵

İki boyutlu imgeleri "görmek" bu nedenle öğrendiğimiz bir şeydir; insan olmanın zorunlu bir parçası değildir. O zaman, Üst Paleolitik dönem insanları, halihazırda böyle bir imgelem kavramı olmadan, "makarna" kıvrımları arasındaki imgeleri nasıl görebiliyordu?

Bu (bana kalırsa aşılamaz) güçlüğe karşın, yazarlar bu soruna bir çare bulmaya çalışmaya devam etmektedir çünkü insanların mağara duvarlarındaki iki boyutlu imgeler kavramını tesadüfen bulmalarının bir başka açıklamasını düşünemezler. En zekice –ve en karmaşık– girişim, sanat tarihçisi Whitney Davis'ten gelmiştir.[416]

Davis, en eski Orinyasyen imgeleri ele alırken aslında *imgeleri* ele aldığımızı varsaymanın temel bir sorun olduğunu anlamıştır. Forge'un Abelamlarla ilgili yazarken kısa ve öz bir şekilde ifade ettiği gibi "Bizim gördüğümüz şeyler ile onların gördüğü şeylerin aynı olduğunu varsaymaktan kaçınmalıyız." Konunun püf noktası budur. Davis de, sonra haklı olarak, evrimleşen "estetik duyarlığın" resim yapmaya neden olduğu kavramını reddeder.[417] Ama şu iki seçenekten başka bir çözüm bulamaz: a) Üst Paleolitik dönem imgelerinin gerçek maddi dünyadaki şeylerin temsilleri olduğunu düşünmeye devam etmek; b) iki boyutlu imge tanıma yeteneğinin kaçınılmaz olarak evrildiğini varsaymak.

Davis'in çalışmasını aşırı basitleştirme tehlikesi pahasına, imgelerin kökenlerinin "makarnalar"da olduğunu reddetmesine karşın, insanların Üst Paleolitik dönem boyunca bile, rasgele "işaretler" yaptıklarını öne sürdüğünü söyleyebiliriz. Ama başta işlerinde "gibi görme" yaklaşımını benimsememişlerdi; yani işaretleri bir başka şeyi temsil eder gibi görmüyorlardı. Bu rasgele karalama fikrini kabul edersek nereye varırız? Bana kalırsa Davis'in akıl yürütme biçimi burada sekteye uğramaktadır. Şöyle yazar Davis:

> "Dünyayı sürekli olarak işaretlemek, işaretlerin nesneler olarak görülme olasılığını sürekli olarak artıracaktır. Sonunda çok karmaşık işaret kümeleri –bilinçli olarak mı kümelendikleri yoksa tesadüfen mi bir arada görüldükleri önemli değildir– işaretlerin algısal olarak tesadüfen, doğal nesnelerin kapalı konturları gibi çok karmaşık şeyler olarak yorumlanması sonucunu doğuracaktır. Yüzeylere işaretlerin yapılması ve beden süslemeden yapı inşa etmeye kadar diğer tüm etkinlik biçimleri, dünyaya potansiyel olarak işaretler ve renk lekeleri ekler. Özetle, temsili dışavurumun ortaya çıkışı, *insan eliyle yaratılmış görsel dünyanın gittikçe daha ayrıntılı hale gelmesinin* öngörülebilir mantıklı ve algısal sonucudur [Vurgu Davis'e ait]."[418]

Davis'in savına yaptığı bir yorumda James Faris'in belirttiği gibi, bu sanat tarihçisi resim yapmanın rasgele çizgiler arasında keşfedilmesinin kaçınılmaz olduğunu söyler.[419] Yeterince uzun bir süre sonra insanlar resim yapma potansiyelini kavramış *olmalıydı*. Davis tesadüfen buluş yapma yeteneği yerine kaçınılmazlığı koymuştu. Faris şu soruyu sorduğunda önemli bir başka konuya değinir: "Neden, diyelim ki, bitkiler ve küçük hayvanlar veya güneşler ya da yılanlar veya yüzler değil de *bu* imgeler…?" Bir başka ifadeyle, neden bizonlar, atlar, yaban öküzleri, mamutlar ve benzerlerinden oluşan bu özel motif dağarcığı? Sırtlanların, baykuşların, balıkların duvar resimleri olsa da bunlar gerçekten çok enderdir. Dolayısıyla Üst Paleolitik dönem zihinlerinde bazı ön kabuller var olmuş olmalı; belirli bazı şeyleri "arıyorlardı", başka şeyleri değil. Temsili resmin yerleşik kurallarının kökenini nasıl açıklarsak açıklayalım, elimizde sadece insanların zihninde resim yapmadan *önce* bir motif dağarcığının var olduğu yönündeki temel düşünce kalır. İnsanlar işe çok sayıda motifle –bireysel bir ressamın çizmeyi istediği herhangi bir şey– başlayıp sonra da daha az kapsamlı motiflere odaklanmadı. Neden? Kaçınılmazcı sav bu zor sorudan kaçar.

Son olarak, bütün bunlar olmuşsa ve bazı zeki Üst Paleolitik dönem insanları gerçekten iki boyutlu resim yapmayı "icat etmişse" bile toplumun genel olarak daha fazla imge yapılmasını istemek ve dahası bu imgelerin önceden belirlenmiş bir dağarcıktan olması için bir nedeni olması gerekirdi. Bundan da imgelerin insanların gözünde, birincisi bunları fark edebilmeleri için, ikincisi bunları yapmaya devam etmek istemek için, önceden var olan, ortak bir değerinin olması gerektiği sonucu çıkar. Yani belirli bir grup hayvana ait imgelerin insanların ilgisini çekmek için bir *a priori* değeri olmalıdır. Tam bir tavuk-yumurta sorunu, tabii eğer böyle bir ikilem varsa; ama göreceğimiz gibi bu, bizi konunun özüne götürecek.

O zaman insanlar iki boyutlu imgeleri nasıl icat etti? Görünüşe göre bu soruya yanıt arama çabalarımızda içinden çıkılmaz bir duruma girdik. Bununla birlikte zorluk, bizim yanıt verebilme yeteneğimizden ziyade sorunun kendisinde yatıyor. Soru belirli bir tür yanıt varsayıyor – yanlış bir yanıt türünü.

Kısaca, insanlar maddi çevrelerindeki şeylerin iki boyutlu imgelerini yapmayı icat *etmemiştir*. Tersine, bir imge kavramı ve motifler dağarcığı, duvar resimleri veya taşınabilir imgeler yapmalarından önce, insanların deneyimlerinin bir parçasıydı.

Bu çelişkili gibi görünen ama kritik noktayı açıklamak için, insan bilinci spektrumuna geri dönmemiz ve şimdiki biçimi ile Üst Paleolitik dönem başlangıcında *Homo sapiens* için olan biçimlerini nasıl edindiğini görmemiz gerek.

İLKEL BİLİNÇ İLE ÜST DÜZEY BİLİNCİN NÖROBİYOLOJİSİ

Bilinç, bir anlamda, en uzak sınırdır. Araştırmacılar (ünlü Uzay Yolu deyimiyle) daha önce kimsenin gitmediği yerlere cesaretle gitmek istiyorlarsa, bilinç onlar için şöhrete ulaşmak için tercih edilen fırlatma rampasıdır. Amacım bu son derece karmaşık ve tartışmalı konuyu gözden geçirmek değil. Bunun yerine Üst Paleolitik dönem imge yaratımını anlamak için yürüttüğümüz alçakgönüllü araştırmamızla en bağlantılı olarak gördüğüm araştırmacıdan yararlanacağım.

Gerald Edelman bağışıklık bilimi üzerine yaptığı çalışmalarından ötürü 1972'de Nobel Ödülü kazandı. Sonra "açıklanan bilinç" ödülüne uzandı.

Nobel Ödülü'nü kazandıktan kısa süre sonra, beyindeki tanıma etkinliğinin bağışıklık sisteminin tanıma işlevine oldukça benzediğini fark etmeye başladı. Bugün Bilişsel Bilimler Enstitüsü direktörü ve Bilişsel Bilimler Araştırma Vakfı'nın başkanıdır.[420] Bilincin kökenlerini araştırmak için, beyin anatomisi çalışmalarını Darwin'in doğal seçilim kuramıyla birleştirmek gerektiğini fark etti. Böylece zihnin ve bilincin, beyin dediğimiz maddenin ürünü olduğu inancını yürekten benimsedi. Çalışmasında Descartes'ın ikiliğinin hiç yeri yoktur. Karamsarlığa da yer yoktur: Bilinci açıklamak için bilinci kullanamazsınız –yani bu iş fazlasıyla zordur– düşüncesini de reddeder. Bilinç biyolojik olarak evrilmiştir ve bu nedenle de biyolojik olarak açıklanabilir. Beyindeki yoğun sinirsel bağlantılar ne programlanmış bir bilgisayar, ne bir katedraldeki bağlantılı veya bağlantısız şapeller ne de İsviçre çakısı gibidir; bu benzetmelerin düşündürdüğünden daha açık uçludurlar.

Yine de Edelman'ın çalışmasında bir boşluk vardır. Hemen söyleyeyim ki bu, ölümcül bir eksiklik değildir, ben de daha sonra bu boşluğu, kendi geliştirdiği çerçeve içinde doldurmaya çalışacağım. Sorun onun bilinç spektrumunun "uyanık" ucuna yoğunlaşması ve otistik ucu göz ardı etmesidir. Ama söylediğim gibi, bu düzeltilebilecek bir hatadır – kendi de bu işin gerektirdiği araçları sağlamıştır.

Kabul edilebilir ile kabul edilemez hipotezler arasında ayrım yapmak söz konusu olduğunda, Edelman son derece nettir: Araştırmacıların yöntem kıstasları konusunda açık olmaları gerektiğinin farkındadır – tıpkı benim bu kitapta birkaç noktada yapmaya çalıştığım gibi. Edelman, bana göre haklı olarak, bilinci açıklayacak herhangi bir şeyin gözlemlenebilir olaylara dayanması ve beynin ve bedenin işlevleriyle ilişkili olması gerektiği konusunda ısrar eder. Bir açıklama evrime dayandırılacaksa anatomik temelinin olması esastır. Bir başka ifadeyle, bilince dair bir açıklama kuramı, bilincin evrim sırasında nasıl ortaya çıktığını açıklayan "belirgin sinirsel modeller" önermelidir. Ayrıca, herhangi bir açıklama "nörobiyolojik olgular çerçevesinde önerdiği modeller için katı deney yöntemleri" geliştirmelidir. Son olarak, açıklama "herhangi bir araştırma alanından ve her şeyin ötesinde beyin biliminden elde edilmiş, bilinen bilimsel gözlemlerle tutarlı" olmalıdır.[421] Edelman burada, 2. Bölüm'de hipotezleri değerlendirme ölçütlerimden bazılarını özetliyor.

Peki ama beynin temel nörolojisi nedir? Tüm nörobiyologlar beyindeki temel hücre türünün nöron olduğunu kabul eder. Nöronlar diğer nöronlara sinapslar aracılığıyla bağlanır. Bağlantılar, elektrik impulslarının bir nörondan diğerine geçmesini sağlayan kimyasal maddeler olan nörotransmiter üretimiyle daha kolay yapılır. Serebral korteks, yani beynin dış "zarı" on milyar kadar nöron içerir. Bu karmaşıklık ürkütücüdür. Buna karşın bilinç, milyarlarca nöron arasındaki karmaşık etkileşimden doğar.

Bundan sonra, limbik sistem ile talamokortikal sistem arasında bir ayrım yapmamız gerekir. Her ikisi de nöronlardan oluşur ama organizasyon yapıları farklıdır. Limbik sistem temel, akla dayalı olmayan davranışlarla ilgilidir: İştah, cinsel davranışlar ve korunma davranışları. Pek çok farklı organla ve otonom sinir sistemiyle yoğun bir bağlantı içindedir. Böylece solunum, sindirim, uyku döngüleri vb. düzenler. Limbik sistem bedenin işleyişini düzenlemek için çok erken dönemlerde evrilmiştir. Buna karşılık talamokortikal sistem beden dışındaki karmaşık girdileri anlamlandırmak üzere evrilmiştir. Duyu sinyallerini ve diğer beyin sinyallerini kortekse bağlayan merkezi bir beyin yapılanması olan talamus ile korteksten oluşur. Talamokortikal sistem limbik sistemden sonra gelişmiş ve ona sıkı sıkıya bağlı hale gelmiştir.

Edelman'ın düşüncelerinin hakkını vermek istersek, Üst Paleolitik dönem resimlerini tartışmak için yerimiz kalmaz. Bu nedenle Edelman'ın belirlediği iki tür bilince geçelim: İlkel bilinç ve üst düzey bilinç.

İlkel bilinç bir ölçüde, (neredeyse kesin olarak) şempanzeler, (muhtemelen) çoğu memeliler ve bazı kuşlar gibi hayvanların deneyimlediği ama (muhtemelen) sürüngenlerin sahip olmadığı bilinç türüdür. Edelman ilkel bilinci şöyle tanımlıyor:

> İlkel bilinç dünyada yer alan şeylerin farkında olma –şimdiki zamanda zihinsel imgelere sahip olma– durumudur. Ama bir kişilik anlamında geçmişle ve gelecekle bir arada değildir... [İlkel bilinç] evrim sırasında nöroanatominin yeni bir bileşeni olarak ortaya çıkan, özel bir geriye dönüşlü devre[ye bağlıdır.]... Üst düzey bilince sahip insanlar olarak biz ilkel bilinci, süregiden sınıflandırılmış olaylara ait bir "resim" veya "zihinsel imge" olarak deneyimleriz. İlkel bilinç bir tür "anımsanan şimdiki zamandır"... Şimdi olarak adlandırdığım zaman parçası çevresindeki kısa bellek aralığıyla sınırlıdır. Net bir kavrama veya kişisel benlik anlayışına sahip değildir ve geçmişi veya geleceği ilintili bir sahne olarak modelleme yetisi sağlamaz.
>
> İlkel bilince sahip bir hayvan bir odayı, bir ışık ışınının aydınlattığı şekilde görür. Yalnızca ışının içinde olan, açık bir şeklide anımsanan şimdiki zamandadır, geriye kalan her şey karanlıktır. Bu, ilkel bilince sahip bir hayvanın uzun vadeli belleği olmadığı veya buna göre davranmadığı anlamına gelmez. Açıkçası olabilir ama, genelde o anının farkında olamaz veya o anıya dayanarak kendisi için uzak bir gelecek planları yapamaz... İlkel bilinç sahibi hayvanlar, zihinsel imgelere sahip olmakla birlikte, bu imgeleri toplumsal olarak oluşturulmuş bir benliğin bakış açısıyla göremez.[422]

Bu tür bilincin Geçiş için önemini belirtmeden önce, Edelman'ın üst düzey bilinci nasıl özetlediğini göstereceğim. Bu, *Homo sapiens*'in sahip olduğu tür bilinçtir:

Üst düzey bilinç, düşünen bir öznenin kendi hareketlerini ve ilgilerini tanımasını kapsar. Kişisel olanın ve şimdiki zamanın yanı sıra geçmişin ve geleceğin de bir modelini bünyesinde toplar... Bizim insan olma sıfatıyla, ilkel bilince ek olarak sahip olduğumuz şeydir... Biz bilinçli olduğumuzun bilincindeyiz... Anımsanan şimdiki zamanın tahakkümü nasıl kırılabilir? Yanıt şudur: Simgesel belleğe, toplumsal iletişim ve aktarmaya ilişkin yeni yöntemlerin gelişmesiyle. En gelişmiş biçimiyle bu, evrimsel dil yeteneği anlamına gelir. İnsanlar dile sahip olan tek tür olduğu için bu, üst düzey bilincin bizim türümüzde geliştiği anlamına gelir... [Üst düzey bilinç] toplumsal temeli olan bir benlik oluşturma, dünyayı geçmiş ve gelecek bakımından modelleme ve doğrudan farkında olma yetilerini kapsar. Bu yetenekler simgesel bir bellek olmadan gelişmez... Aynı türden başka bireylerle etkileşim sonucu elde edilen simgesel ilişkilerin uzun süreli depolanması, benlik algılaması için kritik öneme sahiptir.[423]

Daha önce söylediğim gibi, Edelman üst düzey bilincin evrimini nörobiyolojiyle ilgili olarak açıklar ama tüm ayrıntıları burada ele almamıza gerek yok. Üst düzey bilinç, önceden olduğu gibi, ilkel bilincin omuzları üstünde yükselir. Basitçe söylemek gerekirse, gelişim beyinde bulunan devasa karmaşıklıktaki yeniden devreye giren sinir devrelerinin evrimiyle sağlanmıştır. Bu devreler daha etkili bellek türleri yaratmıştır. Aslında, ilkel bilinç ile üst düzey bilinç arasındaki fark, üst düzey bilince sahip tek tür olan *Homo sapiens* türüne ait bireylerin daha iyi anımsaması ve belleği kendi kişisel kimliklerini geçmişe, şimdiki zamana ve geleceğe ait olaylara ilişkin zihinsel "sahneleri" şekillendirmek için kullanmasıdır. Konunun temel noktası budur.

Tam anlamıyla modern dilin üst düzey bilinç için olmazsa olmaz niteliğe sahip olması da bir gerçekliktir. Bu gözlemin doğal bir sonucu, dilin işitsel halüsinasyonlar yaşatma olasılığını yaratmasıdır: "İç sesler" ancak dil aracılığıyla insanlara ne yapmaları gerektiğini söyleyebilir. Görsel halüsinasyonlar böylece yeni bir boyut kazanır: Onları deneyimleyenlere konuşurlar. Şamanlar koruyucu ruhlarını "görmekle" kalmaz, ruhlar onlarla konuşur.

Bir tür bilinçten diğerine geçiş ne zaman gerçekleşmiştir? Edelman yıl anlamında bir tahminde bulunmasa da üst düzey bilincin hızla evrildiğine inanır. Gerçekte beyinde görece büyük değişiklikler (yeni bellek ve geri dönüş devrelerinin oluşumu) oluşturmak için görece az gen mutasyonu gerekir. Ama Edelman değişimin ne zaman olduğu konusuna değinmeyi reddeder.

ORTA PALEOLİTİK DÖNEMDEN ÜST PALEOLİTİK DÖNEME GEÇİŞİ YENİDEN DÜŞÜNMEK

Savımın amaçları çerçevesinde, 3. ve 4. bölümlerde özetlediğim yeni araştırmaları aklımda tutarak, üst düzey bilincin nörolojik olarak Afrika'da, Orta Doğu'ya ve Avrupa'ya ikinci göç dalgasından önce geliştiğini varsaymanın akla yatkın olduğuna inanıyorum. Üst düzey bilincin olanaklı kıldığı modern insan davranışı örüntüsü Afrika'da parça parça ve kesintilerle bir araya getirildi. Önceki bölümlerdeki yap boz parçaları artık yerine oturmaya başladı. Tam anlamıyla modern dil ile üst düzey bilincin, Edelman'ın öne sürdüğü gibi, bağlantılı olması olası görünüyor: Biri olmadan diğerinin olması mümkün değil. Bu, dilin kökenini araştıranların bazılarının değerlendirmediği bir noktadır. Tamamen modern dilin edinilmesinden söz ettiğimizde aslında üst düzey bilincin evriminden söz ediyor oluruz.

Kısaca, Batı Avrupa'da Geçiş sırasında, ilk Afrika dışı göçünü gerçekleştirenlerin soyundan gelen Neandertaller, ilkel bilincin bir türüne, *Homo sapiens* toplulukları da üst düzey bilince sahipti. Bu hipotez bazı kafa karıştırıcı konuları aydınlatmaktadır.

İlk olarak Neandertallerin komşularından neden bazı şeyleri ödünç alabildiklerini ama başka şeyler alamadığını açıklar. Çünkü bilinçleri ve dillerinin biçimi temel olarak "anımsanan şimdiki zamanla" sınırlıydı. Neandertaller ince bıçaklar yapmayı öğrenebiliyordu ama insanların ölümden sonra gittikleri ruhlar dünyasını zihinlerinde canlandıramıyordu. Geçmiş, şimdiki zaman ve gelecek kuşakların sınıflandırılmalarına dayanan toplumsal ayrımları da kavrayamıyorlardı. Ölülerin mezar eşyalarıyla birlikte özenle gömülmesi de bu nedenle anlamsızdı ama derhal gömülmeleri böyle görülmemiş olabilir. Sürülerin belirli zamanlarda belirli yerlerden göç etmesini öngören ve karmaşık planlama gerektiren dikkatli planlanmış avlanma stratejileri de olanak dışıydı. Sonuçta hemen şimdinin ötesine uzanan (gücün ve cinsiyetin egemen olduğu) toplumsal hiyerarşileri akılları almıyordu. Bazı şeyler öğrenebiliyorlardı ama başka şeyleri öğrenemiyorlardı. Edelman'ın tarif ettiği gibi, ilkel bilinç Neandertaller hakkında bildiklerimize uyar gibi görünüyor.

İkinci ve belki de daha kayda değer olarak, ilkel bilinçten üst düzeye geçiş, farklı bir deneyimin yaşanmasını ve insan bilinci spektrumunun toplumsal olarak kabul edilmiş şekliyle algılanmasını kolaylaştırdı. Daha gelişmiş bellek, düşlerin ve hayali görüntülerin uzun süre anımsanmasını ve bu anıların ruhlar dünyası içine inşa edilmesini mümkün kıldı. Aynı zamanda daha geniş bir bilinç yelpazesi, güce ve cinsiyete bağlı olmayan yeni bir toplumsal ayrımcılık aracı sağladı. Resmin Edelman'ın derinlemesine incelemediği parçası budur ama o da üst düzey bilincin terk edilmesi olarak adlandırdığı şeyin mistiklerin aradığı şey olup olmadığını merak etmiştir.[424] Mistikler, bilinç spektrumunun otistik uç noktalarını yalnızca kişisel tatmin için değil, aynı zamanda kendilerini başkalarından ayırmak amacıyla kullanan insanlardır.

Uyku, düş görme ve beynin değişmiş bilinç durumlarındaki etkinliği, nöronların elektrokimyasal işleyişinin ayrılmaz parçalarıdır. Düş görme "hızlı göz hareketi" (REM) uykusu sırasında gerçekleşir. Bu evre iyi bir uyku sırasında yaklaşık bir buçuk, iki saat kadar sürer. Öyle görünüyor ki bütün memeliler REM uykusu ve belki de düş görme deneyimi yaşar; daha ilkel bir sinir sistemine sahip olan sürüngenler böyle bir deneyim yaşamaz. 26 haftalık bir insan fetüsü tüm zamanını REM uykusunda geçirir. Bu nedenle düş görmenin, evrim sırasında, daha önce evrimleşmiş olan limbik sistemin talamokortikal sisteme tamamen eklemlendiği zaman ortaya çıkmış bir şey olması olası görünüyor.

Bazı araştırmacılar düşlerin, beyne ulaşan duyu girdilerinin büyük ölçüde azalması sonucu görüldüğüne inanır: Sinapslar şu ya da bu ölçüde rasgele ateşlenir, beyin özgürce davranmaya başlar ve meydana gelen imge akışlarından bir anlam çıkarmaya çalışır. Öyle olsa bile, yine de uykunun insanlar ve bazı hayvanlar için herhangi bir değeri olup olmadığını sorgulamamız gerekir; bir değeri yoksa neden evrimleşmiştir? Sonuçta uyku, tehlikeli bir çevrede hayatta kalma şansını azaltır. Bu sorunun yanıtı, beynin derin uyku sırasında, uyanık durumdan daha hızlı biçimde proteinler üretmesidir. Proteinler nöronların da aralarında olduğu hücrelerin işleyişlerini sürdürmeleri için son derece önemlidir, insan bedeni de uyku sırasında protein depolar.[425] Dolayısıyla uyku (derin uykudan önceki ve sonraki, düş görülen REM uykusuyla birlikte) psikolojik açıdan çok *biyolojik* olarak önemlidir, beyin de iyi biyolojik nedenlerle uykuyu kolaylaştıracak biçimde evrilmiştir. Düş görmenin kendisi için bir evrimsel seçilim olmamıştır – yalnızca protein üretimi için bir seçilim söz konusudur. Düş görme uyuma katkı sağlamayan ama uyumu da bozmayan bir yan üründür. Düşlerin içeriği özel bir anlam taşımaz. Yine de insanlar, ister tanrıların sesleri şeklinde, ister şeytanların saldırıları biçiminde olsun, düşlerin "açıklanmasını" gerekli bulmuştur. Freudçuların ve Jungçuların daha modern düş analizleri sadece düşlere bir anlam vermenin güncel bir yöntemidir. Kelimenin tam anlamıyla, böyle bir açıklama gerektirmeyen bir insani deneyimi anlamlandırmaya çalışan bir modern *mittir.*

Daha önce belirttiğim gibi, göründüğü kadarıyla köpekler ve başka hayvanlar da düş görür. Bu, onların davranışlarının ve EEG çalışmalarının gözlemlenmesiyle belirlenebilir.[426] Ama –ki burası temel noktadır– düşlerini ne anımsarlar ne de paylaşırlar. Ellerinde yalnızca kısıtlı bir ilkel bilinç türü varken, basit bir iletişim biçimine sahip olsalar da olmasalar da, bunun neden olduğunu artık anlayabiliriz. Öte yandan insanlar, düşlerini anımsayabilir ve birbirleriyle onlar hakkında konuşabilir. Böylece düş görmeyi toplumsallaştırabilirler: Belirli bir topluluktaki insanlar, düş görmenin ne anlama geldiği konusunda aşağı yukarı hemfikirdir.

Bu nokta bizi tekrar insan bilinci spektrumuna geri götürüyor. İnsanların spektrumun otistik ucunu toplumsallaştırmak dışında bir seçeneği yoktur.

Buna ait deneyimlerin bazılarına düş görmekle ilgi toplumsal olarak oluş-
turulmuş kavramlara uygun olarak değer verirler. Bu, yoğunlaştırılmış ve
tetiklenmiş rotadaki durumlar –hayali görüntüler ve halüsinasyonlar– için
de doğrudur. Bu deneyimler, insanlar üst düzey bilinçleri sayesinde onla-
rı anımsayabildikleri ve modern dilleriyle onlardan söz edebildikleri için
mümkün olur. Düşler ve görüntüler böylece, kaçınılmaz olarak, kişinin
toplumsallaşması ve insan olmanın ne olduğuna dair, zaman içinde değişen
kavramların içine çekilir.

Bu sava göre, *Homo sapiens*, bizim anladığımız biçimde düş görebiliyordu
ama Neandertaller göremiyordu: Onlar, ilkel bilincin kendilerine özgü dü-
zeyiyle, REM uykusu evrelerinden geçseler de, düşlerini anımsayamıyordu.
Bazı Homo sapiens komşuları onlara değişmiş bilinç durumlarını başlatmayı
göstermiş olsalar da hayali görüntüleri anlayamıyorlardı ve değişmiş bir du-
ruma girmeyi başarmış olsalar da (ki muhtemelen bunu yapabiliyorlardı) bu
sırada neler olduğuna dair belirgin bir şeyler anımsayamazlardı.

Bana göre *Homo sapiens* ile Neandertaller arasındaki bu fark, iki tür arasın-
daki ilişkilerde ve Geçiş döneminde başlayan ve Neandertaller yok olduktan
çok sonra Üst Paleolitik'in geri kalanında hızla yükselen imge yaratımının
doğmasında ve gelişmesinde en önemli etmen oldu. *Homo sapiens* topluluk-
ları Neandertallerin sahip olmadığı bir yetenekleri olduğunu fark etmişti:
Neandertaller doğuştan ateistti. *Homo sapiens*'in bu zihinsel alandaki daha
ileri yetenekleri, bu ayrımı, (kısmen) gördükleri hayali görüntüleri iki ve
üç boyutlu imgeler olarak ifade etme yoluyla beslemenin onlar için önemli
olmasını sağlamış olabilir.

O zaman, bu anlayış, bu bölümün başındaki soruya nasıl yanıt veriyor?
İnsanlar düz bir yüzey üzerindeki çizgilerin veya üç boyutlu bir kemik parçası
üstündeki oymaların bir hayvanı temsil ettiğini fark etmeye nasıl başladı?

İKİ BOYUTLU İMGELER

Sorunun yanıtı kısmen düşleri ve görüntüleri anımsama ve toplumsallaştır-
ma yeteneğinde, kısmen de değişmiş bilinç durumları sırasında deneyim-
lenen görsel imgelerin belirli bir özelliğinde yatar.

1920'lerin sonunda, Heinrich Klüver hem benim değişmiş bilincin 1.
Evre'si olarak adlandırdığım evredeki entoptik öğelerin hem de 3. Evre'deki
hayvanlara vb. ait simgesel zihinsel imgelerin duvarlarda, tavanlarda ve başka
yüzeylerde daha yoğun yer aldığını gözlemledi. [427] Bu yaygın bir deneyimdir
ve bu imgeler "hayal gücünüzün önünde yapılmış resimler"[428] ve "bir film
veya dia gösterisi"[429] gibi betimlenmiştir. Klüver ayrıca (art imge [*after-image*]
denen) bu imgelerin değişmiş bir durumdan uyandıktan sonra depreştiğini,

onların da tavana yansıtıldığını bulguladı.[430] Bu art imgeler birinin görüş alanı içinde bir ya da birkaç dakika asılı kalabilir. Reichel-Dolmatoff bu deneyimi doğrular: Tukanolar zihinsel imgelerini düz yüzeylere yansıtılmış şekilde görür ve bunlar art imge olarak bu yolla aylar boyunca yinelenir durur.[431] Bu nedenle elimizde imgelerin yüzeylere "bir sinema filmi veya dia gösterisi gibi" yansıtıldığı bir dizi durum olur. Bir insan değişmiş bir bilinç durumundayken de olabilir, beklenmedik biçimde, yersiz art imgeler ve daha önceki değişmiş bilinç durumlarının geriye dönüşleri olarak da.

İnsanlar üst düzey bilinç geliştirdikten sonra, yüzeylere yansıtılmış zihinsel imgeleri görme ve art imgeler deneyimleme yeteneği edindi. İki boyutlu imge muammasının yanıtının bu olduğunu öne sürüyorum. İnsanlar iki boyutlu imgeler "icat" etmedi; onları doğal işaretler ve "makarnalar" arasından da keşfetmedi. Tam tersine, dünyalarına zaten iki boyutlu imgeler bahşedilmişti; böyle imgeler, üst düzey bilinç bağlamında, insan sinir sisteminin değişmiş bilinç durumlarındaki işleyişinin bir ürünüydü.

Toplulukların bilincin, değişmiş durumlarını da içeren bütün spektrumu konusunda bir çeşit fikir birliğine varma ve bu spektrum boyunca hareket etmenin önemi konusunda ortak bir anlayışa varma ihtiyacı nedeniyle, grafik imgeler yapmaya başlamadan çok önce Üst Paleolitik dönem motif dağarcığını oluşturacak bir dizi ortak zihinsel imge geliştirmiş olacaklardı. Bu önceden oluşmuş olma düşüncesi motif dağarcığının Batı Avrupa'da Geçiş döneminin en başından itibaren yerleşmiş gibi göründüğünü açıklar (bununla birlikte, dağarcık içindeki vurgulamalar zaman içinde ve bölgeler arasında değişiklik gösterir).[432] İnsanların canlarının çektiği ne varsa onun resmini yaptığı, ardından da daha kısıtlı toplumsallaşmış imgeler yarattıkları bir dönem hiç yaşanmamıştır. Her şekilde, imge *yapmak* Şamanist bir toplumun temel özelliği değildir: Örneğin Kalahari Çölü'nde (binlerce yıldan beri) bugün yaşayan Sanların resim yapma geleneği yoktur. O kum çölünde üzerine resim yapabilecekleri kayalar yoktur. Yine de, bir yapı ölçüsüne karşın, trans halindeyken "gördükleri" bir hayvan dağarcığı ve ruhlar dünyasında yaşamayı bekledikleri kısıtlı sayıda bazı deneyimleri vardır. Şamanist toplumlar için temel olan zihinsel imgelemin düşünülmesi ve toplumsallaşmasıdır. İmgelerin grafik olarak ifade edilmeleri gerekmez.

O zaman insanlar yansıtılmış zihinsel imgelemlerden hayvanlara vb. ait temsili resimler yapmaya nasıl ulaştı? Belirli bir zamanda ve toplumsal nedenlerle değişmiş durumların yansıtılmış imgeleri yeterli olmamaya başladığını ve insanların görüntülerini "sabitleştirme" ihtiyacı duyduğunu öne süreceğim. Duygularla yüklü görüntülerine uzandılar ve onlara dokunmaya, parmaklarıyla belki de yumuşak yüzeyler üzerinde sabit tutmaya çalıştılar. Sadece *zaten var olan şeylere* dokunuyorlardı.

İlk iki boyutlu imgeler, bu nedenle, araştırmacıların her zaman varsaydığı gibi maddi dünyadaki üç boyutlu şeylerin iki boyutlu temsilleri değildi. Daha ziyade "sabitlenmiş" zihinsel imgelerdi. Büyük bir olasılıkla resimleri yapanlar bunların, Abelamların çizdikleri veya oydukları imgelerin maddi dünyadaki şeyleri temsil ettiğini düşündüklerinden daha çok, gerçek hayvanları "simgelediklerini" varsaymıyordu. Üst Paleolitik'in en başına geri dönüp bir ressamı resminin "gerçekçiliği" için övebilseydik, şüphecilikle karşılanacağımıza inanıyorum. "Ama" diyecekti ressam, "bu gerçek bir bizon *değil* ki: çevresinde dolaşamazsınız; sonra çok küçük. Bu bir 'görüntü', bir 'ruh bizon'. Onunla ilgili gerçek olan hiçbir şey yok." Bu imgeleri yaratanlar için resimler ve gravürler görüntülerin ta kendisiydi, görüntülerin temsilleri değil – tıpkı Güney Afrika San ve Kuzey Amerika şamanları için olduğu gibi (5. ve 6. Bölüm).

İnsanların yansıtılmış hayali görüntülerini *derin* değişmiş bilinç içinde "sabitledikleri"ni öne sürmüyorum. Görüntü arayanlar donakalmış veya "bilinçsiz" durumdayken mağaraların duvarlarına resim çizemezlerdi. Ama daha önce gördüğümüz gibi, görüntüler görürken bile hareket edilebilen ve çevrenin farkında olunabilen durumlar vardır. Görüntü arayıcıları daha az yoğun durumlarda, art imgeler deneyimlerken bu görüntüleri yakalamaya çalışmış veya daha uyanık bir duruma geçtiklerinde üzerinde görüntülerin yüzdüğü yüzeyler üstüne bu görüntüleri yeniden oluşturmuşlardır.

Bu görüşü destekleyen bir başka şey de Üst Paleolitik dönem duvar imgelerinin kendileridir: Değişmiş bilinç durumlarının imgeleriyle bazı ortak özellikleri vardır. Örneğin, duvar resimleri herhangi bir doğal ortamla bağlantılı değildir. Yalnızca çok nadir örneklerde (Rouffignac Mağarası) muhtemelen bir yer çizgisi olduğunu düşündürecek bir şey söz konusudur (kaya duvardaki doğal bir leke): Hayvanların yaşadığı çevreyi düşündürecek bir şey –ağaçlar, akarsular veya çayırlı ovalar– yoktur. Ayrıca, Üst Paleolitik dönem duvar resimlerinin, Halverson'ın zekice deyimiyle "kendi boşlukta salınma deneyimleri" vardır. "Birbirlerine göre boyut ve konum açısından ilişkisiz biçimde" yerleştirilmişlerdir.[433] Bu özellikler tam da bir zaman dilimi içinde birikmiş, yansıtılmış, sabitlenmiş zihinsel imgelerden beklenecek özelliklerdir. Zihinsel imgeler serbestçe ve herhangi bir doğal ortamdan bağımsız olarak boşlukta yüzer.

Boşlukta asılı olma izlenimi bazen iki özellikle daha güçlenir. Üst Paleolitik dönem duvar resimlerindeki hayvanların genellikle toynakları yoktur; bacaklar belirsiz biçimde sona erer, öyle ki bu durum bazı araştırmacılara ressamların toynaklarını saklayan otlaklarda duran hayvanların resimlerini yaptıklarını düşündürmüştür – ama tabii ki hiç ot görünmez (12. renkli resim). Başka araştırmacılar hayvanların ölü durumda çizildiklerini öne sürdü ama çoğu kez açık biçimde canlıdırlar. Toynakların olmamasının "ayakta durmanın" söz konusu olmaması anlamına geldiğini varsaymak daha akla yatkın. Sonra, toynak çizildiği zaman bile, bazen ayakta durur gibi değil asılı durumda resmedilmiştir (13. renkli resim). Lascaux'da başka alanlarda toynaklar, alt taraflarını ya da toynak izlerini gösterecek biçimde gösterilmiştir. Bu özelliklerin birleşik etkisi, Lascaux'da, imgelerin duvarların üstünde ve tavanda yüzermiş gibi göründüğü, böylece havada asılı, çevreyi kuşatan bir imgeler tüneli yaratan Eksen Galerisi'nde (9. Bölüm) veya Les Trois Frères'deki Kutak'ta yer alan yoğun biçimde oyulmuş panelde özellikle güçlüdür (44. resim).

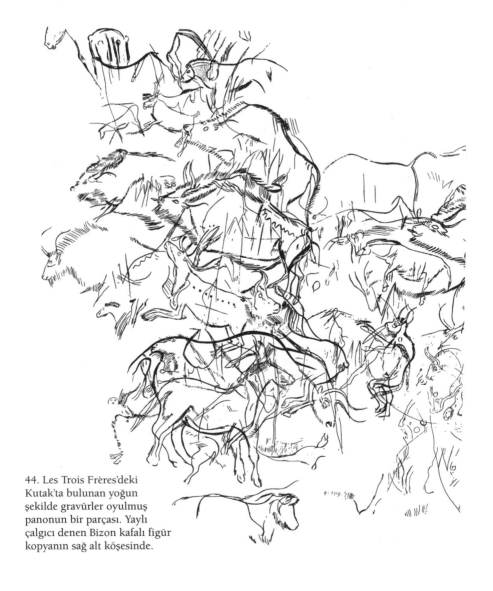

44. Les Trois Frères'deki Kutak'ta bulunan yoğun şekilde gravürler oyulmuş panonun bir parçası. Yaylı çalgıcı denen Bizon kafalı figür kopyanın sağ alt köşesinde.

Bu, tüm Üst Paleolitik dönem resimlerinin değişmiş bilinç durumları sırasında veya art imgeler deneyimlenirken sabitlenmiş imgeler oldukları anlamına gelmez. İlk adım atılır atılmaz Üst Paleolitik dönem sanatının gelişimi muhtemelen üç farklı yol izledi. Bir akım zihinsel imgeleri, onları deneyimleme sırasında oluşturmaya devam etti. İkinci bir akım anımsanan zihinsel imgelerden türetildi: İnsanlar deneyimin etkisinden çıktıktan sonra görüntülerini üzerinde asılı kaldıkları yüzeyleri yakından inceleyerek yeniden oluşturmaya çalıştı. Kaya duvara ve tavana yakından bakmakla kalmadılar, aynı zamanda dış hatlarını ve çıkıntılarını da hissettiler. Bazen, onlara göre zaten kaya yüzeyinde doğal olarak var olan görüntüyü/imgeyi tamamlamak için, yalnızca birkaç çizgi, belki bacaklar ve bir karın altı eklemeleri gerekti. Üçüncü bir akım, ilk iki akımın grafik ürünlerinin dikkatle izlenmesinden ve değişmiş bir durumu hiç deneyimlememiş birinin de bunları kopyalayabileceğini fark etmelerinden doğdu. Pek çok şaman, hayali görüntülerinde gördükleri ruh hayvanların gerçek hayvan sürülerine de karıştığına inanır; bu nedenle ruh hayvanları ile gerçek hayvanlar arasında bir bağlantı vardır. Bazı durumlarda gerçek veya ruh hayvanlarının büyük boyutlu resimleri yaygın olarak yapılmıştı: Bir kişinin konuya ve belki de işin genel hatlarına karar verme sorumluluğu olabilse de resmin yapılması için birkaç kişi işbirliği yapmıştı.

Bu önemli adımlar bir toplumsal değişim ve ayrım döneminde atıldı. Üst düzey bilinç bir toplumdaki küçük bir grup insanın, değişmiş bilinç deneyimlerini kendilerine mal etmelerini ve kendilerini, hangi nedenle olursa olsun, bu deneyimleri yaşamayanlardan ayırmalarını sağladı. Yoğunlaştırılmış spektrumun en uç noktası, görüntülere ulaşmak için gerekli tekniklerde ustalaşmış olanların tekelinde kaldı. Herkesin nörolojik olarak, değişmiş bilinç durumlarına girme potansiyeli olmasına karşın, bu durumlar toplumsal olarak herkese açık değildir.

İnsan bilinci spektrumu böylece bir toplumsal ayrımcılık aracı oldu – tek olmasa da önemli bir araç. Önemiyse spektrumun toplumsallaştırılmasının resim yapmaya yol açma biçiminde yatar. İmge yaratımı –en azından başta– görüntülerin sabitlenmesiyle ilişkili olduğu için, (daha geniş anlamına geri dönecek olursak) sanat ve din bir toplumsal katmanlaşma süreci içinde aynı anda doğmuştur. Sanat ve din bu nedenle toplumsal olarak ayrımcı nitelikteydi.

İlk bakışta, bu kadar tatsız bir düşünceyle telaşa kapılıp, sanatın ve dinin, toplumsal bütünlüğe geniş kapsamlı ve işlevselci biçimde doğrudan katkıda bulunmamaları nedeniyle, uzun süre ayakta kalamayacakları sonucuna ulaşılabilir. Aksine, toplumu ileri götüren şey, spektrumun bölünmesi süreciyle yaratılmış toplumsal ayrımcılıkların ta kendisiydi. Toplumsal bölünmeler ille de evrimsel uyuma engel olmaz; hatta çevreye uyum sağlamak için karmaşık toplumsal çareler bulunmasını kolaylaştırır.

ÜÇ BOYUTLU İMGELER

Şimdiye kadar geniş ölçüde iki boyutlu imgeleri ele aldım çünkü ilgi alanımız öncelikli olarak Üst Paleolitik dönem duvar sanatı ile o dönem insanlarının mağaralardan yararlanmaları konularını kapsıyor. Bununla birlikte üç boyutlu sanatı, 1. Bölüm'de betimlediğim taşınabilir sanatı da göz önüne almalıyız.

En eski üç boyutlu imgeler Güney Almanya'da Orinyasyen katmanlarında bulundu.[434] Parçalar derin mağaralardan değil, açık kaya barınaklardan geliyordu. Dört bölgenin radyokarbon tarihleri şöyle:

Vogelherd	31.900-23.600 yıl önce
Hohlenstein-Stadel	31.750 yıl önce
Geissenklösterle	35.000-32.000 yıl önce
Stratzing	31.790-28.400 yıl önce

Chauvet Mağarası'nın (yaklaşık 33.000 yıl öncesi) 1994 yılındaki keşfine kadar bunlar Üst Paleolitik dönem sanatının en eski parçalarıydı (45. resim). Çoğu parça ancak yaklaşık 5 cm uzunluğundaydı, bununla birlikte Hohlenstein-Stadel alanından aslan kafalı, özellikle çarpıcı bir yarı insan yarı hayvan figürü 29 cm'den biraz daha uzundur (46. resim). Mamut kemiğinden yapılma biri dışında figürlerin tamamına yakını mamut dişinden oyulmuştu. Fildişi malzeme mamut dişinin orta kısmından geliyordu; daha sert olan dış bölüm mızrak ve ok uçları için kullanılıyordu. Parçalar taş aletlerle oyulmuştu ama sonraki cilalama işlemi oyma sürecinin çoğu izini silmişti. Parçaları ayrıntılı olarak inceleyen Alman arkeolog Joachim Hahn cilalama işleminin hayvan postu veya ıslak kireçtaşıyla yapıldığına inanıyor. Yaptığı deneyler, en çok sergilenen parça olan Vogelherd atını yapmak için (45. resimde en üstteki örnek) yaklaşık 40 saat süre gerekmiş olduğunu gösteriyor.[435]

Vogelherd'de heykelcikler iki katmanda bulundu (en az on oturma katı vardı) ama bunlar birbiri üzerinde yer alan iki mekânda bulundu, bu gözlem de alanın uzun süre kullanıldığını düşündürüyordu. Heykelcikler ek olarak, alanlarda aynı zamanda delinmiş fildişi *bâtons de commandement* (bir ucunda bir delik olan ve politik güç simgesi olarak yorumlanan uzun, süslü asalar), delinmiş kurt dişleri ve fildişi kolye uçlarının yanı sıra ön kazıyıcılar ve oyma kalemleri de bulundu ama farklı türlerdeki eşyalar rasgele karıştırılmış bir durumda değildi. Vogelherd'de heykelcikler mağaranın dışındaki bir taş yontma alanından oldukça uzaktaydı ve kaya barınak içinde bir etkinlik alanı oluşturuyordu; Stadel'da heykelcikler barınağın içinde derinlerde bulunuyordu; Geissenklösterle'de iki eşya üretim merkezinin biraz dışındaydılar.[436] Bazılarının kolye ucu olarak kullanılmış olmalarının belli olmasına karşın, bu tür mekânsal ayrılma bunların gündelik şeyler veya dünyevi etkinliklerin bir parçası olmadığını düşündürür. Hahn kaya barınakların, zorlu koşulları olan bir çevrede zulalar veya depo alanları olarak kullanıldığı sonucuna varır. Gerçekten de haklı olabilir; Kuzey Amerika şamanlarının zulalarını anımsamak da zor değil.

Orinyasyen alanları veya onlar içindeki bölgeler özel yerler, ruhlar âlemine giriş noktaları olabilir.

Heykelciklerin temsil ettikleri türler arasında şunlar vardı:

> 4 kedigil
> 4 mamut
> 3 insan biçimli figür
> 2 bizon
> 1 ayı ve
> 1 at.[437]

Heykelciklerin geldiği aynı kaya barınaklarda bulunan hayvan kalıntıları çok daha fazla sayıda farklı türe –toplamda 21 türe– aitti; imge yaratıcıları kısıtlı sayıda hayvana yoğunlaşmıştı.[438] Parçaların az sayıda olması genelleştirmeleri tehlikeli kılsa da Hahn şu sonuca varır: "Duvar sanatında olduğu gibi, taşınabilir sanatta temsil edilen hayvan türleri, alanlardaki fauna kalıntısı kümelerinin göreli oranlarını basitçe tekrar etmez."[439] Heykelcikleri yapılan türlerin seçimi için yalnızca besin olmak dışında ölçütler devrededir. Magdalenyen'e gelindiğinde taşınabilir sanat, duvar sanatından daha geniş bir hayvan motifleri yelpazesi kapsıyordu.

Seçilen türlerin bütün Üst Paleolitik dönem duvar sanatında rastlananlara benzer olması son derece önemli. Ama genel olarak Üst Paleolitik dönem hayvanları içinde, Orinyasyen oymalar kedigillere belirgin biçimde daha fazla yer verir (ama yalnızca az sayıda parçanın bilindiği akılda tutulmalıdır). Bu vurgu, Güney Almanya'daki heykelciklerle aşağı yukarı çağdaş olan Orinyasyen alanı Chauvet Mağarası'nda bulunan ve nispeten çok sayıdaki kedigil duvar resimleri göz önüne alındığında özellikle ilginçtir.[440] Kedigillere ve aslında başka görünürde tehlikeli hayvanlara karşı, zaman içinde bir şekilde değişen, oldukça yaygın bir ilgi mi vardı? Eldeki kanıtlara dayanarak değerlendirildiğimizde bunun öyle olduğu görünüyor.

Bundan başka, heykelciklerin toynakları veya pençeleri hemen hiç gösterilmemiştir, bu da çok sayıda duvar resmini anımsatan bir özelliktir. Güney Almanya'daki Orinyasyen alanlarının hiçbirinde duvar sanatı yoktur ama taşınabilir sanat kazılarının birinde (Geissenklösterle) çok renkli, boyanmış bir kireç taşı bulunmuştur.⁴⁴¹ Bu alanda heykelcikler daha üstteki Orinyasyen katmanından, boyalı taş da daha alttakinden geliyordu.

Kanıt sağlam genellemeler yapmak için çok zayıf. Yine de şu soruyu sormamız gerekiyor: Üst Paleolitik dönem başlangıcında hem iki hem üç boyutlu sanatın ortaya çıkmasını nasıl açıklayabiliriz? Birinin diğerinden evrildiğine yönelik bir kanıt yok. İki sanatın açıklanması için iki farklı senaryo mu gereklidir, yoksa her ikisi de tek bir nedensel etmenler dizisiyle açıklanabilir mi?

Bu soruya yanıt olarak, iki boyutlu imgelerin doğuşunu açıklayan nörolojik mekanizmanın üç boyutlu imgelerin de ortaya çıkmasını açıkladığını öne süreceğim. Bu nasıl olmuş olabilir? Değişmiş bilinç durumlarında sinir sisteminin yansıttığı zihinsel imgeler yalnızca iki boyutlu yüzeyler üstünde görülmez. Tersine, derin değişmiş bilinç durumundaki insanlar küçük üç boyutlu halüsinasyonlar da görür. Eğer, Üst Paleolitik dönem topluluklarındaki (bazı) insanlar, daha önce öne sürdüğüm gibi, imgeleri mağara duvarlarına "sabitlemeden" önce bile bu imgelerle kuşatılmışlardıysa, bunlar hem iki hem üç boyutlu olacaktı.

Sonra, hayvan motifleri dağarcığının, genel anlamda, insanlar duvar resimleri yapmaya başlamadan *önce* yerleşmiş olması gerektiğini anımsamalıyız. Yerleşik, sınırlı bir dağarcık da Güney Almanya'daki Orinyasyenlerin heykelcik yapmaya başlamalarından önce var olmuş olmalı. İki boyutlu imgelerin kökeninin açıklamasının önceden var olan hayvan motifleri dağarcığıyla uyumlu olması gerektiği gibi, en eski üç boyutlu imgeler için yapılacak açıklamanın da bununla uyuşması gerekir. Ayrıca, sayısal oranlar dışında, bu dağarcıklar genel anlamda birbirine benzer. Bu, Üst Paleolitik dönem başlangıcında insanların bir dizi hayvan türünün onları özel kılan belirli bazı özellikleri veya anlamları olduğuna inandıkları anlamına gelir. Önceki bölümlerde ele aldığım farklı kanıtlar, bu özelliklerin ve anlamların koruyucu hayvanların şamanlara verdiği ve sonrasında çeşitli görevler yerine getirmek ve şamanların yeraltındaki veya yukarıdaki ruhlar dünyasına veya dünyanın başka yerlerine yaptıkları beden dışı yolculuklarda edindikleri hayvan biçimli karakteri oluşturmak için yararlanılan doğaüstü güçleri içerdiğini fazlasıyla ortaya koymaktadır. Bu önermelerden yola çıkarak bu hayvanlara ait fildişi, diş ve boynuz parçalarının bağlantılı niteliklere ve güçlere sahip olduklarını varsayabiliriz ki bunun için bolca etnografik kanıt vardır (9. Bölüm).

Şimdi, duvar resimleri yapmanın daha önce söz ettiğim özelliklerinden birine geri dönelim. Bu imgeler kaya duvarlara, imge yaratan ile ruhlar dünyası arasında var olan (dünyanın derinliklerini düşünecek olursak "perde" yerine) canlı zardan serbest bırakılmış veya elde edilmiş gibi çizilmemişti. Bazı örneklerde kayanın doğal özellikleri hayvanların bazı bölümlerinin yerine kullanılmıştı. Bu temel ilkenin muhtemelen üç boyutlu imge yapımı için de geçerli olduğunu öne süreceğim: İmgeyi oyan kişi yalnızca zaten malzemenin içinde bulunan şeyi serbest bırakmıştı. Bu, elbette, aralarında Batı kültürünün de olduğu pek çok kültürden heykeltıraşın söz ettiği iyi bilinen bir ilkedir. Orinyasyen üç boyutlu imge yaratıcıları, kendi bakış açılarından, ellerindeki başka koşullarda anlamsız olacak fildişi parçasına bir anlam (imge) eklemek yerine daha ziyade hayvan parçaları içinden hayvana ait özü serbest bırakmış olabilir. 9. Bölüm'de göreceğimiz gibi, birçok şamanist topluluk hayvanların kemiklerden yeniden yaratılabileceğine inanır. Bu, aslanların yalnızca aslan kemiklerinden, atların at kemiklerinden oyulabilecekleri anlamına gelmek zorunda değildir; avcı-toplayıcıların hayvan koleksiyonları veya simgeleri bundan daha esnektir. Daha önce gördüğümüz gibi, mamut dişi, heykelcikler için en çok tercih edilen hammaddeydi.

Hayvan gücü ve hayvan parçalarıyla ilgili inanışların hayvanlara ait, küçük, üç boyutlu halüsinasyonlarla nasıl bir araya geldiği açıktır. Zamana ve mekâna bağlı olarak değişiklik göstermiş olabilecek belirli bazı toplumsal koşullarda, belirli insanlar (şamanlar) yoğunlaştırılmış spektrumun en uç noktasında deneyimledikleri küçük, üç boyutlu, yansıtılmış zihinsel imgeler ile aile ocakları çevresinde yayılan hayvanlar arasında bir ilişki fark etti. Önemli türler kümesinin zaten yerleşmiş, paylaşılmış, hakkında konuşulmuş, görüntülerde ve düşlerde görülmüş olduğunu anımsayın. Daha sonraki kesme, kazıma ve cilalama işlemleri simgesel hayvanları fildişi parçalarının içinden serbest bırakarak üç boyutlu, somutlaştırılmış görüntüler haline getirirdi. Taşınabilir hayvan heykelcikleri bu nedenle süs eşyasından çok daha fazlasıydı: Bütün koruyucu özellikleri ve diğer özellikleriyle üç boyutlu somutlaştırılmış ruh hayvanlardı.

Mağaraların yeraltı dünyasından biraz uzaklaştık ve artık Orinyasyenlerin gündelik olarak kullandıkları açık kaya barınaklarda bulunuyoruz. Bu nedenle de taşınabilir sanatın, eldeki kanıtlara bakılırsa, Oirnyasyenden daha çeşitli hale geldiği Üst Paleolitik'in sonraki dönemlerinde, mağara duvarlarının belirli sabit bağlamlarında bulduğumuz kısıtlı sayıdaki motiflerden daha geniş bir yelpazedeki türlerin temsil edilmesi şaşırtıcı değil. Taşınabilir sanat, duvar resimlerinin yeraltındaki konumlarının belirlediği kısıtlı koşullardan daha çeşitli koşullar ve bağlamlarda yapılmaya başladı. Başlangıçtaki sabit görüntülü duvar resimlerinden doğan üç imge yaratma akımıyla olduğu gibi taşınabilir sanat ve geniş bir hayvan simgeciliği yelpazesi, eşya süsleme ve toplumsal açıdan anlamlı olan çeşitli beden süslemeleriyle ilişkilendirilmeye başladı.

Bütün kültürlerde seçilmiş hayvanlar, yalnızca tek bir anlama değil, bir çağrışımlar ve anlamlar spektrumuna veya dizisine sahip olur. At biçiminde oyulmuş bir kolye ucunun türün anlam yelpazesinin, derin bir mağaradaki bir at resminkiyle tamı tamına aynı bölümünü şifrelememiş olması yüksek bir olasılıktır. Bir imgenin bağlamı, dikkati çağrışım spektrumunun bir kesimine yönlendirir. Ama anlamın "yeraltı" odaklı yönü kolye ucuna fazladan güç veren bir yarıgölge olarak arka planda var olabilir.[442] San vaka çalışmasında şamanların avlara katıldığını görmüştük: Antilopları pusuda bekleyen avcılara doğru yönlendirdiklerine inanılırdı. Bu, genel anlamda "av büyüsü"nden anlaşılan şey değildir ama örneğin mızrak fırlatıcılara neden atlar oyulduğunu açıklamaya yönelik bir adım atmayı sağlar. Ruh atlar pekâlâ bazı şamanların koruyucu hayvanları olmuş olabilir; yeraltı zarının üstünde sabitlenmiş olarak görülmelerinin nedeni budur. Aynı zamanda bir at imgesini bir mızrak fırlatıcıyla ilişkilendirmek avcılıkla ilgi daha genel başarı ve güç çağrışımlarını vurgulamış olabilir. Benzer biçimde, bazı türlerin anlam spektrumları taşınabilir sanattan öbür dünyaya uzanmamıştı: Bunlar bu yüzden mağara sanatında yer almaz.

Benzer bir değişkenlik Orinyasyen sanatının coğrafi dağılımında da belirgindir: Sanat, göründüğü kadarıyla, Orinyasyen teknokültürünün evrensel bir unsuru değildi. Orta Fransa'da, Pireneler'de ve daha doğuda, Orta ve Yukarı Tuna havzalarında Orinyasyen sanat merkezleri vardı. Başka yerlerde de eşit derecede iyi korunmuş çok sayıda Orinyasyen merkezi vardır ama buralarda sanata dair bir şey yoktur.[443] İmge yaratmak için belirli bazı koşullar gerekliydi.

Bu koşulların anlaşılması için bir adım, Orinyasyen heykelciklerin yakından incelenmesiyle atılabilir (45. resim). Hahn,[444] Vogelherd atının, bir aygırın kısraklarını etkilemek için takındığı pozda olduğunu fark etmişti. Ge-

45. Vogelgerd'de bulunmuş bazı Orinyasyen heykelcikleri. Küçük atın pürüzsüz yüzeyine ters V işareti oyulmuş; diğer heykelcikler eğriler, haçlar ve noktalarla işaretlenmiş.

issenklösterle ayısı saldırgan biçimde ayakta gösterilir. Geriye doğru bakan üçgen kulaklarıyla iki Vogelherd aslanı, avını koruyan bir aslanın "ağzı açık ve gergin" pozisyonundadır. Her iki Stadel dişi aslan kafası ile Vogelherd dişi aslanı da tetikte gibi görünmektedir.[445] Bu etolojik kanıt dizisi Hahn'ı heykelciklerin güç ve kuvvet kavramlarını temsil ettiği sonucuna yöneltmiştir.[446] Ama ne tür bir güç ve kuvvet?

Thomas Dowson ve Martin Porr bu soruyu, temsil edilen hayvanların duruşlarını inceledikleri çalışmalarında yanıtlar. Heykelciklerin şamanizmin eski bir biçimiyle ilişkili oldukları sonucuna varırlar: "Bir değişmiş bilinç durumuna girmek genellikle tehlikeli bir etkinlik olarak görülür" ve "şamanların... yaptıkları işi gerçekleştirebilmek için... güçlü ve kuvvetli olmaları gerekir". Bu yorumu desteklemek için Dowson ve Porr, Hohlenstein-Stadel'da bulunan insan bedenli aslan başlı heykelciğe işaret eder (46. Resim). Haklı olarak ifade ettikleri gibi bir hayvana dönüşmek şamanizmin ayrılmaz parçalarından biridir. Heykelcikler için toplumsal ve kavramsal bağlamlar sunarken, parçaların bulunduğu konumlar arasındaki ayrıma dikkat çekip Orinyasyen şamanlarının işlerini nispeten münzevi biçimde icra ettiklerini belirtirler; bununla birlikte heykelciklerin kolye ucu olarak kullanılması, toplumsal olarak önemli olduklarını düşündürür.

Özetlediğim inançlar çerçevesinde, üç boyutlu imgelerin kökeninin iki boyutlu resimlerden belirgin biçimde farklı olmadığını görmek zor değil, çünkü aynı etmenler sonucu doğmuşlar. Bütün Üst Paleolitik dönem imge yaratımı aynı kavramsal temellerle desteklenmektedir.

YENİ BİR EŞİK

Bu bölümün başlığı dikkatle seçildi. İmge yaratımının, Batı Avrupa'daki Geçiş döneminde ortaya çıkan bir kaynağına eğildim. O belirli örnek için genel çerçevesini çizdiğim açıklama –üst düzey bilinç geliştikten sonra– başka yerlerde ve zamanlarda doğan, birbirlerinden bağımsız kökenleri dışlamaz. İmge yaratımı tek bir yerde doğmuş ve dünyaya yayılmış değildir. Başka zamanlardaki ve başka yerlerdeki koşullar, Batı Avrupa'da Orta Paleolitik'ten Üst Paleolitik'e Geçiş dönemi için betimlediklerimle aynı olmayabilir. Öne sürülmeleri yeterli değildir, hâlâ ka-

46. Hohlenstein-Stadel yarı insan yarı hayvanı. Kısmen insan, kısmen aslan biçiminde ve boyu yaklaşık 30 cm.

nıtlanmaları gerekmektedir. Açıklamamda herhangi bir mekanik nitelik yoktur. Ama yine de insanın sinirsel morfolojisi, değişen bilinç ve insanların bütün spektrumu akla uygun hâle getirmekten başka seçeneklerinin olmadığı yöntemlerle ilgili bazı evrensel noktaları vurgulamaktadır. Kendi yaşadığımız dönemden bildiğimiz üzere, insanların bilinç spektrumunun parçalarını nasıl adlandırdıkları ve değer verdikleri tartışmaya açık bir konudur. Aslında herhangi bir toplum içinde, spektrumun mantığa uygun hale getirilmesi her zaman ayrıştırıcı ve tartışmalı olacak gibi görünüyor.

Oluşturmaya başladığımız Geçiş resmi, sürüncemede kalan ve çözümsüz gibi görünen bazı problemleri çözmüştür. Artık, Neandertaller ile sonradan gelen *Homo sapiens* toplulukları arasında ortaya çıkmış olabilecek ilişki türünü daha iyi anlayabiliriz. Bugün dünyada deneyimleyebileceğimiz herhangi bir şeyden tamamen farklı bir ilişki türüne bir göz atabiliriz. Neandertallerin neden bazı etkinlikleri becerip diğerlerinde başarısız olduğunu anlamaya da başlayabiliriz.

Daha önemlisi, Homo sapiens kabilelerindeki toplumsal çalkantıları, üst düzey bilinç spektrumunun otistik ucunun toplumsallaştırılması ve imge yaratımıyla ilişkili karışıklıkları anlamaya başlayabiliriz. İnsanlık o zamanlar yeni toplumsal ayrımcılık türlerinin ortaya çıkmasının eşiğindeydi. Sonraki bölümlerde bu dönemde evrilme olasılığı olan toplum türünü ve imgelerin ve mağaraların oynamaya başladığı rolü daha yakından inceleyeceğiz.

8. BÖLÜM
ZİHİNDEKİ MAĞARA

Platon'un *Devlet*'inin en etkileyici bölümlerinden birinde Sokrates sadık öğrencisi Glaukon'a şöyle der: "İnsanları yerin altındaki, mağaraya benzer bir mekânın içinde kafada ve gözünde canlandır; bu mekânın, ışığın geldiği yönde, mağaranın kendisi kadar geniş bir ağzı (girişi) bulunmaktadır."[447] Bu mağarada çocukluklarından beri aynı durumda olan ve yalnızca insanların mağaranın girişinden taşıdığı heykellerin ve diğer nesnelerin gölgelerini görebilen zincire vurulmuş tutsaklar vardır. Bu gölgeler onların sabit bakışları önündeki duvara düşmektedir. Mağaralarının ötesindeki dünya hakkında hiçbir şey bilmeyen tutsaklar, Glaukon'un kolayca kabul ettiği gibi, gerçekliğe baktıklarına inanır. Aralarından –felsefeciyi simgeleyen– biri kaçmayı başarıp gölgelerin kaynağı olan arkadaki ışığa ulaşırsa ve geri dönüp tutsaklara gördükleri şeylerin gölgelerden başka bir şey olmadığını söylerse, kimse ona inanmaz.

Eğer, diye devam eder Sokrates, bilgisiz tutsakların bir "itibar ve övgü sistemi" varsa ve geçip giden gölgeler için en keskin göze sahip olana ve onları en iyi anımsayana ödüller veriyorlarsa, ödüllerinden yalnızca yukarıdaki ışığa ulaşmış birinin sözüyle vazgeçmek istemeyeceklerdir. O da ödül kazananlara duyulan saygıyı paylaşmaya geri dönmek istemeyecektir.

Bu oldukça rahatsız edici benzetmede, Üst Paleolitik dönem duvar resimleri araştırmamız için önemli çok şey var. Bizim bakış açımıza göre, yine de Sokrates'in söz etmediği önemli bir nokta bulunuyor. Bizim mağara örneğimizde yukarıdan gelen ışık tutsakların kendilerine ulaşır ve duvara onların zihinlerinin "gölge"lerini yansıtır, bu gölgeler böylece dışarıdaki nesnelerin gölgelerine karışarak çok boyutlu bir manzara oluşturur.

İlgi alanımız mağaradaki insanın zihniyle sınırlı değildir; zihindeki nörolojik mağarayı da hesaba katmamız gerekir. İnsan zihninin, Üst Paleolitik dönem mağaralarında, mağaraların yol açtığı duyu yoksunluğu veya değişmiş bilinç durumları yaratan birçok başka etmen sonucu ortaya çıkan davranma biçimlerinden bazılarını göz önüne alıyoruz. Bu durumlar arasında, daha önce gördüğümüz gibi, insanı sıkıştıran bir girdaba girme ve uzak bir yerde çıkıp kendi nedensellik ve dönüşüm koşulları olan bir halüsinasyon âlemine girme hissi vardır. Zihindeki mağara budur. Sonra bir de zihinsel imgelerin yüzeylere yansıtılması vardır. Bizim değişmiş durumlar hakkındaki bilgilerimize sahip kimse olmadığından, Üst Paleolitik dönem insanları, Sokrates'in tutsakları gibi, bu imgelerin ve deneyimlerin, kendi anladıkları biçimde "gerçekliğin" ayrılmaz bir parçası olduklarına inanıyor olmalıydı. Bu bölüm mağaradaki zihin ile jeomorfolojik mağaraların topografyalarının nasıl iç içe geçtiğini inceliyor.

Bunu başarabilmek için, şimdiye dek izlediğimiz farklı kanıt dizilerini daha sıkı biçimde öreceğim, aynı zamanda şamanizmi ele almaya devam edeceğim. Bir kuşkuyla, yazarların zaman zaman ortaya attığı zekice bir tahminle başladım. Şimdi bu kuşkunun doğrulanmasına ve gelecek bölümde de kanıtlarla desteklenmiş hipotezleri akılda tutarak belirli Üst Paleolitik dönem mağaralarını incelemeye geçiyorum. O noktada Üst Paleolitik dönem insanlarının, "gölgeleri" fark eden, anımsayan ve duvarlara sabitleyenleri nasıl "itibar ve övgüyle" ödüllendirdiklerini ele alacağım. Mağaraların nasıl kullanıldıklarını ve, en azından genel olarak, neden böyle süslendiklerini anlayabileceğiz. Kanıt dizilerimiz sağlam bir halat oluşturacak biçimde örülecek.

HİPOTEZ

Bütün olarak değerlendirildiğinde, önceki bölümler Batı Avrupa'daki Üst Paleolitik dönemde şamanizmin bir türünün var olduğunu düşünmek için iki ana neden olduğunu gösterdi:

Üst Paleolitik *Homo sapiens* beyinlerinin tam anlamıyla modern olduğu konusunda kuşku yok. Dolayısıyla düşler görüyorlardı ve hayali görüntüler deneyimleme potansiyeline sahiptiler. Bunun yanı sıra düşlerin ve görüntülerin ne oldukları ve ne anlama geldikleri konusunda ortak bir anlayışa varmaktan başka seçenekleri yoktu. Öte yandan nörolojik ve arkeolojik kanıtlar, Neandertallerin, diğer memeliler gibi, nörolojik olarak düşler ve görüntüler deneyimleme potansiyeli olduğunu ama bunları anlamlı bir biçimde anımsama, bunlara göre davranma veya toplumsal ayrımcılık için bir araç olarak kullanma yetenekleri olmadığını düşündürmektedir.

İkinci olarak, avcı-toplayıcı topluluklar arasında Şamanizm olarak adlandırdığımız şeyin yaygın olduğunu göstermiştik. Şamanizme ait unsurları başka dinlerle birleştiren toplumları göz ardı ederek, avcı-toplayıcı şamanizminin bana göre temel özelliklerini sıralamıştım (4. Bölüm). Aralarındaki farklar ne olursa olsun, ki hiç şüphesiz çok sayıdadır, bütün dünyadaki avcı-toplayıcı toplumların, genel tartışmamızda ve iki vaka çalışmasında belirttiğim görevleri yerine getirmek için değişmiş bilinç durumlarını kullanan din görevlileri vardır.[448] Şamanizmin geniş bir alana yayılmasının yalnızca, Orta Asya gibi coğrafi bir kaynaktan yayılma sonucu olmadığını öne süreceğim – bununla birlikte Kuzey Amerika'ya ilk gidenler hiç kuşkusuz yanlarında

Şaman inançlarını da götürmüştü. Bunun yerine insanın, sinir sisteminin değişmiş durumlara girebilme yeteneği ve bunun sonucunda doğan düşleri ve halüsinasyonları bir toplayıcı yaşam biçimi çerçevesinde anlamlandırma ihtiyacını içeren, çok eski, evrensel nörolojik mirasından söz etmeliyiz. Dünya üzerindeki Şamanist gelenekler arasındaki çarpıcı benzerliklerin başka bir açıklaması yok gibi görünüyor.

Bu iki nokta –eski tarihlere dayanma ve yaygınlık– birlikte ele alındığında, Batı Avrupa'daki Üst Paleolitik dönem avcı-toplayıcıların bir tür Şamanizm benimsemiş olduğu olasılığını düşündürüyor. Şamanizmin bu tarih öncesi dışavurumu büyük bir olasılıkla tarihsel olarak kaydedilmiş Şamanizm türlerinin hiçbiriyle *özdeş* değildi ama benzer temel özelliklere sahip olabilirdi. Üst Paleolitik dönem şamanizmin otuz bin yıldan fazla bir süre boyunca ve bütün Batı Avrupa'da durağan olması ve değişmeden kalması da çok olası görünmüyor. Ama Hıristiyanlıkla ilgili yaptığım benzetmenin ortaya koyduğu gibi (4. Bölüm), değişim toptan yok olma demek değildir, Üst Paleolitik dönem *şamanizmleri* de muhtemelen "Şamanizm" genel başlığı altında toplanabilirdi.

Şüphemiz bir hipotez olarak adlandırılmaya yetecek derecede sağlam temellere sahip gibi görünüyor. Kanıt dizilerini ördükçe bu hipotez için başka türden destekleri göz önüne almaya ve Üst Paleolitik dönem sanatının hangi kafa karıştırıcı özelliklerini açıkladığını görmeye geçebiliriz.

HAYVANLAR VE "İŞARETLER"

Üst Paleolitik dönem sanatının en şaşırtıcı özelliklerinden biri geometrik motiflerin hayvan imgeleriyle bir arada bulunmasıdır: Bazen yan yana bulunurlar bazen de üst üste. Lascaux'daki Apsis[449] veya Les Trois Frères'deki Kutak[450] gibi bazı panolar gerek temsili resimler, gerek geometrik şekillerle –iki tip imge arasında bir ilişki olması kaçınılmazcasına– yoğun biçimde kaplanmıştır. Bu ilişki ne olabilir?

Temsili resimlerin geometrik şekillerden veya "makarna" işaretlerinden evrilmiş olamayacağını görmüştük: Temsili olmayan işaretler, resim yapmanın cılız ilk denemeleri değildir. Peki ya iki imge tipinin, iki farklı, paralel ve muhtemelen birbirini tamamlayan grafik sistemlerden türediği savı?[451] Bazı araştırmacılar geometrik ve temsili imgeler arasındaki ilişkinin, bir kitaptaki metin ve çizimler arasındaki ilişkiyle karşılaştırılabileceğini düşünüyor: Her biri aynı şeyi söyler ama farklı yöntemlerle.

Aslında yanıt daha basit. Gördüğümüz gibi, bazı değişmiş durumlarda, insanın sinir sistemi hem geometrik hem de temsili imgeler oluşturur. İki tür imge birbirlerini, biri öncekini silecek şekilde izlemez; 3. Evre'de birlikte deneyimlenirler. Bütün dünyadaki Şamanist sanatla olan ilişkileri bu nedenle hiç şaşırtıcı değildir. Hatta bir adım daha ileri gidebiliriz. Sinir sisteminin değişmiş durumlardaki davranışı, Üst Paleolitik dönem sanatının şimdiye dek kullanılan bütün sınıflandırmalarının temelini oluşturan geometrik imgeler ile temsili imgeler arasındaki varsayımsal ikilik sorununu çözer. Bu sınıflandırmaların aksine, her iki imge tipi de temsili niteliktedir: Her ikisi de (karmaşık süreçler yoluyla) zihinsel imgeleri temsil eder, (en azından başlangıçta) maddi dünyaya ait şeyleri değil.

Konu burada sona ermiyor. Nöropsikolojik model (4. Bölüm) Üst Paleolitik dönem imgelerine uygulandığında *bütün* aşamaların temsil edildiğini görürüz. Bu model Üst Paleolitik dönem sanatını daha iyi kavrayabilmek için yapılan ilk girişimlerden biriydi; bu girişim genel iddiaların ve kanıt desteğinden yoksun etnografik benzetmelerin ötesine geçmişti. Gelgelelim çok yanlış anlaşılmaya başladı: Modelin kapsamı entoptik olaylardan çok daha geniştir. Hipoteze, pek çok yazarın yaptığı gibi, "entoptik açıklama" veya "entoptik kuram" demek doğru değildir. Aslına bakılırsa, Üst Paleolitik dönem mağara sanatında, tıpkı Güney Afrika Şamanist kaya resimlerinde olduğu gibi, entoptik olayların açık biçimde resmedilmesi çok nadirdir (öte yandan gravürlerde bunlara daha çok rastlanır). Hem Üst Paleolitik dönemindeki hem San kabilesinden kaya ressamları 1. Evre entoptik olaylarından daha ziyade 3. Evre halüsinasyonlarıyla ilgilenmişlerdi. Dikkat çekici olan şey, modelin her üç evresine de göndermede bulunan Üst Paleolitik dönem imgelerinin olmasıdır; bu da değişmiş durumlardaki zihinsel imgelemle bir bağlantı olduğuna ilişkin savı güçlendirir. Entoptik biçimleri (1. Evre), yorum yüklenmiş imgeleri (2. Evre) ve temsili ve entoptik imgelerin başkalaşımlarını ve kaynaşmalarını buluruz (3. Evre).[452] Her bir evreye atfedilebilecek imge boyutları zamana ve yere bağlı olarak değişiklik gösterir.

Bununla birlikte, bilinen entoptik türlerin hiçbirine uymayan Üst Paleolitik dönem "işaretleri" de buluyoruz. 47. resim bu bazı entoptik olmayan motifleri gösteriyor. Bunlar arasında beyzbol sopası biçiminde, bir kenarında şişkinlik bulunan dikey çizgiler ile kulübe biçimli motifler vardır. Bu ayrım ileriye doğru önemli bir adımdır çünkü entoptik olmayan "işaretleri" ele almamıza ve bunların hayvan motifleriyle nasıl bir ilişki içinde olduğunu, entoptik unsurları incelediğimizden farklı bir bakış açısıyla görmemize yardımcı olur. Anlam, entoptik imgenin (aslında tüm imgelerin) kendi doğası içinde olmayıp ona belirli kültürel bağlamlar içinde atfedilen bir şey olduğu için, Üst Paleolitik dönem sanatına ait "işaretlerin" o dönemdeki insanlar için ne anlam ifade ettiklerini bilmiyoruz. Batı Avrupa'nın Cro-Magnonları Güney Amerikalı Tukanolar değildir, bu nedenle bu Amazon halkının geometrik zihinsel imgelerine yükledikleri ve Reichel-Dolmatoff'un keşfettiği anlamları, Üst Paleolitik dönem resimlerine ve gravürlerine aktaramayız.

47. Üst Paleolitik dönem işaretlerinin hepsi laboratuvar araştırmalarının ortaya koyduğu entoptik olaylara ait şekillere uymaz. Bunlar arasında klaviform denen beyzbol sopası biçimleri ile kulübe biçimli tektiformlar vardır.

Entoptik ve entoptik olmayan imgelerin anlamlarını bir gün çözüp çözemeyeceğimizi hâlâ bilmiyoruz; bu konuda hiç de karamsar değilim. Bugün en azından *bazılarının* entoptik biçimlere benzediğini söyleyebiliyoruz. Bu motifler, anlamları açısından değilse de kökenleri açısından değişmiş bilinç durumları çerçevesinde açıklanabilir. Dolayısıyla Üst Paleolitik dönem duvar sanatının Şamanist nitelikte olduğu yönündeki hipotezin önerdiği genel örüntüye uymaktadırlar.

İNSAN AKLININ ALAMAYACAĞI MAĞARALAR

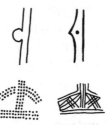

Üst Paleolitik dönem imgelerinin bir başka son derece kafa karıştırıcı özelliği daha hipotezimizle aydınlığa kavuştu, dahası daha ayrıntılı, başka sorulara ve yanıtlara yöneltti. Hipotezin araştırmayı teşvik edici potansiyeli böylece ortaya çıkmış oldu: Araştırmalara nokta koymuyor, cesaret vererek başka soruların sorulmasını sağlıyor.

Şimdi söz ettiğim özellik imgelerin ışığın girmediği ve anlaşılan insanların nadiren ziyaret ettiği, derin, genellikle küçük yeraltı çevre ve koşullarında yerleştirilmiş olması. Bu konumlar, birkaç kişinin imgeleri seyretmek ve başka etkinliklerde bulunmak için bir araya gelmiş olabileceği, yine tamamen karanlık olan daha geniş odalara bağlıdır. Sonra bir de açık havada ve mağaraların girişinde yer alan imgeler vardır; bunlar iyi aydınlatılmıştır. İmgelerin gündelik yaşam düzeyinden yeraltı mağaralarına, sonra da bazı durumlarda ancak tehlikeli ve labirent gibi geçitlerden geçmeyi başararak ulaşılabilen mekânlara inmesi duvar sanatının Üst Paleolitik dönem evreninin katmanlarını birbirine bağlayan kültürel bir ürün olduğunu düşündürür. Lévi-Straussçu bakış açısıyla, Üst Paleolitik dönem sanatının "yerüstü/ yeraltı" ikili karşıtlığının iki öğesi arasında aracılık yaptığı veya bir bağlantı oluşturduğu söylenebilir.

Bu çıkarım, Üst Paleolitik dönem şamanizminden söz etmek ve yalnızca dinsel inanç ve ritüel hakkında değil, kozmoloji hakkında da bir beyanda bulunmak anlamına gelir; sanki bu konular ikincil olaylarmış, dolayısıyla Üst Paleolitik dönem yaşamını anlamamız için çok önemli değilmiş gibi. Ekonomik, toplumsal veya dinsel boyutlarıyla bütün yaşam, belirli bir evren anlayışı içinde yer alır ve onunla etkileşim içindedir. Başka türlü olamaz. Önceki bölümlerde gördüğümüz gibi Şamanist kozmolojinin, ilk olarak, iki âlemden, maddi dünya ve ruhlar âleminden oluştuğu tasavvur edilir. Ruhlar dünyasının, genellikle kendi başına var olmanın yanı sıra maddi dünyayla da birleştiği olur. Aynı zamanda bu iki âlem alt bölümlere ayrılmış ve katmanlı olarak düşünülür, Şamanist toplumun toplumsal karmaşıklığı arttıkça kozmosun alt bölümlerinin sayısı da artar. Tek bir, yekpare "Şamanist evren" yoktur. Nörolojik "donanım"ın bir parçası olan, evrensel uçma ve dar bir tünelden geçme hislerinin muhtemelen bu kavramlara yol açtığını da görmüştük.

Şimdi Üst Paleolitik dönem mağaralarına girişin, derin trans deneyimlerine ve halüsinasyonlarına yol açan zihinsel girdaba girmekten hiç de farkı olmadığını öne süreceğim. Yeraltı geçitleri ve odaları öbür dünyanın "iç organlarıydı"; buralara girmek yeraltı dünyasına hem fiziksel hem ruhsal olarak girmekti. "Ruhani" deneyimler böylece topografik somutluk kazanıyordu. Üst Paleolitik dönem insanları için bir mağaraya girmek, ruhlar dünyasına girmekti. Süsleme imgeleri bilinmeyene doğru giden bir yolu (muhtemelen sözlük anlamında da) aydınlatıyordu.

Bir adım ileri gidebiliriz. Değişmiş bilinç durumları yalnızca katmanlı bir evren kavramları yaratmakla kalmaz, aynı zamanda o evrenin farklı bölümlerine erişim sağlar ve böylece bu ayrımları sürekli olarak geçerli kılar. Katmanlı şamanist evren ve gerçekliğinin "kanıtı", kapalı bir deneyimsel yaratım ve doğrulama sistemi oluşturur. Her ne nedenle olursa olsun, yoğunlaştırılmış rotanın uzak ucuna veya mağaralara erişimi olmayan insanlar bile, yine de evrenlerinin yapısını, düşlerinin onlara sağladığı bir başka âleme ait daha geçici, anlık görüntüler aracılığıyla doğrulayabiliyordu. Ruhlar dünyasının yaratıklarına ve dönüşümlerine kısaca ve eksik biçimde bir göz atmak, onlara göre şamanların oraya gerçekten gittiklerinin ve ayrıntılı anlatımlarıyla geri döndüklerinin yeterli kanıtıydı. Bu insanlar, Sokrates'in birbirleriyle konuşabilen ama yalnızca birbirlerinin geçen gölgelerle ilgili görüşlerini onaylayan tutsakları gibiydi.

Üst Paleolitik dönem yeraltı geçitleri ve odaları, dolayısıyla, evrenin ruhsal, yeraltı katmanıyla temas etme, hatta buraya girme olanağı sağlıyordu. İnsanların oralarda yaptıkları imgeler öbür dünyayla (yeraltı âlemiyle) ilgiliydi. İmgeler yeraltına taşınıp oraya konmuyordu –yukarıdaki dünyanın insanların belleğinde kalan resimleri değildi– orada elde edilip sabitleniyordu. Halüsinasyonlar veya ruhlar dünyası, resimlerdeki ve gravürlerdeki imgeleriyle birlikte, böylece somutlaştırılmış ve kozmolojik olarak titizlikle konumlanmıştı; yalnızca insanların düşüncelerinde ve zihinlerinde var olan bir şey değildi. Ruhani öbür dünya, somut ve maddi olarak *oradaydı*, bazı insanlar da mağaralara girip topluluğun şamanlarına güç veren ruh hayvanların "sabitlenmiş" görüntülerini kendi gözleriyle görerek ve belki de bu yeraltı mekânlarında görüntüler deneyimleyerek deneysel olarak doğrulayabilirdi.

Ayrıca, imge yaratımı yalnızca ruhlar dünyasında yer almakla kalmadı, aynı zamanda o dünyayı biçimlendirdi ve adım adım yarattı. Her imge gizli varlıkları görünür kıldı. Bu nedenle mağaraların belirli topografyası, ansızın değişebilen zihinsel imgelem ve insanlar ve gruplar tarafından görüntü sabitleme arasında verimli bir etkileşim vardı; zaman içinde imgeler birikerek ruhlar dünyasını hem maddi olarak (mağaralarda) hem kavramsal olarak (insanların zihinlerinde) değişime uğrattı. Ruhlar dünyası, yukarıdaki toplumsal dünya gibi, bir ölçüde biçimlendirilebilir nitelikteydi; insanlar onunla yakın ilişkiye girebilir ve onu bir dereceye kadar biçimlendirebilirdi. Çoğu örnekte bu biçimlendirme, zaten orada olanlara yeni imgeler eklemek veya yepyeni bir pano yaratmaya başlamak şeklinde gerçekleşiyordu. Bununla birlikte çok nadir bazı örneklerdeyse var olan imgelerin silinmeye çalışıldığı anlaşılıyor. Örneğin Cosquer Mağarası'nda el izlerinin üstü, sanki yok edilmek amacıyla boydan boya çizilmiş, Chauvet'de ise imgeler yüzeyden kazınarak yok edilmiş gibi görünüyor.[453]

CANLI BİR KANIT

Mağaraların yeraltı dünyasının iç organları olduğu düşüncesi, bizi Üst Paleolitik dönem sanatının Şamanist hipotez dışında açıklanması zor bir başka özelliğine yönlendiriyor. Daha önce gördüğümüz gibi, Üst Paleolitik dönem sanatının en iyi bilinen ve en istikrarlı özelliklerinden biri, imge yaratıcılarının üzerine imgelerini yerleştirdikleri kaya yüzeylerin özelliklerinden yararlanmış olmalarıdır. Neredeyse bütün mağaralarda bunun örnekleri vardır, çok sayıda yazar da bunun ortaya koyduğu bilmece hakkında yorumda bulunmuştur.[454] Daha önce verdiklerime bazı örnekler ekleyeceğim; bunlar bir araya getirildiklerinde "ölü" gibi görünen mağara duvarları hakkında önemli bir sonuca varmamızı sağlayacak.

Üst Paleolitik dönem imgeleri, bazen küçük veya görünürde önemsiz bir yumru veya çıkıntı bir hayvanın gözünü oluşturacak şekilde yerleştirilir. Bazı yumrular o kadar küçüktür ki görme yoluyla değil dokunma yoluyla bulunup seçildiklerinden kuşkulanılabilir. Titrek ateşli lambaların loş ışığında duvarları hafifçe yoklayan parmaklar bir çıkıntı bulmuş, hayvan keşfetmeye hazır zihinler de bunu bir göz olarak kabul etmişti. Bazı durumlarda dokunma, hayali bir hayvanın anımsanmasına veya yeniden yaratılmasına yardım etmiş olabilir. Derin trans sırasında veya art imge olarak bir görüntü deneyimlemiş bir görüntü arayıcısı, daha uyanık bir durumda ruh hayvanın nerede olduğuna yönelik işaretler için duvara büyük bir dikkatle dokunmuştu.

Daha büyük bir boyutta, Comarque'taki bir doğal kaya, burun delikleri ve ağzıyla çok gerçekçi bir at kafasını temsil eder gibi görünür (48. resim).[455] Bir oymacı yalnızca şekli tamamlamış ve ona bazı ayrıntılar eklemiştir. Sonra, bazı insan figürlerinde de zaman zaman kayanın doğal özellikleri kullanılmıştır. Le Portel'de örneğin, iki kırmızı konturla çizilmiş insan figürü, dikit çıkıntılarının figürlerin penisleri olacağı biçimde çizilmiştir (15. renkli resim).[456]

Özellikle aydınlatıcı ve iyi bilinen bir örnek, bir bizon resminin bir sarkıtın pürüzlü yüzeyine tam denk gelecek biçimde çizildiği Castillo'dadır (Cantabria): Sanatçı kaya şeklinin içinde bizonun sırtını, kuyruğunu ve arka bacağını ayırt etmiştir (49. resim). Bunun hayvanı dikey pozisyonda çizmesi anlamına gelmesi dikkat çekicidir.[457] Ama bu onun için önemli değilmiş gibi görünüyor. Tersine, ortaya çıkan imge, zihinsel imgeler ile mağaranın dışındaki maddi dünyada bulunan, yaşamın doğal seyri içinde normalde yatay durumda yürüyen veya ayakta duran hayvanlar arasındaki farklardan birine örnek teşkil eder. Castillolu sanatçı, bir hayvanın resmini herhangi birinin mağaranın dışında görebileceği biçimde çizmeye çalışmıyordu; bunun yerine "havada asılı" bir görüntüyü yeniden oluşturuyordu. 7. Bölüm'de gördüğümüz gibi Üst Paleolitik dönem imgeleri kayanın üstünde "havada asılı" gibi görünür; yüzeyin bir özelliğiyle bağlandıklarında mutlaka gerçekçi bir duruşta olmaları gerekmez.

Şimdiye dek hayvanların yandan görünüşlerini gösteren resimlerden söz ettim. Buna karşın, Niaux'daki Salon Noir'da bir sanatçı, kayadaki bir deliğe boynuzlar ekleyerek belirli bir açıdan bakıldığında önden görünen bir geyik kafasına benzeyen bir imge yaratmıştı (50. resim).[458] Üst Paleolitik dönem insanları Altamira'da, mağaranın en derin bölümü At Kuyruğu'nda benzer bir etki oluşturmuşu: Kayadaki doğal şekiller, çizilmiş gözlerin ve bir örnekte de bir sakalı temsil etme olasılığı olan siyah bir lekenin eklenmesiyle değiştirilmişti.[459] Bu dar geçidin sonuna ulaşan ve mağaranın çıkışına doğru geri dönen ziyaretçiler, kaya duvarlardan gözlerini dikip bakarmış gibi görünen yüzlerle karşılaşır (4. ve 5. renkli resim). Benzer bir etki Pirene eteklerindeki Gargas'da da yaratılmıştır.[460] Belki daha da çarpıcısı Rouffignac'ta çizilmiş bir at başı resmidir (51. resim). Burada at başı duvarda bir çıkıntı yapan bir çakmaktaşı yumrusunun üstüne resmedilmiştir; hayvanın geri kalanı sanki duvarın "içindeymiş" gibi görünür.

48. Kısmen doğal, kısmen yontulmuş bu kaya bir at başını temsil ediyor (Comarque, Dordogne).

49. Castillo, İspanya'daki bir sarkıtın üstüne, düşey bir bizon imgesi yaratmak için birkaç çizgi eklenmiş.

50. Niaux'daki Salon Noir'da bulunan bir kaya duvardaki delik, önden görünen bir geyik kafasına benzer. Üst Paleolitik dönem insanları doğal şekle duvardan dışarı bakan bir geyik kafası görünümünü belirginleştirmek için boynuzlar eklemiş.

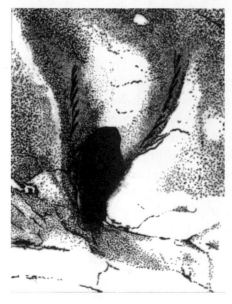

Bu ve buna benzer imgelerin yarattığı etki, insan veya hayvan yüzlerinin kaya duvardan dışarı doğru baktıkları izlenimidir. Figürler yalnızca yüzeye çizilmiş değildir; mağaranın, yeraltı dünyasının bir parçasını oluştururlar. Bu yolla insanın müdahalesi topografyanın anlamını değiştirmiştir. Bu anlam ne olabilir?

Kuzey Amerika vaka çalışmasında şamanların, genellikle uzakta ıssız bir yerde, bazen yüksek bir kayalığın zirvesinde bazense bir mağarada oruç tutmak, meditasyon yapmak ve Şamanist uygulamalar için gereken gücü veren

51. Rouffignac,
Dordogne'un duvarında
bir çıkıntı yapan bir
çakmaktaşı yumrusunun
üstüne çizilmiş bir at başı,
hayvanın kayanın içinde
olduğu izlenimi verir.

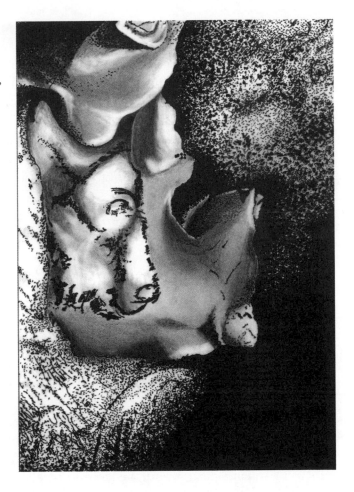

koruyucu hayvanı gördükleri bir değişmiş bilinç durumunu başlatmak üzere bir görüntü arayışına çıktıklarını görmüştük.[461] Bu bölümde ve önceki bölümlerde bir araya getirdiğim, özellikle Üst Paleolitik dönem mağaralarının küçük, gizli köşeleriyle ilişkili kanıtlar, mağaraların kullanılma amaçlarından *birinin* bir tür görüntü arayışı olduğu düşüncesini akla getiriyor.[462] Lascaux'daki Kedigiller Çıkmazı ve Altamira'daki At Kuyruğu gibi uzak, sessiz ve zifiri karanlık odaların yarattığı duyusal yoksunluk, kesinlikle değişmiş bilinç durumları doğurur.[463] Arayıcılar değişmiş durumlarının çeşitli evrelerinde, kaya yüzeyinin kıvrımları ve çatlaklarında, görme ve dokunma yoluyla güçlü hayvanların görüntülerini aramıştı. Kaya sanki bu işi göze alanlar ile çok katlı evrenin en alt düzeylerinden biri arasında canlı bir zar gibiydi; zarın arkasında ruh hayvanlarının ve ruhların bulunduğu bir âlem uzanıyordu, mağaraların geçitleri ve odaları o dünyanın derinliklerine giriyordu.

Bu fikir, Kuzey Meksika'daki Huichol halkıyla çalışmalar yürüten antropolog Barbara Myerhoff'un deneyimini anımsatıyor. Myerhoff halüsinasyon yaratan bir bitki olan peyote yuttuktan sonra yaşadıklarını şöyle anlatır: "Küçük bir mitolojik hayvana odaklanarak oturdum... Küçük şey ve ben ipten yapılma bir resmin içine girmiştik ve o da resmin tam ortasında oturuyordu. Onun gittikçe silikleşmesini sonra da bir delikte kaybolmasını izledim." İpten yapılma resim denen şey yapışkan bir yüzeye renkli ipler yapıştırılarak yapılır; genellikle halüsinasyon deneyimlerini ve mitolojik kavramları temsil eder. Resmedilmiş imgelerin içine bu yolla girmek muhtemelen Üst Paleolitik ve Güney Afrika şamanist deneyimlerinin de bir parçasıydı.[464]

ELLE TUTULUR BİR "ÖBÜR DÜNYA"

Bu açıklama, süslenmiş mağaraların bir başka gizemli özelliğine uzanır: Çok sayıda mağaranın duvarlarına çeşitli dokunma biçimlerine.

Marsilya yakınlarında, girişi buzul dönemi sonunda yükselen deniz seviyesiyle sular altında kalmış Cosquer Mağarası gibi bazı alanlarda, parmak oyuğu denen yivler duvarların çoğunu ve tavanların, hatta insan boyunu aşan yüksekliklerdeki bazı bölümlerini kaplar (14. renkli resim). İnsanlar mağara duvarlarının şekillendirilebilecek tüm yüzeylerinde çamur üzerinde iki, üç ya da dört parmakla izler bırakmıştır. Cosquer'in bugün sular altındaki giriş geçidinin üzerinde, parmak izleri birkaç metre yüksekte bulunur ve yapılmaları için ilkel merdivenler gerekmiştir.[465] Aslında Cosquer'de parmak oyuklarının olmadığı tek bölüm kireçtaşının aşınmasıyla oluşan yumuşak çamur tabakasının olmadığı yerlerdir.[466] 2-3 mm derinliğindeki bu oyukların bazılarının kesitleri, bunların parmakla değil, bir tür aletle, belki ince çizgiler bırakan çentikleri olan bir çakmaktaşı bıçakla yapıldığını düşündürür ama bu izler parmaklar arasında tutulan çakıl parçaları veya kırık tırnaklarla da yapılmış olabilir.

Yaratılan örüntüler, düz çizgi, eğri veya zikzaklar halindedir; bazılarının üzerinden ikinci kez geçilmiştir, bu nedenle de tamamen rasgele yapılmadıklarından emin olabiliriz – şekillerin bir önemi vardır. Bizim açımızdan, bazı entoptik unsurları anımsatırlar ama bundan daha fazlası söz konusudur. Cosquer'de, parmak oyukları, her durumda, üstlerine yapılmış resimler için bir fon oluşturur. Bununla birlikte, bir örnekte iki kırmızı el izi parmak oyukların altında kalır. Dolayısıyla Cosquer'deki el izleri ve parmak oyukları geçici bir grup iz oluşturuyor gibi görünmektedir.

Mağaralardaki bu tür işlemler, Batı Avrupa'da Üst Paleolitik dönemde genellikle kabul edildiğinden daha yaygındır; belki de araştırmacılar parmak oyuklarının hayvan imgelerinden daha sıkıcı olduğunu düşünmüş, bu nedenle de bunları göz ardı etme eğiliminde olmuştur. Bununla birlikte Fransa'nın Lot ilindeki kaya sanatını inceleyen Fransız arkeolog Michel Lorblanchet ayrıntılı ve değerli bir çalışma yürütmüştür. Pech Merle Mağarası'nda 120 metrekareye varan bir alanda parmak izleri bulmuştur: "Fazla zorlanmadan ulaşılabilen tüm kil duvarlar bu izleri taşır."⁴⁶⁷ İşaretlerin çoğu yetişkinler tarafından yapılmış gibidir ama iki çizgi grubu kesinlikle bir kadının veya bir ergenin küçük elleriyle yapılmıştır. Bu ikinci olasılık Pech Merle'in zeminindeki yaklaşık bir düzine ergen veya çocuk ayak iziyle desteklenebilir.⁴⁶⁸

Lorblanchet temsili imgelerin rasgele yapılmış gibi görünen birkaç parmak oyuğunun içine kaynaştırıldığını buldu ama haklı olarak basit parmak işaretlerinin resimlere evrildiği görüşünü reddetti. ⁴⁶⁹ Yine de ilgisinin merkezinde "makarnalar" değil, fark edilebilen imgeler vardı. Sonuçta, parmakla oyuklar yapma işlemini, "boşluktan ve karmaşadan yaratıklar oluşturan" yaratılış mitolojisiyle ilişkili olarak gördü. Gelgelelim parmak oyukları kendi başlarına anlamları olduğunu düşündürecek kadar sık, temsili resimler olmaksızın, tek başlarına bulunur.

Bu sonuç İspanya'daki Hornos de la Peña'da kanıtlanmıştır. El oyukları burada, Cosquer veya Pech Merle'dekinden daha kısıtlı bir dağılım gösterir: Bir yerde parmakla çizilmiş bir "kafes" doğal bir deliği çevreler ve sanki ondan çıkıyormuş izlenimi yaratır (16. renkli resim).⁴⁷⁰ Hornos de la Peña'daki mağara duvarlarının bir başka dikkat çekici kullanımında, duvarlardaki delikler çamurla kaplanmış, sonra da parmaklarla veya çubuklarla delinmiş gibi görünüyor.⁴⁷¹

Cosquer'deki yüzey işlemleri parmak oyuklarının ötesine geçmiştir. Bazı yerlerde, geniş alanlar sanki insanlar yumuşak, yapışkan kil toplamak istemişler gibi bir çeşit aletle sıyrılmış; sert yüzeylerde sıyırma işlemi uygulanmamış.⁴⁷² Duvarlardan sökülmüş olması gereken kil miktarına ilişkin elimizde neredeyse hiç ipucu yok; tabii yeni su altında kalmış bölgelerde birikmiş olmadığı sürece, bu durumda da mağaranın dışına taşınmış olmalı. Çatlaklardan kırmızı kil de sıyrılmış ve görünüşe göre mağaranın dışına taşınmış. Su basması nedeniyle kesinlikle emin olmak mümkün olmasa da, kilin bir amaç için değerli bulunduğu görünüyor, beden süslemesi için mi, yoksa boya üretimi veya deri giysiler için mi kullanıldığını bilemiyoruz.

Parmak oyuklarının anlamının ne olduğuna ilişkin soruya, Londra Arkeoloji Enstitüsü başkanı Peter Ucko şu yanıtı veriyor: "Böylesi bir eylemin doğasını anlamak, bugün bizim için mümkün değildir."⁴⁷³ Jean Clottes ve Jean Courtin de parmak oyukları karşısında hâlâ şaşkın durumdadır. Şöyle sorarlar: "İnsanların – bilebildiğimiz kadarıyla kendilerinden önce kimsenin girmeye cesaret edemediği, yerin korkutucu olduğu kadar gizemli derinliğinde bulunduklarını işaret etmek dışında ne gibi bir amaçları olabilir?"⁴⁷⁴ Bu önemli soruya, mağaralarda insanların bununla ilgili olduğuna inandığım bir etkinlik biçimini ele aldıktan sonra yanıt vereceğim.

İLK ELDEN DENEYİM

Aslında parmak oyukları kanıtı bizi Üst Paleolitik'in en çok konuşulan özelliklerinden birini –el izleri– yeni bir yaklaşımla değerlendirmek için elverişli bir duruma sokuyor. Araştırmacılar, el izlerini bazı açılardan parmak oyuklarını ve "makarnaları" ele aldıkları biçimde araştırmışlardır: Oyuklar arasında ayırt edilebilir imgeler ararken bile el *imgesi* yapma eylemi yerine daha ziyade imgenin kendisiyle ilgilenmişlerdir. 5. ve 6. bölümler bir imgenin kendisinin ve onu yapma eyleminin, sadece toplumsal etkinlik ve inançlar gerektiren daha uzun bir işlem zincirinin parçası olduklarına inanmak için güçlü nedenler olduğunu göstermiştir.

1. Bölüm'de gördüğümüz gibi, iki tür el izi vardır: Pozitif ve negatif. Pozitif el izleri avuç içine ve parmaklara boya sürdükten sonra eli kaya duvara bastırarak yapılmıştır. Negatif izler elin kayanın üstüne konması ve sonra elin ve çevresindeki kayanın üstüne boya püskürtülmesi yoluyla yapılmıştır; el çekildikten sonra el izi kalıyordu.

El izlerinin etkileyici bir çeşitlemesi Chauvet Mağarası'nda bulunmuştur. Burada uzaktan bakıldığında büyük kırmızı noktalar gibi görünen iki pano vardır. Araştırmacılar sonunda ayaklarının altındaki Üst Paleolitik'ten kalma zemini bozmadan kayaya yaklaşabildiklerinde noktaların aslında avuç izleri olduklarını fark etti. Boya avuç boşluğuna yerleştirilmiş ve kayaya tokatlanmıştı; bazı yerlerde el izinden aşağı süzülen boya damlaları ve daha silik parmak izleri görülebilir. Her izin sol tarafında, başparmak ile işaret parmağı arasındaki boşluğun bıraktığı hafif bir çentik var; hepsi sağ elle yapılmış. Bu teknik şimdilik yalnızca Chauvet'ye özgü.[475]

Şamanist katmanlı evren ve kaya duvarın insanlar ile yeraltındaki ruhlar dünyası arasında bulunan bir zar olmasıyla ilgili daha önce belirttiğimiz noktalar hesaba katılacak olursa, el baskıları yapma eyleminin, sonuçta ortaya çıkan el imgesi kadar (hatta belki ondan daha) önemli olduğunu göz önünde bulundurmamız gerekir. El izinin, hiç şüphesiz, genellikle öne sürüldüğü gibi, belirli bir kişinin oradaki varlığını belirtiyor olması son derece mümkündür ama Chauvet'deki bütün bir panonun tek elden çıkmış izlenimini vermesi, en azından bu örnek için bu olasılığı azaltır. Ayrıca bir el izi belirli bir kişinin varlığını gösteriyorsa yapıldığı koşulları sorgulamamız gerekir. İnsanlar mağaraların derinliklerine boya götürmek zorundaydı; el izleri anlık bir kararla yapılmış değildi. İnsanlar derin mağaralarda el izlerinin olmasını neden istemiş olabilir?

Bir kez daha, bu sorunun yanıtı, resim yapmaktan ziyade kaya yüzeyine dokunma eylemiyle ilgiliymiş gibi görünüyor. Negatif izler örneğinde, boya elin tamamını, bazen de çevredeki kaya ile birlikte bileğin bir bölümünü de kaplayacak biçimde uygulanırdı (52. resim). El böylece bir boya katmanı arkasında "kaybolurdu"; duvarın "içine mühürlenirdi". Pozitif el izlerinde boya, eli kayaya bağlayan bir aracı tabakaydı. Boyanın sırf teknik bir malzeme olarak ele alınmaması gerektiğini görmüştük (5. bölüm); muhtemelen kendine ait bir anlamı ve gücü de vardı. Belki de kayayı "eritip" gerisindeki âlemle yakından temas kurmayı sağlayan güç aşılanmış bir tür "çözücüydü".

Üst Paleolitik dönem boyalarının kayda değer bir madde olmalarının önemi Chauvet'deki avuç izleriyle kanıtlanmıştır. Bir panoda 48 iz vardır; diğerindeyse 92. İzlerin boyutları ve anatomik özellikleri her bir panonun bir kişi, muhtemelen genç biri veya bir kadın tarafından yapıldığını gösterir ama iki pano aynı kişi tarafından boyanmamıştır. 48 noktalı pano sol taraftaki net, bir tam el iziyle başlatılmış gibi görünüyor; avuç içleri sonradan eklenmiş ama ilk el izinin üstüne gelmemelerine dikkat edilmiş. 92 izli panoda tam el izi bulunmaz; hayal meyal görülen parmak izleri de kazayla olmuş gibidir. Ele her iz için boya konmadığı açıktır çünkü bazılarının avuç ortasındaki boya kalınlığı daha azdır. Ama bazı izlerden aşağı süzülen boya akıntıları bana bu eylemin, en azından kısmen, boyanın ara sıra duvar yüzeyinden süzüleceği kadar çok kırmızı boyanın yüzeye uygulanacağı biçimde tasarlandığını düşündürüyor.

Enlène gibi başka mağaralarda, Galerie du Fond'da [Dip Galerisi] küçük noktalar ve boya darbeleri vardır – imgeler yoktur, yalnızca kırmızı işaretler bulunur (1. resim). Bu derin ve sapa mekânda yerleştirilmiş olmalarının gösterdiği gibi, işaretler kazayla yapılmış olamaz. Burada kaya üstünde az miktarda da olsa boya bulunması önemliymiş gibi görünüyor. Son derece güçlü bir madde olan boyanın "zar" üzerine uygulanması önemli bir eylemdi.

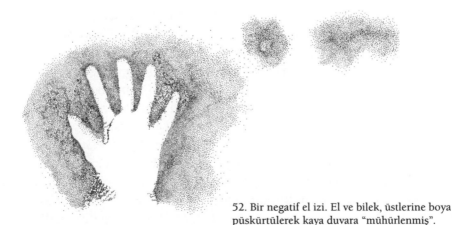

52. Bir negatif el izi. El ve bilek, üstlerine boya püskürtülerek kaya duvara "mühürlenmiş".

Boya püskürtme eylemi de, yalnızca teknik bir işlem olduğunu düşünmemek adına, dikkatli biçimde ele alınmalıdır. Avustralya'da önemli bir antropoloji deneyimi olan Lorblanchet, Pech Merle Mağarası'ndaki püskürtme el izlerini ve imgeleri, Aborijinlerin boyama teknikleri hakkında öğrendikleri ışığında inceledi. Fransa'daki çalışmasının bir parçası olarak, Pech Merle'de bulunan, altı negatif el izini de içeren karmaşık "benekli atlar" panosunu (19. renkli resim) tekrar oluşturmaya girişti. El izlerinin iki atın çevresine, atların çizimlerinin tamamlanmasından sonra eklendiğini bulguladı. Buradaki el izlerinin temsili at imgeleriyle bütünleşik olarak ilişkili oldukları konusunda pek şüphe yok; birlikte anlamlı bir "kompozisyon" oluşturuyorlar.

> Atların bazı bölümlerinin de kayaya boya püskürtme yoluyla yapıldığını gördü. Püskürtme işlemini yinelemek için kömür tozu kullandı:
>
> Ağzıma kömür tozu koydum, çiğnedim, tükürük ve suyla sulandırdım. Miktarı suyla artırılmış kömür tozu tükürük karışımı mağara duvarına iyi yapışan bir boya oluşturur... [El izlerini] yeniden üretmek için her iki elimi de kullandım ama sağ elimin izi gibi görünecek şeyi yapmak için sol elimin tersini duvara koymanın daha kolay olduğunu gördüm.[476]

Paris'teki bir zehirlenme kontrol merkezi Lorblanchet'yi, kazayla yutulması durumunda "ciddi sağlık sorunları tehlikesi" yaşayacağı için, Üst Paleolitik dönem sanatçılarının kullandığı pigmentlerden manganez dioksitle deney yapmaması konusunda uyardı.

Üst Paleolitik "benekli atlarının" önünde durup uzun süre seyrettiğimde ilginç bir şey fark ettim. Ellerimin, sağ taraftaki atın arkasının üstünde yer alan iki siyah ize rahatlıkla ve aynı anda uyduğunu gördüm (tabii ki ellerimin kayaya değmemesi için dikkat ettim). İki el izinin arasındaki kayanın ağzıma yaklaşacak biçimde çıkıntı yaptığını da fark ettim. Bu noktada kaya, tam benim durduğum yerde her iki eli kayaya dayanmış bir kişinin ağzından çıkmış olabilecek çok hafif kırmızı bir boyayla lekelenmişti. Orada öylece durduğum sırada, bedenim at resmine yakındı; atı neredeyse kucaklayacak gibiydim, yüzüm de "zardan" birkaç santimetre uzaktaydı.

Lorblanchet'nin bu panodaki el izlerinin ayrı ayrı yapıldığına ve izlerin boyutlarının aynı olmasının bir tek kişi tarafından yapıldıkları anlamına geldiğine inanmasına karşın, çıkardığı sonuçların kaçınılmaz olduğunu sanmıyorum. En alçaktaki el izi örneğin, mağaranın kaya zeminine yüzükoyun yatmış birinin sağ eliyle yapılmış; iz o kadar alçakta ki bu kişinin bileği ve dirsek altı zeminle temas etmek zorunda olmuş olmalı. Yüzükoyun yatan birinin bu pozisyonda elinin üstüne boya üflemesi, belki tamamen olanaksız olmasa bile, çok zor olurdu. Boyanın elini duvarın üzerinde tutan kişi tarafından değil, bir başkası, belki de "ayin yöneten" denebilecek biri tarafından püskürtülmüş olması gerektiği olası görünüyor. Boya püskürtmeye birden fazla kişinin katılmış olması da mümkün; küçük bir grup sırayla boya püskürtme sürecinde yer almış olabilir. En azından bazı izlerin buna benzer bir işbirliğiyle yapıldığı Gargas'daki bir örnekle doğrulanmış gibi görünüyor; burada bir çocuğun eli ve dirsek altı, çocuğun kolundaki tutuşu görülen bir yetişkin tarafından kayaya bastırılmış; çocuk boyayı püskürtmemişti.

"Benekli at" panosunun bir kopyasını yapma deneyiminin bir sonucu olarak Lorblanchet şu çıkarımı yapar:

Tükürerek resim yapma yönteminin kendisinin, eski insanlar için sıra dışı simgesel bir önemi varmış gibi görünüyor. İnsan varlığının en derin dışavurumu olan insan nefesi, kelimenin tam anlamıyla mağara duvarına yaşam üfler. Ressam varlığını kayaya yansıtarak atlara dönüşürdü. Bir yapıt ile yaratıcısı arasında bundan daha yakın ve doğrudan iletişim olamaz.[477]

Artık parmak oyuklarının ortaya koyduğu sorulara geri dönebiliriz. Üst Paleolitik insanlarının ruhlar dünyasının yeraltı odalarının ve geçitlerinin ince, zarımsı duvarlarının ardında olduğuna inandıklarını kabul edersek, parmak oyuklarının, el izlerinin ve başka türlü anlaşılmaz olan davranışların çoğuna akılcı, hatta tamamen kesin bir açıklama getirilebilir. İnsanlar mağara duvarlarına, oldukları şey ve yüzeylerinin arkasında var olan şeyler nedeniyle çok çeşitli biçimlerde dokunmuş, saygı duymuş, resimler yapmış ve onları ritüel amaçlı kullanmıştır. Duvarlar anlamsız altlıklar değildir. Son derece yoğun bir bağlamın bir parçasıdır; bu bağlam, şimdi öne süreceğim gibi, dinsel metaforların ilk özgün örneklerinden birinin kanıtını oluşturur.

KARANLIK VE IŞIK

Bazen bir kaya yüzeyindeki kıvrım, birinin elindeki ışık kaynağı doğru pozisyonda tutulursa, bir hayvanın sırt çizgisini oluşturur; bir sanatçı gölgeye sadece bacaklar ve bazı başka özellikler eklemiştir. Niaux'da kayadaki bir kıvrımın bir bizonun sırtını temsil edecek biçimde kullanıldığı özellikle güzel bir örneği vardır (17. ve 18. renkli resim). Belirgin biçimde kambur sırt çizgisi, bir ışık kaynağı sol tarafta ve imgenin biraz altında tutulduğunda net olarak görülür. Castillo bizonu gibi (49. resim) bu Niaux hayvanı da kayanın doğal özelliğinden yararlanmak için dik pozisyonda yerleştirilmiştir. Benzer biçimde, Pech Merle'de sağ tarafta bulunan "benekli atın" kafası da, özellikle ışık kaynağı belirli bir durumdayken –yine imgenin solundayken– kayanın doğal bir özelliği kullanılarak ortaya konmuştur. Bu örnekte ressam at resminin kafasını grotesk biçimde küçülterek biçimini bozmuştur; kaya şeklinin kendisi, içine çizilmiş kafadan daha gerçekçi boyutlara sahiptir. Kaya sanki akla "at" getirmekteydi ama sanatçı yine de doğaya uygun değil, bilinçli olarak, kısmen de olsa çarpıtılmış bir at, belki de bir tür olarak fark edilebilen ama açıkça "gerçek" olmayan bir "ruh at" çizmişti. Bir resmin tamamlanması için gölgelerin kullanılması tekniği, genellikle varsayıldığından daha yaygındır:[478] İnsanlar, hareket eden gölgelerin hayali etkileşimlerini güç aramak ve o gücün imgelerini yaratmak için kullanmıştı.

Bu örneklerde, aranmakta olan hayvan basitçe kaya kıvrımları arasında "keşfedilmemişti". İnsan müdahalesiyle *ve* ışık-karanlık gibi iki unsur arasındaki bir etkileşimden yaratılmıştı. Işık dünyasını terk edip karanlık yeraltı âlemine giren ressam veya ressamlar bir lamba veya meşale taşırdı. Bu titrek ışık, arayıcıların hâkim olması gerektiği ve kanıtların düşündürdüğü gibi, başka vahiyler için kullandıkları bir şeydi.

Işık ve gölgeden doğan bu imgelerin ortaya koyduğu önemli bir karşılıklılık vardır. Bir yandan imgenin yaratıcısı onu kendi yetkesinde tutar: Işık kaynağının bir hareketi imgenin karanlığın içinden ortaya çıkmasını sağlar; bir başka hareket yok olmasına neden olur. Yaratıcı, imgeyi kontrol eder. Öte yandan imge de yaratıcısını kendi yetkesinde tutar: Yaratıcı veya sonradan ona bakan biri imgenin görünür durumda kalmasını istiyorsa ışık kaynağını belirli bir pozisyonda tutacak bir durumda kalması gerekir. Bakan kişi yorulup ışığı aşağı indirirse, imge zarın arkasındaki âleme geri çekilirmiş gibi görünür. Işık ve karanlıktan doğan bu "yaratıklar" (yaratımlar), insan ile ruh, sanatçı ile imge, bakan kişi ile imge arasındaki karmaşık etkileşimi belki diğer tüm Üst Paleolitik imgelerinden daha çok ortaya koyar. Üst Paleolitik mağara resimlerinde, sadece bakılmak için yapılmış resimlerden çok daha fazlası vardır: İmgelerin bir bölümü temel bir metafordan kaynaklanır.

Bu sonuç mağaralarda bulunmuş bazı lambalarla desteklenmektedir. Ateşin kontrollü kullanımının tarihi yarım milyon yıldan öncesine dayanır ama ateş Üst Paleolitik dönem başlangıcında lambalarda kullanılmaya başlamıştır; lambalar *Homo sapiens*'in bir buluşuydu. Bilinen örneklerin çoğu Fransa'da bulunmuştur; İspanya'dan, Almanya'dan veya daha doğudan gelen lambalara daha az rastlanır. Üst Paleolitik dönem lambalarıyla ilgili ayrıntılı bir çalışma yürüten arkeologlar Sophie de Beaune ve Randall White, lamba üreten toplulukların belirli bir bölgeyle sınırlı olduğu sonucuna vardı.[479] Bu, gördüğümüz gibi, aynı zamanda mağara sanatının yaygın olduğu bölgedir.

Çoğu lamba, içine don yağı konabilen doğal bir boşluğu olan kaba taş parçalarıydı; fitiller yosundan, kozalaklı bitkilerden ve ardıçtan yapılıyordu. Çok parlak bir ışık vermezlerdi. De Beaune ve White 5 m boyundaki bir panodaki imgelerin renklerini doğru olarak algılayabilmek için 150 kadar lambanın gerektiğini tahmin ediyor; her lambanın duvardan yaklaşık 50 cm uzakta yerleştirilmeleri gerekiyordu. Bir yerde bu kadar çok lambanın bulunması pek olası görünmüyor. Bu nedenle lambalara ek olarak genellikle kızıl çamdan meşaleler kullanılmış olabilir. Ama yalnızca lambaların kullanıldığı mağaralarda resimlere bakanlar, resimleri ve gravürleri, her bir boşluğa girebilecek kadar güçlü ışık veren elektrikli aydınlatmalar kullandığımız bugünkünden çok farklı biçimde deneyimlemiş olmalı. Küçük yağ kandilleriyle bir duvarın herhangi bir anda ancak sınırlı bölümleri görülebilir ve De Beaune ile White'ın söz ettiği gibi "Hayvanların karanlığın içinden aniden somutlaşması çok güçlü bir sanrıdır."[480]

Bazı lambalar açıkça "özel" lambalardı. Bunlardan biri, kazıların, daha işin başında Üst Paleolitik dönem sanatının eski tarihini kanıtladığı La Mouthe'ta (Dordogne) bulundu (8. resim). Bu, çok güzel biçimlendirilmiş, derin olmayan taş bir kâseydi. Alt tarafına uzun kıvrık boynuzları olan bir dağ keçisi oyulmuştu. At, bizon ve ren geyiği resimleri kadar sık olmasa da dağ keçisi gravürleri La Mouthe duvarlarına diğer türlerle yakın ilişkide olacak biçimde oyulmuştu.

Lascaux'dan bir başka örnek ise kumtaşından yapılmıştır ama bunun bir "sapı" vardır (53. resim). Sapın ortasında tüm sap boyunca uzanan bir çizgi oyulmuştur. Çizginin bir ucuna doğru, bir tarafta dört ayrı işaret, diğer tarafta da çizginin diğer ucuna doğru bir takım benzer çizikler bulunur. Hayvan resimleriyle birlikte bulunan buna benzer işaretlere Lascaux'nun her yerindeki duvarlarda rastlanır. Bunların çoğu boyayla yapılmıştır ama –sapa konumdaki Kedigiller Çıkmazı'nda bulunan– biri oyulmuştur. Bu lamba, mağaranın bir sonraki bölümde söz edeceğim bölgesi "Kuyu"nun dibinde bulunmuştu.

Her iki lambanın da üstünde bulunan imgeler, bu nedenle, bulundukları mağaraların duvar sanatıyla ilişkilidir. İlk bakışta lambalar üstündeki imgelerin süsleme amaçlı yapıldığı varsayılabilir. Ama Şamanist evren, bazı imgelerle ışık arasındaki ilişki ve yeraltı dünyasının iç organlarına girmenin anlamı hakkında şimdiye dek ortaya koyduğum noktalar, ışığın ve lambaların işe yarayan basit bir araçtan çok daha fazlası olduğunu düşündürüyor. Hem

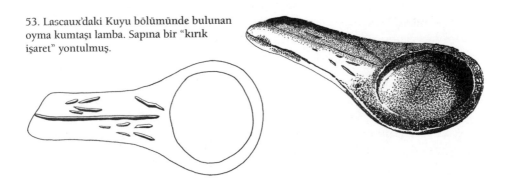

53. Lascaux'daki Kuyu bölümünde bulunan oyma kumtaşı lamba. Sapına bir "kırık işaret" yontulmuş.

hayvanlar hem geometrik motifler, bir şekilde, ışık-karanlık metaforuyla ilişkiliydi.

Işık-karanlık ikili metaforunun insanların mağaralara girmeye başlamasından önce doğmuş olması, elbette oldukça mümkün. Gündüz ve gece, yaptıkları farklı çağrışımlarla bu metaforu çok önceden yaratmış olan koşullar olabilir. Metafor yaratıldıktan sonra muhtemelen mağaralarla ve yeraltındaki öbür dünyayla ilgili inançları kapsayacak ve biçimlendirecek biçimde kullanılmaya başladı. Aslında, Üst Paleolitik dönem süresince bu önemli ikili metaforun, her ne kadar günümüze kadar Batı geleneği boyunca süregelen muhtemelen farklı biçimlerde de olsa, ölüm ve yaşam, iyi ve kötü kavramlarını da içeren çok sayıda anlam için bir araç olması olasılığı var gibi görünüyor.

Pek çok yazar yaşamımızın bir parçası olan, yaşamımıza anlam ve yön veren, çevremizdeki dünyaya ve diğer insanlara tepki verme biçimlerimizi yapılandıran metaforları ele almıştır.[481] Işık ve karanlık bu metaforlardan biridir. Ama daha yakın tarihte doğmuş olan diğerlerinin aksine, ışık-karanlık metaforunun kökeni Üst Paleolitik döneme kadar gider.

KARŞI DUVARDAN BİR YANKI

Işık ile karanlık ve Üst Paleolitik dönem sanatının ele aldığım diğer özellikleri görme duyusuna odaklanıyordu. Ama değişmiş bilinç durumlarında, *tüm* duyular halüsinasyon deneyimler. Hayali görüntüleri ve halüsinasyonları bu denli yoğun kılan işte bu karmaşıklıktır.

Sokrates zincirli tutsaklar kavramını geliştirdiğinde bu noktaya değinmişti. Mağaranın girişinden içeriye araç gereç taşıyanlar konuşacak olsa ve "karşılarındaki arka duvardan bir ses yankısı olsa", mağaradakilerin "bu sesin önlerindeki duvara yansımış gölgelerden başka bir yerden gelmemiş olacağını" düşüneceklerini öne sürmüştü.

Şamanist inançta, imgeler ve görüntüler sessiz değildir: Konuşur, hayvan sesleri çıkarır ve iletişim kurarlar. Örneğin, koruyucu ruhlar arayan bir Grönland İnuit şamanı bir buzul içindeki bir girişe gitmişti. Ruhlara seslendikten sonra, "buzaltı" dünyasına girmesini söyleyen bir ses duydu. Orada, karanlıklar içinde homurdayan bir ayıyla karşılaştı.[482]

Ses, Peru'daki Chashinahua yağmur ormanlarında *Banisteriopsis* [ayahuasca bikisi] kaynaklı translarda da önemli bir rol oynar:

> Zırhlı köstebek kuyruklarının borazanlarını, sonra da su kurbağaları ile kara kurbağalarının şarkı söylediklerini duydum. Dünya dönüşmüştü. Her şey parlak oldu… Patikadan aşağıdaki bir köye geldim. Çok gürültü vardı, gülen insanların sesleri. Bereket dansı *kacha* yapıyorlardı.[483]

Burada şamanın trans deneyimi çeşitli türlerde sesler içerir. Şamanların yalnızca müzik aletlerinin, ruh insanların ve ruh hayvanların seslerini duymalarına değil, bu hayvanların onlarla konuştuklarına, yönergeler verdiklerine ve onlara şarkı öğrettiklerine de sık rastlarız. Bu seslerden bazıları şamanların kültüre özel biçimde yorumladıkları nörolojik kaynaklı işitsel algılardır; anlaşılabilir ifadelerin de olduğu diğerleri daha çok gerçek halüsinasyonlardır.[484] Bu "iç seslere" ritüellere ve zihinsel deneyimlere eşlik edenlerin çıkardıkları sesleri de eklemeliyiz.[485] Üst Paleolitik insanlarının "müzik" yapma olanakları olduğuna dair kanıtlar vardır. İki düzineden fazla "flüt" denen şey bulunduğu bildirilmiştir ama bu içi boş kemiklerdeki deliklerin farklı sesler çıkarmayı sağlamak için mi açıldığı yoksa kemiğin sadece bir hayvan tarafından mı ısırıldığı her zaman net değildir. Ama bazıları inandırıcıdır ve görünüşe göre insanlar boş kemikleri sesler çıkarmak için kullanmıştır.[486] Bunlara müzik denip denemeyeceğini ya da bunların hayvan seslerinin taklitleri olup olmadığını bilmiyoruz.

Başka bir tür ses de belli ki, bir ipe bağlanmış yassı kemik, boynuz veya tahta parçalarından oluşan ve döndürüldükçe güçlü bir uğultu sesi veren "boğa kükreticiler" tarafından çıkarılan seslerdi. Geometrik süslerle kaplı ve kırmızı aşı boyasıyla ovulmuş özellikle hoş bir örnek Dordogne'da La Roche de Birol'de bulundu.[487] Benzer çalgılar Güney Afrika Sanları tarafından arı vızıltısını taklit etmek için kullanılıyordu; arılar onlar için önemli bir doğaüstü güç kaynağıydı. Üst Paleolitik dönem insanlarının boğa kükreticilerden çıkan ses hakkında neye inandıklarını bilmiyoruz ama yeraltı odalarında kullanıldıklarında etkileri büyüleyici olmalı.

Bana göre Les Trois Frères'deki Kutak'ta bulunan ve çok sözü edilen "yaylı çalgıcı" biraz daha az inandırıcıdır (1. ve 44. resim). Bu bizon yüzlü figür, ilk bakışta ve pek çok çizimde yüzüne doğru bir yay tutarmış gibi görünür. Panonun tamamı yakından incelendiğinde karmakarışık figürler arasında rasgele yapılmış gibi görünen o kadar çok çizgi vardır ki yay çalma yorumu çok sağlam bir temele oturmaz. Son olarak, bazı mağaralarda, özellikle kıvrımlı "perde" türü sarkıtlara vurulduğuna dair elimizde kanıt var ama bunun Üst Paleolitik'te olup olmadığını bilmiyoruz. Bu sarkıtlara vurulduğunda derin bir gürleme sesi çıkar. Fransız Pireneleri eteklerindeki Réseau Clastres'da uzakta duran biri bu sarkıtlara vurmuştu; elinde yalnızca bir lamba veya meşaleyle mağaraya giren biri bu vurmalı çalgıyı çalanı kolayca göremeyecekti, ses de etrafı kuşatan dalgalar halinde giderek artacak ve yankılanacaktı.

Ritmik sesin, özellikle davul çalmanın ve şarkı söylemenin etkisi yaygın olarak, ruhlar dünyasıyla iletişime geçmek için bir araç olarak kabul edilir.[488] Bu konu hakkında gerçekten de çok geniş bir kaynakça vardır. San şamanlarının "kaynama" gücü sağlayan ve onları ruhlar dünyasına taşımaya yarayan alkış ve ayak bileklerine geçirdikleri dans zillerinin seslerini düşünmek yeterlidir. Başka yerlerde şamanlar davullarla sıkı bir ilişki içindedir. Sibirya şamanları arasında, katmanlı evrenle birlikte farklı düzeylerde yaşayan yaratıklar davullarla temsil edilir.[489] Bir davul üstündeki yatay düzeyler "şamanların *kiri* (yay kirişi) dediği ve bilinmeyen yollardan giderken veya davuluyla ruhlara doğru uçarken ona yol gösterdiği varsayılan" dikey bir hatla kesilir.[490] Bu "yay kirişi" antropologların *axis mundi* [kozmik eksen veya yaşam ağacı] dediği şeydir.

Sibirya Tuvaları arasında bir şaman davulunu "canlandırmak" amacıyla bir kabile ritüeli gerçekleştirilirdi: Bu törende süreç, "atı evcilleştirme ve eğitme" olarak görülürdü,[491] böylece davulun şamanı ruhlar dünyasına götüren "araç" olduğu vurgusu yapılırdı. Kuzey Sibirya'da şaman davulu, derisinden davul yapılan bir ren geyiğini temsil edebilir. Şamanın ren geyiği-davula binerek ruhlar dünyasına gittiği söylenirdi; davullar "ses çıkaran aletler olmanın yanı sıra aynı zamanda kendileri de birer hayvandı."[492]

Davula tekne dendiği de olur. Finlandiya'nın Joensuu Üniversitesi'nden Sibirya Şamanizmi üzerine uzun süredir araştırmalar yapan Anna-Leena Siikala'nın açıkladığı gibi:

> Bir davula tekne demek de mecazlı dilin bir ifadesinden daha fazla bir şeydir. Mitlere ait imgeler ve metaforik ifadeler sıklıkla belirtilen şeyin gerçek bir dışavurumu olarak anlaşılır. Davul-tekne örneğin, hayali görüntülerde ve şaman şarkılarında gerçek bir nesne gibi zihinde canlandırılır ve hissedilir.[493]

Amerikalı antropolog Michael Harner ısrarlı biçimde davul çalmanın etkilerini şöyle özetler: "Davulun sabit tekdüze ritmi, şamanın önce Şamanik Zihin Durumu'na girmesine yardım eden, sonra da yolculuğunu sürdürmesini sağlayan bir taşıyıcı dalga işlevi görür."[494] Bu hayal ürünü bir şey değildir. Tartıştığım diğer pek çok şey gibi, yaygın Şamanist inançlar için yalnızca psikolojik değil, aynı zamanda maddi ve nörolojik bir temel vardır. Araştırma sonuçlarına göre düşük frekanslı davul sesleri insanın sinir sisteminde değişimlere yol açar ve tabii ki beden dışı yolculukları da içeren trans durumları yaratır.[495] Dolayısıyla şamanların davul kullanmalarının nörolojik bir açıklaması vardır.

Üst Paleolitik dönemde mağaralarda bir tür müziksel veya ritmik etkinliğin yer aldığı konusundaki bütünüyle akla yatkın hipotez üzerinde çalışan araştırmacılar, çeşitli odaların ve geçitlerin akustik özelliklerini inceledi.[496] Sonuçlar yankı yapan bölgelerde, yankının olmadığı yerlere göre daha çok imge bulunma olasılığını artırdığını gösterdi. Bunun olası sonucu da, insanların davul çalma ve şarkı söylemeyi de içeren ritüelleri akustik açıdan en iyi noktalarda sergiledikleri, sonra da bu etkinlikleri imgeler yaparak sürdürdükleridir. Bu savı bir adım ileri götürecek olursak, kedigil resimlerinin (açıklanmayan nedenlerle) yankı yapmayan yerlerde bulunduğu söylenebilir. Sonuçta bu ilgi çekici bir hipotezdir ama bana ikna edici olmaktan son derece uzak gibi geliyor. Örneğin Lascaux'da son derece yoğun süslenmiş Eksen Galerisi'ni ondan çok daha az özenli Kedigiller Çıkmazı'yla karşılaştırmak yanıltıcı olur. Her ikisi de "dar, çıkmaz tüneller" değildir.[497] Eksen Galerisi, yalnızca bir kişinin girebildiği, o zaman da ancak yüzükoyun pozisyonda bulunması gerektiği Kedigiller Çıkmazı'ndan çok daha büyüktür. Sonra son dönemde Chauvet'de derinlerde büyük bir odada yeni bulunan kedigil imgeleri bir inceleme gerektiriyor. İmgelerin yerleştirilmesini yönlendiren etmenler yankıdan çok daha karmaşıktı ve mağaranın topografyasının zihinlerde canlandırılma biçimlerini ve belirli ruhani deneyimlerin teşvik edildiği mekânları da içeriyordu. Yine de rezonans ve yankılanmanın Üst Paleolitik dönem yeraltı ritüellerinin etkisini artırdığı konusunda şüphe duymaya gerek yok. Mağaralar, hatta tepeler, müzik sesiyle "capcanlıydı".

Müziğin değiştirilmiş bir durumdaki insan üzerindeki etkileri nelerdir? LSD almış Batılılar deneyimlerini şöyle ifade eder:

> Sakince uzanmış müzik dinliyordum… sonra görüşüm biraz değişmeye başladı… ve müzik yavaş yavaş sanki bütün bilincimi emiyordu… Bana müzikle birlik olmuşum gibi geldi. Onu duymuyorsunuz – siz müziğin kendisisiniz. Sanki içinizde çalıyor gibi… Müzik başladığında, içimden gelen bir kuvvetle yükseldiğimi hissettim. Sonra uzay boşluğu canlandı. Müzik beni taşıyordu ve içimden akıyordu… Kendimi normalden daha büyük, uzuvlarımı da daha uzun hissediyordum.[498]

Barbara Myerhoff da peyote aldıktan sonra benzer bir deneyim yaşamış. Yoğun ve keyifli bir biçimde, yakınlardan geçen araçların farkına varmış. "Büyük sevinç içinde sesleri, özellikle de dışarıdaki otoyoldan geçen kamyonların gürültülerini fark etmeye başladım… Bedenim yoldan geçen kamyonların ritmine ayak uydurdu ve hafif bir rüzgâr etkisindeki bir eşarp gibi aşağı yukarı salınmaya başladı."[499]

Müziğin ve ritmik seslerin Batılılar üstündeki etkisi buysa, Üst Paleolitik insanları üzerindeki etkisi nasıl olurdu acaba? Hayvan sesleri örneğin, hayvanlarla bir bütün olma hislerine yol açar mıydı? Ses bir hayvana dönüşmeye yardım ediyor muydu? "Müzik sizsiniz." Bu tür sorulara yanıt vermek elbette zordur ama insanın sinir sisteminin evrenselliği göz önünde tutulduğunda, bu Batılı deneyim bildirimleri bir Üst Paleolitik dönem mağarasına girmenin, değişmiş durumlar deneyimlemenin ve müzik ve duyguları harekete geçiren sesler duymanın nasıl bir şey olduğu konusunda bir ölçüde aydınlatıcı olabilir gibi görünüyor.

BİRİKİMLİ ETKİ

Sokrates'in yalnızca gölgeler görebilecekleri biçimde zincirlenmiş tutsakların bulunduğu mağara benzetmesi, *Devlet*'in bir önceki bölümünde ortaya koyduğu fikirlerin daha dramatik biçimde ifade edilmesiydi. Mağara benzetmesini ortaya koymadan hemen önce Sokrates Glaukon'dan, zihin durumlarını temsil eden dört bölüme ayrılmış bir çizgi düşünmesini ister: En üstte zekâ, sonra akıl yürütme (anlayış), sonra inanma (inanç) ve çizginin en altında da sanrı (düşleme) vardır.[500] Bu fikir benim özetlediğim bilinç spektrumuna şaşılacak derecede benziyor. Üst Paleolitik dönem insanları, yirmi birinci yüzyıl insanları gibi Sokrates'in çizgisi üzerinde hareket ediyordu ama bizim çizginin en alttaki hayali ucunda onlar kadar yaygın biçimde zaman geçirmediğimizi düşünmek iyi olur. Mağaradaki zihin ve zihindeki mağara birbirinden ayrılamaz; Üst Paleolitik dönem yeraltı duvar sanatının ana unsurlarıdır.

Yeraltı mekânlarının, değişmiş bilinç durumlarının, gizemli seslerin, ışık ile karanlığın etkileşiminin ve yavaş yavaş ortaya çıkan titrek imge panolarının birleşik etkisi, bir anlamda zihinde kolaylıkla canlandırılabilir ama bir başka anlamda da böylesine çok duyunun işin içine girdiği deneyimlerin Üst Paleolitik dönem insanları üstündeki etkisi muhtemelen bizim bugün anlayabileceğimizin çok ötesindeydi. Biz mağaralara zihinlerimiz Sokrates'in çizgisinin en üst düzeyindeyken giriyoruz; onların zihinleri inanç ve yanılsamayla işliyordu. Ayrıca kesinlikle soğuk, sessiz ve loş odalar ve geçitlerde gerçekleştirilmiş ritüelleri de tam olarak yeniden yaratamayız. Her bir imgenin ve geometrik işaretin onları gören veya onlar hakkında bir şey anlatılan insanlara ne anlam ifade ettiğini söylememiz de mümkün değildir.

Yine de, mağaraları olgular olarak, insanların devraldığı doğal olaylar olarak görüp, Max Raphael'in ısrar ettiği gibi sosyal bir bağlama yerleştirmeye çalışırsak, Üst Paleolitik dönem toplulukları için oynadıkları role ilişkin bir şeyler anlamaya başlayabiliriz. Birbirlerinden son derece farklı mağaraları, André Leroi-Gourhan'ın yaptığı gibi katı, dayatılmış bir "yapı" içinde genellemek yerine her birini teker teker ele almak ve her birinin —yalnızca her bir resmi yapan bir birey tarafından değil— insan toplulukları tarafından farklı kullanılma biçimlerini ayırt etmeye çalışmalıyız. Bir sonraki bölümde işte bu temel olarak sosyolojik nitelikteki çalışmaya başvuracağım.

9. BÖLÜM
MAĞARA VE TOPLUM

Üst Paleolitik dönem sanatını, özellikle de duvar sanatını anlamak için karşımıza çıkan en çetin zorluk, genellemeleri aşarak imgelerin ve mağaraların ampirik ayrıntılarına ulaşmaktır. 2. Bölüm'de gördüğümüz gibi genellik ile özellik arasında uzun süreden beri devam eden rahatsız edici bir gerginlik vardır. Baskın eğilim yapısalcı açıklamalarla birlikte genelleştirme yönünde olmuştur. Öte yandan günümüz ampirik çalışmaları öbür uca kaymıştır. Araştırmacılar artık nesnel veri toplama olarak gördükleri şey adına genellemeyi ve (tabii ki bir ölçüde genelleme gerektiren) açıklamayı reddetmektedir.

Katı yapısalcı biçimde düşünüp, Leroi-Gourhan ve diğerlerinin yaptığı gibi resmi yapılan hayvan türlerine odaklanmak yerine, belirli mağaralarla uğraşmaya başladığımda Üst Paleolitik dönem duvar sanatının bir grup özelliğini göz önünde tutacağım:

- imgelerin yapılma biçimleri,
- yapıldıkları yerler,
- imgelerinde nasıl ve nerede yapıldıklarının toplumsal sonuçları ve
- uygulama şekillerinin, anlamlı mekânların ve toplumsal ilişkilerin hepsinin Şamanist katmanlı evren içinde nasıl etkileşim içine girdikleri.

Bu çok unsurlu yaklaşımı benimseyerek Max Raphael'in başlattığı ama geliştirmediği yaklaşımı devralacağım. Kısaca söylemek gerekirse, mağaraların farklı topografyalarının kullanılmasını dikkate almalıyız. Bunu yaparken, "etkinlik alanları" olarak adlandırdığım, insanların içinde bulundukları yere uygun olarak gördükleri biçimlerde davrandıkları ve bu kesimlerle ilişkili ritüeller gerçekleştirdikleri yerler tanımlayacağım. Mağaraları kullananlar, rasgele, birbirleriyle ilişkileri olmayan insanlar değil, insan topluluklarıydı. Mağaraların ne olduğuyla ve içlerinde neyin yapılmasının uygun sayıldığıyla ilgili ortak kavramlar olmalıydı. Dolayısıyla bir tür "yapı", mağaralar hakkında bir dizi inanç mevcuttu ama düşünceden yoksun robotlar tarafından kaçınılmaz biçimde mağara duvarlarına yerleştirilmiş değildi. İnançlar daha çok bireylerin ve birey gruplarının beslendiği, mağaraları süslerken bilinçli olarak kendi çıkarları için kullandıkları, her şekle sokulabilen bir kaynaktı.

Bu bölümde incelediğim görüş iki diyalektik ilişkinin varlığını kabul eder:

1. Bir yandan insanların zihinlerindeki kozmolojiler ve inançlar ile öte yandan mağaraların biçimleri arasında;

2. toplumsal yapı ile mağaraların topografyaları arasında.

"Diyalektik" sözcüğünü (zıtların yenilikçi ve etkileşimli olarak bir araya getirilmesi anlamında) kullanıyorum çünkü katı yapısalcıların, insanların dünyaya dayattığı sabit zihinsel yapı kavramından uzaklaşmak istiyorum. Bunun yerine, insanların mağaralardan yaralanma biçimlerinin sadece farklılaşan Üst Paleolitik dönem toplumunun yapısını veya yapılarını yansıtmadığını öne sürüyorum. Mağaralar, tersine, toplumun gerek yayılmasına gerek dönüştürülmesine yarayan etkin araçlardı. Antropolog Tim Ingold'un belirttiği gibi: "Kültür dünyayı *algılamak* için bir çerçeve değildir, insanın dünyayı kendisi ve başkaları açısından *yorumlaması* için bir çerçevedir."[501] Bunun nasıl olduğu ilerledikçe ortaya çıkacak.

İlk olarak, önceki bölümlerde kurduğum ve şimdi de belirli mağaraları incelemek için bir temel olarak kullandığım "Şamanist açıklamanın", zamansal, coğrafi, toplumsal ve ikonografik çeşitliliği karanlığa gömen yekpare bir değişken olarak görülmemesi gerektiğini anımsamak çok önemlidir. Aksine, çeşitliliği gizleyen değil, ortaya çıkaran bir araçtır (veya öyle olmalıdır). Açıklamanın bulgusal potansiyelini göstermek için Üst Paleolitik dönem insanlarının farklı mağaralardan nasıl farklı biçimlerde yararlandıklarını karşılaştıracağım. İnsanlar her mağarayı araştırmış ve mağaranın kendisine özgü topografyasına uygun[502] ve belirli Şamanist kozmoloji ile o zaman, orada geçerli olan toplumsal ilişkiler açısından her bir mağarayı bağdaştırmıştır. Muhtemelen, sabit tek bir yekpare din yerine Üst Paleolitik Şamanizmleri vardı.

Bu noktaları aydınlatmak için, Dordogne'daki, yaklaşık aynı yaşta olduklarına inanılan ama büyük ölçüde farklı topografyalara sahip iki mağarayı karşılaştıracağım: Gabillou ve Lascaux. Aralarındaki benzerlikleri de, onları süsleyen toplumlar içindeki farklı türden toplumsal ilişkileri ve dolayısıyla farklı "Şamanizmleri" işaret eden farklılıkları da göreceğiz.

GABILLOU

Dordogne'daki Mussidan kasabası yakınlarında, Isle Nehri'ne bakan bir mağara olan Gabillou, imgelerin mağaralar içindeki dağılımının Şamanist açıklama çerçevesinde nasıl açıklanabileceğinin oldukça basit ilk örneklerinden biridir.

Lascaux'nun 1940'ta bulunmasından kısa süre sonra, modern bir evin altındaki mahzeni genişleten işçiler bir tünel girişi buldu; giriş Ortaçağ'dan kalma bir duvarla kapatılmıştı. Bölge aynı zamanda bir taş ocağı alanının parçasıydı. Lascaux'nun bulunmasıyla tetikte olan bir duvarcı Üst Paleolitik dönem sanatı arayışı içindeydi – hayal kırıklığına da uğramadı. 1940'ların sonlarına doğru yerel bir doktor ve hevesli bir tarih öncesi araştırmacısı olan Jean Gaussen bir mülk aldı. Gaussen'ın hastalarından biri olan eski sahibi evden çıkmayı reddeden ve ev sahibinin arkadaşı olarak gördükleri Gaussen'a araziye giriş izni vermeyen kiracılarıyla uzun süredir kavgalıydı. Olanlardan usanan ev sahibi evi uygun fiyata sattı. Gaussen böylece mülkü görmeden satın almış oldu. Kiracılar hemen memnuniyetle ona mağaraya girmek için izin verdi. İlk sahiple olan anlaşmazlıkları birdenbire ve onların gözünde zaferle sona erince, evi üç ay içinde sorunsuzca terk ettiler.

Ziyaretçiler dar tünelin bulunmasından sonra biraz hasara neden oldu ama Gaussen buna hemen son verdi. Onun ilgisi sayesinde mağara iyi korundu. Hiçbir zaman turistlere açılmadı, 2000'de ölen Gaussen da dar tünele aynı anda iki ya da en fazla üç kişinin girmesine hiç izin vermedi. Merhum Dr. Gaussen'a bana ve arkadaşlarıma üç geniş kapsamlı ziyaret izni verdiği için çok minnettarım.

Gabillou'nun şimdiki girişinin içinde ve dışında erken Magdalenyen döneme ait çökeltiler bulunduğu için, mağaranın o dönemin ilk bölümüne ait olduğuna inanılır; dolayısıyla Lascaux'yla çağdaştır.[503] Birbirlerine geçitler, odalar ve küçük çıkmazlarla karmaşık biçimde bağlı olacak biçimde dallanıp budaklanan diğerlerinin tersine, Gabillou yalnızca, Magdalenyen süresince en azından kısmen doğal ışık alan bir giriş odası ile giriş odasından yaklaşık 30 m ileri giden hafif kıvrımlı tek bir tünelden oluşur (54. resim).[504]

Aralarında Gaussen'ın da olduğu çok sayıda araştırmacı mağarada kazı yapmıştır. İlk araştırmacı Gaston Charmarty, tünelin yüzeyinde sekiz lamba, bir at dişi ve çok sayıda kemik parçası buldu. Daha sonra bizzat Gaussen kazı yaptı ve 10 lamba, bir taş çekiç, üzerinde boya izleri olan bir taş plaket ve içlerinden birinin her iki tarafı da kırmızı aşı boyasıyla kaplı 20 çakmaktaşı yonga veya dilgi buldu.

Giriş Odası

Giriş odası, mahzen ilk yapıldığında ne yazık ki kısmen tahrip edilmişti. Öyle görünüyor ki inşaatçılar imgeleri fark etmemişti. Geriye kalanlardan anlayabildiğimiz kadarıyla, oda resimlerle ve "daha basit" gravürlerle süslenmişti. Temsil edilen türler arasında iki geyik, bir kuş, bir at ve bir bizon vardır; dahası, tanımlanamayacak durumda olan işaretler de bulunur.

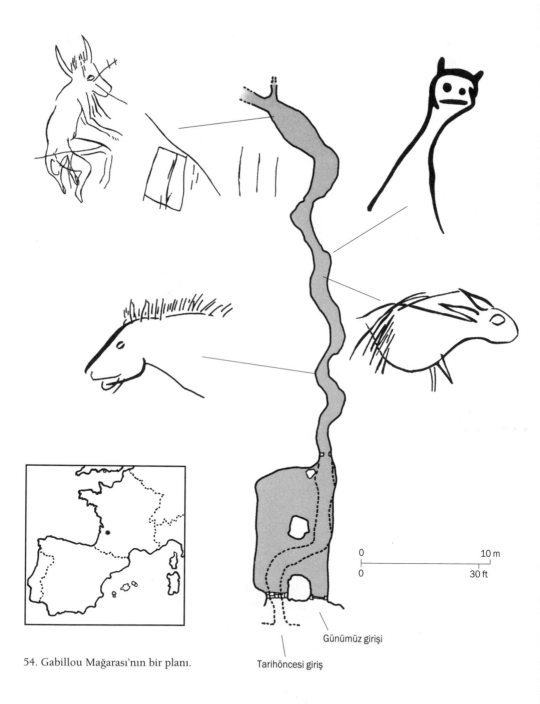

54. Gabillou Mağarası'nın bir planı.

Günümüz girişi

Tarihöncesi giriş

Bu imgelerden bazıları tavandaki çıkıntılarda bulunduğundan dolayı son yüzyıllarda bölge yerleşime açıldığında yok olmaktan kurtulmuştur. Kötü korunduğu için giriş odasında aslında kaç imge olduğunu söyleyemiyoruz. İmgeler eski yüzeyin korunduğu yerlerde bulunuyor.

Mekân bugün makul sayıda insanı alabilecek kadar geniştir, Üst Paleolitik dönem boyutlarını kesin olarak saptamak zor olsa da tavanda ve giriş yakınındaki duvarda bulunan imgelerin dağılımı bunun Magdalenyen dönemlerinde de böyle olduğunu düşündürür. Görünüşe bakılırsa rahat bir yaşam alanı sunmak için yeteri kadar geniş değildi; belki girişin dışında bir yaşam alanı vardı. Bilemiyoruz.

Tünel

Giriş odasından içeri doğru giden tünelin zemini kazılarla önemli ölçüde alçalmıştır; kazıları yapanlar eski düzeyi belirtmek için duvarlara bir çizgi çizmişlerdi. Tünel aslen 1.2 ilâ 1.5 m kalınlığında ince kilden oluşan bir dolguyla kaplıydı. Magdalenyen süresince burayı ziyaret edenler emeklemek zorundaydı, hareketleri de kısıtlıydı. Aslında tünel boyunca ancak bir kişi rahatlıkla sürünebilirdi; bu, özellikle dar kısımlarda iki kişi için olanaksızdı. İmgeler insanlar otururken veya uzanmış durumdayken yapılmış olmalı. Önceki zemin düzeyinin altında imge bulunmuyor.

Tünelin içi mükemmel korunmuş durumda. Neredeyse baştan sona kadar çok güzel at, yaban öküzü, bizon, "canavar" ve çarpıcı yaban tavşanı gravürleri dizilmiş, bu gravürler daha çok duvar girintilerinde yoğunlaşmış durumda. Çoğu yalnızca yumuşak kaya üstüne birkaç usta oyma darbesiyle yapılmış; burada tırnakla bile oyma çizgiler oluşturulabilirmiş ama çoğu çizgi daha geniş uçlu bir aletle yapılmış gibi görünüyor.

Bir boya kalıntısı olabilecek kırmızı aşı boyası lekeleri görünmekle birlikte geçitte incelikle yapılmış resimler yok. Başrahip Breuil oymacıların "hayvanın davranışını daha kesinleştirmek için bazı karakteristik ayrıntıları göstermeye dikkat ettiklerine" inanıyordu. "… Figürün geri kalanı sanatçının zihninde ikincil öneme sahip olduğu için bilinçli olarak ihmal edilmiş gibi duruyor."[505] Birtakım imgelerin üstündeki pek çok oyulmuş çizginin "büyü darbeleri" olduğunu da öne sürdü.[506] Bu çizgilere Lascaux'yu ele aldığımda geri döneceğim.

Önemli sayıda resim kayadaki girinti çıkıntılara uydurulmuş – ya da benim öne sürdüğüm gibi, yüzeyin esin verici özelliklerinden yararlanılarak elde edilmiş. Bir hayvanın burnuna düzgünce bir kaya kabartısının çevresinde biçim verilmiş. En az bir imge, net bir biçimde kaya yüzeyinden dışarı çıkarmış gibi oyulmuş. Sonra, az sayıdaki bazı kırmızı renkli imgeler gravürlerden sonra çizilmiş. Tünelin sonunda oyulmuş bir at gravürünün üstüne boyanmış bir başkası bindirilmiş. Ressam önceki imgenin yelesini ve başının bir bölümünü kullanmış ama sonraki imgenin göğsü daha yeni.

Halihazırda var olan imgelere yapılan bu tür eklemeler Lascaux'nun bazı bölümlerinin tipik özelliğidir. Lascaux'yla olan diğer benzerlikler arasında şunlar vardır: Dört köşe kafes işaretleri, hayvanların toynaklarını özel bir biçimde çizme ve Gabillou'daki tünelin sonunda yer alan bir beyzbol sopası şekli (Lascaux'da bunun pek çok örneği bulunur). "Kırık işaretlere", yani yanlarına daha kısa, ayrık çizgiler eklenmiş çizgilere de her iki alanda rastlanır. Son olarak, görüldüğü kadarıyla derinlik göstermek amacıyla yapılmış olan bir hayvanın gövdesi ile bacağı arasında bir boşluk bırakma tekniği de her iki alanda bulunur. Pek çok araştırmacının inandığı gibi büyük Lascaux ve daha küçük Gabillou muhtemelen aynı toplumsal ağa bağlı insanlar tarafından kullanılmıştı; bu noktaya sonra geri döneceğim.

Magdalenyen Gabillou

Leroi-Gourhan,[507] iyi korunmuş olması, imgelerinin kalitesi ve Lascaux'yla çağdaş olması nedeniyle Gabillou'yu "Fransız mağaralarının en önemlilerinden biri" olarak görüyordu. Mitogramı çerçevesinde imgelerden ve mağaradan bir anlam çıkarmak için bir yerine iki kutsal alan olduğunu varsaydı. Ona göre ilki, giriş odasından oluşuyordu ve "sonu" tünelin başlangıcının yakınındaki iki kedigil ve bir "boynuzlu şahıs" resimleriyle belirlenmişti. İkinci kutsal mekânın –ve tünelin kendisinin– sonu bir başka kedigil ile "boynuzlu kişiyle" işaretlenmişti. Varsayılan bu iki kutsal alanın içinde at/bizon teması "tekrar tekrar ortaya çıkıyordu."[508]

Motiflerin dağılımını haritalandırma çabalarını terk edip bunun yerine mağarayı farklı insan etkinlik bölgeleri bakış açısıyla incelersek, mağaranın iki bölümünün göreli boyutları ve biçimlerinin önemli bir fark ortaya koyduğunu görürüz.

Toplumsal ritüeller, bugün artık bölük pörçük korunmuş durumdaki imgelerin önünde, giriş bölümünde gerçekleştirilmiş olabilir: Birkaç insanın bir arada bulunabileceği kadar alan var. Buradaki daha basit oyulmuş imge kalıntıları alanın tek bir tür etkinlik için ayrılmadığını gösteriyor. Her bir imgenin tarihini belirleyemeyeceğimiz için iki tür imgenin giriş odasının kullanımının zaman içindeki değişimini yansıtabileceğini de kabul etmemiz gerek. Yorumumun bu bölümü girişteki büyük hasardan dolayı ancak bir tahmin olarak kalmak zorunda.

Tünelin içinde durum daha açık. Bütün tünelin, dar bir mekânda inzivaya çekilerek görece hızlı bir biçimde gravürler oyan bireysel görüntü arayıcıları tarafından kullanıldığına inanıyorum. Arayıcılar üç mekânsal aşamadan ve iki eşikten geçiyordu: Önce dış dünyayı terk ederek giriş odasına giriyor ve hazırlayıcı toplu ritüellere katılıyorlardı; sonra o bölgeden ayrılıp yeraltı dünyasının daha derinlerine iniyorlardı, tünel canlı görüntülere yol açan zihinsel girdabı kopyalıyor – ve belki de yaratıyordu. Yalnız olarak derinlerde onlara doğaüstü güçler verecek değişmiş durum görüntülerini arıyorlardı, sonra da bu hayali görüntüleri ya onları deneyimlerlerken ya da daha normal bir zihinsel bilinç düzeyine döndükten sonra duvara çizerek sabitliyorlardı (55. resim). Bu görüntüler arasında Gabillou "canavarları" da vardı: Bunlar uzun boyunlu tuhaf yaratıklardı (54. resim).[509] Ann Sieveking'in belirttiği gibi, bu yaratıklar Orta Fransa'da Lot bölgesindeki bir başka uzun tünelli mağara olan Pergouset'nin sonunda bulunanlara benzer.[510]

Son olarak, deneyimleriyle zihinsel ve toplumsal olarak dönüşüm geçirmiş arayıcılar, evreni bir uçtan bir uca geçmiş ve böylece herkesin sahip olmadığı yetenekler kazanmış kişiler olarak görüldükleri gündelik yaşam düzeyine geri dönüyordu. Kendi topluluklarının diğer üyeleriyle yeni toplumsal ilişkilere giriyorlardı. Mağaranın her kullanılışında toplumsal bölünmeler bir kez daha ortaya konuyordu: Pek çok kişi dışarıda, muhtemelen küçük bir grup girişte, daha da az sayıda insan da derinlerde, öbür dünyanın yaratıklarıyla yüz yüze oluyordu.

Bu toplumsal bölünmelerin aynısı bilinç spektrumunda da bulunuyordu. Derinden değişmiş durumlar elbette mağaranın dışında veya giriş odasında da deneyimlenebilseler de, daha sınırlı bir dağılım üstünde ısrar edilmiş olması, hatta böyle bir şeyin gerçekleşmiş olması olası görünüyor: "Gerçek", zihinsel ve toplumsal dönüşüm yaratan görüntüler yalnızca yeraltı dünyasında elde edilebilirdi. İki etnografik vaka çalışmamızın ortaya koyduğu gibi, gündelik yaşam düzeyinde deneyimlenen düşler ve hayali görüntüler muhtemelen mağarada olabileceklere yalnızca bir göz atış olarak kabul ediliyordu. Böylece, topluluk içindeki bir grup insan toplumun genel kabulüyle de mağarayı toplumsal bölünmeler yaratmak için bilinç spektrumuna bağlıyordu; bu bölünmeler tek ayrım değildi ama önemli bir ayrımdı. Mağaranın topografyası böylece daralan toplumsal bölünmelerle –bir tür hiyerarşiyle– paralellikler

MAĞARA		
Dışarısı	Giriş Odası	Tünel
TOPLUMSAL İLİŞKİLER		
Bütün Topluluk	Seçili grup	Bireysel arayıcılar
BİLİNÇ		
Uyanık/düşte	Bütün spektrum	Spektrumun otistik ucu

55. Üst Paleolitik dönem mağaralarında mekân, toplum ve bilincin son derece genelleştirilmiş bir özeti.

gösteriyor, erişimi kontrol altında tutulan çeşitli zihinsel deneyimlerle bu ayrımları güvence altına alıyordu. Mağaranın kendisi ve değişken bilinç deneyimleri böylece, tamamen kaba güce, yaşa ve cinsiyete dayalı olmayan –bu ayrımcı unsurlar bir ölçüde rol oynamış olsa da– toplumsal yapının biçimlendirilmesi çabalarına ekleniyordu.

Bu mekân ve bilinç örüntüsünün katı bir şekilde uygulandığını düşünmemeliyiz. İnsanlar doğaları gereği ayrımlara yol açan sınırları bulanıklaştırır. Bu nedenle, temel olarak ortaklaşa yapılmış imgelerin olduğu büyük odalarda çarçabuk yapılmış, kişisel sabitlenmiş bazı imgelerin bulunmasına şaşırmamalıyız. Önerdiğim şey bir genelleme, mağaralar keşfedilip benimsendikçe ve insanlar tarafından uzun süreler boyunca kullanıldıkça ortaya çıkmış bir örüntüdür. Böylesi keşiflerin ve benimsemelerin zaman içinde nasıl değiştiği hâlâ araştırılması gereken bir konudur. İnsanların derin değişmiş bilinç durumlarındayken mağaralarda hareket etmiş olması da pek olası görünmüyor: Bu yolculuklar tamamen uyanık durumdaki biri için bile fazlasıyla tehlikelidir. Derin, görüntü yaratan durumlar geçitlerin ve odaların ortaya koyduğu zorluklarla başa çıkmak için çok uygun durumlar olmamalıydı, belirli yerlerde elde edilmeleri gerekiyordu.

Ayrıntılara geri dönecek olursak, Gabillou'daki imge dağılımından iki sonuç daha çıkarabiliriz. Bunların ilki tünele erişimi olan az sayıda kişiyle ilgili. Genel anlamda imgelerini başka imgelerle karıştırmamış, üst üste bindirmemiş olmaları önemli, isteselerdi bunu yapabilirlerdi; burada kesinlikle Lascaux'da karşılaşacağımız gibi yoğun imge kümeleri yoktur. İmgeler arasındaki bu ayrık olma durumu muhtemelen şamanlar arasındaki toplumsal ilişkileri yansıtıyordu. Şamanlar genel olarak bakıldığında bireyselliği hedeflemiş gibi görünüyor: Kendi koruyucu ruhlarının imgelerinin diğer şamanlarınkilerle karışmasını istememişlerdi.

İkinci çıkarım, tünelin en dibindeki "Gabillou büyücüsü" denen, en inandırıcı yarı insan yarı hayvan imgesinden kaynaklanıyor (54. resim), ("Büyücü" denen iki diğer imge de kesinlikle insan biçimli ama yarı insan yarı hayvan biçimli olduklarına ben ikna olmadım). Mağaranın sonunda tünel hafifçe sola döner, imge de ziyaretçinin karşısındaki duvarda yer alır. İmge, kuyruklu ve bizon başlı bir insan figürüdür. Biçimi onun basitçe maskeli bir insan olmadığını gösterir. Duruşundaki kıvrık bacaklar dans ettiğini düşündürebilir ama bu çıkarım çok da güçlü değildir. Ağzından sağa doğru çıkan bir çizgi kayadaki oldukça derin bir yarığı geçer ve bir dört köşe kafes işaretinin üstünü sıyırarak ileriye uzanır.[511]

Bu yarı insan yarı hayvan figürün mağaranın en dibinde ve son imge olmasının muhtemelen bir önemi vardı: Uzak konumu, Les Trois Frères'in derinliklerinde Kutak'a hâkim bir noktadaki yarı insan yarı hayvan figürü (1.

Bölüm, Zaman Kesiti I) ve birazdan söz edeceğim Lascaux'daki Kuyu'da bulunan figürüyle benzerlik gösterir. Gabillou'nun başka yerlerinde ve Lascaux'da da bulunan kafes motifiyle olan ilişkisi, temsili resimleri işaretlere bağlar ama bu örnekte temsili öğe tabii ki "doğaya uygun" değildir. Önceki bölümlerde gördüğümüz gibi, gerek yarı insan yarı hayvan figürü, gerek kafes biçimi 3. Evre olarak adlandırdığım derin otistik bilinç düzeyinden doğmuş olabilir.

Gabillou'dan ayrılmadan önce topografyasının ve imgelerin ana noktalarını özetleyeyim. Toplumsal bir bakış açısından bakıldığında, Gabillou'nun topografyası girişi ele geçiren (muhtemelen seçkin) bir grup insanı tünele emekleyerek girip çarçabuk imgeler yapan insanlardan ayırıyordu (bu, tabii ki tünele her girildiğinde resim yapıldığı anlamına gelmiyordu). Ortak etkinlikler –örneğin dans etmek ve koro halinde şarkı söylemek– girişte mümkün olabilirdi ama kesinlikle tünelin içinde değil. Ayrıca daha büyük bir grubun giriş odasına girmesine bile izin verilmediği olasılığını da kabul etmek gerekir.

Sanat, din ve toplumsal ayrımcılık böylelikle karmaşık bir biçimde iç içe geçmişti. Bunlar, bölücü toplumsal ayrımlarıyla tanıdığımız biçimiyle günümüz toplumunun tohumlarıdır. Gabillou çevresinde yaşayanlar, tünele girip hayali görüntüler deneyimleyen "görücülere" ne gözle bakıyordu? Bunu kesin olarak söyleyemeyiz ama Coleridge belki de onların korkuyla karışık saygılarını şiirsel imgelemle yakalamış olabilir:

> Ve hep bir ağızdan haykırdı, Dikkat! Dikkat!
> O şimşek çakan gözler, o uçuşan saçlar!
> Çevresinde üç kez dolaş,
> Ve yum gözlerini yüce bir korkuyla,
> Çünkü o çiçek özüyle beslenmiş,
> Ve içmiş Cennet'in sütünü.

Artık bu "basit" mağarayı, çok sayıda etkinlik alanı belirleyebildiğimiz Lascaux'nun karmaşık topografyası ve imgeleriyle karşılaştırabiliriz.

LASCAUX

Tüm Üst Paleolitik dönem mağaralarının en ünlüsü olan Lascaux, Montignac kasabası yakınlarında Vézère Nehri'nin sol kıyısında yer alır. Bulunuşundan yaklaşık yirmi yıl gibi kısa bir süre geçtikten sonra ziyarete açıldı ve her yıl on binlerce kişi tarafından kalabalık gruplar halinde gezildi. Mağarayı ilk on beş yıl içinde bir milyondan fazla kişinin ziyaret ettiği söyleniyor. Mağara 1963'te bu kadar çok sayıda insanın orada bulunmasının yol açtığı bir mikroorganizma artışı olduğu saptandığında ziyaretçilere kapatıldı; bu gerekli bir adımdı, ancak bu durum Montignac'taki dükkân sahiplerini ve otelleri ciddi sıkıntıya soktu. Mağara bugün hâlâ halkın ziyaretine kapalı ama yakınlarında ziyaretçilere mağaranın fiziksel, görsel ve ortamsal olarak nasıl olduğuna dair mükemmel bir deneyim sunan iki bölümünün şaşırtıcı derecede eksiksiz bir kopyası yapıldı. Lascaux II olarak bilinen kopya 1983'te açıldı – Montignac da yeniden canlandı.

Günümüzde Lascaux I'i ziyaret edenlerin duvarları dolduran çok sayıda imgenin güzelliğinden, boyutlarından ve şaşırtıcı derecede iyi korunmuş olmasından öylesine başları dönmüş durumda ki "bilimsel" değerlendirme susturulma eğiliminde. Mağarada 20 dakika kalmasına izin verilen önde gelen Amerikalı bir arkeolog bana, zamanının yarısının boşa harcandığını çünkü gördükleri karşısındaki şaşkınlığa teslim olmuş biçimde bu sanat eserlerini bir gözyaşı perdesi arkasından gördüğünü söylemişti. Lascaux insan üstünde böyle bir etki bırakır.

Hangi açıdan bakılırsa bakılsın, Lascaux, çok güçlü biçimde, çok kullanılmış ve son derece yapılandırılmış bir mağara olduğu izlenimi verir. II. Dünya Savaşı'nın bitmesinden kısa süre sonra arkeologlar burada ciddi araştırmalar yapmaya başladığında, bu özellik Laming-Emperaire'in yapısalcı ilgisini alevlendirmişti.[512] O ve diğerleri kesinlikle Lascaux'nun başlıca gizemlerin anahtarına sahip olduğuna inanıyordu – yeter ki onları fark edebilelim.

Bunu başarmak için araştırmacıların yalnızca bu alan hakkındaki geniş kapsamlı yayınları araştırmaları yetmez, mağarayı da incelemeleri gerekir. Mağarayı tekrar tekrar ziyaret etmeleri ve giriş izni alabilecek kadar şanslı olanlara verilen yaklaşık 20 dakikadan daha fazla zaman geçirmelidirler. Bu nedenle Lascaux'nun korunmasından sorumlu yetkililere bana verdikleri cömert giriş izinleri ve yaptığımız değerli tartışmalar için gönülden minnettarım. Norbert Aujoulat imgeleri yeniden değerlendirdi. Onun titiz çalışması ve ileri fotoğraflama teknikleri daha önce bilinmeyen pek çok şeyi gün ışığına çıkardı.[513]

Lascaux genellikle yedi bölüme ayrılır (56. resim):

– Boğalar Salonu

– Eksen Galerisi

– Geçit

– Apsis

– Kuyu

– Nef

– Kedigiller Çıkmazı

Şimdi her bir bölümün kısa bir betimlemesini ve açıklamasını vereceğim. Bu, her bir imgenin eksiksiz bir listesi olarak görülmemeli; bunun için ayrı bir kitap gerekir. Savımı yönlendirmek için önceki bölümlerde Gabillou'yla ilgili açıklamalarımda geliştirdiğim kavramları genişleteceğim. Bir de mağaranın "oluşturulmuş" ile "karıştırılmış" bölümleri arasında bir fark olduğunu ve farklı insani etkinlik bölgeleri olduklarını gösterdiğini öne süreceğim.

Boğalar Salonu

Mağarayı bulan gençler obruktan aşağı kaydıklarında kendilerini bu odada buldu ama fark ettikleri ilk imgeler Eksen Galerisi'ndeydi. Lascaux'nun Üst Paleolitik'teki girişi Marcel Ravidat ve arkadaşlarının kullandığı delikle aynı yerde olmasa da yakınlarda olmalıydı; burası mağaranın yüzeye en yakın olduğu noktadır. Çoğu araştırmacı artık eski girişin bir toprak kayması sonucu kapandığına inanıyor, tıpkı binlerce yıl sonra girişi ortaya çıkaran heyelan gibi. Artık kapanmış başka erişim noktaları olma olasılığına karşın, Üst Paleolitik'teki ziyaretçilerin karşılaştığı ilk bölümün Boğalar Salonu olduğuna pek kuşku yok; kesinlikle erişimi en kolay olan bölüm burasıydı. Muhtemelen dış dünyayı aşağıdaki Boğalar Salonu'na bağlayan yaklaşık 18 m uzunluğunda gittikçe genişleyen bir geçit vardı. Bu uzaklığa hafif bir ışık sızmış olsa da resim yapmak için yeterli olmazdı.

Boğalar Salonu, resimli kısmı 9 m boyunda geniş, kabaca elips şeklinde bir odadır.[514] Mağara bulunduğunda zeminde yer yer su birikintileri vardı. Keşiften hemen birkaç gün sonra davet edilen Breuil, zeminde delikler açarak suyun bir alt düzeye akmasını sağladı – tabii değerli arkeolojik kalıntılarla birlikte. Alttaki mağara sistemi henüz araştırılmadı ama ortak kanı Üst Paleolitik dönem insanlarının buraya erişimi olmadığı şeklinde. Arkeologlar kazı yapmaya çalışırken işçiler de mağarayı turistlere hazırlamak için harıl harıl tortu tabakalarını kazıp dışarıya çıkarıyordu. Sonuçta bu durum tatmin edici olmaktan son derece uzaktı.

Bu geniş odanın üst duvarları pırıl pırıl bir görünüm veren ve resimlerin korunmasını sağlamış olan beyaz kalsitle kaplıdır. Ancak kalsit bazı yerlerde pul pul dökülmüştür. Birkaç resim kavlamış yüzey üzerinde devam ettiği için bazı kesimlerin tarih öncesi dönemlerde döküldüğü anlaşılıyor.

Boğalar Salonu'nun girişe en uzak bölümü birbirlerine doğru yaklaşan iki hayvan alayıyla kaplı (21. renkli resim). Bu, bir doğal özelliğin, burada şu anki zeminden yaklaşık 1,5 m yukarıda kahverengi bir çıkıntının, bazı resimler için (kesinlikle hepsi için değil) belli belirsiz bir zemin hattı sağlarmış gibi göründüğü ender örneklerden biridir. Tamamlanmamış küçük bir at resmi dışında mağaraya giren bir kişinin karşılaştığı ilk imge yaklaşık 2 m boyunda Tek Boynuz denen bir resimdir (20. renkli resim). Bu ad birkaç nedenden dolayı uygun değildir, özellikle de, eğer gerçekten boynuzları varsa, bunlardan iki tane bulunur; hayvanın başından yukarı doğru bir eğim gösterirler. Yaratığın sarkık bir karnı vardır ve arkasının üst kısmına altı oval şekil çizilmiştir. Bazı araştırmacılar hayvanın başıyla sakallı bir adam başı arasında bir benzerlik görür. Mağarayı çok geniş bir kapsamda inceleyen Brigitte ve Gilles Delluc Tek Boynuz'un "bir gergedan gövdesine, bir ayı veya bizon ensesine, bir büyük kedi başına ve beneklerine, bir at kuyruğuna" sahip olduğunu düşünüyor.[515] Bu, kesinlikle kafa karıştırıcı bir imgedir, özellikle de mağaradaki diğer türlerin kolaylıkla tanınabildiği düşünülürse; biçimi kötü çizim sonucu elde edilmiş değildir.

Yaratığın gövdesi içinde iki atın dış hatları vardır. Bu hayali hayvanın önünde hepsi tamamlanmış olmayan yedi at daha mevcuttur. Sonra dev bir boğanın veya yaban öküzünün başı ve ön kısmı bulunur. Siyah başlı ve siyah yeleli kırmızı bir at, tetikteymiş gibi kulaklarını dikmiştir. Buradaki

56. Lascaux'nun planı ve kesitleri. Karmaşık yapısı ve imgelerin yerleşimi, birbirlerinden farklı alanlarında farklı ritüellerin yapıldığını düşündürür.

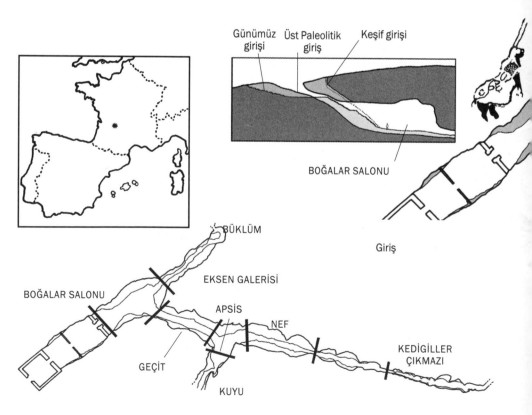

ve mağaranın geri kalanındaki imgelerin pek çoğu kaya duvarların girinti çıkıntılarıyla birleşmiştir, bunlar o kadar çoktur ki hepsinden söz etmek mümkün değildir: İmgeler "zarla" kaynaşmıştır.

Sağa bakan yaban öküzlerinin burunlarının önünde bir frizin orta kısmı bulunur: Dört, belki de beş küçük kırmızı erkek geyik sola doğru bakar. Bazılarının doğal olamayacak kadar karmaşık boynuzları vardır. Bu geyiklerin üzerinde sağa bakan, kulaklarını dikmiş bir at vardır; ressam onun diğer resimlerle karışmamasına dikkat etmiştir. Arkasının bir bölümü kayadaki doğal bir girintiyle belirginleştirilmiştir.

Sonra soldan gelen hayvanların karşısında sağdan yaklaşan dev boyutlarda üç erkek yaban öküzü vardır; en büyüğü 5,5 m boyundadır, diğer ikisi ondan çok da küçük değildir. Bu boğalara zıt yönden hareket eden üç yaban öküzüne ait daha az belirgin kalıntılar vardır; panonun alt kısmında yer alırlar ve büyük hayvanlardan daha önce yapılmış olabilirler. Laming-Emperaire bu öküzlerden ilkinin sağrısının

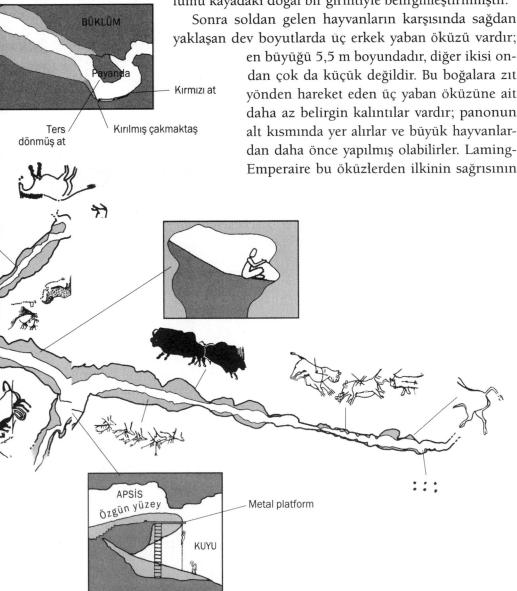

"kayadaki yatay bir kabartıyla belirginleştirildiğini ve eğik bir ışık altında hayvanın yan kısmı ile kemikli sağrısının çarpıcı bir kabartma şeklinde göze çarptığını" belirtir.[516] Bu etki mağaraya yerleştirilen elektrikli aydınlatma nedeniyle yok olmuştur. İkinci boğanın altındaki karanlık bir bölgede, başı, kulakları ve sırtı kayadaki doğal bir kabartıyla oluşturulmuş küçük bir ayı resmi vardır. Bu, nesli tükenmiş daha büyük mağara ayılarından birine değil, bir boz ayıya aittir. Ayı neredeyse yaban öküzlerinin siyah karın çizgisiyle karışmış durumdadır; bu da onu görmeyi çok zorlaştırır. Yaban öküzlerinin siyahlığının altından seçilen ayı pençeleri sonradan daha koyu bir boyayla rötuşlanmış gibi durur.

Boğalar Salonu'ndaki bazı hayvanların bazı bölümleri püskürtme yöntemiyle boyanmıştır. At yeleleri bunlara bir örnektir ama daha ilginci büyük yaban öküzlerinden en az birinin burnunun püskürtülmüş boyayla yapılmış olmasıdır. Bir yaban öküzünün de açık ağzına, bir dili veya "nefes" vermeyi temsil eden bir çizgi çizilmiştir. Hangi imgelerin kısmen ya da tamamen püskürtme tekniğiyle yapıldığını belirlemek gelecekte de sürdürülecek bir araştırma alanıdır.

Hayvanlara ek olarak bazı işaretler de vardır ama bunların sayısı mağaranın diğer bölümlerinde bulunanlardan daha azdır. Bunlar arasında sağa bakan boğanın burnunun üzerinde dokuz, kısa, kırmızı paralel ve dik açılı işaretler ile noktalar ve sağ tarafta ortada bir çizgi ile birbirlerinden ayrı parçalardan oluşan "kırık çizgi işaretleri" vardır. Siyah nokta ve çizgi grupları da bulunur.

Frizin en yüksek noktaları yerden yaklaşık 4 m yüksektedir. Ressamlar o kadar yükseğe ulaşmak için bir yöntem geliştirmiş olmalı. Sağdaki 5,5 m uzunluğundaki yaban öküzleri düşünüldüğünde, ressamların büyük bir platform veya muhtemelen bir halatla birbirlerine bağlanmış ağaç kütüklerinden yapılmış bir dizi küçük platform inşa etmiş oldukları ortaya çıkar. Resim yapmaya başlamadan önce ciddi, planlanmış bir iş gücü gerekiyordu.

Boğalar Salonu'ndaki resimlerin dikkatle "düzenlendiği" kesin gibi görünüyor. Ama daha fazlası da söylenebilir. İmgelerin büyük boyutları, ortaklaşa yapıldığı kanısı doğuruyor. Bir veya birkaç çok usta insan işleri yönetmiş olsa bile, insanlar boya hazırlamak, iskeleyi inşa etmek, devasa imgelerin dış hatlarını çizmek ve sonra da şekli boyamak için mutlaka işbirliği yapmış olmalı. Boğalar Salonu'ndaki alan böyle bir ortaklaşa işi gerçekleştirmeyi kolaylaştırmıştır. Ayrıca salon, çok sayıda insanın resimleri görmesine ve geriye hiçbir kanıtın kalmadığı çeşitli ritüeller gerçekleştirmesine de olanak sağlamıştır. Bu tür etkinlikler pekâlâ dans, müzik ve şarkı içermiş olabilir. Bu nedenle Boğalar Salonu "giriş holü" olarak görülebilir ve Gabillou'nun kötü korunmuş girişiyle karşılaştırılabilir.

Eksen Galerisi

Boğalar Salonu'ndaki frizin düzenlenmiş yapısı, Eksen Galerisi'ne girişi temin etme yoluyla son derece belirgindir (21. renkli resim). Bu galeri sol uçta başlar ve bir bakıma Boğalar Salonu'nun devamı olarak görülebilir. Girişi ikinci ile üçüncü yaban öküzü arasındadır. Bu iki imge, ikisi arasında bir kavis yapan girişe izin verecek biçimde yerleştirilmiştir; sağdaki yaban öküzünün bir bacağı Eksen Galerisi'nin girişinin içine doğru kıvrılmıştır. Böylece Eksen Galerisi'ne girmek için Boğalar Salonu'nun hayvanlar geçit töreninin altından –ve içinden– geçmek gerekmektedir. Bunu yapan biri artık geride durup heybetli imgeler dizisine bakıyor olmaz: Artık onların içindedir.

Boğalar Salonu gibi burada da duvarlar parlak kalsitle kaplıdır. Tarihöncesi dönemlerde insanlar galerinin içinde eğilmeden yürüyebilirdi ama zemin şimdi o zamankinden daha alçaktır. Burada duvarın yüksek kısımlarına ve tavana ulaşmak için kullanılmış iskele kalıntıları bulunmuştur; eksen galerisi tavana kadar uzanan imgelerle adamakıllı süslenmiştir: Eksen Galerisi'ni ziyaret edenler kendilerini harika, canlı resimlerle tamamen kuşatılmış hisseder. Boğalar Salonu'nda olduğu gibi iskelelerin ve resimlerin uyanık bilinç durumundaki insanların işbirliğiyle yapıldığı açıktır. Araştırmamız için özellikle önemli olan birkaç imge seçeceğim.

Hemen girişin içindeki sağ duvarda ağzı açık siyah bir erkek geyiğin kafası, boynu ve sırtı görülür (22. renkli resim). Erkek geyikler kış sonundaki kızışma döneminde başlarını bu pozisyonda yukarı kaldırıp kükrer. Mario Ruspoli mağarayla ilgili yaptığı fotoğraf araştırmasında, bu imgenin toslaşan iki dağ keçisi imgesi ve bir kısrağı kovalayan bir aygırın resmiyle ilişkili olarak görülmesi gerektiğini öne sürer; bu imgelerin hepsinin kızışma (kızgınlık) mevsiminin işaretleri olduğunu söyler.[517] Erkek geyiğin ses çıkarması muhtemelen mağaradaki çok duyulu deneyimler açısından önemliydi: Ses imgeyle ifade ediliyordu. Belki de ritüellere katılanlar kükreme taklidi yapıyordu; aralarından bazıları işitsel halüsinasyonlarını erkek geyik kükremesi olarak yorumlamış olabilir. Etnografik kanıtları hesaba kattığımızda resimleri ve gravürleri yapılan Üst Paleolitik dönem hayvanlarının muhtemelen insanlarla işitsel halüsinasyonları sırasında "konuştuğunu" da kabul etmemiz gerekir. Yoğun ve büyük bir dikkatle "sabitlenmiş" hayvanlara bakmak, yeraltındaki duyu yoksunluğu koşullarında buna benzer halüsinasyonları, tüm duyuları kapsayan, huşu içindeki insanlara iletiler ve gerçekler aktaran 3. Evre sanrılarını tetiklemiş olabilir.[518]

Kükreyen Erkek Geyik'in altında, muhtemelen daha önce yapılmış dört köşe bir işaretle sona eren siyah noktalardan oluşan bir hat vardır.[519] Biraz solda yelesi, bacakları ve karnının altı siyah, kendi sarı kahverengi bir at bulunur; yüzü erkek geyiğe dönüktür (23. renkli resim). Atın altında, erkek geyiğin altındakilerin bir devamı gibi görünen noktalardan oluşan bir çizgi vardır ama aynı zamanda yapılıp yapılmadıkları tartışmalıdır. Atla ilişkili olan noktaların dikkate değer iki özelliği vardır. Birincisi, kayadaki bir kabartının arkasında kaybolup sonra erkek geyiğin altında yeniden ortaya çıkarmış gibi görünürler. İkincisi, nokta dizisi atın ön bacaklarını oluştururmuşçasına yukarı doğru kıvrılıp geri döner. İşaretler ve temsili resimler böylece, nörolojik modelin gerçekten de derin değişmiş bilinç durumlarında gerçekleştiğini gösterdiği gibi bir araya gelir.

Eksen Galerisi'nin sonunda Büklüm olarak bilinen bir kesim vardır. Son derece ilgi çekicidir. Galeri bu noktada girişinden daha dardır ve solda çıkıntı yapıp yarım daire şeklinde dar bir alan oluşturan bir kaya "payanda" mevcuttur. "Payandanın" arkasında geçit sola kıvrılır ve o kadar daralır ki az ileride ilerlemek artık olanaksızlaşır. Bu noktada sol duvardaki kalsit üstünde birtakım küçük atlar ve dallanan işaretler bulunur.

Karşı duvarda bir bizon ve iki at vardır; "payandanın" arkasındaki dar tünelden çıkıyormuş gibi görünürler (26. renkli resim). Özellikle bizonun ilginç bir özelliği vardır: Kuyruğu kalkıktır –bu noktaya sonra geri döneceğim– ve penisi gösterilmiştir. Tünelin en dip noktasındaki at da dikkat çekicidir. Gözü 5 cm derinliğinde küçük dairesel bir çukurla oluşturulmuştur. Laming-Emperaire "Bu delik belki de sanatçıya hayvanın kafasını buraya yerleştirmek için esin vermiştir" diye yazar.[520] Dokunma ve görme duyularının imgelerin saptanması ve yaratılması için birlikte kullanılmasına bir başka örnek de budur.

Eğri "payandanın" üstüne çizilmiş Düşen At, Üst Paleolitik resim ustalığının mucizelerinden biridir (26. renkli resim). At, başı galerinin girişine doğru, bacakları havada olacak şekilde baş aşağı durumdadır. Laming-Emperaire'in doğru olarak ifade ettiği gibi "Boşlukta düşen bir atın yarattığı izlenim canlı biçimde aktarılmıştır."[521] Geçidin genişliği burada yalnızca 90 cm'dir ve ziyaretçiler sığabilmek için yan dönmek zorundadır. Düşen At imgesinin tamamını görebilmek için çömelmek ve kayanın etrafında dolaşmak gerekir. Bütün at bir seferde görülemez: Bütünü görmek "payanda" çevresinde hareket etmeyi gerektirir.

Düşen at son derece doğal olarak büyük ilgi çekmiş ve birçok yoruma konu olmuştur. Bazı araştırmacılar bir av ya da çevirme sırasında uçurumdan yuvarlanan bir atı temsil ettiği kanısındadır.[522] Şimdiye dek bir araya getirdiğim kanıt dizileri böyle gerçekçi bir yorumun çok olası olmadığını düşündürür. Düşen At'ın anlamını açıklamak için Eksen Galerisi boyunca geri çekilmemiz, sonra da tüm galeri boyunca görebileceğimiz kadar aşağıya bakmamız gerekir.

Geriden baktığımızda, galerinin aşağı doğru eğimli olduğunu görürüz: Büklüm aslında galerinin Boğalar Salonu'ndan ayrıldığı eşikten 9 m kadar daha alçaktır. Eksen Galerisi Boğalar Salonu'yla karşılaştırıldığında belirgin biçimde yeraltı dünyasının daha derinlerine gider. Aynı zamanda, imgelerin Eksen Galerisi'nin tavanı çevresinde ve üstünde dönme biçimi, etrafı kuşatan imgeleriyle değişen bilincin en derin durumuna ve en canlı halüsinasyonlara yol açan görüntülerin söz konusu olduğu nörolojik olarak yaratılmış girdabı anımsatır. Bu izlenim, Düşen At'ın girdabın merkezinde ters dönmesiyle çok çarpıcı biçimde artırılmış olur. Dikkatle planlanmış ve ortaklaşa yaratılmış Eksen Galerisi, bütün olarak değerlendirildiğinde, çarpıcı biçimde nörolojik girdabı çağrıştırır. Daha önce ileri sürdüğüm gibi, yeraltı geçitlerine fiziksel olarak girmek, muhtemelen psişik olarak derinden değişmiş bilinç durumlarına girmeye eşdeğer olarak görülüyordu. Bu benzerliğin en iyi görüldüğü yer Eksen Galerisi'dir.

Girdabın odak noktası –bir dönüm noktası– olmasının yanı sıra Büklüm'ün özel olmasını sağlayan bir özelliği daha vardır. Özgün zemin Eksen Galerisi'nin diğer ucundan 1 m daha alçaktı. Lascaux'daki bazı yerlerde kazılar yapan ve pek çok gravür kopyalayan Başrahip André Glory, bu noktada toprakta kırmızı aşı boyası ve çakmaktaşı yontusu kalıntıları buldu. Düşen At'ın karşısında daha da dikkate değer bir şey keşfetti: Üç çakmaktaşı dilgi, duvardaki küçük bir nişe sıkıştırılmıştı; üstlerinde kullanıldıklarına dair işaretler vardı ama aynı zamanda kırmızı boyayla kaplıydılar.

Bu buluntu, Zaman Kesiti I'de Les Trois Frères'e çıkan alçak ve dar geçitten elinde mağara ayısı dişiyle geçen, sonra da aslan gravürlü küçük bir odadaki bir nişe yerleştiren tarihöncesi insanını akla getiriyor. Duvar resimlerinin olmadığı ama çok sayıda gravür plaketinin bulunduğu Enlène'de yüzlerce kemik parçası kayadaki çatlaklara saplanmıştı (24. ve 25. renkli resim).[523] Ayrıca daha büyük kemik parçaları mağarayı kullanan ilk insanlar tarafından derin biçimde gömülmüştü; kemiklerin üstü sonraki çökeltilerle kapandı. Üst Paleolitik mağaralarından başka örnekler de verilebilir.

İnsanlar mağaraların duvarlarının ve zeminlerinin *içine* çeşitli nesneler koyuyordu. Hayvanlara ait küçük parçaların açıkça belli bir önemi vardı, bu nokta üç boyutlu imgelerin kökenine ilişkin açıklamamı desteklemektedir (7. Bölüm). Eğer insanlar, benim öne sürdüğüm gibi, duvarları kendileri ile ruhlar dünyası arasında bir "zar" olarak gördüyse, iki yönlü bir ritüel gerçekleştirmişlerdir. "Zarın" üzerine ruh hayvanların resimlerini çiziyor ve onları zarın içinden çekip çıkararak yüzeye sabitliyorlardı; aynı zamanda hayvanlara ait parçaları "zarın" içinden ruhlar dünyasına geri yolluyorlardı. Bu örneklerde bir tür sahibine iade ritüeli görülebilir: Bu dünya ile ruhlar dünyası arasında iki yönlü bir trafik. Bu mekânlara giren Üst Paleolitik dönem insanlar, yeraltı âlemlerinin güçleri ile temsil ettikleri ve adlarına hareket ettikleri toplum arasındaki bir antlaşma çerçevesinde davranıyordu. Yeraltı dünyasının güçleri, insanların, (bazı Üst Paleolitik dönem Şamanizm uygulamalarında) hayvan parçalarının mağaralara götürülmesi ve "zara" sokulması gibi belirli ritüel yöntemleriyle karşılık vermeleri koşuluyla hayvanları öldürmelerine izin veriyordu.

Bu savlar için etnografik kanıtlar vardır. Dünyadaki tüm Şamanist toplumlarda kemiğin özel bir anlamı vardır ve ruhla ilişkilidir. Örneğin Orta Amerika'daki Huicholler bir insanın ruhunun başın ve –doğumdan sonraki aylarda– bıngıldağın üstünde gelişen kemikte yer aldığına inanır. Kuzey Amerika İrokua yerlileri, bu düşüncenin Enlène'de neler olduğunu (Zaman Kesiti I) aydınlatabilecek geliştirilmiş çeşidine sahiptir. "Yanmış kemikler" için kullandıkları sözcük (uq-sken-ra-ri) aynı zamanda "hayalet veya 'hayvan iskeleti' olarak ruh" anlamına gelir.[524] Enlène'in girişine yaklaşık 160 m uzaktaki Salle des Morts'da [Ölüler Salonu] insanlar ateşi odunla tutuşturup, ana yakıt olarak kemik kullanmıştı. Mağaraya çok büyük miktarda kemik taşınmıştı; kötü koku bayıltıcı derecede kuvvetli olmalıydı.[525] Bütün dünyada iskelet benzeri ruhlar ve kemiklerden yeniden doğuş kavramları ritüellerle ifade edilir. Venezuela Waraoları, örneğin, yeni balıkların doğmasını sağladıkları inancıyla, duvarlara ve evlerin dam örtüleri arasına balık kılçıkları koyar; balıkların ve hayvanların da insanlar gibi ruhları olduğuna inanılır.[526] Bu örneklerin benzerleri pek çok Şamanist toplumda görülür. Üst Paleolitik dönem toplumlarında da bu uygulamaların *birebir aynı* olduğunu ima etmek istemiyorum ama ruh/kemik ve kemiklerin yeraltında yeniden canlanması kavramları Batı Avrupa'nın yeraltı kanıtlarıyla fazlasıyla tutarlıdır.

Lascaux Büklümü'ndeki boya kaplı çakmaktaşı örneklerinde, görünüşe göre, bu temanın bizi teknolojinin simgesel önemine geri götüren bir çeşitlemesine sahibiz. Boya sadece "boya" değildir. Hayali görüntüleri yakalamayı ve sabitlemeyi kolaylaştıran doğaüstü güçleri ve anlamları vardır. Büklüm'de taş aletlerin de, en azından bazı koşullarda, sadece "alet" olmaktan daha fazlasını ifade ettiğini akla getiren ipuçları mevcuttur. Aslında Üst Paleolitik dönem mağaralarında taş aletlerin açıkça özel biçimlerde ele alındığı ve mağara duvarlarıyla ilişkilendirildiği başka çok sayıda örnek vardır. Örneğin Gaussen'ın Gabillou tünelinde bulduğu aşı boyası kaplı dilgi. Taş aletlerin, artık çoğu araştırmacının kabul ettiği gibi, toplumsal bir anlamı vardı ve Üst Paleolitik mağaralarındaki özel kullanımları o anlamdan yararlanmanın yollarından biriydi. O anlam her ne idiyse, bilinçli olarak ruhlar dünyasıyla ilişkilendirilmişti.

Daha şimdiden Lascaux'nun değişik bölümlerinin farklı etkinlikler için kullanıldığı izlenimini uyandırdığını görebiliriz. Çok sayıda insan muhtemelen bir dizi ritüel için Boğalar Salonu'nda bir araya geliyordu. Bu ritüellerin hepsi görüntü aramayla ilişkili olmayabilir; bazıları belirli zamanlarda Lascaux'da bir araya gelen, nispeten uzaklarda yerleşik topluluklar arasındaki ekonomik ve politik ilişkilerle ilişkili olabilir.[527] Görüntü arayışı mağaraların işlevlerinden yalnızca biriydi. İnsanlar mağaraya her girdiklerinde mağarada mutlaka bir uçtan diğer uca geçmezdi. Topografyanın doğası gereği, aşağı doğru eğimli Eksen Galerisi'ne ve sonundaki Büklüm/girdaba çok daha az insan girebiliyordu. Sonra biri, Düşen At'ın yanındaki çok dar alanda mağara duvarına taş aletler yerleştiriyordu.

Gerek Boğalar Salonu, gerek Eksen Galerisi düzenlenmiş alanlardır: İnsanlar belirli türde tepkilere yol açan imge örüntüleri yaratmak için işbirliği yapmıştır. Lascaux'nun diğer bölümlerinde "karışık" imge *demetiyle* karşılaşmaya başlarız.

Geçit

Boğalar Salonu'ndan bakıldığında büyük frizle göze çarpan Eksen Galerisi solda yer alır. Geçit'in girişi çok daha zor fark edilir. Sağ tarafta, büyük yaban öküzlerinin sonuncusunun ayaklarının altındadır. Frizin düzenlenmesi neredeyse sanki dikkati Geçit'ten uzağa, Eksen Galerisi'ne doğru çekmek üzere yapılmış gibidir.

Üst Paleolitik dönem süresince Geçit'in girişi şimdikinden çok daha dardı. 1940'ta çekilmiş fotoğraflar ne kadar fark edilemez nitelikte olduğunu gösterir.[528] İçeri girenler çömelmek zorundaydı. Zemini Boğalar Salonu'ndan daha alçaktır ve burada kalsit bulunmaz; duvarlar daha yumuşak ve çok daha az düzgündür.

Özellikle Geçit'in sol duvarına defalarca resimler ve gravürler yapılmıştır. İmgelerin üstüne tekrar tekrar bazıları boyayla, bazıları oymayla, bazıları da iki tekniğin bir arada kullanılmasıyla yeni imgeler eklenmiştir. Ne yazık ki Geçit binlerce yıl boyunca hafif bir hava akımı etkisinde kalmış ve bunun sonucunda imgeler çok iyi korunamamıştır. Laming-Emperaire'in belirttiği gibi, bu dar alandan insanların geçişi, tarihöncesi dönemlerde bile imgelerin tahrip olmasına neden olmuş olabilir.[529]

Burada at, yaban öküzü ve dağ keçisi başlarına ait imgeler bulunur. Burası, imge yaratıcılarının yapıtlarını başkalarının yapıtları üstüne çekinmeden yerleştirdikleri bir "karışıklık" bölgesidir; böylelikle "düzenlenmiş" Boğa Salonu ve Eksen Galerisi'yle tam bir zıtlık oluşturur. Bu özellik mağaranın bir sonraki bölümünde daha da belirgindir.

Apsis

Apsis, Geçit'in sağında ve biraz daha yüksekte, nispeten küçük, kubbeli bir odadır. Duvarlar Geçit'ten daha serttir, bu da burada bulunan gravürlerin daha iyi korunmasına katkıda bulunmuştur. Birkaç da resim vardır. Duvarların çoğu ve tavan o kadar yoğun biçimde gravürle kaplıdır ki deşifre edilmeleri çok zordur. Bu imgelerin kopyalanması Üst Paleolitik sanatı araştırmalarının en büyük başarılarından biridir. Bu zorlu görevi Başrahip Glory üstlenmiş ve kopyaları *Lascaux inconnu*'de [Bilinmeyen Lascaux] yayımlanmıştır.[530] Ondan sonra Norbert Aujoulat Apsis'e geri dönmüş ve Glory'nin belirlediğinden bile daha çok sayıda oyulmuş çizgi bulmuştur.

Apsis'in karmaşıklığı gerçekten baş döndürücüdür (57. resim). Atlara, bizonlara, yaban öküzlerine, dağ keçilerine, geyiklere ait imgelerle dopdoludur, ayrıca olasılıkla kurda ve bir aslana ait olabilecek imgeler de vardır ama bunlar bana kuşkulu görünüyor. İmgelerin pek çoğunun "havada asılı" toynakları vardır ki bu bazen toynakları daha iyi göstermek için kullanılan bir grafik tekniği olarak yorumlanmıştır. Bir de özellikle başları resmedilmiş, kısmen tamamlanmış çok sayıda hayvan vardır. Burası bir başka "karışıklık" örneğidir, çok açık ki

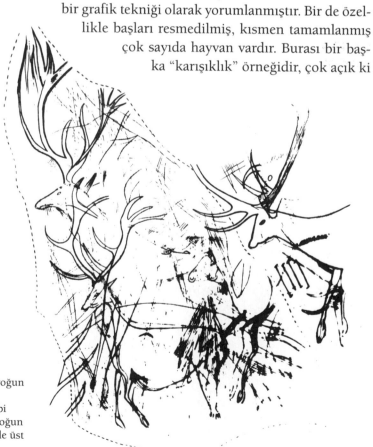

57. Lascaux'daki Apsis'te bulunan yoğun gravürler. imgeler ve rastgeleymiş gibi görünen çizgiler yoğun bir karışıklık içinde üst üste yığılmıştır.

burada "düzenlenmiş" Boğalar Salonu" ve Eksen Galerisi'nden farklı şeyler gerçekleşmekteydi. Karışıklık algısı pek çok insanın, muhtemelen uzun bir süre içinde eşgüdümsüz olarak işe katılmasından kaynaklanmaktadır.

Çok sayıda oyulmuş çizginin imgeleri kesmesi işleri daha da karmaşık hale getirmektedir. Doğrudan aşağıdaki Kuyu'ya giden deliğin hemen üstündeki bir örnekte kayadaki doğal bir damar bağımsız darbelerden oluşan uzun bir hat tarafından boylu boyunca kesilmiştir. Bu tür örnekler bir kez daha kaya yüzünün tarafsız bir *tabula rasa* [boş bir sayfa] olmadığını gösterir: Kendine özgü bir anlamı vardır ve başlı başına saygı ve takdir görmesi gerekir.

"Makarnalar" gibi oyulmuş çizgiler de çok fazla araştırmaya konu olmamıştır. Çok sayıda tekil çizgi olmasına karşın çoğu, kimi düz, kimi eğri paralel kümeler halinde görünür. Bazıları iki paralel çizgi arasındaki taramalara benzer, diğerleri birbirlerini izleyen çok daha kısa darbelerdir. Kontrolsüz olmaktan uzak bir biçimde, gruplar içindeki tekil çizgiler, genellikle birbirlerini kesmekten kaçınır. Rasgele yapılmışlar, hatta belki de var olan imgeleri tahrip etmişler gibi genel bir izlenim bıraksalar da aslında panolara dikkatle yapılmış ve sıralanmış eklentilerdir.

Temsili imge panolarına yapılan böyle eklemeler "sanat" çerçevesinden açıklanabilir mi? Muhtemelen hayır. Buna karşın, geliştirmekte olduğum açıklama bağlamında açıklanabilirler. Muhtemelen âlemler arasındaki canlı "zar" üstünde yer alan ruh hayvanları paneline *katılmayı* temsil etmektedirler. Hayali görüntülerin temsili imgelerini (en azından o zaman için) yapmamış bireyler, yine de ruhlar dünyasının deneyimine başka yollarla katılabilirdi. Birçok çizgi kümesi tabii ki önceden imgeleri yapmış ve o sırada "zar" deneyimine tekrar katılmakta olan insanlar tarafından yapılmış olabilir. Böylece gücün kendi içlerine sızmasını sağlamak için "zarı" *kesmiş* veya *çizmişlerdi*. O zaman paralel çizgi kümeleri bireylerin doğaüstü güçlere erişme ve dinsel deneyime, tam olarak anlayamadığımız bir biçimde, katılma çabalarını temsil eder.

Böyle bir etkinliğin sonuçlarını biz karışık olarak görsek de, insanların yaratmaktan hoşnut olduğu etki buydu. Bunun nedeni belki görsel anlamdan ziyade —"karışık" panolara estetik nedenlerle değer verdikleri anlamında—, "karışıklık" çok sayıda insanın dinsel deneyime mekânsal olarak odaklanmış erişimini temsil etmesiydi. Dolayısıyla bu kesik izleri el izleriyle karşılaştırılabilir (8. Bölüm). Sonuçta ortaya çıkan görsel etkinin hiç şüphesiz bir anlamı olmasına karşın, temel öneme sahip olan şey bunların yapılmasıyla gerçekleşen ritüel eylemiydi.

Apsis'teki temsili resimler arasında çok sayıda kafes, dal ve başka biçimli işaret vardır. Nef'teki kafeslerden biri, parçalarını dolduran farklı yöndeki çizgilerle alışılmadık ölçüde sık biçimde kesilmiştir. Kafes şekillerine mağaranın bir sonraki bölümünde geri döneceğim. Huni biçimli, oyma yakınsak çizgi kümeleri de vardır.[531] Breuil'ün ünlü ama ikna edici olmayan biçimde "tepeden tırnağa örgü lifler kılığındaki Fransız Ginesi'nden zenci bir büyücüye" benzettiği şey onlardan biriydi.[532] Leroi-Gourhan'ı etnografik kanıtları tamamen terk etmeye iten şey bu türden içi boş, birebir etnografik benzetmeydi. Apsis'te benzer ama daha eğri oyma figürler "kulübeler" olarak yorumlanmıştır ancak basite indirgenmiş etnografik benzetmelere ilişkin kuşkular burada da geçerlidir.

Oyulmuş çizgilerin "zar" boyunca kesikler olduğuna dair açıklamam kabul edilecek olursa, bu sözde "büyücülerin" yalnızca bir noktada birleşen ve daralıp "zardan" fiilen geçildiği bir odak noktasına yönlendiren bir girdapla ilgili kesik çizgiler kümesinden oluştuğunu görebiliriz. Bu sav, Üst Paleolitik dönem sanatının insanları "zarın" içinden geçerek yeraltındaki ruhlar âlemine götüren çeşitli Şamanist ritüeller içinde yer aldığına ilişkin genel görüşle son derece uyumludur.

Apsis'in altındaki gizemli odayı ele almadan önce Geçit'e ve onun devamına geri döneceğim.

Nef

Geçit boyunca süründükten sonra, Üst Paleolitik dönemdeki ziyaretçiler burasıyla Apsis arasında, sağda yer alan yol ayrımına varıyordu. Bu noktada oda genişler, tavan da çok daha yüksektir: Artık yeniden ayakta yürüyebilirlerdi. Tam önlerinde zeminin düzeyi Nef'e doğru alçalıyordu.

Mağaranın bu kesimi Geçit'ten daha az süslüdür. Burada tavan yüksektir (5,5 m), 25 m uzunluğundaki oda da oldukça dik bir eğimle aşağı iner. Nef'in duvarları Geçit'inkinden daha düzdür, biraz da kalsit vardır. Tüm imgeler Nef'in başladığı yerde zemin yüksekliğinde bulunan bir kaya çıkıntısının yukarısında yer alır ama odada ilerledikçe kısa sürede baş üstü yüksekliğe çıkar. Böylece ziyaretçi imgelerin altına düşmüş olur. Çıkıntının üstünde lambalar ve pigmentler bulunmuştur. Kemik kalıntıları insanların burada yemek de yediğini gösterir, bununla birlikte bunu imgeleri yaparken mi yoksa buraya daha sonra başka nedenlerle geldikleri zaman mı yaptıkları belli değildir. Nef'te ve Lascaux'nun diğer yerlerinde bulunan kemikler çoğunlukla genç ren geyiklerinden kalmadır, yine de mağarada yalnızca bir ren geyiği imgesi bulunur; bu gravür Apsis'te yer alır. Lascaux insanları yiyeceklerinin resimlerini yapmamıştır.

Nef'e girer girmez Geçit'in ve Apsis'in "karışıklığını" geride bırakıp yeniden daha "düzenlenmiş" bir alana gireriz, ancak burası kendine özgü özellikleri olan bir bölgedir. Burada devasa at, bizon ve "Yüzen Geyikler"

58. Lascaux'daki Nef'te bulunan resim
ve gravür olarak yapılmış bir kafes şekli.
İmgenin yenilenmiş olması uzun süre devam
eden bir önemi olduğunu gösterir.

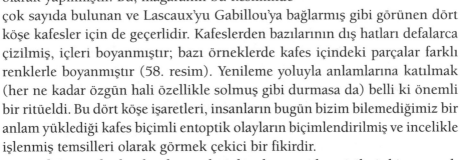

denen bir geyik kafaları dizisi imgeleri
bulunur. Ama imgelerin yapılış biçimi
bu mekânın hiçbir yönüyle Boğalar
Salonu veya Eksen Galerisi'yle eşde-
ğer olmadığını düşündürür. Burada o
iki bölümde bulduğumuzdan daha çok
"ekleme" ve "katılma" olmasına karşın
düzen algısı devam eder.

İmgelerin pek çoğu, bazıları defalar-
ca olmak üzere, hem resim, hem gravür
olarak yapılmıştır. Bu, mağaranın bu kesiminde
çok sayıda bulunan ve Lascaux'yu Gabillou'ya bağlarmış gibi görünen dört
köşe kafesler için de geçerlidir. Kafeslerden bazılarının dış hatları defalarca
çizilmiş, içleri boyanmıştır; bazı örneklerde kafes içindeki parçalar farklı
renklerle boyanmıştır (58. resim). Yenileme yoluyla anlamlarına katılmak
(her ne kadar özgün hali özellikle solmuş gibi durmasa da) belli ki önemli
bir ritüeldi. Bu dört köşe işaretleri, insanların bugün bizim bilemediğimiz bir
anlam yüklediği kafes biçimli entoptik olayların biçimlendirilmiş ve incelikle
işlenmiş temsilleri olarak görmek çekici bir fikirdir.

Katılım, ana hatları beş kez, yelesi dört kez yeniden çizilmiş bir atta çok
belirgindir. Boğalar Salonu ve Eksen Galerisi'nde bu kadar çok karşılaşmadı-
ğımız imgelerin yeniden işlenmesi eylemi, belirli imgelere geri dönüldüğünü
ve var olan anlamlarına katılmayı akla getiriyor. Büyük bir olasılıkla güçlü
ruh hayvanlarının imgelerinin üstünden geçmek, karmaşık bir ritüel sistemi
içinde, dönüştürücü güce erişim sağlamanın ve ruh hayvanın ana hatlarını
zihne yerleştirmenin bir yoluydu. Bazı imgeler aynı zamanda, mızrak olarak
yorumlanan çizgilerle kesilmişti. Bunlar mızrak olsalar da olmasalar da,
Apsis'te olanlara benzer imgeye katılımın başka bir türünü temsil eder.

Eklemeler ve yeniden işlemeler, bir kez daha planlanmış, dengeli imgeler
alanında bulunduğumuz algısını yok etmez. Bu özellik sol duvardaki son
panoda özellikle belirgindir. Sağrıları birbirinin üstüne binmiş, sırt sırta
iki muhteşem erkek bizon gösterilir (27. renkli resim). Kuyrukları, Eksen
Galerisi'nin sonundaki bizonu anımsatacak, öfke ve kızışmayı akla getirecek
biçimde yukarı kalkıktır. Bu kompozisyon genellikle İtalyan Rönesansı'yla
ilişkilendirilen doğrusal perspektif çeşidinin ilk başarılı eserlerinden biri

olarak yorumlanmıştır. Bu, çekici bir çıkarımdır ama imgeler muhtemelen, perspektif açıklamasının ima ettiği gibi, mağaranın dışındaki yaşamdan üç boyutlu bir "sahne" kaydetmiyordu. Bunun yerine, iki boyutlu imgeleri "görme" ve çıkarımlarımızı perspektif kavramına yansıtma zorlukları hakkında belirttiğimiz noktaları aklımızda tutmalıyız. Sadece tek bir "doğru" perspektif yaratma yolu yoktur: Örneğin Doğulu sanatçılar sıklıkla Batı sanatının yakınsayan görüş hatlarından çok farklı bir yöntem benimser. Rönesans sanatçıları, birkaç Üst Paleolitik dönem ressamının ustalık ve deha kıvılcımıyla öncülüğünü yaptığı bir "gerçeği" keşfetmemiştir.

Bu türden sanat tarihsel bir yaklaşım, önemli çıkarımların üstünü Batılı gelenekler ve ilgi alanlarıyla örtüp karanlığa gömmeye yatkındır.[533] İki bizonun duvarın çukur bir bölgesine yerleştirilmiş olduğunu fark etmek daha ilginçtir: Sanki kalkık kuyruklarıyla kayanın içinden çıkarmış gibi görünürler. Kayanın bir kitap sayfasında görülemeyecek kıvrımı, bizonların onlara bakan kişiye saldırıyormuş duygusunu güçlendirir. Daha önce gördüğümüz gibi, bunlar hiç de kaya yüzeyindeki yarıklardan çıkarmış gibi görünecek biçimde resmedilmiş tek hayvan örneği değildir; anlaşılır nedenlerle imgelerdeki biçim çarpıklıklarından kaçınmaya çalışan fotoğrafçılar genellikle bu özelliği gözden kaçırır.[534] "Zarın" içinden belirme, bana göre, güçlü hayvanlarla dolu ruhlar âleminin kaya duvarın hemen arkasında bulunduğuna inanan Üst Paleolitik dönem sanatçılarının anlayabileceği türden "perspektifti".

Bizonların kalkık kuyrukları, akla yatkın bir biçimde, boğaların kızışma döneminde birbirlerini tehdit ettiklerini gösterdiği şeklinde yorumlanmıştır; gerçekten de hayvanlardan biri, bahar sonunda yaptıkları gibi kışlık kürkünü dökermiş gibi görünüyor. Bu da etolojinin (hayvan davranışları araştırmalarının), basit ve doğrudan bir yolla olmasa da bir kanıt dizisi oluşturmasının bir başka örneğidir. Kendimize şunu sormalıyız: Saldırgan davranışa ait bu çizim, *öbür dünya bağlamında* ne anlama gelebilir? Eğer hayvanlar, benim öne sürdüğüm gibi, oyuktan çıkıyorlarsa, saldırıya hazır duruşları şamanların arayışlarının zirvesinde kendi ruh hayvanlarıyla karşılaştıklarında hissettikleri korkuyla ilişkili olabilir: Güç edinmek istiyorlarsa böyle bir tehlike karşısında soğukkanlı duruşlarını korumaları gerekiyordu. Belki kızgın bizon boğaları Magdalenyen görüntü arayıcılarını mağaranın bir sonraki bölümü Kedigiller Çıkmazı'ndaki dehşete alıştırmak içindi. Belki de sadece bu "resmin" önünden geçmek bile, bu iki bizon

titrek kandil ışığında insanın üzerine sıçradığı için cesaret gerektiriyordu. Eğer gerçekten perspektifi ele alıyorsak, Michael Kubovy'nin İtalyan Rönesansı'yla ilgili dikkat çektiği gibi bu, sırf mekânı "doğru" biçimde temsil etmeyi keşfetmek değil, daha çok bakan kişide derin bir dinsel etki yaratan "simgesel bir biçim" yaratmak olur.[535]

Tehditkâr bizon çifti Nef'teki son resimlerdir. Burası belki ikinci ama bir ölçüde farklı bir "geçiş dehlizi", Kedigiller Çıkmazı'na hazırlayan bir ritüel mekânıydı. Bu noktadan itibaren geçit birden daralır ve Kedigiller Çıkmazı'na giden tehlikeli yol başlar.

Kedigiller Çıkmazı

Nef terk edilir edilmez mağaranın karakteri önemli ölçüde değişir. Kısa süre sonra dar tünelde ilerlemek için emeklemeye başlanır. Sonra yumuşak kil duvarların olduğu bir alan gelir. Sonunda içinde uzanmak veya çömelmek zorunda kalınan Kedigiller Çıkmazı'na ulaşılır. Uzak konumuna karşın Lascaux'nun bu bölümü birçok imgeyle doludur.

Motifler, buraya adını veren kedigiller, yaban öküzleri, yüzü dönük görünen bir at, kalkık kuyruklu bir bizon, dağ keçileri, bazı noktalar, kafes "işaretleri", yan çizgileri orta çizgiden ayrık dallanma işaretleri ve paralel çizgi kümeleri içerir (59. resim). Muhtemelen sekiz kadar kedigil, mağara aslanı da denen ve Buz Çağı Avrupası'nda küçük sürüler halinde yaşayan, yelesiz bir çeşit *Panthera leo*'yu andırıyor.[536] Biri, erken Orinyasyen heykelcikleriyle ilgili olarak belirttiğim bir duruşla kulakları geriye yatık ve ağzı açık biçimde görülüyor. Aslanlardan birinin ağzından ve anüsünden çizgiler

59. Lascaux'nun uzak Kedigiller Çıkmazı'nda bulunan gravürler.

çıkıyor. Kuyruğu uzatılmış ve havayı kamçılıyor gibi görünüyor. Ağızdan çıkan çizgilerin kızgın bir kükremeyi temsil ettiği, arkadaki çizgilerin yaratığın idrarıyla bölgesini işaretlediğini gösterdiği yorumları yapılmıştır. Gerek ağızdan gerek anüsten çıkan çizgileri belki de ruhun, özün veya gücün fışkırması olarak görmek gerekir.[537] Sondaki noktaların sayısı altıdır ve üçerden iki sıra halinde çizilmiştir. Göreceğimiz gibi Apsis'in altındaki Kuyu'da da benzer nokta kümeleri vardır.

Bu odada bir at dişi, kemik parçaları, önemli miktarda pigment ve en dikkat çekicisi, üzerinde bitki liflerinden yapılma 7 mm çapında bir ip izi olan sert bir kil parçası bulundu. Pigmentin bu uzak noktada depolanması malzemenin gücünü artırmış veya korumuş olabilir. Ama biri neden yeraltında bu kadar uzaklara bir at dişi taşımış olsun? Bir kez daha Les Trois Frères'deki mağara ayısı dişini ve Büklüm'deki boya kaplı çakmaktaşlarını anımsayalım. İnsanlar yeraltı dünyasına çeşitli türlerde özel nesneler götürüp onları bilerek orada bırakıyordu.

Sonuçta insanlar Kedigiller Çıkmazı'nı çok sık ziyaret etmemişler gibi görünüyor; duvarlar yumuşak ve insanlar burada sık sık emeklemiş olsaydı tarihöncesi hasar şu anki durumundan daha fazla olurdu. Hayvan gravürlerinden bazıları teknik açıdan Lascaux'nun diğer bölgelerine eşit olmalarına karşın, çoğunlukla sanki nispeten hızlı biçimde yapılmış. Çok sayıdaki "kesik izi" ve paralel çizgiyle birlikte bu küçük uzak odadaki hayvan gravürleri ve resimli bölgeler, topografyanın yanı sıra deneyimin de sınırlarında bulunulduğunu düşündürür. Eğer Lascaux'da görüntü arama nişleri vardıysa, burası kesinlikle onlardan biriydi. Boğalar Salonu'nun muhteşem imgelerini toplulukla birlikte ve zihin yönlendirici biçimde seyretmekten oldukça uzakta, muhtemelen Eksen Galerisi'nde, Geçit'te ve Apis'te başka ritüeller gerçekleştirdikten ve cehennemin kapısında bekleyen üç başlı köpek Kerberus benzeri çift bizonu geçtikten sonra, arayıcılar güç görüntüleriyle burada, bu kadar derinlerde karşılaşmış ve ruhlar âlemiyle kişisel temas kurmuştu.

KUYU

Geriye tartışmak üzere Lascaux'nun son bir bölümü kaldı: Kuyu. Bu derin kuyunun –Fransa'da "Puits" olarak bilinir– girişi Apsis'in arkasındadır; üstünde, Apsis'in eğik duvarı ile tavanında, bir kafes ve beyzbol sopası biçimleri içeren gravürler bulunur. Mağaranın genç kâşifleri Kuyu'dan içeri bir ip yardımıyla beş metre kadar inmişti; çıkışları daha zor oldu ama Ravidat sonunda arkadaşlarını dışarı çekmeyi başardı. Bugün o zamanlar var olan sert kil kaldırılmış, yerine metal bir platform ve bir iniş deliği konmuştur; mağaraya artık duvara sabitlenmiş bir merdivenle inilir.

14. Girişi Akdeniz'in seviyesi Buz Çağı'nın sonunda yükseldiğinde
sular altında kalan Cosquer Mağarası'nın duvarlarındaki yumuşak
çamur üstünde bulunan parmak oyukları. İnsanlar odanın
duvarlarında her yere, hatta boylarını aşan yerlere bile dokunmuş,
kolayca biçimlendirilebilen yüzeyde bu örüntüleri bırakmıştı.
Dokunma mağarada yer alan herhangi bir ritüelin çok açıkça
önemli bir parçasıydı. Bir at imgesi parmak oyuklarının üstüne
yerleştirilmiştir.

15. Le Portel'in duvarı üstündeki bir tortul birikintisi çevresine, çıkıntının ereksiyon halindeki penis olacağı şekilde, insan biçimli bir figür çizilmiştir. Birkaç metre ötedeki bir başka benzer örnek, duvarın bu şekilde kullanımının tesadüf olmadığını kanıtlar.

19. Pech Merle Mağarası'ndaki iki Benekli At ve onları çevreleyen el izleri. Sağdaki atın başı içine yerleştirildiği doğal kaya şeklinden daha az gerçekçidir. En alttaki el izi, yapan kişinin mağaranın zeminine yüzükoyun yattığını düşündürür.

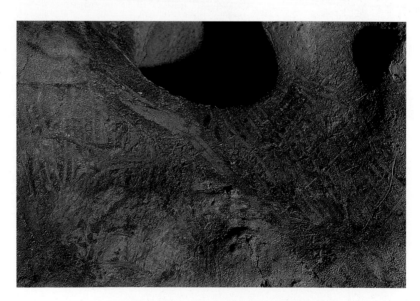

16. Hornos, İspanya'da duvardaki doğal bir delik çevresine parmaklarla çizilmiş bir kafes şekli. Örüntü sanki duvar yüzeyinin arkasından akıyormuş gibi görünür.

17 ve 18. Niaux'daki Salon Noir'da
doğal bir kaya formasyonu üstünde
ışığın ve gölgenin oynadığı oyunlar,
düşey durumdaki bir bizonun
belirgin sırt çizgisini ortaya çıkarır.

20. Tek Boynuz denen (aslında iki boynuzu vardır) resim, Lascaux'daki Boğalar Salonu'nun ilk önemli imgesidir. Bazı araştırmacılar sarkık göbeğin yaratığın gebe olduğunu gösterdiğini öne sürer. Üzerine çizilmiş birkaç oval şekil vardır. Girişin tersi yöne ve Eksen Galerisi'ne giden ağza bakan bir dizi hayvanın ilkidir.

21. Lascaux'da Eksen Galerisi'nin girişi Boğalar Salonu'ndaki hayvanlar geçidinin altındadır. Giriş ağzı bu fotoğrafta tam karşıda görülebilir. Bir ziyaretçi Eksen Galerisi'ne girmek için, devasa ve etkileyici hayvanların altından ve neredeyse içinden geçmek zorundadır.

22. Etkileyici boynuzlarıyla Kükreyen Erkek Geyik, Lascaux'daki Eksen Galerisi'nin başlangıcının yakınlarında, sağ duvarda yer alır. Hayvanın altındaki nokta dizisi soldaki dört köşe bir işaretten sağda çıkıntı yapan bir kaya parçasına kadar uzanır.

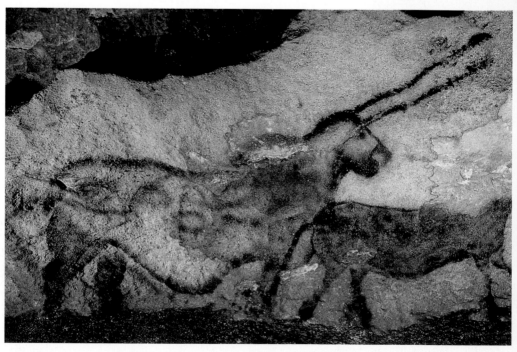

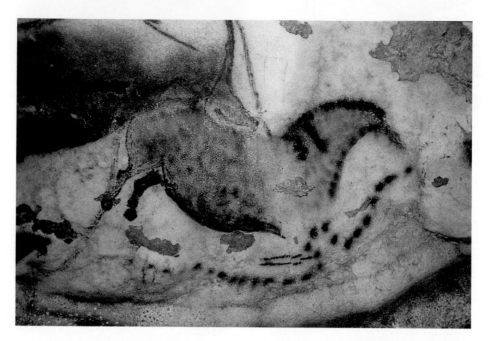

23. Lascaux'daki Eksen Galerisi'nde Kükreyen Erkek Geyik'in solundaki sarı kahverengi bir at ve noktalar. Nokta dizisi Kükreyen Erkek Geyik'in altındakilerin bir devamı olabilir (22. renkli resim). Resim, mağara duvarına boya püskürtme tekniğiyle yapılmıştır.

24. Kemik parçaları Volp Mağaraları'ndan biri olan Enlène'deki yarıklara saplanmıştı. Bunlar mağaraların anlam yüklü duvarlarının bir başka "kullanım" biçimiydi.

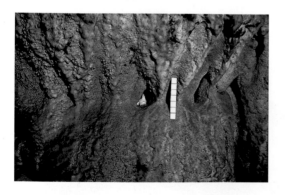

25. (Üstte)Nesli tükenmiş bir mağara ayısının dişi, Enlène'e doğru yönlenen Les Trois Frères Mağarası'nın Aslan Odası'ndaki bir nişe yerleştirilmişti.

26. Lascaux'daki Eksen Galerisi'nin sonundaki Büklüm'de bulunan Düşen At. Bir kaya çıkıntısı çevresinde bir kavis çizen bu resim Üst Paleolitik dönem sanatının en çarpıcı imgelerinden biridir. Burada gösterilen diğer imgeler arasında geçidin uzak duvarında bir at ve en sağda bir bizonun kalkık kuyruğunu içerir. Düşen At'ın karşısında bulunan duvardaki bir nişte aşı boyası kaplı çakmaktaşı aletler bulunmuştur.

27. Kısmen örtüşen iki bizon resmi Lascaux'daki Nef bölümünün sonuna doğru yer alan bir duvarda mağaradaki doğal bir oyuğa çizilmişti. Çizilme biçimleri ve eğri yüzey, resme bakan kişide sanki dışarı çıkıp üstüne geliyorlarmış –ve çevresini sarıyorlarmış– gibi bir etki yaratır.

28. Lascaux'da Kuyu'da bulunan imgeler, belki de Üst Paleolitik dönemin en bilinen ve en çok tartışılan resimleridir. Burada gösterilenler arasında, kuyruğu kalkık bir gergedan, (Lascaux'daki tek örnek olan) bir insan figürünün konturları, yaralı bir bizon ve bir direğin üstünde bulunan bir kuşun konturları vardır.

Kuyu Lascaux'nun en gizemli bölümüdür. Birincisi, Üst Paleolitik döneminde Lascaux'nun bir parçası mı olduğu yoksa hepten başka bir mağaraya mı ait olduğu konusunda bazı tartışmalar vardır. Pek çok araştırmacı bugün buranın gerçekten de Üst Paleolitik'te Lascaux'nun bir parçası olduğunu kabul eder. Stil konusundaki görüşlerin (örneğin kuyuda mağaranın başka yerlerinde bulunmayan insan figürü "çöp adam" tarzındadır) güvenilmez olduğu belirtilir. Daha kesin olarak, Kuyu'da bulunan güzel lambanın üstünde (53. resim), kuyunun duvarında ve Lascaux'nun başka bölümlerindeki duvarlarda "kırık işaretler" göründüğüne dikkat çekilir: Bu işaretler bütün mağaraya ait bir özelliktir. Sonra bir de kalkık kuyruklar ile nokta dizileri mağaranın diğer "uç" bölgeleriyle ilişkili görünmektedir. Son olarak da Kuyu'nun zemininin arkeolojik katmanları içinde mağaranın üst kesimlerinden bir miktar kil bulunmuştur. Görünüşe göre Üst Paleolitik dönem insanları tarafından buraya iple inerlerken getirilmiştir. Öte yandan bu noktaların hiçbiri kesinleşmiş değildir, biz de Kuyu'nun Lascaux'yla ilişkili bir başka mağaranın bir parçası olabileceğini ve artık kapalı olan bir başka girişten erişilebilme olasılığı olduğunu kabul etmek zorundayız. Hangisi doğru olursa olsun, bu bölüm son derece ilginç bir alandır. Ben de Kuyu'nun gerçekten de Üst Paleolitik dönemde Lascaux'nun bir parçası olduğu yönündeki yaygın görüşe katılıyorum.

Kuyu'nun zemindeki buluntular özel bir öneme sahiptir. Breuil'ün 1947'deki ilk kazısının ardından 1959'da Glory burada daha incelikli bir kazı yürüttü. Doğrudur, Lascaux'nun bazı diğer bölümlerinin de arkeolojik çalışmalar yapılmaya başlanmadan önce kazıldığını kabul etmek gerek ama bu çekinceyi kabul etsek bile, Kuyu'da bulunan bol miktarda pigmentin yanı sıra çok sayıda eşya sanki Üst Paleolitik dönem insanlarının bunları oraya bilerek bıraktığını akla getiriyor. Bu buluntular arasında içlerinde biçimlendirilmiş ve süslenmiş kandilin de olduğu lambalar vardır. Bu özel lamba gergedan imgesinin kuyruğunun hemen altında bulunmuştur. Bulunan daha kaba lambaların tam sayısı bilinmiyor çünkü bazıları kayıp, ancak yaklaşık olarak iki düzine çok yüksek bir tahmin gibi görünmüyor. 1951'de bu lambalardan birinde bulunan kömürün 17.500 (± 900) yıl öncesine ait olduğu belirlenmiştir. Glory lambaların kömürlü taraflarının yere bakacak şekilde ters çevrildiğini fark etmişti, belki de lambaları bırakanlar onları söndürmek istemişti. Lambalara ek olarak çok sayıda çakmaktaşı dilgi ve "kırık işaretlerle" (ayrık yan işaretleri olan bir merkezi çizgiyle) süslenmiş fildişi mızrak da vardı. Bir de Atlas Okyanusu kıyısından 200 km ötede, kolye ucu olarak kullanılmak üzere delinmiş, kırmızı aşı boyası bulaşmış bir deniz kabuğu da vardı (60. resim). Kuyu'nun taban alanı o kadar kısıtlıdır ki aynı anda çok sayıda kişi bir arada bulunamazdı; burası alet üretimi veya yemek hazırlama gibi gündelik işler için de kullanılmış olamaz.

60. Kolye ucu haline getirilmiş bir deniz kabuğu. Lascaux'daki Kuyu'nun dibinde bulunmuştur.

Son derece süslü Apsis'in kenarından aşağıya inmek, Şamanist kozmoloji açısından, evrenin daha derin bir düzeyine geçmeyi göze almak olarak görülecekti – tıpkı, Kuyu kadar dramatik olmasa da eğimli Eksen Galerisi ve Nef'teki gibi. Aslında Kuyu'nun özel bir "son" nokta olduğu, bazı ritüeller gerçekleştirdikleri, derin bir mağarada hiçbir işe yaramayacak mızraklar gibi eşyalar bıraktıkları ve ayrılırken onları oraya giderken aydınlatan lambaları söndürdükleri dar bir yarık olduğu sonucuna varmamak çok güç. Bazı durumlarda lambalar, kullanıcıları derinlerden yukarı tırmandıktan sonra aşağıya atılmış olabilir.

Peki ya bu olağanüstü alandaki imgeler? Onlar da eşine az rastlanır türdendir. Bir duvarda siyah bir atın kısmi imgesi vardır. Onun karşısında Üst Paleolitik dönem imgelerinin en çok tartışılan grubu yer alır (28. renkli resim). Solda, sarkık karnı kabataslak çizilmiş bir gergedan bulunur. Kalkık bir kuyruğu vardır, kuyruğunun altında üçer noktalı iki sıra yer alır. Bu noktalar ile Kedigiller Çıkmazı'ndakiler arasındaki benzerlik çok kesindir. Kayadaki hafif bir kıvrımın ötesinde ünlü adam ve bizon bulunur. Bizon, bazı yerlerde imgenin dışına taşan ve bana kalırsa özellikle bir bizonu andırmayan daha koyu, aşı boyası renginde bir kaya lekesinin çevresine çizilmiştir. Bir Üst Paleolitik dönem sanatçısı, başka pek çok örnekte olduğu gibi, doğal bir oluşumu alıp ondan bir imge yaratıyordu: Duvardaki şekilsiz renk değişimi bir hayvan biçimine sokulmuştur. Bizonun kafası saldırırmışçasına aşağı eğik, kuyruğu da kalkık ve kızgınlıkla sağrısının üzerine kıvrılmış durumdadır. İç organları karnından sarkıyormuş gibi duruyor, bir de gövdesi boyunca mızrak olarak anlaşılabilecek bir şey vardır.

Bizonun önünde, nispeten kabaca çizilmiş, sırtüstü düşermiş gibi görünen, cinsel organı uyarılmış durumda olan bir adam vardır; ancak adamın düşme pozisyonu bana göre fotoğraflarda kayanın kendisinden daha belirgindir. Adamla ilgili en çarpıcı nokta bir kuş başına ve dört parmaklı kuş benzeri ellere sahip olmasıdır. Kuş teması, tepesinde bir kuş resmi olan ve bir sopaya benzeyen şeyle tamamlanmıştır. Adamın ayaklarının altında, bazı yazarların bir mızrak fırlatıcıyı temsil ettiği şeklinde yorumladıkları bir "kırık işaret" vardır.

Araştırmacıları, trajik bir olayın resmi olarak gördükleri şeyi açıklamak için öyküler uydurdukları için suçlamak pek mümkün değildir. Genellikle, adamın bizonu avladığını, hayvanı (ve dolayısıyla iç organlarını) yaraladığını, onun da boynuzlamak için adama döndüğünü, adamın da bu yüzden sırtüstü düşer biçimde gösterildiğini öne sürerler. Breuil bundan biraz daha ayrıntılı bir yorumdan öyle etkilenmişti ki, talihsiz avcının kalıntılarını bulma umuduyla panonun altını kazmıştı. Bir şey bulamadı.

Daha yararlı olacak şekilde, Şamanizm'le olası ilişkiler de araştırılmıştır; bunların en ayrıntılısı Santa Barbara Üniversitesi'nden iki araştırmacı tarafından yürütülmüştür: Bir biyolog olan Demorest Davenport ve Üst Paleolitik dönem hakkında çok kapsamlı yazılar yazmış olan arkeolog Michael Jochim.[538] Haklı olarak, imgelerin tarihsel bir olayı betimlediklerini kanıtlamanın olanaksız olduğunu kabul ederek, dört parmaklı ellere ve kuş ayaklarına benzemelerinin önemine vurgu yaptılar. Figürün belden yukarısının kuş, belden aşağısının insan olduğu sonucuna vardılar. Direğin tepesindeki kuş neredeyse adamın başıyla birebir aynıdır. Davenport ve Jochim kuşun "hiç şüphesiz tavuk veya orman tavuğu benzeri" olduğunu ve Leroi-Gourhan'ın algıladığı gibi, bir başka Magdalenyen alanı olan Mas d'Azil'de bulunmuş, üstü oyulu mızrak fırlatıcıya benzediğini belirtti. Bir adım ileri giderek türün kayın tavuğu veya çalı horozu olarak belirlediler ve aynı dönemlere ait orman tavuğu şeklindeki Sibirya şaman *ongon*'u veya koruyucu ruh örneğini verdiler. Hem kayın tavuğu hem de çalı horozu geleneksel toplanma yerleri *lek*'lerde gelişmiş çiftleşme dansları yapar. Davenport ve Jochim, şamanın belki de ölüm anında tavuksu koruyucu ruhuna dönüştüğünü ve uyarılmış penisinin de bazı şamanların topluluklarının doğurganlığında oynadığı rolü akla getirdiği sonucuna vardı.

Davenport ve Jochim'in yorumları neredeyse tamamen geçerlidir. Bununla birlikte Üst Paleolitik dönem sanatının onların bilmediği yönleri de vardır. Birincisi, bir ressamın kaya üstündeki bir lekeden bir ruh bizonu yaratarak bir *ruh* hayvanını "sabitlediğini" öne sürüyorum. Bu gerçekten yaşanmış bir trajedi değildi. İkincisi, toynakları çatal tırnaklı olarak gösterilmiş hayvanın, bana kalırsa, toprağın üstünde durur pozisyonda değil, ruhsal boşlukta "yüzer" durumda olduğu anlaşılıyor. Üçüncüsü, adamın ereksiyonunun iki anlamda akla ölümü getirdiğini öne sürüyorum. Lascaux hakkında ilk yazanlardan biri olan Alan Brodrick, uyarılmış penisin "omurga zedelenmesi nedeniyle ölüm" belirtisi olabileceğini ifade etmişti.[539] Ama iki etnografik vaka çalışmasında gördüğümüz gibi (5. ve 6. bölümler), Şamanist düşüncede "ölüm" aynı zamanda bir değişmiş bilinç durumundayken ruhlar dünyasına yolculuk anlamına da gelebilir. Cinselliğin bazen Şamanist yolculukla ilişkilendirildiğini de görmüştük. Aslında ereksiyonlara değişmiş bilinç durumlarında ve düşlerde sık rastlanır, motifin *her zaman* erkekliği ve doğurganlığı temsil ettiği görüşü özellikle Batılı bir kavramdır. Dördüncüsü, "ölüm" genellikle Şamanist konuma geçiş için bir kapıdır. Şamanların öldüğü, bedenlerinin parçalandığı veya bir iskelete dönüştüğü ve yeni bir kişilik ve toplumsal rolle dirildikleri söylenir.[540]

Bu nedenle Kuyu'da bir av felaketi söz konusu değildir; bu kadar basit bir yoruma karşı çıkmak için çok fazla nokta var. Bunun yerine daha çok ölüm yoluyla dönüşüm söz konusudur: Adamın "ölümü", bağırsakları deşilmiş bizonun "ölümüyle" benzerdir. Her ikisi de "öldüğü" için adam koruyucu ruhlarından biriyle, bir kuşla kaynaşır. "Kırık işaretin" hemen çok yakında bulunması ve böyle işaretler ile kuş direği arasındaki benzerlikler, bu tür işaretlerin bir şekilde hayvan biçimli dönüşümle ve bir şaman olmak için gereken kozmolojik düzeyler arasında köprü olmakla ilişkili olduğunu düşündürür.

Büyük olasılıkla, pek çok Şamanist toplumda olduğu gibi, bir şamana dönüşme metaforları bir –veya bir dizi– mit içinde bir öykü oluşturur. Ama Kuyu'daki imgelerin, bir çocuk kitabının bir masaldaki olayları betimlediği gibi bir miti "resmettiğini" varsaymak saflık olur. Lascaux şamanizminin özünde yer alan ve insanların düşüncelerini yapılandıran metaforlar ve imgeler daha çok farklı bağlamlarda ifade ediliyordu: Mitle, sanatla ve muhtemelen aynı zamanda dans ve müzikle de. Kuyu'ya inenler sadece resimlere bakmıyordu: Gerçek şeyler, gerçek ruh hayvanlar ve yaratıklar, gerçek dönüşümler görüyordu. Kısacası ruhlar dünyasını zarın içinden görüyor, oradaki etkinliklere katılıyorlardı. Kuyu'daki resimler yoğunlaştırılmış karmaşık metaforları çerçevesinde Lascaux şamanizminin özünü yakalar.

Son derece şaşırtıcı son bir konuya daha değinmek yerinde olur. Kuyu'nun özelliklerinden biri de doğal yollarla meydana gelen yüksek yoğunlukta karbondioksit içermesidir. Karbondioksit bugün mağaradan dışarı pompalanıyor ama Kuyu'nun dibinde nispeten kısa bir süre kalındığında bile fark edilebilir düzeyde. Acaba bu yüksek karbondioksit yoğunluğu, tarihöncesi insanlarda değişmiş bilinç durumlarına yol açmış olabilir mi?

Kuyu hakkındaki bu gözlemlerle Lascaux incelememin sonuna gelmiş oldum. Mağaranın olağanüstü bir tutarlılığı ve organizasyonu var; ama aynı zamanda topografya ve süslemeler açısından da karmaşıklık sergiliyor. Hiçbir birleştirici nitelikteki açıklama tek başına bütün Lascaux'yu kapsayamaz. Kesinlikle, mağaranın tamamının ve süslemelerinin Şamanist kozmoloji ve öbür dünyanın *farklı* biçimlerde araştırılması çerçevelerinden açıklanabilir olduğu konusunda bir bütünlük vardır. Ama mağaranın birbirlerinden farklı çeşitli bölümlerinin belirgin kullanım biçimleri ile buralarda yürütülen –hayali görüntü aramadan Üst Paleolitik dönem toplumlarının (muhtemelen mevsimsel olarak) bir araya gelmelerine, Şamanist ergenlik törenlerine, hiç şüphesiz başkalarına dek uzanan– ritüeller, mağaranın kendisi veya bazı bölümleri her kullanıldığında yeniden oluşturulan (veya meydan okunan) önemli toplumsal ayrımları olan karmaşık, gelişmiş bir topluluğu akla getiriyor.

İKİ MAĞARA: BENZER AMA YİNE DE FARKLI

Genel olarak hem Gabillou hem Lascaux 61. resim çerçevesinde anlaşılabilir, bununla birlikte Lascaux daha çok alt bölüme ve farklı etkinliklere ilişkin daha fazla kanıta sahiptir. Lascaux'daki insanların bundan dolayı Gabillou'dan daha karmaşık bir toplumsal sisteme sahip olduğu çıkarımını yapmakta acele etmemek gerekir. Yine de bu arkeolojik alanların Clive Gamble'ın tarif ettiği (3. Bölüm) simgelerle sürdürülen toplumsal ağ türünün birer parçası olmaları mümkündür. İnsanlar toplumsal grupları temsil etmek için çeşitli türlerde simgeler kullanmıştı, böylece etkilerini ve güçlerini yüz yüze temastan daha öteye yayabiliyorlardı.

Ayrıca mağaralar arası önemli farklar için de kanıtlar vardır. "Basit" Gabillou ile "karmaşık" Lascaux, şamanların "sabitlenmiş" koruyucu ruhları arasındaki ilişkiyi zihinlerinde canlandırma biçimleri açısından da birbirinden farklıymış gibi görünür. Genel anlamda Gabillou görüntü arayıcıları imgelerini başkalarının imgelerinden ayrı tutmayı tercih etmiştir. Lascaux'daysa imgelerini, sanki diğer şamanlarla mekânsal olarak yoğun gücün elde edilmesi kapsamında birleşme arzusundalarmış gibi Apsis'e doldurmuştur. Bu fark birbirlerinden bir ölçüde farklı "Şamanizmler" veya Üst Paleolitik dönem şamanizmi içinde farklı vurguların olduğunu gösterir. Eğer Gabillou nispeten küçük bir grubun toplanma merkeziydiyse, şamanları pekâlâ birbirlerinden bağımsız olmak istemiş olabilir; ama aralarında Gabillou insanlarının da

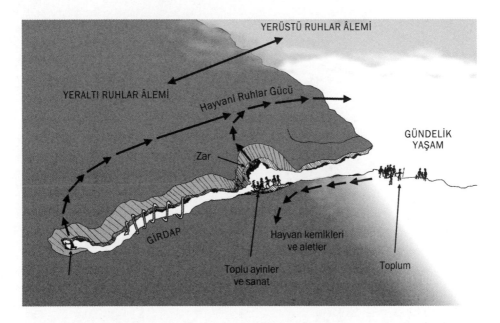

61. Üst Paleolitik dönem insanlarının mağaraları kullanma biçimlerini gösteren temsili şema.

olduğu birtakım gruplar Lascaux'da toplandıysa, katılan tüm gruplardan şamanlar hayali görüntülerini ve deneyimlerini daha geniş bir toplumunkilerle birleştirmek istemiş olabilir.

İmgeler arasındaki farklı ilişkilerin yerüstündeki toplumsal ilişkiler üzerinde etkileri olabileceği olasılığı yüksek görünüyor. Ancak şu an için en fazla, mağaraların toplumsal ayrımların ve Üst Paleolitik dönem toplumlarının artan bir hızla çeşitlenmesinin bir parçası olduğu sonucuna varabiliriz. Yeraltı imge yapma etkinliğinin bireyler tarafından kendi amaçları doğrultusunda tam olarak nasıl kullanıldığını bir sonraki bölümde ele alacağım.

Üst Paleolitik dönem mağara sanatının dikkat çekici bir özelliği de muhtemelen 25.000 yıldan fazla bir süre yinelenen temel hayvan motiflerinin sürekliliğidir. Laming-Emperaire ve Leroi-Gourhan'ın mitogramı, en azından münferit unsurları açısından ampirik kanıtlarla desteklenmektedir: At, bizon, geyik ve yaban öküzü sanatın ana temalarıdır, bununla birlikte birbirlerine oranları önemli ölçüde değişkenlik gösterir. Bunlara, Leroi-Gourhan'ın haklı olarak mağaraların derinlikleriyle ilişkili olduklarına inandığı kedigiller de eklenebilir.[541] Üst Paleolitik dönem kesinlikle mağara sanatçılarının ne isterlerse onun resmini yaptıkları, herkesin özgür olduğu bir dönem değildi. Süreklilik gösteren hayvan motiflerinin Üst Paleolitik dönem boyunca aynı anlamlara ve aynı çağrışımlara sahip olup olmadıkları bir başka sorudur; muhtemelen her hayvanın çağrışım spektrumunda sağa sola sapmalar olmuştur.

Ama yinelenen motifler öykünün tamamını oluşturmaz. Ana motiflerden başka çok daha az sayıda, bazen tek bir örnekle temsil edilen çok sayıda hayvan türü vardır. Nispeten daha az önemli hayvanlar arasında dağ keçileri, mamutlar, megaseroslar (kambur bir sırtı ve iki yana açılmış boynuzları olan, nesli tükenmiş büyük bir geyik türü) ve ren geyikleri bulunur. Tek örneği ya da neredeyse tek örneği olan tür örnekleri arasında Gabillou'daki (54. resim) yabani tavşan, Réseau Clastre'daki (2. resim) sansar ve Chauvet'deki (3. resim) misk sığırı vardır. Bir de "yaralı adamlar" denen imgeler gibi son derece ender rastlanan motifler vardır. Bu az bulunur imgelerden ne sonuç çıkarabiliriz?

HAREKET ÖZGÜRLÜĞÜ

Bugün Üst Paleolitik dönem topluluklarının toplumsal huzur içinde olduğuna inanmak olanaksızdır. Bu açıdan Max Raphael'le aynı fikirde olmalıyız: Orinyasyen'den Magdalenyen'in sonuna (ve daha sonrasına) dek, insanlar tarih yaratan topluluklar içinde yaşadı, bu da toplumsal gerilimlerin ve çatışmaların olduğu anlamına gelir. Üst Paleolitik dönem topluluklarındaki insanlar "geleneksel" toplumsal ilişkilere ve toplumsal olarak kabul gören sanata nasıl karşı çıktı veya bunları nasıl yıktı? Bir topluluğun hiyerarşisi sorgulandıysa, bu meydan okuma kendini mağara sanatında gösterdi mi? Bunlar Laming-Emperaire ve Leroi-Gourhan'ın yapısalcı yaklaşımının karanlıkta bıraktığı sorulardır. Onlara göre mitogram, Lévi-Strauss'un ikili yapıların insanların zihinleri aracılığıyla belirli mitlere dönüştüğüne inandığı sırada, bu yapılar insanların zihinleri aracılığıyla "kendini sanata dönüştürmüştü".

Bu noktada Fransız kuramcı Pierre Bourdieu'ye ve İngiliz sosyolog Anthony Giddens'a başvuracağım.[542] Bourdieu'nün pratik kuramı ve Giddens'ın onunla ilişkili yapılandırmacı kuramı, özellikle, bizi de bu aşamada ilgilendirecek olan, birey ile toplum arasındaki ikili karşıtlığın çözümüyle ilgilenir. Bourdieu ve Giddens, bireylerin, bir satranç tahtası üstündeki, ister mitogramlar, ister ikili karşıtlıklar biçiminde olsun, her şeyin üstündeki güçler tarafından hareket ettirilen piyonlar olmadığını öne sürer. Tam tersine, en azından tüm toplumlardaki bazı bireyler kendi topluluklarının işleyişi hakkında çok şey bilir, hatta Giddens'ın deyimiyle toplumun kurallarını ve kaynaklarını kendi çıkarları için kullanabilir. Böylesi bir manipülasyon manipülatörlerin kendi topluluklarının inançlarını tam olarak benimsemedikleri anlamına gelmez; bir inanç sistemini kendi yararına kullanmak için tepeden tırnağa bir agnostik olması gerekmez. Bu, insanların tarihin akışını kontrol etme veya kontrol etmeye çalışma yöntemlerinden biridir.

İnsanlar, aynı zamanda, diledikleri her şeyi yapabilen özgür bireyler değildir. Eylemleri, kendi amaçları için kullandıkları kurallar ve kaynaklarla hem olanaklı kılınır, hem sınırlandırılır. Bu ilke kolaylıkla açıklanabilir. Eğer sanatçılar toplumun geri kalanıyla olan ilişkileriyle ilgili kişisel bir beyanda bulunmak isterlerse, bunu herkesin anlayacağı motif *langue*'ı [dili] ve bunların kabul edilmiş uygulama biçimleriyle yapabilme yetisine sahip kılınmıştır. Ama aynı zamanda, aynı *langue* tarafından kısıtlanmışlardır: Eğer sınırların çok ötesine giderlerse, görsel ifadeleri etkilemek istedikleri insanlar için anlaşılmaz olur – bu, pek çok yirminci yüzyıl sanatçısının karşı karşıya kaldığı bir ikilemdir. Bir orta yol tutmaları gerekir; halihazırda var olanı yıkmaları gerekir. Böylece yalnızca başkalarının benlikleriyle ilişkili olduğu zaman var olabilecek yeni bir *persona*, bir benlik yaratırlar.

Bu kuramsal bilgilerin faydalarına karşın, Üst Paleolitik dönem sanatı öğrencileri bunlardan pek yararlanmamıştır. İnsan eyleminin rolü veya eylemlilik ve Üst Paleolitik dönem sanat yaratma eyleminde sınırlar ile olanak tanıma arasındaki karmaşık etkileşim çok araştırılmış bir konu değildir.[543] Bununla birlikte, kişisel gereksinimleri ve arzuları olan zeki insanların çalışmaları, Üst Paleolitik dönem sanatına ilişkin Şamanist açıklamanın açtığı yeni araştırma alanlarından biridir.

Bilincin bütün spektrumu ve farklı bölümlenebilme, sınıflandırılabilme ve değer verilebilme yolları, bireylerin –veya grupların– kimliklerini başkalarıyla ilişkili olarak yaratırken yararlanabilecekleri kaynaklardan biridir ama tabii ki tek kaynak değildir. Fransız felsefeci Michel Foucault,[544] "normal" benlik, "normal" bireysel bilincin, toplulukların farklı değişmiş bilinç durumları ile deliliği tanımlama ve ele alma yöntemlerinden oluşturulduğunu öne sürerken tanımın toplumsal niteliğini kabul etmişti. Üst Paleolitik dönem ile ilgili emin bir biçimde en az bir varsayımda bulunacak olursak bu, "değişmiş" bilincin ve "deliliğin" o çağda modern Batı toplumundan ve akademik çevrelerinden farklı biçimlerde tanımlandığı ve benimsendiği varsayımı olacaktır. Üst Paleolitik dönem "benlik"lerinin yapılandırılması ve bunun sonucunda insan eyleminin ve toplumsal değişimin temellerinin inşası, bu nedenle o zaman başka yolları izleyerek ilerlemiştir – ve hiç şüphesiz 25.000 yıllık süre boyunca az çok değişim göstermiştir.

Önceki bölümlerde gördüğümüz gibi, tüm topluluklar bilinç düzeyleri için tanımlar geliştirmek *zorundadır*, bu tanımlar da sürekli olarak müzakere edilir, yani kendi *persona*larını oluştururken ve kendilerinin ve başkalarının *persona*larının ortak algılarını etkilemeye çalışırken birbirleriyle çekişir.[545] İnsan bilincinin bir parçasının yalnızca kendi belirli, ayrıcalıklı özel alanlarına ait olduğunu iddia etmek, insanların ve grupların çağlar boyunca benimsediği bir toplumsal ilerleme yoludur. Oxford Üniversitesi'nin önde gelen arkeologlarından Andrew Sherrat'ın ifade ettiği gibi, değişmiş bilincin değerlendirmesini ve onun insanların benliklerinin oluşturulmasında ve insan etkileşimlerinin kolaylaştırılmasında oynadığı rolü göz ardı eden herhangi bir Avrupa tarihi açıklaması muhtemelen eksik kalacaktır.[546]

BEDENSEL HALÜSİNASYONLAR

Bu kitapta şimdiye kadar temel olarak görsel halüsinasyonları ve onların Üst Paleolitik dönem toplumu ve sanatında oynadığı rolü ele aldım. Ama aynı zamanda, insan bilincinin yoğunlaştırılmış spektrumun otistik ucuna doğru gittiğinde yalnızca görme duyusunun değil, tüm duyuların halüsinasyon deneyimlediğini de belirttim. Üst Paleolitik'in "yaralı adamlar"ını anlamak için şimdi bedensel halüsinasyonları ele alacağım; bunlar arasında beden ile kollar ve bacakların incelmesi, polimeli (fazladan uzuvlara veya parmaklara sahip olma) ve dikkatimi yönelteceğim sivri bir şey batırılma ve delinme hisleri vardır.[547]

Bu yolla bir kez daha, "zincir" yöntemi yerine "kablo" yönteminin ikna edici açıklamalar oluşturmak için ne kadar etkili olduğunu kanıtlayacağım. Bu kitap boyunca yinelenen bilgi kaynaklarını sağlayan temel kanıt dizilerini birbirleriyle öreceğim: Bunlar sanatın kendisi, etnografya, nöropsikoloji ve metaforu değiştirmek adına her şeyi bir arada tutan "tutkal", toplum kuramı olacak.

Bedensel halüsinasyonlar farklı biçimlerde ve derecelerde gerçekleşebilir. Nedeni sanrı yaratan maddelerin alınması, duyusal yoksunluk veya başka dış etkenler ile alın lobu epilepsisi ve şizofreni gibi patolojik rahatsızlıklar olabilir.[548] Bedenin farklı bölümlerinde ortaya çıkarlar. Örneğin şizofrenler kafa derilerinin korkutucu biçimde gerildiğini söyler; bazen sanki bir olta iğnesi kafa derisini başın 30 cm kadar üstüne kadar çekermiş gibi hissedilir.[549] Daha az acı veren bedensel halüsinasyonlar daha sıktır ve farklı biçimlerde başlatılmış değişmiş bilinç durumlarında görülür. Bunlar arasında karıncalanma, iğnelenme ve yanma hisleri vardır. Bu tür duyuların bedenin farklı bölümlerinde hissedilebilmesine karşın, daha çok kafa derisi üstünde, boyunda, omuzlarda, göğüs kemiğinde, kolların dış kısmında, ellerde ve ayaklarda, midede ve bacağın üst kısmının ön tarafında yoğunlaştıkları görülür. Bu noktaları belirlemek zordur çünkü hisler genellikle ancak belli belirsiz deneyimlenir ve bunları hissedenler bazen nerede olduklarını saptamakta zorlanır. Bir şizofren kendi fiziksel hisleri ile başka hastaların ifadeleri arasındaki farkı açıklamak için bu zorluktan söz etmişti.[550] Bu potansiyel çeşitlilik deneyimlerin kişisel olarak manipüle edilmesini ve kişiselleştirilmesini kolaylaştırır: İnsanlar isterlerse duyumsadıkları hislerin başkalarının deneyimlediklerinden farklı olduğunu öne sürebilir.

Görsel halüsinasyonlar ile diğer duyularda hissedilenler arasındaki oran, bazı durumlarda değişmiş bilinç durumunun nedeninden etkilenebilir. Liserjik asit dietilamit'in (LSD) örneğin ağırlıklı olarak görsel halüsinasyonlar yarattığı söylenir, buna karşın şizofreni rahatsızlığı genellikle daha çok işitsel ve bedensel halüsinasyonlar ortaya çıkarır.[551] Şizofrenide işitsel ve görsel halüsinasyonlardan bağımsız dokunsal halüsinasyonlara ilişkin bildirimler nadirdir.[552] LSD gibi, psilosibin ve peyote de alındıktan sonra birkaç dakika içinde görsel halüsinasyonlar yaratır, ancak işitsel halüsinasyonlar sıklıkla iki saatten sonra yaşanır; diğer tür halüsinasyonlar ancak gelişigüzel biçimde ortaya çıkar.[553] Konu, bir duyu biçiminde deneyimlenen halüsinasyonların, sinestezi olarak bilinen bir süreç aracılığıyla bir başka duyu olarak algılanabilmesi gözlemiyle daha da karmaşıklaşır: Örneğin deri üzerinde hissedilen (bedensel) bir duyumsama "mavi" olarak algılanabilir (görsel).[554]

Görsel halüsinasyonlar ile bedensel halüsinasyonlar arasındaki ilişkiyi açıklığa kavuşturmayı deneyen psikiyatr Ronald Siegel "halüsinasyonların basit kar tanesi biçimli ışıklardan geometrik biçimlere ve dokunsal hislere uzanan sıralı bir gelişimi" olduğunu öne sürer.[555] Oysa bazıları, Siegel'ın belirlediklerinden daha önceki evrelerde dokunsal veya bedensel deneyimler yaşadıklarından söz eder. Görünürdeki bu çelişkiyi gidermek için, bedensel *hisler* ile bedensel *halüsinasyonları* birbirinden ayırmak yararlı olur. Bir değişmiş bilinç durumunun erken bir evresinde insanlar bedenlerinin çeşitli yerlerinde kaşınma ve karıncalanma hisleri duyabilir. Bu hisleri "yanılsamadıkları" için, bunlar yalancı halüsinasyon olarak bilinir.[556] Yalancı halüsinasyonlar hakkında insanlar hislerini tarif etmek için kullandıkları benzetmelerin benzetmeden başka bir şey olmadığını bilir. Değişmiş bilinç durumunun 3. Evresi'nde çevrelerinden gelen duyusal uyarımları halüsinasyonlardan ayırt etme yeteneklerini yitirirler. Bu noktada fiziksel hislerini artık başka bir şeyle karşılaştırmazlar; hisler halüsinasyonların belirlediği şey *olur*. Benzetmeler gerçekliğe dönüşür.

Bu gelişme Batılılar tarafından bildirilmiş örneklerde görülebilir. Örneğin, antropolog Michael, Güney Amerika'ya özgü sanrı yaratıcı *ayahuasca*'dan bir tas içtikten sonra yaşadığı fiziksel hissin tarafsız, neredeyse klinik çalışmaları andıran öyküsünü anlatır: "Bedende, epidermde hoş bir heyecan yaratan bir hiper uyarılma hissedilir."[557] Orta Amerika Huichol yerlilerini ziyareti sırasında peyote alan Siegel, bir metafor kullansa da, daha dramatik ama yine de "nesnel" bir öykü aktarır: "Bir 'Ping!' daha. Tenim elektrikle karıncalandı."[558] Batılılar için elektrik hemen el altındaki bir metafor gibidir; bir başka yerde Siegel bir deneğin hislerin "derinin içinden akan elektriğe" benzediğini söylediğini kaydeder.[559] Bu hisleri yaşayanlar benzetmeler kullandıklarının son derece farkındaydı. Kronik kokain bağımlılığı gibi daha derin değişmiş zihin durumlarında gerçekliği bedensel halüsinasyonlardan daha zor ayırt edebilirler. Tuhaf bir örnekte, bir hasta kendi derisini soymuş, kendi açtığı yarasının içine bakarken tırnaklarıyla ve bir iğne ucuyla mikropları dışarı çıkardığına inanmıştı.[560] Görülmeyen mikropların yol açtığı bir enfeksiyonla bir hastalığa yakalanma korkusunu da içeren modern Batı ortamı, burada hastanın batma hislerini mikroplara bağlamasına neden olmuştu. Bu örnekte Harner'ın betimlediği "hoş heyecan" korkunç bir halüsinasyona dönüşmüştü. Başkaları "deri içinde hareket eden küçük hayvan halüsinasyonları" bildirir.[561] Bu insanlar, "karıncalanma"[562] olarak bilinen, küçük hayvanların veya böceklerin derileri üstünde veya içinde bulunduğunu sandıkları bu karıncalanma hissiyle aynı anda zoopsi de (hayvanlarla ilgili görsel halüsinasyonlar) yaşayarak iki duyu biçimini birleştirir. Önceki bölümlerde zoopsiyle geniş ölçüde ilgilendik, şimdi de birden çok duyunun etkilendiği şekilde yaşanabildiği biçimlerinden birini görüyoruz.

Batılılar hararetli dinsel bağlamlar içinde bazen benzetmelerle konuşup konuşmadıkları konusunda kararsızdır. İfadeleri yine de açıkça duygusal koşulları ve toplumların ortak kullanımında olan türden imgelerle biçimlenmiştir. Karizmatik Hıristiyanlık mezhebindekiler coşkulu dinsel deneyimle kendinden geçme zevkine vardıklarında "enselerine ve omuzlarına yağan ve göğüslerinin içine işleyen hafif bir yağmurdan" söz eder; bu his bacaklara ve bele kadar uzanır.[563] Bu tür ifadeler "rahmet yağmuru" kavramını, özlemini duydukları ilahi lütuftan yağanları yansıtır. Rahmetin yağmur şeklinde betimlenmesine, yarı kurak bir çevrede yazılmış olan İncil'de sık rastlanır. Örneğin, Ezekiel [Zülkifl][564] kendine özgü anlatım gücüyle, Tanrı'nın şunları söylediğini aktarır: "Onları da dağımın çevresini de bereketli kılacağım. Yağmuru zamanında yağdıracağım. Bereketli yağmurlar olacak." Bu tür imgelemler Karizmatik Hıristiyanlar mezhebindekilerin bedensel halüsinasyonlarını yorumlama biçimlerini açıkça etkilemiştir. "Yağmur"un gerçek mi metafor mu olduğuna inandıkları çok belli değildir; dilin kaba bir kullanımı halüsinasyonların betimlenmesindeki "sanki" sözcüğünü ortadan kaldırmış olabilir.[565] Öyle ya da böyle, bu bedensel deneyimler bireylerin dinsel ve toplumsal olarak öne çıkmak uğruna kendi amaçları için kullandıkları kaynaklardır: "Rahmet yağmuruna" kavuşanlar saygı ve takdir görür. Böyle toplulukların bazılarında ciddi maddi ödüller de söz konusudur.

Yer verdiğim Batılı deneyimler, insanların kendi tepkilerini farklı biçimlerde başarılı olmuş nesnel olarak gözlemleme girişimlerinden dinsel ve patolojik olarak insanın aklını başından alan deneyimlere kadar geniş bir yelpazede yer alıyor. Bu anlatımlar, başka kültürlerdeki insanların bedensel halüsinasyonları anlama biçimlerini kavramak için bir hazırlık olarak görülebilir.

BEDENSEL HALÜSİNASYONLAR VE ŞAMANİZM

Aynı nörolojik kaynaklı bedensel hisleri yaşayan Batılı olmayan şamanlar deneyimlerini nesnel olarak değerlendirmeye girişmez. Bunun yerine, genellikle Batılıların "mikroplar", "elektrik" veya "ilahi yağmur" bildirimlerinden farklı, kültüre bağlı yollarla anlamlandırırlar. Örneğin, 1920'lerde Amerikalı Yerli Gitksan kabilesinden şaman Isaac Tens, sık sık kendiliğinden transa geçtiğinden ve bir eğitimden sonra, anlaşılmaz bir dilden konuşma veya *glossolalia* olarak bilinen olay sonucu, güçlü şarkıların zorla içinden çıktığından söz etmişti. Bu deneyimlerden birini şöyle anlatıyordu: "Arı kovanının ruhu bedenimi sokuyor… Hayali görüntümde tarif edilemez tuhaf bir arazide dolaştım. Orada, içinden arıların çıkıp saldırarak bütün bedenimi soktuğu devasa arı kovanları gördüm."[566] Tens'in trans halinde hissettiklerinden doğan halüsinasyon, böylelikle Batılıların üstlerinde böceklerin yürüdüğünden söz ettikleri halüsinasyonlara benziyor. Öte yandan bedensel halüsinasyonlarının keskinliği ile zoopsisi karmaşık çok duyuyu etkileyen bir arı sokması halüsinasyonu yaratmıştı. Tens halüsinasyonunu şamanlık konumunu sağlamlaştırmak için kullanabiliyordu: Kabilesi onun olağandışı deneyimlerden geçtiğini kabul ediyordu.

Amazon havzasındaki Jívaro yerlileri için sivri bir şey batırılma hisleri farklı bir halüsinasyona yol açar. Jívaro şamanları midelerinde süresiz olarak küçük büyülü oklar saklayabildiklerine ve istedikleri zaman bunları geri kusabileceklerine inanır. Bu küçük oklar *tsentaklar* denen ve şamanların görevlerini yerine getirmelerini sağlayan koruyucu ruh biçimi de alabilen doğaüstü güçlere sahiptir.[567] Jívaroların mistik ok kavramı kötücül büyücü şamanlara, kurbanların üzerine kendi nesnelerini fırlatarak yardım eden bir başka koruyucu ruh türü *pasuklar* hakkındaki inançları çerçevesinde gelişmiştir.[568] Tedavi edici şamanlar trans halindeyken tehdit eden bir *pasuk*'un tek zayıf noktası olan gözüne bir *tsentak* fırlatabilir. İnsanları öldürebilen veya yaralayabilen *tsentaklardan* başka doğaüstü küçük oklar da vardır; bunlara *anamuk* denir. Halüsinasyon yaratan madde *natemä* etkisinde olmayan insanlara görünmezler. Karmaşık halüsinasyonlarda bir şaman oku bazen derinin altından çıkan hayvanlar biçimini alır. Küçük oklar aynı zamanda trans halinde koruyucu bir zırh gibi şamanı kaplar.[569] California'daki Orta Sierra Nevada'da yaşayan Miwok yerlilerinin de çok benzer inançları vardır. "Zehir doktorları" *tu yu ku*, iğnemsi çubuklara veya kirpi oklarına çeşitli zehirler sürer, sonra da bu zehirli küçük okları büyü yardımıyla 80 km ötedeki birine fırlatırmış.[570] Öyleyse Jívarolar ve Miwoklar arasında değişmiş bilinç durumları sırasında yaygın olarak deneyimlenen batma hissinin keskinliği sivri okların yanı sıra deri altında bulunan ve deriden dışarı çıkan yaratıklarla (karıncalanma ve zoopsi) ilgili halüsinasyonlara ilişkin inançları beslemektedir. Jívaro ve Miwok şamanları bu deneyimleri kahramanlık öyküleri içine örer ve böylece, Tens gibi, toplumsal konumlarını yükseltirler. Değişmiş durumlarda yaşanan deneyimler özel ruhi statü ve bunun sonucunda toplumsal durumlar için de bir kaynak ve güvence haline gelir.

Kuzey Amerika vaka çalışmamızda gördüğümüz gibi insanüstü Şamanist güce ve buna eşlik eden toplumsal statüye ulaşmak, sıklıkla çileli bir sınama ve "ölümle" karşılaşmayla kuşatılmış haldedir. Çile ne kadar korkunç ve acı vericiyse aydınlanmış şamanın saygınlığı ve gücü de o derece yüksektir. "Ölüm", acı çekme, etin kemiklerden ayrılması, parçalanma, dönüşüm ve yeniden doğma, gerçekten de Şamanist aydınlanmanın ortak unsurlarıdır.[571] Delinme hissi sıklıkla bu deneyim dizisinin bir parçasıdır. Örneğin bir Sibirya Tungus şamanı, şaman atalarının onu nasıl aydınlattığını şöyle anlatmıştı: "Onu bilincini yitirene ve yere yığılana kadar oklarla deldiler; etini kestiler, kemiklerini söküp saydılar; eğer biri eksik olsaydı şaman olamayacaktı."[572] Benzer bir açıklamada bir Sibirya Buryat şamanı, kabul edilme ayininde atalarının ruhlarının "çevresini sardıklarını, ona işkence ettiklerini, vurduklarını, bedenini bıçakla kestiklerini vb." anlatır.[573] Bu kabul işkencesi sırasında acemi şaman "yedi gün, yedi gece ölü gibi kalır."[574] Güney Sibirya'nın Kazak

Kırgızlarından aydınlanmış bir şaman cennette onu 40 bıçakla kesen ve 40 tırnakla delen ruhlardan söz etmişti.[575]

Benzer ifadeler Güney Afrika'da da bulunur. Bir San şamanı olan Yaşlı K"au, Tanrı'nın huzurundayken yan tarafında toplaşan sineklerden söz etmiştir. Ağaç yılanlarının, pitonların, arıların ve çekirgelerin de olduğunu söylemiştir: "Oraya gittiğinizde sizi ısırırlar. Evet, ısırırlar [bacaklarına işaret ediyor]… Evet, bacağınızı ve bütün bedeninizi ısırırlar."[576] Ju/'hoansiler arıların güç aracı olduklarına inanır.[577] Drakensberg San kaya sanatında arılar, bazen insanları sokarmış gibi bir durumda sıkça resmedilir (62. resim).[578] Ayrıca San şamanları, ele aldığımız diğer kültürlerdekiler gibi, keskin ve delici şeyler hissettiklerinden söz eder. Bir Ju/'hoan şamanı şöyle söylüyordu: "!kia'da, boynunuzun ve karnınızın çevresinde size batan küçük iğneler ve dikenler hissedersiniz. Sonra bu dikenler ön omurganıza ve arka omurganıza batar."[579]

Sanların batma hissine getirdikleri, Jívaro deneyimini anımsatan bir başka açıklama, Tanrı'nın kendisinin veya ölülerin ruhlarının onlara küçük, görünmeyen "hastalık okları" fırlatmasıdır. İnsanlar bir trans dansında ortadaki ateşin sönmesine izin verirlerse, "Tanrı'nın okları bizi vuracak ve canımızı acıtacak" der.[580] Ateşin ısısı ve gücü okların yönünü saptırır. Öte yandan iyicil doğaüstü oklar deneyimli bir şaman tarafından bir şaman adayının midesine fırlatılır: "Onları içine ateşle, n/um'un uzun dikenlere çok benzeyen o okları [midenden] çıkana kadar içine ateşle." Bunu anlatan bunun nasıl göründüğünü canlı biçimde betimleyerek sözlerini şöyle sürdürür: "Karnınız her yöne bakan okların çıktığı bir iğnelik gibidir."[581] Araştırmacının Batılı iğne yastığı kavramıyla katkıda bulunmasına karşın, bu ifade çarpıcı bir Aziz Sebastianus figürü ortaya koyar.

Bu çok yaygın iğnelenme hissi açıklamaları bazı San kaya resimlerinde temsil edilmiştir. Bunlardan biri, av hayvanları üstünde gücü olan şamanlara ait kulaklı bir başlık takmış, sırt üstü uzanmış bir kişiyi gösterir (63. resim; bkz. 5. Bölüm). Figür "gerçekçi" olmadıkları belli olan çok sayıda kısa çizgiyle delinmiş ve çevrelenmiş durumdadır. Resim

62. İnsan figürleri üstüne çizilmiş, çarpı işaretleriyle temsil edilen arıları gösteren bir Güney Afrika San kaya resmi.

63. Kısa çizgilerle kuşatılmış ve delinmiş, sırtı üstü yatan bir adama ait bir Güney Afrika kaya resmi.

kesinlikle kendini bir iğnelik gibi hissetmeyle ilgili yorumu anımsatır. Kısa çizgiler hastalık oklarını veya mistik dikenleri temsil ediyor olabilir ama figür resimli bir bağlamdan yoksun olduğu için, "okların" hastalık mı yoksa yararlı güçler mi taşıdığını söylemek zordur.[582]

Joan Halifax, dünyada şamanların kendi halkları adına çektiği acıları kitabının başlığında özetlemiştir: *Şaman: Yaralı Şifacı.*[583] İç kapak resmi olarak bir fokun yerine kendini zıpkınlayan bir İnuit şamanına ait, volkanik taş, fildişi ve kemikten oyulmuş bir eser fotoğrafını tercih etmişti (64. resim). Halifax'e göre delinmiş bir figürün gravürü "şamanın daha yüce bir bilgeliğe boyun eğmesinin özünü yakalar."[584]

Bu hızlı etnografik özet, şamanların dünya üzerinde değişmiş bilinç durumlarıyla tetiklenen batma hissini nasıl deneyimlediklerini ve bunları, oklarla, bıçaklarla, tırnaklarla veya böcek ısırıklarıyla olsun, delinme halüsinasyonları olarak nasıl yorumladıklarına bir göz atmamızı sağlar: Basit, bir kereye özgü bir etnografik benzetme sunuyor değilim. Artık bu bölümün ana konusu olan Üst Paleolitik dönem imgelerini ele almak için nöropsikolojik ve etnografik temellere sahip durumdayız.

ÜST PALEOLİTİK SANATININ "YARALI ADAMLARI"

Leroi-Gourhan bütün Üst Paleolitik dönem sanatı içinde yalnızca 75 insan biçimli figür bulunduğunu tahmin etmişti; bu sayı imgelerin (bilinmeyen) toplam sayısı içinde gerçekten küçük bir yüzde oluşturur. Chauvet ve Cosquer mağaraları gibi yeni keşifler bu yüzdeyi somut olarak değiştirmedi. İnsan imgelerinin

64. Kendini delmiş bir şamanı gösteren bir İnuit gravürü. Şamanlar topluluklarına hizmet edebilmek için ölüme boyun eğer.

hayvan imgelerine öngörülen oranı, bir sanatın geniş ölçüde ritüelleştirilmiş değişmiş zihin durumlarıyla ilişkili olduğuna yönelik bir hipotezin önemli bir unsuru değildir. Oran, toplumdan topluma değişir: Bazı gruplar temel olarak 1. Evre'nin geometrik imgeleriyle ilgilenmiş görünürken, başka gruplar 3. Evre'nin imgelerine –hayvanlar, canavarlar ve evrenin ruhlar düzeyindeki varlıklarına ait olanlara– önem vermiştir. Sonra yine bazı toplumlar güç kaynakları veya koruyucu/yardımcı olarak hayvanlara odaklanmışken başkaları şamanların ve ruhların insan biçimli resimlerine vurgu yapmıştır.

"Yaralı adamlar" olarak bilinen Üst Paleolitik dönem figürleri, Fransa'nın Quercy bölgesindeki iki arkeolojik alan, Cougnac ve Pech Merle'de ortaya çıkar. İmgeler bedenlerinden üç ya da daha çok çizgi çıkan insan figürlerine aittir (65. resim). Leroi-Gourhan bu "yaralı" figürleri, "yenilgiye uğramış adamlar" olarak adlandırdığı ve bir ayı veya bir bizon tarafından yere serilmiş adamların resimlerini de içeren daha geniş bir sınıflandırma içine yerleştirir.[585] Böylece Lascaux'daki Kuyu'da bulunan figürü de bunlara dahil eder. Cosquer sualtı mağarasını araştıran Jean Clottes ve Jean Courtin, bu sınıflandırmaya "L'Homme tué", ("öldürülmüş adam") adını verir. Bu sınıflandırmayı Cosquer'deki (fok başlı ve bedeninde bir mızrak bulunan) yatay bir figürü[586] ve Sous-Grand-Lac ve Gabillou'daki[587] başkalarını da içerecek biçimde Quercy figürlerinin ötesine genişletirler. Bu figürlerin hepsi kesinlikle çizgilerle ilişkilidir ama çizgiler Quercy örneklerindeki kadar net olarak bedenlerinden çıkarmış gibi görünmez; çoğu zaman bu kadar çok çizgi de yoktur. Dolayısıyla daha çok Quercy figürleri üstünde duracağım; bunlar açık ve kesin bir grup oluşturur.

Quercy figürlerinin cinsiyetini kesin olarak belirlemek zordur; resim 65 C'de gösterilen, bir penise sahip olma olasılığı olan istisna dışında birincil cinsel özellikler resmedilmemiştir. Yine de bu imgeler La Magdeleine'deki "yaslanmış kadın" ve Les Combarelles'deki profil figürü gibi açıkça dişi olan Üst Paleolitik duvar imgeleriyle karşılaştırıldığında, genel biçimleri kadından çok erkeğe benzer.[588] Bu nedenle "yaralı adamlar" ifadesini kullanmaya devam edeceğim ama figürlerin cinsiyetinin, her halükârda savım için kritik öneme sahip olmadığını da eklemeliyim.

Bunlardan Cougnac'ta bulunan siyah renkli biri daha büyük bir panonun bir parçasıdır.[589] Sağa doğru koşarmış gibidir ve beli ile kalçasından üç çizgi çıkar (65. resim A). Gövdesi hafifçe ileri doğru eğilmiş gibi görünür, bu duruş da, en azından günümüz izleyicisi üzerinde, bir hareket, belki de bir kaçma duygusu uyandırır. Başı ve gövdesinin üst kısmı çizilmemiştir. Büyük boynuzlu dev geyik (megaseros) ve dağ keçisi resimlerinin yakınında yer alır.[590] Aslında boynu ve göğüs hattı kayanın doğal bir konturunu

65. Quercy Üst Paleolitik dönem sanatının "yaralı adamları". A ve B Cougnac. C Pech Merle. Figürlere batan "mızrakların" sayısı, bu imgelerin şiddet içeren olayların gerçekçi resimleri olmadıklarını düşündürür.

izleyen bir dev geyiğin göğsünün alt kısmı üstüne çizilmiştir. Cougnac'taki ikinci "yaralı adam" başka bir panonun parçasıdır. Bedeninin çeşitli yerlerinden çıkan yedi, sekiz çizgi bulunur, elleri olmayan kısa kolları vardır; ayaklar çizilmemiştir (65. resim B). Sola doğru eğilmiştir, başı da, dev geyik örneğindeki gibi, kısmen kayanın doğal konturlarıyla belirlenmiş bir mamut başı içine yerleştirilmiş gibidir. Figürün çevresinde, belki de iki parmakla yapılmış ikili bir boyama vardır.[591] Altında daha büyük olanla kısmen üst üste birleştirilmiş bir başka küçük mamut bulunur; sağda bir dağ keçisi vardır. İmge grupları girişe yakın bir noktada, çizilmiş noktalar bulunan daha alçak bir yan odada bulunur. İçeri girmek için çömelmek gerekir. Bazı araştırmacılar en eski figür olduğunu öne sürdükleri bir üçüncü resim daha betimlemiştir; koyu kızıl renkte yapılmıştır ve ikisi göğsünde biri sırtında, üç çizgisi olduğu söylenir.[592] Oysa bundan bir anlam çıkarmak çok zordur; ben kesinlikle çözemedim.

Bir başka örnek, yaklaşık 30 km uzaktaki Pech Merle'de bulunur (65. resim C). Eskiden yalnızca bir veya iki kişinin sığabileceği küçük bir çıkmazın eğimli tavanına çizilmiş, ancak burası ne yazık ki ziyaretçilerin imgeleri görebilmeleri amacıyla genişletilmiştir. Bu "yaralı adam" diğerlerinden daha dik durumdadır ve Cougnac'taki figürler gibi tam gelişmemiş kolları vardır. Gövdesinden çıkan dokuz çizgi mevcuttur ama bunlardan biri bir penis olabilir. Bu figürün önemli bir özelliği, köşeli parantez denen işaretlerden biri, parantezin sağ "kolu" kafasına değecek biçimde resmin hemen üzerine çizilmiş olmasıdır. Duvarda çok boş yer olduğu düşünülürse figür ile işaret arasında bir bağlantı kurulması özellikle istenmiş gibi görünüyor. Cougnac'ta buna benzer işaretlerden oluşan bir pano vardır. Bunlardan sekiz veya daha çoğu bulunur ama bazıları artık parçalar halindedir.[593] Bu Cougnac panosu "yaralı adamdan" yaklaşık 35 m ötededir. Yine de, "yaralı adamlar" gibi köşeli parantez işaretleri de iki arkeolojik alan arasında bir tür ilişki olduğunu açıkça ortaya koyar, Pech Merle'deki işaretin "yaralı adamın" başının arkasına dokunma biçimi de bu insan biçimli figürler ile gizemli köşeli parantez işaretleri arasında bir bağlantı olduğunu düşündürür.

Cougnac figürlerinden öne eğilmiş biri ile bir diğerinin daha az eğilmiş duruşu bir yorum gerektiriyor. Leroi-Gourhan tüm insan figürlerinin "önemli bir kısmının" gövdelerinin "yaklaşık 30-45°" ileri doğru eğilmiş olduğunu belirtir.[594] Bu duruşun nedeni bazı değişmiş bilinç durumlarının fizyolojik etkileri olabilir. Bir San "iğnelerin ve dikenlerin" batmasını tarif ederken şöyle devam etmişti: "[Mideniz] bir yumruk kadar küçülür."[595] Bu acı verici deneyim San trans dansçılarının, bedenleri bacaklarıyla neredeyse dik açı oluşturana kadar ileri doğru eğilmelerine neden olur.[596] Güney Afrika kaya resimleri şamanları genellikle bu durumda gösterir; bazen de dans baston-larına dayanarak dengelerini korurlar (28. resim).[597] Bunun gibi, "yaralı adamların" yanı sıra diğer Üst Paleolitik dönem insan biçimli figürleri ile Les Trois Frères "büyücüsünde" bu duruş biçimi bazı değişmiş bilinç durumla-rının yol açtığı batma ve kasılmalara verilen fiziksel bir tepkiyi temsil ediyor olabilir.[598] Bir kez daha bu yorumun tabii ki Sanlarla olan basit etnogafik benzerlikten kaynaklanmadığını vurgulamak isterim.[599] Bunun yerine, en azından kısmen, insanın sinir sistemi tarafından yönlendirilen sık rastlanan bir fizyolojik tepkiye dayanır.

NE TÜR BİR "YARA"?

Tüm yazarların fikir birliğinde olduğu bir nokta var: "Yaralı adamlar"ı yo-rumlamak kolay değildir. Örneğin, Clottes ve Courtin, olağanüstü bir keşif olmadığı sürece kesin bir sonuca ulaşmanın olanaksız olduğuna inanır, Leroi-Gourhan da bu figürlerin, "temelleri çok sağlam olmayan hipotezler dışında henüz çözemediğimiz ciddi problemler yarattığı" sonucuna var-mıştı.[600] Bu noktada eski metodolojik problem, yani "kanıt" bir kez daha karşımıza çıkar. Daha önce belirttiğim gibi kesin kanıt isteğimizden vaz-geçip iç tutarlılığın, mantığın ve karşılıklı olarak birbirlerini destekleyen ve sınırlandıran kanıt dizilerinin örülmesinin oluşturduğu güvenilirlik derecelerine yetinmeliyiz.

"Kanıt" bir yana, "yaralı adam" figürleri hakkında yazanların çoğu çizgile-rin gerçek ya da büyülü mızrakları gösterdiğini kabul eder.[601] New York Eyalet Üniversitesi'nden psikoloji profesörü Noel Smith aynı kanıda değildir.[602] Çoklu çizgilerin şamanları hayvanlara bağlayan "yaşam kuvvetlerini" temsil ettiğini öne sürer. Smith'in bütün dünyadaki şamanlarla yaptığı araştırmadan çıkardığı bir genelleme olan "yaşam kuvvetleri" yabana atılacak bir açıklama değildir ama tek başına Üst Paleolitik dönem "yaralı adamlarını" açıklamak amacıyla sağlam bir temel oluşturmak için çok muğlaktır. Deneysel olarak ortaya konmuş insan sinir sisteminin değişmiş bilinç durumları sırasında yarattığı deneyimler, daha fazla kesinlik umudu vaat eder ve –farklı bir yolla da olsa– Smith'in çizgilerin mızrakları temsil etmediği görüşünü destekler.

İlk olarak Lascaux'daki Kuyu'da yaptığımız gibi, imgelerin "gerçekçi" niteliğini sorgulamamız gerekiyor. Tüm örneklerde insan bedeninin kısmen temsil edilmesi, ikisinin muhtemelen hayvan biçimli başları olması ve özellikle çok sayıda "mızrağın" bulunması Quercy resimlerinin gerçek, şiddet içeren olayların birebir betimlemeleri olmadığını düşündüren özelliklerdir. Bununla birlikte "gerçekçilik" ve "gerçekçi olmama" kavramlarımızın evrensel olmadıklarını anımsamamız gerek: Buna benzer kavramlar değişkenlik gösterir çünkü belirli bir kültürün ayrılmaz bir parçasıdır. Sözcükler ("sanat" gibi) geniş anlamlarda kullanıldığında kullanışlı etiketler olabilir ama muhtemelen "gerçekliği" oluşturabilen başka ve daha karmaşık kavramları karanlıkta bırakır. Batılı gerçek olan ve gerçek olmayan kavramları gibi katı bir ayrımın Üst Paleolitik dönemde var olması pek mümkün görünmüyor – bununla birlikte buna benzer konularda Batılılar arasında bile görüş birliği yoktur.

İkincisi, nöropsikolojik ve etnografik kanıtların gösterdiği gibi, Üst Paleolitik dönemde yaşayan insanların bedensel hisler ile halüsinasyonlara ilişkin anlayışları Batılılar veya Sanlar kadar kültürel çevreleri tarafından kontrol edilmezdi. Bununla birlikte, Üst Paleolitik dönem insanlarının (bazıları işaretlerle ve hayvan imgeleriyle titizlikle süslenmiş) mızraklar kullanan avcı-toplayıcılar olmaları o zamanki şamanlar ile San, Gitksan, Jívaro ve Miwok şamanlarının değişmiş bilincin evrensel bedensel hisleri yorumlama biçimleri arasında benzerlikler olabileceğini düşündürür.

Aslında, vurguladığım iki temel unsur –insan sinir sisteminin evrenselliği ve Şamanist avcı-toplayıcı ortam– Cougnac ve Pech Merle figürlerini yapan sanatçıların muhtemelen transtayken batma hisleri deneyimlediklerini ve sivri mızraklarla çok kez delindikleri halüsinasyonları yaşadıklarını akla getiriyor. Bu nedenle bedenlerden çıkan çizgiler mızrakları temsil ediyor olsa bile, bunlar "gerçek" mızraklar değildir, imgeler de günlük yaşamdaki şiddet içeren olayların bir kaydı değildir. Bunlar daha çok ruhsal deneyimleri temsil eder.

"ÖLÜM" VE AŞAĞIDAKİ ÂLEM

Bu deneyimlerin Üst Paleolitik dönemdeki olası ritüel ve topografik ortamı, ele almamız gereken ikinci sorudur. Göstermiş olduğum gibi güç taşıyan ve şamanı delen bir tür ok inancı, yaygın olarak bazı trans durumlarının fiziksel deneyimlerinden birinin doğal sonucudur. Ayrıca, delinmeden yaygın biçimde söz edilen bağlamlardan biri şamanların kabul törenleridir. Şamanlar tedavi etmeden önce acı çekmeli, halkına yaşam getirmeden önce "öl-melidir". Kabul ayini delişlerine ait verdiğim etnografik örnekler ve aslında Halifax'in dünya genelindeki Şamanizm araştırmasının başlığı, *Şamanizm: Yaralı Şifacı*, kaçınılmaz olarak Üst Paleolik döneminin mızraklarla delinmiş insanlarına benzeyen imgeleri anımsatıyor.[603] "Yaralı adamlar"ın bedensel halüsinasyonlarla çok yakından ilişkili bir Şamanist çile, "ölüm" ve aydın-lanma/kabul edilme biçimini temsil edebileceğini savunuyorum.

Bu açıklama Şamanist kabul ayinleri için zaman zaman seçilen yerler göz önünde tutulduğunda bir adım ileri götürülebilir. Orta Avustralya'da bir Aranda "büyücü doktor" adayı, bir mağaranın ağzına gider ve orada "uykuya dalar"; sonra ruhlar ona görünmez mızraklar fırlatarak boynunu deler ve kafasını uçurur.[604] Buna benzer bir anlatımda –ama dünyanın öbür ucun-da– bir Smith Sound İnuit şaman adayı, mağaraları olan bir yamaca gitmek zorundadır: "Kaderinde şaman olmak varsa bir mağaraya girer... Mağaraya girer girmez, mağara arkasından kapanır ve bir süre açılmaz."[605]

Özellikle canlı bir Kuzey Amerika yeraltı Şamanist aydınlanma öyküsü görsel ve işitsel halüsinasyonları birleştirir. Şaman olmak isteyen 50 yaşın-daki bir Paviotso yerlisi bir mağaraya girmiş ve dua etmiş. Uyumaya çalışmış ama tuhaf seslerden –ayıların, dağ aslanlarının ve geyiklerin homurtuları ve ulumalarından– dolayı uyuyamamış. Sonunda uykuya daldığında bir tedavi ayini görmüş. Sonra kaya yarılmış ve "bir adam görünmüş. Uzun ve zayıfmış. Elinde bir kartalın kuyruk tüyü varmış."[606] Şaman adayına nasıl tedavi edileceğini öğretmiş. Bu ifade bize iki etnografik vaka çalışmasını anımsatıyor. Aslında ele aldığımız etnografik ve nöropsikolojik kanıtlar çer-çevesinde kolaylıkla anlaşılabilir: Mağara ve girdap; işitsel halüsinasyonlar; korku; bir tedavi ayini halüsinasyonu; bir "zar" olarak kaya; kayadaki bir yarıktan çıkan biri; mağaradan yeni bir kişilikle çıkış. Kısacası, bir şaman adayının "ölümü" ve acı çekmesi, genellikle Şamanist evrenin en derindeki âlemine –ve bilincin tetiklenmiş spektrumunun en uzak noktasına– inmeyi kapsar.

Bunlar ve diğer delinme ve mağaraya girme örnekleri, önerdiğim açıkla-maya yeni bir boyut ekliyor: Orta Fransa'nın Quercy bölgesindeki Üst Paleo-litik dönem sanatının "yaralı adamları", başka imgelerle birlikte, şamanların yeraltında aydınlanmasıyla ilişkili olabilir.[607] Nörolojik ve etnografik kanıtlar, bu yeraltı imgelerinin, bize değişmiş bilinç durumlarıyla biçimlendirilmiş karmaşık bir Şamanist deneyimin eski ve alışılmadık ölçüde açık bir ifadesini sunduğunu düşündürüyor. Bu deneyim, başka insanlardan soyutlanmayı, yeraltı âlemine girişin neden olduğu duyu yoksunluğunu, belki sanrı yaratıcı maddelerin alınmasını, acı verici çoklu delinme işkencesiyle "ölümü" ve bu karanlık bölgelerden ışığa çıkmayı kapsıyordu. Bu nedenle ritüel haline getirilen değişmiş bilinç durumları ve bu imgeler toplumsal kimliklerin ve ayrımların yaratılmasıyla çok yakından ilişkiliydi.

Artık "yaralı adam" resimleri yapma etkinliğinde insan unsurunun rolünü ele alabilecek durumdayız. İnsanlar bu resimleri yaparak neye ulaşmayı umut ediyordu?

"YARALI ADAMLAR" VE İNSANIN EYLEMİ

Bu soruya yanıt vermek için, önce "yaralı adam" figürlerinin sınırlı bir coğrafi alanda ve büyük bir olasılıkla nispeten sınırlı bir dönem içinde bulunduğunu belirteyim.[608] Bu nedenle varlıkları belirli bir topluluk içinde gerçekleşmiş olan bir olaya veya bir olaylar dizisine işaret eder.

İmgeleri, "geleneksel" Üst Paleolitik dönem Şamanist bağlamlardan, a) yeraltı odaları ve b) hayvanlara ve işaretlere ait resimlerden oluşan panolar açısından ele alacak olursak, bu olayların doğasına ilişkin bir şey çok belirgin olur. Topografik ve ikonografik nitelikteki bu iki bağlam, "yaralı adam" imgelerinin, o dönemin kozmolojisini (en azından kısmen) kabul eden ve onun içinde yer alan bir toplumsal ve entelektüel hareketle ilişkili olduğu izlenimini uyandırır. Daha ileriye de gidebiliriz: Her yenilik bir mücadele biçimidir; kabul edilmiş fikirlere ve yerleşik uygulamalara meydan okur. Ama yenilikçi "yaralı adam" resimlerinin yapılması muhtemelen *bütün* inanç sistemine ve kozmolojiye meydan okuma girişimi değildi: Ressamlar ve onların ait oldukları gruplar, sonuçta o kozmolojinin ve sanatsal geleneğin bir parçasıydı. Bu, daha çok, muhtemelen alışılmadık imgelerin ve onların temsil ettikleri şeylerin en azından bazılarınca kabul edilebilmesi için var olan kozmolojik, toplumsal, dinsel ve ikonografik çerçeveleri değiştirme denemesiydi. Kozmolojik, toplumsal, dinsel ve ikonografik çerçeveler değiştirilemez değildir: Giddens'ın ortaya koyduğu gibi sabit yapılar değil, kaynaklardır. İnsanlar bunları ritüeller, belirli bir düzeni olan toplantılar, imgeler, sloganlar, ezberlenen metinler gibi şeylerle yeniden ürettikleri için, aynı zamanda esnektirler.

O zaman gizemli "yaralı adam" resimlerini kimler çizmişti?

"Yaralı adamlar" aracılığıyla ifade edilen bu meydan okumanın yeni ortaya çıkan bireyler tarafından mı yoksa bir çıkar grubu tarafından mı ortaya konduğu çok açık değildir. Her halükârda birey kavramı karmaşıktır ve her zaman tarihsel ve kültürel koşullarla biçimlenir.[609] Birey olma durumunun felsefi sonuçlarını araştırmadan da (Lascaux'daki Boğalar Salonu ve Eksen Galerisi'nde bulunanlar gibi) ortaklaşa yapılmış olmaları gereken büyük karmaşık resimler ile (yine Lascaux'daki Kedigiller Çıkmazı'ndakiler gibi) muhtemelen bireyler tarafından yapılmış daha basit imgeler arasındaki farkları anımsayabiliriz. Daha önce savunduğum gibi, büyük odalardaki ortaklaşa yapılmış sanat eserleri, muhtemelen grup ritüelleriyle bağlantılıyken daha küçük ve daha basit resimler bireysel şaman adayları ile hayali görüntü arayıcıları tarafından yapılmış olabilir. Bu kişisel resimlerin yapılması ortaklaşa yapılan ve seyredilen imgelerin yapılmasından farklı ritüellerle ilişkili olmalı. Her ne kadar tüm bu Üst Paleolitik dönem bireylerinin yeraltı mekânlarında resim yapma aşamasına gelebilmek için muhtemelen bazı yandaşları olması gerekse de kendilerini farklı kılan bireylerin yenilikçi "yaralı adam" resimleri yapmakta önemli bir rol üstlendiği görülüyor. Aslında mağaralara girişin yanı sıra boyanın hazırlanması ve resmin yapılması işleminin kendisi, daha önce gördüğümüz gibi, muhtemelen birtakım birbirleriyle ilişkili, toplumsal ayrımlar yaratan ritüelleştirilmiş bağlamların bir parçasıydı.

Egemen toplumsal ve dini düzene karşıt olan insani bireylik, –hayvanlara, bir güç kaynağı olan hayvanlara, hayali koruyucu hayvan görüntüleri vb. ait olan– imgelerin "ötekilik" kavramına ait olmadığı olgusuyla ortaya konur. Aksine, "yaralı adam" imgelerinin muhtemelen kişilerin kendilerinin son derece manipüle edilmiş temsilleri olduğunu öne sürüyorum. Kendilerine ait bu resimlerde vurgulanan şey kişinin kendisidir. Bu belirgin "yaralı adam" imgeleri, bu nedenle, muhtemelen Üst Paleolitik dönem duvar sanatında insan biçimli imgelerin nadir bulunmasına karşı kişisel bir yanıt veya meydan okumadır.

Bu kıtlığın ne anlama geldiği zor bir sorudur. Sunduğum kanıtlar, simge olarak ezici bir çoğunlukla hayvanların kullanılmasının, doğaüstü gücün ve çok büyük bir olasılıkla bununla çok yakından bağlantılı olan politik gücün, insan dünyasının dışında yattığı anlamına geldiğini güçlü biçimde ortaya koyar. Bu (biçimleri değiştirilmiş) insan resimleriyle, doğaüstü güçler ile politik güçlerin konumu ve kontrolüne karşı bir meydan okuma için bir kanıt elde etmiş olabiliriz: Bazı kişiler birbiriyle ilişkili simge ve güç çerçevelerinin görünür bir parçası olmak ama bunu farklı biçimde yapmak istiyordu, bu istek de yeni resimlerin var olan ve bölücü olma potansiyeline sahip dinsel deneyimlerden yola çıkarak biçimlendirilmesi anlamına geliyordu.

Bireyler statükoya meydan okuma girişimleri sırasında aile içi veya ekonomik rollerinden farklı roller benimser. Bir şaman olarak aydınlanma arayan bir aday, ne kadar özgecil olursa olsun, aile ilişkilerinden ve besin üretiminden farklı kaynaklardan doğan belirli toplumsal faydaları olan yeni bir *persona* kuşanmayı umar. "*Persona*nın" tiyatro alanındaki kökenlerinden yararlanacak olursak, kaynaşmış durumdaki insan ile maskenin birbirinden ayrılmasının ne kadar zor olduğundan söz etmemiz gerekir; benlik ve rol iç içe geçmiştir.[610] Bu birleşme özellikle yeni bir *persona* edinme eylemi değişmiş bilinç durumları içerdiğinde daha kolay başarılır çünkü bu bilinç durumları bir bireyin *içindedir* ve kişinin kendisi hakkındaki algısını kaçınılmaz olarak dönüştürür; benzetme metafora, metafor da gerçekliğe nasıl dönüşüyorsa, rol de gerçekliğe öyle dönüşür.

Birleşme ve dönüşme "yaralı adam" imgelerinde görülmemiş ölçüde açıktır. Güçlü bir motifte kişiyi ve rolü, belirgin olan ve aynı zamanda değişmiş bilinç durumlarının daha önce temsil edilmemiş öğelerini –delinmeye ilişkin bedensel halüsinasyonları– öne çıkarmak için bilinçli ve planlanmış bir kararın mümkün kıldığı yeni bir Şamanist rolü temsil ederler. Bu resimleri yapanlar, değişmiş bilinç durumlarının belirli bir bileşeninden ve bu bileşenin dışavurumu olan imgelerden kendi dinsel, toplumsal ve politik konumlarını ilerletmek için yararlanıyordu. Dinsel deneyimlerini, başkalarınınkilerden farklı olsa da onlarla ilişkili olacak biçimde sunuyorlardı; yaptıkları imgeler muhtemelen çektikleri çilelerin ilerleme için daha üstün bir yol olduğunu vurguluyordu. İmgelerin oluşturduğu Üst Paleolitik dönem ikonografik düzen, bu nedenle, sanatın insanlar eliyle nasıl aktif ve biçimlendirici bir rol oynadığının bir örneği olur.

NEANDERTAL'DEN BİLİNÇLİ İNSAN EYLEMİNE

Üst Paleolitik dönem mağara sanatının doğasına ve amacına yönelik incelememiz, o zamanlar pek çok kişinin –ve hâlâ bazılarının– sarsıcı bulduğu şaşırtıcı bir bilgi olan insanlığın ilk çağlarının keşfiyle başladı. Sonra insan evriminde, yalnızca orta ve ileri düzey zekâlar arasında değil, iki çeşit bilinç arasında da bir eşik olduğunu gördük. Neandertaller, umutsuzca hayvanlığa ve aptallığa bulanmış oldukları için değil, belirli bir tür bilince sahip olmadıkları için yeni *Homo sapiens* komşularından yalnızca belirli etkinlikleri ödünç alabiliyordu. Şimdiki zamanın zihinsel bir imgesini akıllarında tutabiliyor, öğrenme süreçleri sayesinde tehlike ve ödülün varlığını hissedebiliyorlardı. Ama Gerald Edelman'ın deyimiyle "anımsanan şimdiki zamana" kısılıp kalmışlardı: Gelişmiş belleğe ve buna eşlik etmesi gereken tam anlamıyla modern türden dile sahip olmadan uzun vadeli plan yapamıyor, karmaşık akrabalık bağları ve politik sistemler kurmak için nesilleri ve insan ilişkilerini sınıflandıramıyor, geçmişe ve geleceğe ait zihinsel "sahneler" yaratamıyorlardı. *Neredeyse* o noktaya varmışlardı.

Neandertallerin yapamadığı bir başka şey de insanın zihinsel yaşamının ayrılmaz parçası olan, arkeologların büyük ölçüde görmezden geldiği derinden değişmiş bilinç görüntülerine ve düşlere göre davranmaktı. Dolayısıyla Neandertaller ne ruhlar dünyasını anlayabiliyor ne de bu dünyaya erişimin farklı derecelerini temel alan toplumsal ve politik ilişkiler kurabiliyordu. Neandertallerin toplumsal ayrımları anlıktı ve cinsiyete, fiziksel güce ve yaşa dayanıyordu. Tam anlamıyla modern bilinç ve –geçmişi ve geleceği gelişmiş biçimde ele alabilen– dil olmadan tanrılar var olamaz.

Neandertaller ile anatomik açıdan modern insan grupları arasında Orta Paleolitik'ten Üst Paleolitik'e Geçiş süresince gelişen toplumsal ilişki türlerinin bir sonucu olarak, (daha doğudaki arkeolojik kanıtların ortaya koyduğu gibi Homo sapiens toplulukları için zaten önemli olan) zihinsel imgelem yeni ve özel bir önem kazandı. Bir grup hayvan Batı Avrupa'daki anatomik olarak modern topluluklar için (değişen ölçülerde) simgesel anlamlar taşıyordu. Bu insanlar için artık, onları Neandertallerden ayıran temel bir özellik olan inandıkları bir başka dünyaya ait imgelerini sabitlemek önemli olmuştu.

Böylece yeni bir tür toplum ve yeni toplumsal ayrımlar yarattılar. Toplumsallaşmış değişmiş bilinç, kozmoloji, din, politik etki ve ("sanatın" öncüsü olarak) imge yaratımı, tam anlamıyla modern olarak kabul ettiğimiz böyle bir toplumda bir araya geldi. Bireyler artık personalarını diğer kişilerle ilişkili olarak biçimlendirmek için ezoterik kaynaklar kullanabiliyordu. Bu kaynaklar denetlenebiliyor ve böylece kontrollü bir toplumsal ayrım, sınıflara ayırma ve sömürü mekanizması olabiliyordu. Zihne ait ipuçları modern insan nörolojisinden kaynaklanan deneyimlerde bulunan mağaralar, ruhlar âlemini somut gerçekliğe taşıdı. Önce Neandertaller ile Homo sapiens grupları arasında, sonra da son Neandertal öldükten sonra, yayılan ve etkileşim içinde olan sapiens grupları arasındaki ilişkilere sahne olan Batı Avrupa'da zaten yaygın bulunan mağaralar, zihinsel ve toplumsal ayrımlar için kontrol edilebilir topografik şablonlar sağlıyordu.

Üst Paleolitik dönem sanatı hakkındaki yorumlarımı, tutucu bir yaklaşımla ve ampirik kanıtlarla sınırlandırarak dizginledim. Tüm dünyayı kapsayan etnografik kayıtlarda yer alan çeşitli Şamanist inançlar ve uygulamalar hakkında çok daha fazla şey söylenebilir. Bu kayıtları okuyanlar sık sık mağaraların içinde –ve dışında– neler olduğunu anlamamızı kolaylaştıracak Şamanist etkinliklere rastlayacaktır. Çeşitli ifadeleri ve nöropsikoloji literatürünü incelemek ve etnografik ve nörolojik ayrıntıları Üst Paleolitik dönem sanatı ve arkeolojinin ayrıntılarıyla birleştirmek uzun ve hassas bir iştir. Bazı bağlantıların diğerlerinden daha inandırıcı olduğu ortaya çıkacaktır ama daha önce belirttiğim gibi bu, arkeolojik açıklamaların hepsi için geçerlidir. Araştırmacılar hayal güçlerinin taşkınlık yapmasına ve böylece sağlam bir biçimde desteklenmiş unsurların gözden düşürülmesine engel olmalıdır: İlk araştırmacıların önerdiği türden çok sayıda yüzeysel bağlantı kurulmasına ve sağlam temellere dayanan açıklamaları hiçe saymak ve böylece zayıflatmak için, entoptik olaylar gibi tek bir unsura hak etmediği bir vurgu yapılmasına izin vermemelidirler. Böyle tedbirli bir çalışma yavaş yavaş Üst Paleolitik dönem süresince yaşanan değişimleri ortaya çıkaracak ve insan yaşamının zengin bir tarihsel ve coğrafi mozaiğini gözler önüne serecektir.

Claude Lévi-Strauss mitin "onu oluşturan entelektüel dürtü tükenene" dek "ivmelenerek" geliştiğinden söz etmişti.[611] Bu nedenle, Neandertallerin yok olmasından çok sonra, yaklaşık 10.000 yıl öncesine kadar var olan, birbirlerine bağlı Üst Paleolitik döneme ait zihinsel durumlar, sabitlenmiş imgeler, toplumsal ilişkiler ve mağaralarının oluşturduğu sistemin de bu yolu izlediğini, toplumsal, çevresel ve ekonomik değişimlerin ruhlar dünyasının konumunun yerüstünde kurulmasını gerektirdiğini ve mağara sanatının sona ermesine neden olduğunu sanıyorum. Üst Paleolitik dönem din ve politika önderleri bir yeraltı köşesine kendi resimlerini çizmişti.[612] Ama bu da başka bir öykü.

SONSÖZ

Herhalde Üst Paleolitik dönem mağara sanatının sonunun çok daha uzun bir öykünün yalnızca bir bölümü olduğunu söylemek daha doğru olur.

Princeton'dan psikolog Julian Jaynes, insanların halüsinasyonların gerçekte ne olduğunu ne zaman anladığını kesin olarak belirlemeye çalışmıştı. Kitabı *The Origin of Conciousness in the Breakdown of the Bicameral Mind*'da[613] [İki Bölümlü Zihnin Çerçevesinde Bilincin Kökeni] Jaynes *İlyada* ve *Odysseia* arasında bir anlatım değişimi olduğunu saptar. Jaynes, *İlyada*'da karakterlerin herhangi bir özgür irade kavramı olmadığını söyler. Bilinçli zihinleri yoktur; oturup bir şeyler hakkında düşünmezler. Eylemde olanlar, insanlara ne yapmaları gerektiğini söyleyen tanrılardır. İnsanlar arasında kavga çıkaran, Troya'nın yıkılmasına neden olan savaşı başlatan ve harekâtları planlayanlar tanrılardır. Agamemnon bu nedenle Akhilleus'un metresini kaçırmasına neden olanların "karanlıkta yürüyen" Zeus ve Erinyes olduğunu ileri sürer.[614] Bu tanrılar, günümüzde şizofrenlerin duydukları, kendilerine bir şeyler söyleyen sesler kadar belirgin ya da Jeanne d'Arc'ın duyduğu seslere benzer iç seslerdi. Jaynes tanrıların "merkezi sinir sisteminin organizasyonları" oldukları sonucuna varır; "Tanrı, insanın bir parçasıdır... Tanrılar bugün halüsinasyon dediğimiz şeylerdir."[615]

Jaynes'e göre, *Odysseia İlyada*'dan bir yüzyıl kadar sonra gelmiştir ama bu iki destan ne kadar da farklıdır. Artık başrolde tanrılar değil, kurnaz Odysseus vardır. *Odysseia*'da entrika ve hile dünyasında bulunuruz. Tanrılar geri çekilmiş, inisiyatif insanlara geçmiştir. Jaynes bu değişimin iki bölümlü zihin olarak adlandırdığı şeyin yıkılması sonucu olduğunu öne sürer. İnsan zihni artık birinin tanrıların seslerini diğerine ilettiği iki parçadan oluşmamaktadır. İnsanlar artık düşüncelerinin ve eylemlerinin kontrolünü ele geçirmiştir.

Yine de bana öyle geliyor ki Üst Paleolitik dönem insanları, Jaynes'in ileri sürdüğü gibi kendi başlarına düşünemeyen yarı robotlar gibi olmadan da iç seslerine kulak verebiliyordu. Bu nedenle ilkel ve ileri düzey bilinç çerçevesinde düşünmeyi tercih ediyorum; bu ikinci tür bilinç *İlyada*'dan çok önce, Afrika'da *Homo sapiens*'in ortaya çıktığı sıralarda gelişti. Bundan sonra insanların iç seslerine kulak kesilip kesilmemesini belirleyen şey, değişmiş bilincin kültüre özel tanımları oldu. Zihnin emredici seslerden ve görüntülerden özgürleşmesi, aslında daha tamamlanmamış, yavaş, iki ileri bir geri işleyen bir süreçtir. İnsanların bir adım geri çekilerek kendi düşünce süreçleri üzerinde derin derin düşünmesi ve duydukları seslerin ve gördükleri görüntülerin dış kaynaklardan değil de içeriden geldiğini fark etmesi ne zaman ve nasıl mümkün olmuştur?

Yale Üniversitesi'nden aykırı edebiyat eleştirmeni Harold Bloom, modern, Batılı, akılcı, bağımsız insanı "icat eden" kişinin Shakespeare olduğunu savunur. "Shakespeare'in –aralarında Falstaff, Hamlet, Rosalind, Iago, Lear, Macbeth ve Kleopatra'nın da bulunduğu– başat karakterleri... yeni bilinç biçimlerinin nasıl doğduğunun... olağanüstü örnekleridir."[616] Bloom aykırı bir eleştirmen olabilir ama "Oyunlarda veya şiirlerde, yazarda tutarlı bir doğaüstücülüğün olduğunu düşündüren, dahası belki de pragmatik bir nihilizmi ima eden hiçbir şey görmüyorum" yorumunu yaparken kesinlikle çok haklıdır. Bloom, Shakespeare'in "üstü kapalı olarak gerçekliğin aşkıncı ve deneyüstücü bakış açısıyla kavranmasına karşı çıktığı" konusunda A.D. Nuttall'la aynı fikirdedir.[617] Shakespeare insanları, tanrıların kendileriyle konuşması nedeniyle değil, başka ölümlülerle etkileşimleri ve sadece bireysel insan iradesinin bir kullanımı, "oturup düşünmeleri" sonucu değiştiklerini gösterir. Hamlet, *İlyada*'daki karakterler, hatta Hildegaard von Bingen veya Jeanne d'Arc gibi tanrılarla veya seslerle değil kendiyle tartışır.

Pek çok kişi Bloom'un Shakespeare'in bugün "insani" olarak kabul ettiğimiz şeyi icat ettiğini öne sürdüğünde görüşlerini abarttığını düşünebilir ama çok önemli bir konuya, insan zihninin bağımsızlığına parmak basar. Shakespeare'den sonra, kölelikten kurtulup özgür olma fırsatını, zamanın düşünürlerinin hepsi benimsemese de, on sekizinci yüzyıl Aydınlanması sundu. Bugün Aydınlanma neredeyse her yerde eleştiriliyor. İki dünya savaşından ve yaşanan başka dehşetlerden sonra incinmiş insanlık, yalnızca akılcılığa değil, tutku ve bağlılığa da ihtiyaç duyduğunu hissediyor. Akılcılığın pozitivizm, hoşgörüsüzlük ve faşizmle sıkı ortaklık içinde olduğuna inandırıldık. Oysa, Aydınlanma'nın "seslerin" dışarıdaki güçlü varlıklardan değil insan zihninin içinden geldiğini bilme olanağı sağladığı sonucundan kaçış yoktur. Alman felsefeci Immanuel Kant, iyimserlik içinde şunu öne sürmüştü: "Aydınlanma insanlığın çocukluktan çıkışıdır." Aydınlanma felsefecileri Shakespeare'in sezdiği özgürleşme için bir temel sağladı. Goya bu yeni felsefeyi "Mantığın uyuması canavarlar ortaya çıkarır" adlı gravüründe özetler (66. resim). Masaya yığılmış adamın arkasında korkunç, huzursuz edici insan görünümlü yarasalar, baykuşlar, kediler ve karanlık canavarlar yükselir.[618]

Gelgelelim bugün, Darwin'in evrim-devrimine ve bir dizi nefes kesici bilimsel ilerlemeye karşın, mantık uyuklamaya, hatta uyumaya devam ediyor. New Age [Yeni Çağ] duyarlığı ruhaniliği yüceltiyor, akılcılıktan geri çekiliyor. Tuhaf tarikatlar üyelerini, toplu intiharlara sürükleyecek kadar etkin bir kontrol altında tutuyor. UFO içlerinde yaşandığı söylenen beden

66. Goya'nın "Mantığın uyuması canavarlar ortaya çıkarır" gravürü. Goya yozlaşmış ve zorba toplumunun Aydınlanma'nın ruhunu göz ardı ettiğini fark etmişti. Çalışmalarında insan zihninin karanlık uçlarını araştırdı ve ortaya koydu.

dışı deneyimlere ait bildirimlerin sayısı hiç de az değil. "Kentsel Şamanizm" kadim olduğu varsayılan ruhaniliği canlandırmaya çalışıyor. Peki bu neden böyle olmak zorunda?

Yakın tarihteki ölümüne dek Pennsylvania Üniversitesi'nde psikiyatri doçenti olan Eugene d'Aquili, bu soruları ele alan ve gittikçe büyüyen bir nörolog grubunun üyesiydi. "Nöroteoloji", şamanizmin bizim de incelediğimiz zihinsel özelliklerini ele alır ve bu özellikler ile tüm dinlerin nörolojisi hakkında daha çok şey ortaya çıkarmaya çalışır. Başlangıç noktası olarak d'Aquili, Lévi-Strauss'un fikirlerini biraz değiştirerek kullandı ve mitlerin, kutuplarından birinin insanlık, diğerinin doğaüstü güç olduğu temel bir ikili zıtlık çerçevesinde yapılandırıldığını öne sürdü.[619] Her bir belirli mit tarafından ortaya konan yaşam-ölüm, iyilik-kötülük, sağlık-hastalık vb. kutuplaşmaların çözümü için ortaya çıkma gücünü insanlara veren şey doğaüstü güçlerdi. Mitler böylece evrenin ve felaketlerin işleyişini açıklarmış gibi görünür.

Böylesi çözümsüz zıtlıkların çözümüne bağlı şeyler arasında mistik deneyim, aşkın olma veya "Mutlak Biricik Varlık", sözcüklerle tanımlanamayan şeylerden derinden etkilenme hissi ve bu sayede, ruh varlıklarıyla temas etmeye gerek kalmadan yaşamın "gizeminin" iç yüzünü kavramak vardır. Wordsworth'ün unutulmaz biçimde dile getirdiği gibi, "duygular bizi usulca kandırır":

> Ta ki bu bedensel çerçeve
> Ve hatta insani kanımızın hareketi
> Neredeyse durana kadar, uzanıp uyuruz
> Beden içinde ve yaşayan bir ruh oluruz:
> Uyumun gücüyle ve neşenin derin gücüyle
> Sakinleştirilmişken gözümüz,
> Şeylerin içindeki yaşamı görürüz.

Bu Mutlak Biricik Varlık hissinin –ve Üst Paleolitik dönem boyunca izlediğimiz ve hâlâ bildirilmeye devam eden başka mistik deneyimlerin– açıklaması insanın sinir sisteminde bulunuyor gibi görünüyor.[620] Nörobiyologlar insanların –aslında değişmiş bilinç durumları olan insanların– tanrısal bir ziyarete veya evrenle duyusal olarak birlik olmaya yordukları tarif edilemez duygulara kapıldıklarında beyinde neler olduğunu araştırıyor.[621]

Dinin açıklayıcı ve duygusal unsurları bu araştırmacıları dikkatlerini iki nörobiyolojik sürece vermeye yöneltti. Bunlardan ilkine "nedensel işlemci" denir, yani "frontal lobun ön konveksitesi, alt pariyetal lob ve bunların birbiriyle ilişkisi" kastedilir. Bu nörolojik terimlerin açıklanmasına bu noktada gerek duymuyorum, yalnızca bunların beynin bölümleri olduklarını ve araştırmacıların bu bölümlerin ve bu bölümler arasındaki karşılıklı bağlantıların otomatik olarak tanrılar, güçler ve ruhlar yarattığını öne sürdüğünü söylemekle yetineyim; bu "doğaüstü" varlıklar çevreyi kontrol altında tutma girişimlerine dahil edilir. Dinin bu "pragmatik" unsuru ikinci unsura –bir şeylerin olmasına neden olan ruhani varlıkların var olduklarını bunları yaşayanlara kanıtlayan duygu durumları ve değişmiş bilinç durumlarına– çok yakından bağlıdır. Mutlak Biricik Varlık duygusu –aşkınlık, kendinden geçme– beyindeki sinirsel devrelerin "taşmasından" kaynaklanır; bu "taşmaya" da bu kitapta ele aldığımız –ritmik görsel, işitsel veya dokunsal dinamikler, meditasyon, koklama duygusu uyaranları, oruç vb.– etmenler neden olur. Dolayısıyla dinin temel unsurları beyin donanımının bir parçasıdır. Kültürel bağlamlar bunların etkilerini artırabilir ya da azaltabilir. D'Aquili ve Andrew Newberg'ün kışkırtıcı ifadesiyle, Tanrı'nın ortadan kalkmamasının nedeni budur.

Eğer bu nörobiyologlar haklılarsa ve ikna edici bir sava sahiplerse, insan davranışının Önsöz'de belirttiğim temel ikiliği –akılcı olan ve akılcı olmayan inançlar ve eylemler– öngörülebilir bir gelecekte yok olmayacaktır. Sokrates'in mağarasından kaçan bir tutsak geri döndüğünde kendisine inanılmadığını görür. Bizi hâlâ geçiş dönemini yaşayan bir türüz. Ama Üst Paleolitik dönem sanatının sona ermesi gibi mistik deneyimlerin nörolojisi ve Üst Paleolitik'ten bugüne süregelmeleri de, bu kitabın kapsamı dışında kalan konulardır.

Ama yine de... Üst Paleolitik dönem sanatı mucizesini, Wordworth'ün "şeylerin içyüzünü" görmesini, dinsel bağlılığın (ve önemli ölçüde beyinsel etkinliğin) Bach'ın, John Donne'un tarif edilemezle mücadelesinin veya King's College Şapeli'nin yüce akustiğindeki *Miserere*'nin esin kaynağı olduğu muhteşem müziği kim reddetmek ister? Bunları sadece beynin işleyişi olarak dışlarsak, çok değerli bir şeyi yitirme tehlikesinde olur muyuz? Belki Wordworth'ün panteizmi ve Donne'un entelektüel adanmışlığı ile Tanrı'nın bizimle doğrudan konuştuğuna ve bize yalnızca kendi yaşamlarımızı nasıl düzenleyeceğimizi değil, bu düzeni başkalarının yaşamlarına dayatmamızı söylediğine ilişkin korkunç bir inanç arasında bir ayrım yapmak zorundayız. Kafamızın içindeki, kafamızın içindedir, bizim dışımızda bir yerde yer almaz. Konunun can alıcı noktası budur ve Bach'ın, Shakespeare'in, Donne'un ve Wordworth'ün değerini azaltmaz.

Ama bu büyük yaratıcıların bizde yarattıkları yücelik duygusu mistik bir geriye gidiş için bir gerekçe olamaz. Şamanizm ve tuhaf bir ruhlar âlemine ait görüntüler, avcı-toplayıcı topluluklarda işe yaramış, hatta muhteşem sanat yapıtları ortaya çıkarmış olabilir; bundan bugünkü dünyada işe yarayacakları veya bugün hâlâ kişisel koruyucu hayvan ruhlara ve yeraltı dünyalarına inanmamız gerektiği sonucu çıkmaz. Boğalar Salonu'na girdiğimizde, onları yaratan dinsel inançları ve rejimleri yeniden benimsemek veya onlara teslim olmak istemeden de soluğumuz kesilebilir.

NOTLAR

1 Chauvet vd. (1996, 41-42).
2 Bégouën ve Clottes (1981, 1987); bu mağaralardaki önemli buluntulara ilişkin daha fazla bilgi için, bkz. Bégouën ve Clottes (1991).
3 Moorhead (1969, 181).
4 Sulloway (1982).
5 George (1982, 7).
6 Darwin (1968 [1859], 453).
7 Darwin (1968 [1859], 435).
8 Daniel & Renfrew (1988, 143).
9 Darwin (1968 [1859], 458).
10 Greene (1999).
11 Childe (1942).
12 Darwin'in kendisi bu sözcüğü kullanmıştır; Darwin (1968 [1859], 455).
13 George (1982, 143).
14 Darwin (1859).
15 Darwin (1859).
16 George (1982, 140).
17 Üst Paleolitik sanatına ilişkin yeni ve bilgilendirici bir genel değerlendirme için bkz. Clottes (2001). Ayrıca bkz. Clottes ve Lewis-Williams. Derin mağaralarda bulunan sanat eserleri ile daha iyi ışık alan yerlerdekiler arasındaki farklar için bkz. Clottes (2001). Yeni tartışmalar için bkz. Clottes ve Lewis-Williams (1996).
18 Varagnac ve Chollot (1964); Clottes (1990); Sieveking (1991).
19 Kurtén (1972).
20 Pfeiffer (1982, 260).
21 Clottes vd. (1994).
22 Örneğin bkz. Kühn (1955); Ucko & Rosenfeld (1967); Sieveking (1979); Bahn (1997, 17-22).
23 Altamira hakkındaki tartışmalar için bkz. Freeman (1987) ve De Quirós (1991).
24 Beltran (1999, 8).
25 Kühn (1955, 48).
26 Corruchaga (1999, 22).
27 Kühn (1955, 45).
28 Kühn (1955, 48).
29 Corruchaga (1999, 24).
30 Breuil (1952, 15).
31 Breuil (1952, 154).
32 Kühn (1955, 78).
33 Beltran (1999).
34 Breuil (1952, 66).

2. Yanıtlar Aramak

35 Tomásková (1997).
36 Bkz. Conkey (1987, 1991); Soffer & Conkey (1997).

37 Ucko & Rosenfeld (1967, 118-19).
38 Conkey (1995, 2. resim; 1997)
39 Halverson (1987, 1992).
40 Leach (1961).
41 Lewis-Williams (1982, 429).
42 Daha sonraki bir bölümde göreceğimiz gibi, Lascaux'daki bizon çifti bir istisnadır; bu örnekte bile, simetri yaratmak, görünüşe göre, ressamın amacı değildi.
43 Laming (1962, 66).
44 Karşılaştırma için Layton (1987); Lewis-Williams (1991).
45 Lévi-Strauss (1969).
46 Delport (1990, 192-94).
47 Leroi-Gourhan (1968, 34).
48 Brannigan (1981); Gilbert & Mulkay (1984); Mulkay (1979).
49 Kuhn (1962).
50 Örn. Latour & Woolgar (1979); Üst Paleolitik dönem sanatı araştırmalarının düşünsel tarihi için bkz. Conkey (1997).
51 Ingold (1992); Hacking (2000). Toplumsal inşa ve arkeolojide rölativizm için bkz. Watson (1990).
52 Örn. Chalmers (1990); Hacking (1983, 2000).
53 Conkey (1980), (2001); eleştiri için bkz. Conkey (1990).
54 Conkey (1988).
55 Chesney (1994).
56 Conkey (1992).
57 Raphael (1945).
58 Chesney (1991, 14).
59 Chesney (1991, 14).
60 Raphael (1945, 38).
61 Raphael (1945, 2).
62 Raphael (1945, 2–3).
63 Chesney (1991, 19).
64 Chesney (1991, 3).
65 Örn. bkz. Bloch (1983); McGuire (1992); Baert (1998).
66 Raphael (1945, 6).
67 Raphael (1945, 38).
68 Raphael (1945, 4).
69 Raphael (1945, 4, 48).
70 Raphael (1945, 51).
71 Chesney (1991, 17).
72 Chesney (1991, 11).
73 Karşılaştırma için Conkey (1997, 354).
74 Laming (1959, 200).
75 Laming (1959, 180).
76 Laming (1959, 184).
77 Laming (1959, 186).
78 Laming-Emperaire (1962).
79 Laming-Emperaire (1962, 118); Chesney (1991, 19).
80 Laming-Emperaire (1962, 118, 119); çev. J. Clottes.
81 Laming-Emperaire (1962).
82 Laming-Emperaire (1972).
83 Laming (1959, 170).

84 Laming (1959, 172).
85 Barnard (2000, 125).
86 Gibbs (1998).
87 Leach (1974, 11).
88 Barnard (2000, 125).
89 Badcock (1975, 67-77).
90 Leach (1974, 16).
91 Lévi-Strauss (1967a).
92 bkz. Leach (1967a) içindeki bölümler.
93 Lévi-Strauss (1963, 229).
94 Lévi-Strauss (1963, 229).
95 Leroi-Gourhan (1968).
96 Leroi-Gourhan (1968, 19).
97 Leroi-Gourhan (1968, 118).
98 Leroi-Gourhan (1968, 20, 110).
99 Lévi-Strauss (1966); ilk kez 1962'de Fransızca yayımlanmıştır.
100 Leroi-Gourhan (1968, 19).
101 Leroi-Gourhan (1982).
102 Leroi-Gourhan (1976).
103 Leroi-Gourhan (1968, 174).
104 Leroi-Gourhan (1968, 174).
105 Lévi-Strauss (1963, 229).
106 Stevens (1975); Ucko & Rosenfeld (1967); Parkington (1969).
107 Johnson (1999).
108 Lévi-Strauss (1967b, 8).
109 Gibbs (1998, 40).
110 Conkey (2000); ayrıca bkz. Clottes (1992) ve Coudart (1999).
111 Örn. (1988); Sauvet & Wlodarczyk (1995).
112 Vialou (1986, 1987, 1991).
113 De Quirós (1999).
114 De Quirós (1999, 34).
115 Karşılaştırma için Pfeiffer (1982).
116 De Quirós (1999, 56).
117 Laming-Emperaire (1962).
118 Pfeiffer (1982); Mithen (1988); Barton vd. (1994).
119 Gamble (1980, 1982, 1999); ayrıca bkz. Jochim (1983).
120 Barton vd. (1994, 199).
121 Gilman (1984).
122 Örneğin bkz. Meillassoux (1972); Hindess & Hirst (1975); Seddon (1978).
123 Gombrich (1982). Zıt bir görüş benimseyen Boston Üniversitesi biyolojik antropoloji profesörü Terrence Deacon Üst Paleolitik dönem mağara resimlerinin "buna benzer simgesel bilginin insan beyni dışında depolanmasının ilk somut örneği" olduklarını yazar (Deacon 1997, 374; ayrıca bkz. Donald 1991.) Deacon ve onu izleyenler resimleri, gerçekten de bilgi depolayan ve içinde yer almadıkları zihinler tarafından erişilmesine izin veren yazılı kayıtlarla karıştırıyor.
124 Dissanayake (1995).
125 Wylie (1989).
126 Felsefeciler, örneğin Copi (1982) kıyas [benzetme] yöntemini bir tümevarım biçimi olarak görür.
127 Toplumsal davranışçı yaklaşım hakkında erken dönemde yazılmış ve derinlikli bir anlatım için bkz. Mead (1934, 1964).

3. Yaratıcı Bir Yanılsama

128 Tattersall (1999: 74-76); Palmer (2000: 13-18).

129 Palmer (2000, 14).

130 Palmer (2000, 14).

131 Palmer (2000, 15).

132 Genel değerlendirme için bkz. Gamble (1991, 1999); Mellars (1989, 1990, 1994, 1996, 2000); Mellars & Stringer (1989); Knecht vd. (1993); Stringer & Gamble (1993); Byers (1994); Shreeve (1995); Tattersall (1999); Bar-Yosef (2000); Hublin (2000).

133 Neandertallerin estetik anlayışı ve başarıları hakkında daha geniş bir bakış açısı için bkz. Hayden (1993).

134 Bkz. Guthrie (1990).

135 Wynn (1996).

136 Knecht vd. (1993).

137 White (1989b, 385).

138 White (1986).

139 Taborin (1993).

140 Bahn (1977).

141 White (1989, 227).

142 Güney Afrika Sanları için özellikle bkz. Wiessner (1982, 1986)

143 Binford (1981); ama bkz. Chase (1986).

144 Conkey (1980).

145 Sept (1992).

146 Farizy (1990a, 1990b).

147 White (1993).

148 White (1993, 288).

149 White (1993, 294).

150 Gargett (1989; 1999, 375-80); Gargett'a bir yanıt ve onun ve başka araştırmacıların canlı bir tepkisi için bkz. Riel-Salvatore ve Clark (2001).

151 Gargett (1999, 83-84).

152 Breuil (1952).

153 Leroi-Gourhan (1968).

154 Ama bkz. Clottes (1990).

155 Chauvet vd. (1996); Clottes (1996).

156 Hahn (1970, 1971, 1993); Bosinski (1982).

157 Marshack (1991, 129. resim).

158 Wolpoff (1989).

159 Hublin vd. (1996).

160 Stringer & Gamble (1993, 132–36); Krings vd. (1997, 1999). Irkların karışması, hatta kısır olmayan yavruların doğması konularını destekleyen Portekiz kaynaklı kanıtların genel bir değerlendirmesi için bkz. Wong (2000).

161 D'Errico vd. (1998); yakın tarihli bir yanıt için bkz. Mellars (2000).

162 Harrold (1989).

163 Gamble (1999, 377).

164 Bocquet-Appel & Demars (2000); tartışma için Bocquet-Appel & Demars'ın yanıtıyla birlikte bkz. Pettitt & Pike (2001).

165 Bkz. Mellars (1996).

166 Gamble (1999, 377).

167 Ama bkz. Strauss (1993).

168 Mellars (1996, 415-16); daha yeni tartışmalar için bkz. Kuhn ve Bietti (2000) ve Kozolowski (2000).

169 White (1993a, 1993b); Gamble (1999, 380).

170 Kültürlenme üzerine bir tartışma için bkz. Herskovitz (1958).

171 Üst Paelolitik başlangıcında Avrupa'daki yaşam, örneğin William Golding'in *The Inheritors*, Elizabeth Marshall Thomas'ın *Reindeer Moon*, Björn Kurtén'in *Dance of the Tiger* ve Jean Auel'in *The Clan of the Cave Bear*, *The Valley of the Horses* ve *The Mammoth Hunters* gibi fantastik romanlara konu olmuştur.

172 Stringer & Gamble (1993, 193).

173 Gamble (1999, 378).

174 Gamble (1999, 381-87).

175 Gamble (1999, 382).

176 Gamble (1999, 383).

177 Zubrow (1989).

178 Zubrow (1989, 230); ayrıca bkz. Bocquet-Appel & Demars (2000).

179 Davidson & Noble (1989); Chase & Dibble (1987); Dibble (1989); Lieberman (1989).

180 Pinker (1994); Bickerton (1990).

181 Stringer & Gamble (1993, 88-91, 216-17); Mellars (1996, 387-91).

182 Davidson (1997).

183 Hublin vd. (1996).

184 Turner'dan alıntı, White (1989a, 214).

185 White (1989a, 218).

186 Saint Césaire mezarlığından elde edilmiş kanıtlar yetersizdir. Gamble (1999, 380-81).

187 Binford (1968).

188 Bazı şempanzeler, belki üç yaşındaki bir çocuğun düzeyinde, bu işlevlerden bazılarını yerine getirmek üzere eğitilebilirmiş gibi görünüyor. Bir ölçüde tartışmalı deneyler şempanzelerin bu yeteneği Neandertallerin sınırları hakkında bilgi verebilir. Bkz. Savage-Rumbaugh (1986); Deacon (1997, 84).

189 Hahn (1993).

190 Hahn (1993).

191 Pfeiffer (1982).

192 Mellars & Stringer (1989).

193 Davidson (1997).

194 McBrearty & Brooks (2000, 534).

195 McBrearty & Brooks (2000, 492).

196 McBrearty & Brooks (2000, 534).

197 Kolay anlaşılır bir değerlendirme için bkz. Deacon & Deacon (1999).

198 Örneğin Howell (1999).

199 McBrearty & Brooks (2000, 13. resim).

200 McBrearty & Brooks (2000); Deacon & Deacon (1999); Klein (2001); Henshilwood ve Sealy (1997); Henshilwood vd. (2002).

201 McBreaty & Brooks (2000, 529).

202 McBreaty & Brooks (2000, 530).

203 Toplumsal eşitsizliğin doğuşu konusunda bkz. Hayden (1995).

4. Zihin Maddesi

204 Wylie (1989).

205 Glynn (1999).

206 Evrimsel psikolojinin yakın tarihli genel değerlendirmeleri için bkz. Cummins & Allen (1998) ve Kohn (2000).

207 Mithen (1996a); ayrıca bkz. (1994, 1996b, 1998).

208 Fodor (1983); Gardner (1983); Barkow, Cosmides & Tooby (1992); Hirschfeld & Gelman (1994).

209 Chomsky (1972).
210 Chomsky (1986).
211 Bickerton (1981, 1990).
212 Mithen (1994, 36).
213 Örneğin bkz. Rose & Rose (2000).
214 Mithen (1996, 33. resim, 210-13).
215 Damasio (1999).
216 Zihinsel imgelemin canlılığı ile yaratıcılık arasındaki olası ilişkiye dair bir tartışma için bkz. Campos & Gonzalez (1995).
217 Humphrey (1992).
218 Lutz (1992).
219 Lutz (1992, 73).
220 Lutz (1992, 76).
221 "Toplumsal inşayı" çok ileri götürmenin tehlikeleri hakkında bkz. Hacking (1999).
222 James (1982, 388). William James'in kardeşi, yazar Henry James, romanlarının ortaya koyduğu gibi, psikolojiyle de çok ilgiliydi.
223 Martindale (1981, viii).
224 Ardener (1971, xx, xxxiv).
225 Martindale (1981, 311–14).
226 McDonald (1971).
227 Dentan (1988).
228 Laughlin vd. (1992).
229 Laughlin vd. (1992, 132).
230 Karşılaştırma için bkz. Laughlin vd. (1992, 138).
231 Martindale (1981, 255).
232 Gackenbach (1986); Price-Williams (1987).
233 Al-Issa (1977).
234 Ayrıca bkz. Siegel (1985).
235 Örneğin Klüver (1926, 1942, 172-77, 1966); Knoll & Kugler (1959); Horowitz (1964); (1975); Oster (1970); Richards (1971); Eichmeier & Höfer (1974); Siegel & Jarvik (1975); Siegel (1977); Asaad & Shapiro (1986).
236 Lewis-Williams & Dowson (1988); Haviland & Haviland (1995); Haviland & Power (1995).
237 Klüver (1926, 504); Siegel (1977, 132).
238 Klüver (1926, 503); Siegel (1977, 134).
239 Knoll vd. (1963, 221).
240 Siegel (1977, 134).
241 Walker (1981).
242 Knoll vd. (1963); Siegel (1977).
243 Bressloff vd. (2000).
244 Horowitz (1964, 514; 1975, 164, 177, 178, 181).
245 Heinze (1986).
246 Horowitz (1975, 177).
247 Siegel (1977, 132).
248 Horowitz (1975, 178). Willis (1994); Warao halüsinasyonları hakkında bkz. Wilbert (1997).
249 Siegel & Jarvik (1975, 127, 143); Siegel (1977, 136).
250 Horowitz (1964); Grof & Grof (1980); Siegel (1980); Drab (1981).
251 Siegel (1977, 134, 1975, 139).
252 Siegel & Jarvik (1975, 113).
253 Rasmussen (1929, 124); Harner (1982, 31).

254 Boas (1900, 37).

255 Vastokas & Vastokas (1973, 53).

256 Harner (1982, 32).

257 Siegel & Jarvik (1975, 128).

258 Grof (1975, 38-39) bir saat kulesinin nasıl bir baykuşa dönüştüğünü açıklar.

259 Siegel & Jarvik (1975, 128).

260 Siegel (1977, 134).

261 Reichel-Dolmatoff (1978a, 147).

262 Klüver (1942, 181, 182).

263 Örneğin Siegel & Jarvik (1975, 105).

264 Wedenoja (1990).

265 Murdock (1967).

266 Bourguignon (1973, 11); Shaara (1992).

267 Bourguignon (1973, 12); vurgu özgün metinde.

268 Reichel-Dolmatoff (1972, 1978a, 12-13, 1981).

269 Reichel-Dolmatoff (1978b, 291-92).

270 Gebhart-Sayer (1985).

271 Gebhart-Sayer (1985).

272 Örneğin bkz. Ränk (1967); Nordland (1967); Eliade (1972); Bourguignon (1973); Hult-kranz (1973); Siikala (1982); Winkelman (1990); Atkinson (1992); Riches (1994); Vitebsky (1995a, 1995b); Thomas & Humphrey (1996); Jakobsen (1999); Narby & Huxley (2001). Ayrıca bkz. Hultkranz (1998) ve Hamayon (1998) arasındaki tartışma.

273 Şamanizmin evrenselliği ve Şamanizm ile hipnoz olayları arasında bir karşılaştırma ve ruh yitimi ile ruhun ele geçirilmesi arasındaki farklar konusunda bkz. Cardeña (1996).

274 Siikala (1982); Ludwig (1968).

275 Noll (1985, 445-46).

276 Siikala (1992, 105-06); ayrıca bkz. Stephen (1989).

277 Furst (1976, 4-5); ayrıca bkz. (1972, viii-ix).

278 McClenon (1997, 349).

279 La Barre (1980, 82-83); ayrıca bkz. Winkelman (1992).

5. Vaka Çalışması 1: Güney Afrika San Kaya Sanatı

280 Bleek ailesi ve çalışmaları hakkında bkz. Deacon & Dowson (1996) ve Lewis-Williams (2000) içindeki bölümler; ayrıca bkz. Hewitt (1986) ve Guenther (1989).

281 Yayımlanan metinler için, örneğin bkz. Bleek & Lloyd (1911); Bleek (1924); Lewis-Williams (2000).

282 Güney Afrika'da, Khoekhoen göçebelerinki ile Bantu dili konuşan çiftçilerin yaptığı belirgin, beyaz renkte, genellikle geometrik imgelerin olduğu en az iki kaya sanatı geleneği daha vardır.

283 Stow & Bleek (1930); ayrıca kaya resimleri ile Bleek'e bilgi verenlerin yorumları için bkz. Orpen (1875).

284 Bleek (1875, 20).

285 San kaya sanatına giriş için bkz. Vinnicombe (1976); Lewis-Williams (1981, 1990); Lewis-Williams & Dowson (1999).

286 Bleek (1875, 20).

287 /Kaggen hakkındaki öyküler için bkz. Bleek (1924); Bleek & Lloyd (1911); Lewis-Williams (2000).

288 !gi:xa ve ilişkili sözcükler ile İngilizceye çevirileri hakkında kapsamlı bir tartışma için bkz. Lewis-Williams (1992). !gi:ten hakkındaki /Xam metinleri için bkz. Bleek (1933a, 1933b, 1935, 1936); Lewis-Williams (2000, 255-65).

289 Marshall (1976, 1999).

290 Marshall Thomas (1959).

291 Ruby (1993).

292 Kalahari Çölü'nde yaşayan San grupları hakkında başka anlatımlar için bkz. Lee (1979); Silberbauer (1981); Guenther (1986); Wilmsen (1989); Valiente-Noailles (1993). Sanların tarihteki yeri için bkz. Gordon (1992, 1997).

293 San trans dansı hakkında bkz. Marshall (1962, 1969, 1999, 63-90); Lee (1968); Katz (1982); Katz vd. (1997); Keeney (1999).

294 Biesele (1993).

295 Guenther (1975, 1999).

296 Dowson (1988, 2000).

297 Blundell (hazırlanıyor).

298 Barnard (1992).

299 Biesele (1993, 70).

300 Biesele (1993, 81).

301 Biesele (1993, 81).

302 İki /Xam efsanesinin analizi için bkz. Lewis-Williams (1996, 1997b).

303 Bleek (1875, 13).

304 Vinnicombe (1976); Lewis-Williams (1981).

305 Orpen (1874).

306 Lewis-Williams (1980, 1981).

307 Siegel (1977).

308 Özet anlatımlar için bkz. Eliade (1972); Halifax (1980); Vitebsky (1995b); Musi (1997) ve Bean (1992).

309 Şiir Coleridge'in açıklamasıyla birlikte Dixon & Grierson (1909) içinde yayımlanmıştır. [Yaratıcı Beyin, Dehanın Nörobilimi, Dr. Nancy C. Andreasen, çev. Kıvanç Güney, Arkadaş yay., Ankara, 2009, s. 25].

310 Biesele (1993, 70-72).

311 Biesele (1993, 72).

312 Bkz. Eliade (1972); Halifax (1980); Vitebsky (1995b); Musi (1997) ve Bean (1992).

313 Biesele (1993, 72).

314 Ayrıca bkz. Lewis-Williams (1981, 1983); Lewis-Williams & Dowson (1999).

315 Lewis-Williams (1995a).

316 Lewis-Williams vd. (2000).

317 Lewis-Williams & Dowson (1990).

318 Lewis-Williams (1981, 103-16); Lewis-Williams & Dowson (1999, 92-99).

319 Bleek (1933, 309).

320 Dowson (1992).

321 Lewis-Williams (1995a).

322 Siegel (1977).

323 Sacks (1970).

324 Pager (1971, 151, 347-52).

325 Örneğin Bootzin (1980, 343).

326 Lamb (1980, 144).

327 Halifax (1980, 32); Lame Deer & Erdoes (1980, 74); Neihardt (1980, 97); Munn (1973, 1(19); Christie-Murray (1978).

328 E. Wilmsen, kişisel yazışma.

329 Orpen (1874, 8).

330 Lewis-Williams (1995b).

331 Leroi-Gourhan (1943, 1945); Dobres & Hoffman (1994); Dobres (2000).

332 Biesele (1993).
333 Lewis-Williams (1987).
334 How (1962).
335 Lewis-Williams (1986); Jolly (1986); ayrıca bkz. Prins (1990, 1994).
336 Karşılaştırma için Riddington (1988); Ingold (1993).
337 Yates & Manhire (1991).
338 Lewis-Williams & Dowson (1999, 108); Lewis-Williams & Blundell (1997).
339 Deacon (1988); Dowson (1994, 2000).
340 Stow (1905).
341 Lewis-Williams (1981).
342 Bkz. Turner'ın bir Afrikalı topluluğun simgecilik anlayışı hakkındaki çalışmaları (Turner 1967).

6. Vaka Çalışması 2: Kuzey Amerika Kaya Sanatı

343 Kroeber (1939).
344 Örneğin bkz. Steward (1929); Driver (1937); Newcomb & Kirkland (1967); Grant (1968); Ritter & Ritter (1972); Vastokas & Vastokas (1973); Wellmann (1978); Schaafsma (1980, 1992); Hedges (1982, 1992); Furst (1986); Conway & Conway (1990); Conway, T. (1993); York vd. (1993); McCreery & Malotki (1994); Ritter (1994); Turpin (1994); Haviland (1995); Boyd (1996), (1998); Stoffle vd. (2000). Kuzeybatı Pasifik Kıyısı'ndaki Şamanizm ve değişmiş bilinç durumları hakkında bir açıklama için bkz. Jilek (1982).
345 Heizer & Baumhoff (1959, 1962); Grant (1968).
346 Kuzey Amerika'da varsayılan avcılık büyüsü hakkındaki bir tarışma için bkz. Conway (1993, 106-08) ve Whitley (2000).
347 Whitley (2000, 103).
348 Whitley (2000, 103).
349 Lévi-Strauss (1977, 7).
350 Blackburn (1975, xiv).
351 Blackburn (1975, xiv).
352 Blackburn (1975, 23); ayrıca bkz. Librado (1981).
353 Blackburn (1975, 30).
354 Ayrıca bkz. Kroeber (1925); Grant (1965); Applegate (1975).
355 Blackburn (1976, 1977).
356 Wellmann (1978, 1979a, 1979b).
357 Wilbert (1981).
358 Hedges (1976, 1982, 1992, 1994).
359 Örneğin bkz. Whitley (1992, 1994, 1998a, 1998b, 1998c, 2000); Keyser & Whitley (2000).
360 Whitley (2000).
361 Kuzey Amerika dini ve görüntü arayışları hakkında kısa bir özet için bkz. Zimmerman (1996).
362 Hultkranz (1987).
363 Whitley kişisel yazışma. Bkz. Whitley vd. (1999).
364 Hultkranz (1987, 53).
365 Whitley (2000, 77).
366 Hultkranz (1987, 53).
367 Gayton (1948).
368 Whitley (2000, 79-80).
369 Whitley (2000, 75).
370 Driver (1937).

371 Whitley (2000, 76).
372 Zigmond (1986, 406-07).
373 Alıntı Keyser & Whitley (2000, 20).
374 Alıntı Keyser & Whitley (2000, 20).
375 Alıntı Keyser & Whitley (2000, 20).
376 Whitley (2000, 81).
377 Whitley (2000, 90).
378 Whitley (2000, 83).
379 Whitley (2000, 83); parantezler Gayton'ın.
380 Conway (1993, 109-10).
381 Conway (1993, 109-10).
382 Steward (1929, 225).
383 Whitley (2000, 86); ayrıca bkz. Steward (1929, 227).
384 Whitley (2000, 86); ayrıca bkz. Steward (1929, 227).
385 Whitley kişisel yazışma.
386 Örneğin Taçon (1983).
387 Biesele kişisel yazışma.
388 Whitley (2000, 107).
389 Whitley (2000, 105-23).
390 Lewis-Williams & Dowson (1988, 215).
391 Whitley (2000, 108).
392 Whitley (2000, 108).
393 Whitley (2000, 110).
394 Whitley (2000, 111).
395 Whitley (2000, 111).
396 Whitley (2000, 115).
397 Whitley (2000, 115).
398 Lewis-Williams vd. (1993).
399 Whitley vd. (1999, 235).
400 B. Johnson, alıntı Whitley vd. (1999).
401 Whitley (1994).
402 Hultkranz (1987, 52).
403 Whitley (2000, 82).
404 Whitley (2000, 78).
405 Whitley (2000, 20).
406 Whitley (2000, 83).
407 Gayton (1930).

7. Resim Yapmanın Kökenlerinden Biri

408 Üst Paleolitik dönem süresince yaşanan çevresel ve toplumsal değişimler için bkz. Jochim (1983) ve Gamble (1999). Değişen bilinç durumları ve toplumsal değişim için bkz. Bourguignon (1973).
409 Raphael (1945, 3).
410 Breuil (1952, 23).
411 Delluc & Delluc (1986).
412 Breuil (1952, 21).
413 Forge (1970, 281).
414 Ayrıca bkz. Segall vd. (1966).
415 Forge (1970, 287).
416 Davis (1986, 1987).

417 Davis (1986, 201).

418 Davis (1986, 201).

419 Faris (1986, 203).

420 Bkz. Edelman (1987, 1989, 1992); Edelman & Tononi (2000).

421 Edelman (1994, 113).

422 Edelman (1994, 112-24).

423 Edelman (1994, 112-32).

424 Edelman (1994, 124).

425 Greenfield (1997, 2001).

426 EEG, kafa derisi üstüne yerleştirilen elektrotlarla beynin çeşitli bölümlerindeki elektrik aktivitesini ölçen bir teknik olan elektroansefalografinin kısaltılmışıdır.

427 Klüver (1926, 505, 506); ayrıca bkz. Knoll vd. (1963, 208).

428 Siegel & Jarvik (1975, 109).

429 Siegel (1977, 134).

430 Klüver (1942, 179).

431 Reichel-Dolmatoff (1978a, 8).

432 Üst Paleolitik sanatındaki tematik değişimler için bkz. Clottes (1996).

433 Halverson (1987, 66-67).

434 Hahn (1986, 1993).

435 Hahn (1993, 232).

436 Hahn (1993, 238).

437 Hahn (1993, 236).

438 Hahn (1986).

439 Hahn (1993, 238).

440 Clottes & Packer (2001, 177-80); Clottes (1996).

441 Hahn (1993, 231).

442 Simgelerin çoklu anlamları için bkz. Turner (1967).

443 Hahn (1993, 240).

444 Hahn (1986, 1993).

445 Hahn (1993, 234).

446 Hahn (1993, 240).

447 Plato (1935, 207). [Devlet, Platon, VII, 514a, çev: Cenk Saraçoğlu, Veysel Atayman, BS yay., İstanbul, 2005, s. 208.]

448 "Şamanizmin" Avustralya Aborijinlerinin dinlerine uygulanabilirliği hakkında tartışma vardır. Bazı yazarlar değişmiş bilinç durumlarının Aborijin dininde hiçbir rol oynamadığına inanır ama bu değerlendirmelerinin bir değişmiş durumu neyin oluşturduğu konusundaki bir yanlış anlamadan kaynaklandığını sanıyorum.

449 Leroi-Gourhan & Allain (1979).

450 Bégouën & Breuil (1958).

451 Leroi-Gourhan (1968); Marshack (1972).

452 Lewis-Williams & Dowson (1988).

453 Clottes & Courtin (1996); Clottes kişisel yazışma.

454 Clottes & Courtin (1996); Clottes kişisel yazışma.

455 Leroi-Gourhan (1968, 13. resim).

456 Bahn & Vertut (1988, 52. resim).

457 Bir fotoğrafı için bkz. Clottes & Lewis-Williams (1988, 83. resim).

458 Fotoğraflar için bkz. Clottes (1995, 142. ve 164. resim).

459 Freeman vd. (1987, 223-24); Beltran (1999, 34, 43, 47, 48, 152, 153, 154, 162).

460 Breuil (1952, fig. 271).

461 Eliade (1972, 50–51); Halifax (1980, 6).

462 Üst Paleolitik dönem görüntü arayışları Hayden (1993) ve Pfeiffer (1982) gibi yazarlar tarafından da ortaya atılmıştır.
463 Duyu yoksunluğu ve hayali görüntüler için bkz. La Barre (1975, 14), Walker (1981, 146), Pfeiffer (1982, 211) ve Siegel & Jarvik (1975).
464 Myerhoff (1974, 42).
465 Clottes & Courtin (1996, 61).
466 Clottes vd. (1992, 586-87); Clottes & Courtin (1996).
467 Lorblanchet (1992, 451).
468 Duday & Garcia (1983).
469 Lorblanchet (1992, 488-89).
470 Ucko (1992, 9. renkli resim).
471 Ucko (1992, 188, pls 10 ve 11).
472 Clottes & Courtin (1996, 60).
473 Ucko (1992, 158).
474 Clottes & Courtin (1996, 63).
475 Baffier & Feruglio (1998, 2001).
476 Lorblanchet (1991, 29).
477 Lorblanchet (1991, 30); ayrıca nefesin önemi için bkz. Smith (1992).
478 Freeman vd. (1987, 105).
479 De Beaune (1987); de Beaune vd. (1988); de Beaune & White (1993).
480 De Beaune & White (1993, 78-79).
481 Örneğin bkz. Lakoff & Johnson (1980).
482 Jakobsen (1999, 59).
483 Kensinger (1973, 9).
484 İsteride işitsel halüsinasyonlar için bkz. Levinson (1966).
485 Tuzin (1984).
486 Delluc & Delluc (1990, 62-63).
487 Bahn & Vertut (1988, 69, 34. resim).
488 Needham (1967).
489 Oppitz (1992); Potapov (1996); Lapon davulları için bkz. Manker (1996).
490 Potapov (1996, 120).
491 Vajnštejn (1996, 131).
492 Vitebsky (1995b, 79, 82).
493 Siikala (1998, 90).
494 Harner (1982, 65).
495 Neher (1961, 1962).
496 Reznikoff & Dauvois (1988); Scarre (1989); Waller 1993.
497 Waller (1993).
498 Cohen (1964, 160, 170).
499 Myerhoff (1974, 41).
500 Yunanca sözcükler çeşitli biçimlerde çevrilmiştir.

9. Mağara ve Toplum

501 Myerhoff (1974, 41). Bu fikirlerin Neolitik mezar odaları çerçevesinde tartışmaları için bkz. Thomas (1990, 1991) ve Lewis-Williams & Dowson (1993).
502 Karşılaştırma için Vialou (1982, 1986).
503 Breuil (1952, 310-11); Gaussen (1964); Leroi-Gourhan (1968, 317).
504 Leroi-Gourhan (1968, 317); Gaussen vd., *L'art des cavernes* (1984, 225-31) içinde.
505 Breuil (1952, 310).
506 Breuil (1952, 311).

507 Leroi-Gourhan (1968, 317).
508 Leroi-Gourhan (1968, 317).
509 Gaussen (1964, 22. renkli resim).
510 Lorblanchet & Sieveking (1997).
511 Fotoğraflar için bkz. Clottes & Lewis-Williams (1996, 96. renkli resim) ve Leroi-Gourhan (1968, 58. renkli resim).
512 Laming (1959).
513 Aujoulat (1987). Lascaux hakkında en çok yayın yapılan Üst Paleolitik dönem mağarasıdır. İlk yayımlanan kitaplar Brodrick (1949); Windels (1949); Breuil (1952, 107-51); Bataille (1955); Laming (1959) içerir. Mağaranın daha yeni rehberleri arasında Delluc & Delluc (1984, 1990) vardır. En geniş kapsamlı açıklamalar Leroi-Gourhan & Allain (1979); Ar. Leroi-Gourhan (1982); Leroi-Gourhan (1984); Ruspoli (1987)'de bulunur.
514 Leroi-Gourhan (1984, 2. resim).
515 Delluc & Delluc (1990, 3).
516 Laming (1959, 67).
517 Ruspoli (1987, 109).
518 Mucizevi sesler için bkz. Tuzin (1984).
519 Breuil (1952, 125).
520 Laming (1959, 78).
521 Laming (1959, 77).
522 Örneğin Kehoe (1989).
523 Bégouën vd. (1993).
524 Furst (1977, 16-17).
525 Clottes, kişisel yazışma.
526 Furst (1977, 16-21).
527 Conkey'nin (1980) Altamira için öne sürdüğü gibi.
528 Leroi-Gourhan (1979, 40. resim).
529 Laming (1959, 80).
530 Leroi-Gourhan & Allain (1979).
531 Vialou (1979, 244, 280).
532 Breuil (1952, 147).
533 Etkili bir tartışma ve bakış açısı için bkz. Kubovy (1986).
534 Örneğin bkz. Clottes & Lewis-Williams (1998, 73. resim).
535 Kubovy (1986).
536 Guthrie (1990, 93).
537 Bkz. Smith (1992).
538 Davenport & Jochim (1988).
539 Brodrick (1949, 82).
540 Eliade (1972).

10. Mağara ve Çatışma

541 Erken Orinyasyen sanatında Magdalenyen'e kadar bulunan temaların sürekliliği ve farklı vurguları için bkz. Clottes (1996). Daha yakın bir tarihte şöyle yazmıştı: "Chauvet aynı zamanda sanatın içeriğinin zaman içinde önemli ölçüde değişmediğini de fark etmemizi sağladı" (Clottes 1998, 126). Vurgudaki değişikliklerin en ilginçlerinden biri kedigiller ile "tehlikeli" hayvanlarla ilgilidir; araştırmaların bugünkü aşamasında, Üst Paleolitik dönem arkeolojik alanlarının daha erken dönemlerine ait olanlarda, yeni alanlardan daha çok var oldukları görülür.
542 Bourdieu (1977); Giddens (1984).
543 Ama ilgili araştırmalar için bkz. Bender (1989); Hayden (1990); Lewis-Williams & Dowson (1993).

544 Foucault (1965).

545 *Personaların* meydana getirilmesi ve İngiliz Neolitiğinde bireylik durumu üzerine özel bir araştırma için bkz. Fowler (2001).

546 Sherratt (1991, 52).

547 "Somatik" ("bedensel" sözcüğünü dokunma ve kendi bedenini hissetme duyuları halüsinasyonlarını içerecek biçimde kullanıyorum.

548 Siegel (1977); Brindley (1973, 593).

549 Pfeiffer (1970, 57).

550 Pfeiffer (1970, 58).

551 Winters (1975, 54).

552 Asaad (1980).

553 La Barre (1975, 12-13).

554 Klüver (1942, 199); McKellar (1972, 48-50); Fischer (1975, 222); La Barre (1975, 10); Emboden (1979, 44); Cytowic (1994).

555 Siegel (1978, 313).

556 Sedman (1966); Hare (1973); Taylor (1981).

557 Harner (1973a, 156).

558 Siegel (1992, 29).

559 Siegel (1978, 313).

560 Siegel (1978, 309-10).

561 Siegel (1978, 309).

562 Asaad (1980).

563 Goodman (1972, 58).

564 Ezekiel 34: 26. [Hezekiel 34, https://incil.info/kitap/Hezekiel/34, (Ç.N.)]

565 Sarbin (1967, 371).

566 Halifax (1980, 189).

567 Harner (1973a, 17); ayrıca bkz. Harner (1973b).

568 Harner (1973a, 21-22).

569 Harner (1973a, 24).

570 Bates (1992, 101-02).

571 Eliade (1972, 43).

572 Eliade (1972, 43).

573 Eliade (1972, 43).

574 Eliade (1972, 44).

575 Eliade (1972, 44).

576 Biesele (1980, 57).

577 Katz (1982, 94).

578 Lewis-Williams (1997a, 2, 3, ve 4. resimler).

579 Katz (1982, 46).

580 Katz (1982, 120).

581 Katz (1982, 214).

582 Güney Afrika kaya sanatındaki başka "delinmiş" figür örnekleri için bkz. (Garlake (1987a, 67. resim); (1987b, 6. resim); (1995, 185. resim); Bond (1948).

583 Halifax (1982).

584 Halifax (1982, 5).

585 Leroi-Gourhan (1982, 54, tablo xxviii).

586 Clottes & Courtin (1996, 157, 158. resimler).

587 Clottes & Courtin (1996, 166, 167, 168. resimler); Bahn & Vertut (1988, 152).

588 Leroi-Gourhan (1968, ves 501, 502, 514).

589 Méroc & Mazet (1977, 35-37, 70).

590 Leroi-Gourhan (1968, fig. 383).
591 Leroi-Gourhan (1968, fig. 384).
592 Méroc & Mazet (1977).
593 Lorblanchet (1984a, 8. resim).
594 Leroi-Gourhan (1982, 53).
595 Katz (1982, 46).
596 Marshall (1969, 363-64).
597 Örneğin bkz., Lewis-Williams (1981, 19, 20, 23, 28, 32. resimler); Lewis-Williams & Dowson (1999, 15, 16c, 17, 20, 28, 32a).
598 Örneğin bkz. Marshack (1972, 181, 182. resimler); Leroi-Gourhan (1968, 57. resim).
599 Lewis-Williams (1991).
600 Clottes & Courtin (1996, 161); Leroi-Gourhan (1982, 54).
601 Graziosi (1960, 182); Leroi-Gourhan (1968, 130); (1982, 54); Méroc & Mazet (1977, 36); Breuil (1979, 272); Clottes & Courtin (1996, 160-61).
602 Smith (1992, 84-85, 109, 114).
603 Halifax (1982).
604 Eliade (1972, 46).
605 Eliade (1972, 51).
606 Eliade (1972, 101).
607 Ayrıca bkz. Pfeiffer (1982); Hayden (1990).
608 Clottes & Courtin (1996, 159).
609 Bu konu hakkında bir dizi düşünce için bkz. Carrithers vd. (1985).
610 Hollis (1985, 222); değişmiş durumların ritüeller açısından önemi için bkz. Rappaport (1999).
611 Lévi-Strauss (1963, 229).
612 Geç dönem Magdalenyen mağara sanatı için bkz. Clottes (1990).

Sonsöz

613 Jaynes (1982).
614 Iliad (19, 86-90).
615 Jaynes (1982, 74).
616 Bloom (1998, xx).
617 Bloom (1998, 3, 518-19).
618 Goya başlığını şöyle bir açıklamayla yumuşatmıştır: "Aklın terk ettiği hayal gücü olağan dışı canavarlar meydana getirir, onunla birlikte, sanatların anası ve sanat harikalarının kaynağıdır."
619 D'Aquili (1978, 1986).
620 Twemlow vd. (1982).
621 Lex (1979); d'Aquili & Newberg (1993a, 1993b, 1998, 1999); Trevarthen (1986).

Kaynakça ve Okuma Listesi

Al-Issa, I. 1977. Social and cultural aspects of hallucinations. *Psychological Bulletin* 84, 570-87.

Applegate, R. B. 1975. The datura cult among the Chumash. *Journal of California Anthropology* 2, 7-17.

Ardener, E. 1971. Introductory essay: social anthropology and language. In Ardener, E. (haz.) *Social Anthropology and Language*, s. ix-cii. Londra: Tavistock.

Asaad, G. 1980. *Hallucinations in Clinical Psychiatry: A Guide for Mental Health Professionals*. New York: Brunner, Mazel.

Asaad, G. & Shapiro, B. 1986. Hallucinations: theoretical and clinical overview. *American Journal of Psychiatry* 143, 1088-97.

Atkinson, J. M. 1992. Shamanisms today. *Annual Review of Anthropology* 21, 307-30.

Aujoulat, N. 1987. *Le relevé des Œuvres pariétales paléoliques: enregistrement et traitement des données*. Paris: Maison des Sciences de l'Homme, Documents d'Archélogie Française No. 9.

Badcock, C. R. 1975. *Lévi-Strauss: Structuralism and Sociological Theory*. Londra: Hutchinson.

Baert, P. 1998. *Social Theory in the Twentieth century*. Cambridge: Polity Press.

Baffier, D. & Feruglio,V. 1998. First observations on two panels of dots in the Chauvet Cave (VallonPont-D'Arc, Ardèche, France). *International Newsletter on Rock Art* 21, 1-4.

Baffier, D. & Feruglio,V. 2001. Les points et les mains. In Clottes, J. (haz.) *La Grotte Chauvet: l'art des origines*, s. 164-65. Paris: Le Seuil.

Bahn, P. 1977. Seasonal migration in south-west France during the late glacial period. *Journal of Archaeological Science* 4, 245-57.

Bahn, P. G. 1997. *Journey through the Ice Age*. Londra: Weidenfeld & Nicolson.

Bahn, P. G. & Vertut, J. 1988. *Images of the Ice Age*. Londra: Windward.

Bar-Yosef, O. 2000. The Middle and Early Upper Palaeolithic in southwest Asia and neighbouring regions. In Bar-Yosef, O. & Pilbeam, D. R. (haz.) *The Geography of Neanderthals and Modern Humans in Europe and the Greater Mediterranean*, s.107-56. Cambridge, Mass.: Peabody Museum of Archaeology and Ethnology.

Barkow, J. H., Cosmides, L. & Tooby, J. (haz.) 1992. *The Adapted Mind: Evolutionary Psychology and the Generation of Culture*. Oxford: Oxford University Press.

Barnard, A. 1992. *Hunters and Herders of Southern Africa: a Comparative Ethnography of the Khoisan Peoples*. Cambridge: Cambridge University Press.

Barnard, A. 2000. *History and Theory in Anthropology*. Cambridge: Cambridge University Press.

Barton, C. M., Clark, G. A. & Cohen, A. E. 1994. Art as information: explaining Upper Palaeolithic art in western Europe. *World Archaeology* 26, 185-207.

Bataille, G. 1955. *Prehistoric Painting: Lascaux or the Birth of Art*. Londra: Macmillan.

Bates, C. D. 1992. Sierra Miwok shamans, 1900-1990. In Bean, L. J. (haz.) *California Indian shamanism*, s. 97-115. Menlo Park, CA: Ballena Press.

Bean, L. J. (haz.) 1992. *California Indian Shamanism*. Menlo Park: Ballena Press.

Bégouën, H. & Breuil, H. 1958. *Les Cavernes du Volp: Trois Frères - Tuc D'Audoubert*. Paris: Flammarion. (Republished by American Rock Art Research Association, Occasional Paper 4, 1999.)

Bégouën, R. & Clottes, J. 1981. Apports mobiliers dans les cavernes du Volp (Enlène, Les Trois-Frères, Le Tuc d'Audoubert). *Altamira Symposium* s. 157-87.

Bégouën, R. & Clottes, J. 1987. Les Trois-Frères Breuil. *Antiquity* 61, 180-87.

Bégouën, R. & Clottes, J. 1991. Portable and wall art in the Volp caves, Montesquieu-Avantès (Ariège). *Proceedings of the Prehistoric Society* 57, 65-79.

Bégouën, R., Clottes, J., Giraud, J.-P. & Rouzaud, F. 1993. Os plantés et peintures rupestres dans la caverne d'Enlène. *Congrès National des Sociétés Historiques et Scientifiques* 118, 283-306.

Beltran, A. (haz.) 1999. *The Cave of Altamira*. New York: Harry Abrams.

Bender, B. 1989. The roots of inequality. In Miller, D., *et al.* (haz.) *Domination and Resistance*, s. 83-93. Londra: Unwin and Hyman.

Bernaldo de Quirós, F. 1999. The cave of Altamira: its art, its artists & its times. In Beltran,A. (haz.) *The Cave of Altamira*, s. 25-57. New York: Harry Abrams.

Bickerton, D. 1981. *Roots of Language*. Ann Arbor: Karoma.

Bickerton, D. 1990. *Language and Species*. Chicago: Chicago University Press.

Biesele, M. 1980. Old K"au. In Halifax, J. (haz.) *Shamanic Voices: A Survey of Visionary Narratives*, s. 54-62. Harmondsworth: Penguin.

Biesele, M. 1993. *Women Like Meat: The Folklore and Foraging Ideology of the Kalahari Ju/'hoan*. Johannesburg: Witwatersrand University Press.

Binford, L. R. 1981. *Bones: Ancient Men and Modern Myths*. New York: Academic Press.

Binford, S. R. 1968. A structural comparison of disposal of the dead in the Mousterian and Upper Palaeolithic. *Southwestern Journal of Anthropology* 24, 139-54.

Blackburn, T. C. 1975. *December's Child: A Book of Chumash oral Narratives*. Los Angeles: University of California Press.

Blackburn, T. C. 1976. A query regarding the possible hallucinogenic effects of ant ingestion in south-central California. *Journal of California Anthropology* 3, 78-81.

Blackburn, T. C. 1977. Biopsychological aspects of Chumash rock art. *Journal of California Anthropology* 4, 88-94.

Bleek, D. F. 1924. *The Mantis and his Friends*. Cape Town: Maskew Miller.

Bleek, D. F. 1933a. Beliefs and customs of the /Xam Bushmen. Part V: The Rain. *Bantu Studies* 7, 297-312.

Bleek, D. F. 1933b. Beliefs and customs of the /Xam Bushmen. Part VI: Rain-making. *Bantu Studies* 7, 375-92.

Bleek, D. F. 1935. Beliefs and customs of the /Xam Bushmen. Part VII: Sorcerers. *Bantu Studies* 9, 1-47.

Bleek, D. F. 1936. Beliefs and customs and the /Xam Bushmen. Part VIII: More about sorcerers and charms. *Bantu Studies* 10, 131-62.

Bleek, W. H. I. 1875. *Brief Account of Bushman Folklore and Other Texts*. Second Report Concerning Bushman Researches, presented to both Houses of Parliament of the Cape of Good Hope, by command of His Excellency the Governor. Cape Town: Government Printer.

Bleek, W. H. I. & Lloyd, L. C. 1911. *Specimens of Bushman Folklore*. Londra: George Allen. Reprint: 1968. Cape Town: Struik.

Bloch, M. 1983. *Marxism and Anthropology*. Oxford: Clarendon Press.

Bloom, H. 1998. *Shakespeare: the invention of the human.* New York: Riverside Books.

Boas, F.V. 1900. The mythology of the Bella Coola Indians. New York: *Memoirs of the American Museum of Natural History*, 2, 25-127.

Bocquet-Appel, J.-P. & Demars, P.Y. 2000. Neanderthal contraction and modern human colonization of Europe. *Antiquity* 74, 544-52.

Bond, G. 1948. (Cover illustration) *South African Archaeological Bulletin* 3 (11).

Bootzin, R. R. 1980. *Abnormal psychology.* Toronto: Random House.

Bosinski, G. 1982. *Die Kunst der Eiszeit in Deutschland und in der Schweiz.* Bonn: Rudolf Habelt GMBH.

Bosinski, G. 1991. The representation of female figures in the Rhineland Magdalenian. *Proceedings of the Prehistoric Society* 57, 51-64.

Bourdieu, P. 1977. *Outline of a Theory of Practice.* Cambridge: Cambridge University Press.

Bourguignon, E. (haz.) 1973. *Religion, Altered States of Consciousness and Social Change.* Columbus: Ohio State University Press.

Bourguignon, E. 1973. Introduction: a framework for the comparative study of altered states of consciousness. In Bourguignon, E. (haz.) *Religion, Altered States of Consciousness and Social Change*, s. 3-35. Columbus: Ohio State University Press.

Boyd, C. E. 1996. Shamanistic journeys into the otherworld of the archaic Chichimec. *Latin American Antiquity* 7, 152-64.

Boyd, C. E. 1998. Pictographic evidence of peyotism in the Lower Pecos, Texas Archaic. In Chippindale, C., and Taçon, P. S. C. (haz.) *The Archaeology of Rock-Art*, s. 229-46. Cambridge: Cambridge University Press.

Brannigan,A. 1981. *The Social Basis of Scientific Discoveries.* Cambridge: Cambridge University Press.

Bressloff, P. C., Cowan, J. D., Golubitsky, M., Thomas, P. J. & Wiener, M. C. 2000. Geometric visual hallucinations, Euclidean symmetry and the functional architecture of the striate cortex. *Philosophical Transactions of the Royal Society, London*, Series B, 356, 299-330.

Breuil, H. 1952. *Four Hundred Centuries of Cave Art.* Montignac: Centre d'Etudes et de Documentation Préhistoriques.

Brindley, G. S. 1973. Sensory effects of electrical stimulation of the visual and paravisual cortex in man. In Jung, R. (haz.) *Handbook of Sensory Physiology* Vol.VII/3B, s. 583-94. New York: Springer Verlag.

Brodrick, A. H. 1949. *Lascaux: A Commentary.* Londra: Lindsay Drummond.

Brodrick, A. H. 1960. *Man and his Ancestry.* Londra: Hutchinson.

Byers, A. M. 1994. Symboling and the Middle-Upper Palaeolithic Transition. *Current Anthropology* 35, 369-99.

Campos, A. & Gonzalez, M. A. 1995. Effects of mental imagery on creative perception. *Journal of Mental Imagery* 19, 67-76.

Cardeña, E. 1996. 'Just floating in the sky'. A comparison of hypnotic and shamanistic phenomena. *Yearbook of Cross-Cultural Medicine and psychotherapy* 1994, 85-98.

Carrithers, M., Collins, S. & Lukes, S. (haz.) 1985. *The Category of the Person: Anthropology, Philosophy, History.* Cambridge: Cambridge University Press.

Chalmers, 1990. *Science and its Fabrication.* Minneapolis: University of Minnesota Press.

Chase, P. G. 1986. *The Hunters of Combe Grenal: Approaches to Middle Paleolithic Subsistence in Europe.* Oxford: British Archaeological Reports International Series 286.

Chase, P. G. & Dibble, H. L. 1987. Middle Paleolithic symbolism: a review of current evidence and interpretations. *Journal of Anthropological Archaeology* 6, 263-96.

Chauvet, J-M., Deschamps, E. B. & Hillaire, C. 1996. *Chauvet Cave: The Discovery of the World's Oldest Paintings*. Londra: Thames & Hudson.

Chesney, S. 1991. Max Raphael's contributions to the study of prehistoric symbol systems. In Bahn, P. and Rosenfeld, A. (haz.) *Rock Art and Prehistory*. Oxford: Oxbow Books.

Chesney, S. 1994. Max Raphael (1889-1952): a pioneer of the semiotic approach to palaeolithic art. *Semiotica* 2/4, 119-24.

Childe, 1942. *What Happened in History*. Harmondsworth: Penguin Books.

Chomsky, N. 1972. *Language and the Mind*. New York: Harcourt Brace, Jovanovich.

Chomsky, N. 1986. *Knowledge of Language: Its Nature, Origin & Use*. New York: Praeger.

Christie-Murray, D. 1978. *Voices from the Gods*. Londra: Routledge and Kegan Paul.

Clottes, J. (haz.) 1990. *L'Art des Objets au Paléolithique, Tomes 1 et 2*. Paris: Ministère de la Culture.

Clottes, J. 1990. The parietal art of the late Magdalenian. *Antiquity* 64, 527-48.

Clottes, J. 1992. Phénomènes de mode dans l'archéologie Française. In Shay, T., and Clottes J. (haz.) *The Limitations of Archaeological Knowledge*, s. 225-45. Liège: Etudes et recherches archéologuques de 'Université de Liège, No. 49.

Clottes, J. 1995. *Les Cavernes de Niaux: art préhistorique en Ariège*. Paris: Éditions du Seuil.

Clottes, J. 1996. Thematic changes in Upper Palaeolithic art: a view from the Grotte Chauvet. *Antiquity* 70, 276-88.

Clottes, J. 1997. Art of the light and art of the depths. In Conkey, M. W., Soffer, O., Stratmann, D., and Jablonski, N. G. (haz.) *Beyond Art: Pleistocene Image and Symbol*, s. 203-16. San Francisco: California Academy of Sciences, Memoir 23.

Clottes, J. 1998. The 'Three C's': fresh avenues towards European Palaeolithic art. In Chippindale, C., and Taçon, P. S. C. (haz.) *The Archaeology of Rock-Art*, s. 112-29. Cambridge: Cambridge University Press.

Clottes, J. 2001. Paleolithic Europe. In Whitley, D. S. (haz.) *Handbook of Rock Art Research*, s. 459-81. Walnut Creek, California: AltaMira Press.

Clottes, J. & Courtin, J. 1996. *The Cave Beneath the Sea: Paleolithic Images at Cosquer*. New York: Harry Abrams.

Clottes, J. & Packer, C. 2001. Les felines. In Clottes, J. (haz.) *La Grotte Chauvet: l'art des origines*, s. 177-80. Paris: Le Seuil.

Clottes, J., Beltran, A., Courtin, J. & Cosquer, H. 1992. The Cosquer cave on Cape Morgiou, Marseilles. *Antiquity* 66, 583-98.

Clottes, J., Garner, M. & Maury, G. 1994. Magdalenian bison in the caves of the Ariège. *Rock Art Research* 11, 58-70.

Clottes, J., and Lewis-Williams, J. D. 1996. *Les chamanes de la préhistoire: texte intégral, polémique et réponses*. Paris: Le Seuil.

Clottes, J., and Lewis-Williams, J. D. 1998. *The Shamans of Prehistory: Trance and Magic in the Painted Caves*. New York: Harry Abrams.

Cohen, S. 1964. *The Beyond Within: The LSD Story*. New York: Atheneum.

Conkey, M. W. 1980. The identification of prehistoric hunter-gatherer aggregation sites: the case of Altamira. *Current Anthropology* 21, 609-30.

Conkey, M. W. 1987. New approaches in the search for meaning? A review of research in 'Paleolithic art'. *Journal of Field Archaeology* 14, 413-30.

Conkey, M. W. 1988. The structural analysis of Paleolithic art. In Lamberg-Karlovsky, C. C. (haz.) *Archaeological Thought in America*, s. 135-58. Cambridge: Cambridge University Press.

Conkey, M. W. 1990. L'art mobilier et l'establissement de Géoraphies sociales. In L'art des objets au Paléolithique,Vol. 2, Les voies de la recherche, s. 163-72. Paris: Ministère de la Culture.

Conkey, M. W. 1991. Contexts of action, contexts of power: material culture and gender in the Magdalenian. In Gero, J. M. & Conkey, M. W. (haz.) Engendering Archaeology: Women and Prehistory, 57-92. Oxford: Basil Blackwell.

Conkey, M. W. 1992. L'approache structurelle de l'art paléolithique et l'héritage d'André Leroi-Gourhan. Les Nouvelle d'Archéologie 48-49, 41-45.

Conkey, M. W. 1995. Making things meaningful: approaches to the interpretation of the Ice Age imagery of Europe. In Lavin, I. (haz.) Meaning in the Visual Arts: Views from the Outside, s. 49-64. Princeton: Institute for Advanced Study.

Conkey, M. W. 1997. Beyond art and between the caves: thinking about context in the interpretive process. In Conkey, M. W., Soffer, O., Stratmann, D. & Jablonski, N. G. (haz.) Beyond Art: Pleistocene Image and Symbol, s. 343-67. San Francisco: Memoirs of the California Academy of Sciences, No. 23.

Conkey, M. W. 2000. A Spanish resistance? Social archaeology and the study of Paleolithic art in Spain. Journal of Anthropological Research 56, 77-93.

Conkey, M. W. 2001. Structural and semiotic approaches. In Whitley, D. S. (haz.) Handbook of Rock Art Research, s. 273-310. Lanham, MD: Altamira Press.

Conway, T. 1993. Painted Dreams: Native American Rock Art. Minocqua, Wisconsin: North Word Press.

Conway, T. & Conway, J. 1990. Spirits on Stone: The Agawa Pictographs. San Luis Obispo: Heritage Discoveries.

Copi, I. M. 1982. Introduction to Logic. Londra & New York: Macmillan.

Corruchaga, J. A. L. 1999. The cave and its surroundings. In Beltran,A. (haz.) The Cave of Altamira, s. 17-24. New York: Harry Abrams.

Coudart, A. 1999. Is post-processualism bound to happen everywhere? The French case. Antiquity 73, 161-67.

Cummins, D. D. & Allen, C. (haz.) 1998. The Evolution of Mind. Oxford & New York: Oxford University Press.

Cytowic, R. E. 1994. The Man who Tasted Shapes. Londra: Abacus.

D'Aquili, E. G. 1978. The neurobiological bases of myth and concepts of deity. Zygon 13, 257-75.

D'Aquili, E. G. 1986. Myth, ritual, and the archetypal hypothesis. Zygon 21, 141-60.

D'Aquili, E. G. & Newberg, A. B. 1993a. Religious and mystical states: a neuropsychological model. Zygon 28, 177-200.

D'Aquili, E. G. & Newberg, A. B. 1993b. Liminality, trance and unitary states in ritual and meditation. Studia Liturgica 23, 2-34.

D'Aquili, E. G. & Newberg, A. B. 1998. The neuropsychological basis of religions, or why God won't go away. Zygon 33, 187-201.

D'Aquili, E. G. & Newberg, A. B. 1999. The Mystical Mind: Probing the Biology of Religious Experience. Minneapolis: Fortress Press.

D'Errico,F.,Zilhão,J.,Julien,M.,Baffier,D.& Pelegrin, J. 1998. Neanderthal acculturation in western Europe? A critical review of the evidence and its interpretation. Current Anthropology 39, S1-S44.

Damasio, A. 1999. The Feeling of what Happens: Body, Emotion and the Making of Consciousness. New York: Harcourt Brace.

Daniel, G. & Renfrew, C. 1988. *The Idea of Prehistory.* Edinburgh: University of Edinburgh Press.

Darwin, C. 1968 [1859]. *On the Origin of Species by Means of Natural Selection.* Harmondsworth: Penguin Books.

Darwin, C. 1998 [1869]. *The Variation of Animals and Plants under Domestication.* Baltimore & Londra: John Hopkins University Press.

Davenport, D. & Jochim, M. A. 1988. The scene in the Shaft at Lascaux. *Antiquity* 62, 558-62.

Davidson, I. 1997. The power of pictures. In Conkey, M. W., Soffer, O., Stratmann, D., Jablonski, G. G. (haz.) *Beyond Art: Pleistocene Image and Symbol*, s. 125-60. San Francisco: Memoirs of the California Academy of Sciences, No. 23.

Davis, W. 1986. The origins of image making. *Current Anthropology* 27, 193-215.

Davis, W. 1987. Replication and depiction in Paleolithic art. *Representations* 19, 111-47.

De Beaune, S. 1987. Palaeolithic lamps and their specialization: a hypothesis. *Current Anthropology* 28, 569-77.

De Beaune, S. & White, R. 1993. Ice Age lamps. *Scientific American* March, 74-79.

De Beaune, S., Roussot, A. & White, R. 1988. Une lampe paléolithique retrouvée dans les collections du Field Museum of natural History, Chicago. *Bulletin de la Société Préhistorique Ariège-Pyrénées* 43, 149-60.

De Quirós, F. B. 1991. Reflections on the art of the cave of Altamira. *Proceedings of the Prehistoric Society* 57, 81-90.

Deacon, H. J. & Deacon, J. 1999. *Human Beginnings in South Africa: Uncovering the Secrets of the Stone Age.* Cape Town: David Philip.

Deacon, J. 1998. The power of a place in understanding southern San rock engravings. *World Archaeology* 20, 129-40.

Deacon, J. & Dowson, T. A. (haz.) 1996. *Voices from the Past.* Johannesburg: Witwatersrand University Press.

Deacon, T. 1997. *The Symbolic Species: the Co-Evolution of Language and the Human Brain.* Harmondsworth: Penguin.

Delluc, B. & Delluc, G. 1984. *Lascaux: art et archéologie.* Paris: Les Éditions du Périgord Noir.

Delluc, B. & Delluc, G. 1986. On the origins of image making. *Current Anthropology* 27, 371.

Delluc, B. & Delluc, G. 1990a. *Discovering Lascaux.* Bordeaux: Éditions Sud-Ouest.

Delluc, B. & Delluc, G. 1990b. Le décor des objets utilitaires du Paléolithique Supérieur. In Clottes, J. (haz.) *L'art des objets au Paléolithique* Vol. 2, s. 39-72.Paris: Ministère de la Culture.

Delport, H. 1990. *L'image des animaux dans l'art préhistorique.* Paris: Picard.

Demars, P.-Y. 1998. Comment on d'Errico *et al.* 1998. *Current Anthropology* 39, S24.

Dentan, R. K. 1988. Butterflies and bug hunters: reality and dreams, dreams and reality. *Psychiatric Journal of the University of Ottawa* 13(2), 51-59.

Dibble, H. L. 1989. The implications of stone tool types for the presence of language during the Lower and Middle Palaeolithic. In Mellars, P. & Stringer, C. (haz.) *The Human Revolution: Behavioural and Biological Perspectives on the Origins of Modern Humans*, s. 415-32. Edinburgh: Edinburgh University Press.

Dissanayake, E. 1995. Chimera, spandrel, or adaptation: conceptualizing art in human adaptation. *Human Nature* 6, 99-117.

Dixon, W. W. & Grierson, H. J. C. 1909. *The English Parnassus.* Oxford: Clarendon Press.

Dobres, M.-A. 2000. *Technology and Social Agency.* Oxford: Blackwell.

Dobres, M.-A. & Hoffman, C. R. 1994. Social agency and the dynamics of prehistoric technology. *Journal of Archaeological Method and Theory* 1(3), 211-58.

Donald, M. 1991. *Origins of the Modern Mind: Three Stages in the Evolution of Culture and Cognition.* Cambridge, Mass.: Harvard University Press.

Dowson, T. A. 1988. Revelations of religious reality: the individual in San rock art. *World Archaeology* 20, 116-28.

Dowson, T. A. 1992. *Rock Engravings of Southern Africa.* Johannesburg: Witwatersrand University Press.

Dowson, T. A. 1994. Reading art, writing history: rock art and social change in southern Africa. *World Archaeology* 25, 332-44.

Dowson, T. A. 2000. Painting as politics: exposing historical processes in hunter-gatherer rock art. In Schweitzer, P. P., Biesele, M. & Hitchcock, R. K. (haz.) *Hunters and Gatherers in the Modern World: Conflict, Resistance & Self-Determination,* s. 413-26. Oxford: Berghahn.

Dowson, T. A. & Porr, M. 2001. Special objects - special creatures shamanistic imagery and the Aurignacian art of south-west Germany. In Price, N. (haz.) *The Archaeology of Shamanism,* s. 165-77. Londra: Routledge.

Drab, K. J. 1981. The tunnel experience: reality or hallucination? *Anabiosis* 1, 126-52.

Driver, H. E. 1937. Cultural element distributions: VI, Southern Sierra Nevada. *University of California Anthropological Records* 1(2), 53-154.

Dronfield, J. 1994. *Subjective visual phenomena in Irish passage-tomb art: vision, cosmology and shamanism.* Ph.D. thesis, Cambridge University.

Dronfield, J. 1995. Subjective vision and the source of Irish megalithic art. *Antiquity* 69, 539-49.

Duday, E. & Garcia, M. 1983. Les empreintes de l'homme préhistorique: la grotte de Pech Merle à Cabrerets (Lot): une relecture significative des traces de pieds humains. *Bulletin de la Société Préhistorique Française* 80, 208-15.

Edelman, G. M. 1987. *Neural Darwinism: The Theory of Neuronal Group Selection.* New York: Basic Books.

Edelman, G. M. 1989. *The Remembered Present: A Biological Theory of Consciousness.* New York: Basic Books.

Edelman, G. M. 1994. *Bright Air, Brilliant Fire: On the Matter of the Mind.* Harmondsworth: Penguin.

Edelman, G. M. & Tononi, G. 2000. *Consciousness: How Matter becomes Imagination.* Harmondsworth: Penguin.

Eichmeier, J. & Höfer, O. 1974. *Endogene Bildmuster.* Munich: Urban and Schwarzenburg.

Eliade, M. 1972. *Shamanism: Archaic Techniques of Ecstasy.* New York: Routledge and Kegan Paul.

Emboden, W. 1979. *Narcotic Plants.* New York: Macmillan.

Faris, J. 1986. Comment of Davis (1986). *Current Anthropology* 27, 203-04.

Farizy, C. 1990a. The Transition from Middle to Upper Palaeolithic at Arcy-sur-Cure (Yonne, France): technological, economic and social aspects. In Mellars, P. (haz.) *The Emergence of Modern Humans: An Archaeological Perspective,* s. 303-26. Edinburgh: Edinburgh University Press.

Farizy, C. 1990b. Du Moustérien au Châtelperronien à Arcy-sur-Cure: un état de la question. In Farizy, C. (haz.) *Paléolithique Moyen récent et Paléolithique Supérieur ancien en Europe*. Nemours: Mémoires du Musée de Préhistorique d'Ile de France No. 3, s. 281-90.

Fischer, R. 1975. Cartography of inner space. In Siegel, R. K. & West L. J. (haz.) *Hallucinations: Behaviour, Experience & Theory*, s. 197-239. New York: John Wiley.

Fodor, J. A. 1983. *The Modularity of Mind*. Cambridge, Mass.: MIT Press.

Forge, A. 1970. Learning to see in New Guinea. In Mayer, P. (haz.) *Socialization: The Approach From Social Anthropology*, s. 269-90. Londra: Tavistock.

Fowler, C. 2001. Personhood and social relations in the British Neolithic, with a study from the Isle of Man. *Journal of Material Culture* 6, 137-63.

Freeman, D., Echegerey, J. G., de Quirós, F. B. & Ogden, J. 1987. *Altamira Revisited and Other Essays on Early Art*. Chicago: Institute for Prehistoric Investigations.

Furst, P. T. 1972. *Flesh of the Gods: The Ritual Use of Hallucinogens*. Londra: Allen and Unwin.

Furst, P. T. 1976. *Hallucinogens and Culture*. Novato, California: Chandler and Sharp.

Furst, P. T. 1977. The roots and continuities of shamanism. In Brodzky, A T., Daneswich, R. & Johnson, N. (haz.) *Stones, Bones and Skin: Ritual and Shamanistic art*, s. 1-28. Toronto: The Society for Art Publications.

Furst, P. T. 1986. Shamanism, the ecstatic experience & Lower Pecos art. In Shafer, H. J. (haz.) *Ancient Texans: Rock Art and Lifeways along the Lower Pecos*, s. 210-25. Houston: Gulf Publishing Company.

Gackenbach, J. (haz.) 1986. *Sleep and Dreams: A Sourcebook*. New York: Garland.

Gamble, C. 1980. Information exchange in the Palaeolithic. *Nature* 283, 522-23.

Gamble, C. 1982. Interaction and alliance in Palaeolithic society. *Man* (N.S.) 17, 92-107.

Gamble, C. 1983. Culture and society in the Upper Palaeolithic of Europe. In Bailey, G. (haz.) *Hunter-Gatherer Economy and Prehistory: A European Perspective*, s. 201-41. Cambridge: Cambridge University Press.

Gamble, C. 1991. The social context for European Palaeolithic art. *Proceedings of the Prehistoric Society* 57, 3-15.

Gamble, C. 1999. *The Palaeolithic Societies of Europe*. Cambridge & New York: Cambridge University Press.

Gardner, H. 1983. *Frames of Mind: The Theory of Multiple Intelligences*. New York: Basic Books.

Gargett, R. H. 1989 Grave shortcomings: the evidence for Neanderthal burial. *Current Anthropology* 30, 157-90.

Gargett, R. H. 1999. Middle Palaeolithic burial is not a dead issue: the view from Qafzeh, Saint-Césaire, Kebara, Amud & Dederiyeh. *Journal of Human Evolution* 37, 27-90.

Garlake, P. 1987a. *The Painted Caves: An Introduction to the Prehistoric Art of Zimbabwe*. Harare: Modus.

Garlake, P. 1987b. Themes in the prehistoric art of Zimbabwe. *World Archaeology* 19, 178-93.

Garlake, P. 1995. *The Hunter's Vision: The Prehistoric Art of Zimbabwe*. Londra: British Museum Press.

Gaussen, J. 1964. *La Grotte ornée de Gabillou*. Bordeaux: Memoire 4, Institut de Préhistoire de l'Université de Bordeaux.

Gayton, A. H. 1930.Yokuts-Mono chiefs and shamans. *University of California Publications in American Archaeology and Ethnology* 24, 361-420.

Gayton, A. H. 1948.Yokuts and Western Mono Ethnography. *University of California Anthropological Records* 5, 1-110.

Gebhart-Sayer,A. 1985. The geometric designs of the Shipibo-Conibo in ritual context. *Journal of Latin American Lore* 11, 143-75.

George, W. 1982. *Darwin*. Londra: Fontana.

Gibbs, W. W. 1998. From naked men to a new-world order. *Scientific American* January: 38-40.

Giddens, A. 1984. *The Constitution of Society: Outline of the Theory of Structuration*. Berkeley: University of California Press.

Gilbert, G. N. and Mulkay, M. 1984. *Opening Pandora's Box: A Sociological Analysis of Scientists' Discourse*. Cambridge: Cambridge University Press.

Glynn, I. 1999. *An Anatomy of Thought*. Londra: Weidenfeld and Nicolson.

Gombrich, E. H. 1950. *The Story of Art*. Londra: Phaidon.

Gombrich, E. H. 1982. *The Image and the Eye*. Oxford: Phaidon.

Gonnella, S. 1999. Phenomenological remarks on the so-called 'eidetic imagery' of Paleolithic depictive representations. *Anthropology and Philosophy* 3, 27-37.

Goodman, F. 1972. *Speaking in Tongues: A Cross-Cultural Study of Glossolalia*. Chicago: University of Chicago Press.

Gordon, R. J. 1992. *The Bushman myth: the making of a Namibian underclass*. Boulder: Westview Press.

Gordon, R. J. 1997. *Picturing Bushmen: the Denver African Expedition of 1925*. Athens, Ohio: Ohio University Press.

Grant, C. 1965. *The Rock Paintings of the Chumash*. Berkeley: University of California Press.

Grant, C. 1968. *Rock Drawings of the Coso Range*. China Lake, CA: Maturango Museum.

Graziosi, P. 1960. *Palaeolithic Art*. Londra: Faber and Faber.

Greene, K.V. 1999. Gordon Childe and the vocabulary of revolutionary change. *Antiquity* 73, 97-109.

Greenfield, S. 1997. *The Human Brain: A Guided Tour*. Londra: Phœnix.

Greenfield, S. 2001. *The Private Life of the Brain*. Harmondsworth: Penguin.

Grof, S. 1975. *Realms of the Human Unconscious: Observations from LSD Research*. New York: Viking Press.

Grof, S. & Grof, C. 1980. *Beyond Death: The Gates of Consciousness*. Londra & New York: Thames & Hudson.

Guenther, M. 1986. *The Nharo Bushmen of Botswana: Tradition and Change*. Hamburg: Helmut Buske.

Guenther, M. G. 1975. The trance dancer as an agent of social change among the farm Bushmen of the Ghanzi District. *Botswana Notes and Records* 7, 161-66.

Guenther, M. G. 1989. *Bushman Folktales: Oral Traditions of the Nharo of Botswana and the / Xam of the Cape*. Stuttgart: Franz Steiner.

Guenther, M. G. 1999. *Tricksters and Trancers: Bushman Religion and Society*. Bloomington: Indiana University Press.

Guthrie, R. D. 1990. *Frozen Fauna of the Mammoth Steppe: The Story of Blue Babe*. Chicago: Chicago University Press.

Hacking, I. 1999. *The Social Construction of What?* Cambridge, Mass. & Londra: Harvard University Press.

Hacking, I. 1983. *Representing and Intervening: Introductory Topics in the Philosophy of Natural Science*. Cambridge: Cambridge University Press.

Hahn, J. 1970. Die Stellung der männlichen Statuette aus dem Hohlenstein-Stadel in der jungpaläolithischen Kunst. *Germania* 48, 1-12.

Hahn, J. 1971. La statuette masculine de la grotte du Hohlenstein-Stadel (Wurttemberg). *L'Anthropologie* 75, 233-43.

Hahn, J. 1986. *Kraft und Aggression: Die Botschaft der Eiszeitkunst in Aurignacien?* Tübingen: Archaeologica Venatoria.

Hahn, J. 1993. Aurignacian art in Central Europe. In Knecht, H., Pike-Tay, A. & White, R. (haz.) *Before Lascaux: The Complex Record of the Early Upper Palaeolithic*, s. 229-57. Boca Raton: CRC Press.

Halifax, J. 1980. *Shamanic Voices: A Survey of Visionary Narratives*. Harmondsworth: Penguin.

Halifax, J. 1982. *Shaman: The Wounded Healer*. Londra & New York: Thames & Hudson.

Halverson, J. 1987. Art for art's sake in the Paleolithic. *Current Anthropology* 28, 63-89.

Halverson, J. 1992. The first pictures: perceptual foundations of Paleolithic art. *Perception* 21, 389-404.

Hamayon, R. N. 1998. 'Ecstasy' or the West-dreamt Siberian Shaman. In Wautischer, H. (haz.) *Tribal epistemologies*: essays in the philosphy of anthropology, 163-74, 188-90. Aldershot: Ashgate.

Hare, E. H. 1973. A short note on pseudo-hallucinations. *British Journal of Psychiatry* 122, 469-76.

Harlé, E. 1882. La Grotte d'Altamira près de Santander (Espagne). *Matériaux pur l'histoire de l'homme* 17, 275-83.

Harner, M. J. 1973a. Common themes in South American Indian *yagé* experiences. In Harner, M. J. (haz.) *Hallucinogens and Shamanism*, s. 155-75. New York: Oxford University Press.

Harner, M. J. 1973b. *The Jívaro: People of the Sacred Waterfalls*. Berkeley: University of California Press.

Harner, M. J. 1982. *The Way of the Shaman*. Toronto: Bantam Books.

Harrold, F. B. 1989. Mousterian, Châtelperronian and early Aurignacian in western Europe: continuity or discontinuity? In Mellars, P. and Stringer, C. (haz.) *The Human Revolution: Behavioural and Biological Perspectives on the Origins of Modern Humans*, s. 677-713. Edinburgh: Edinburgh University Press.

Haviland,W. A. 1995.Visions in stone: a new look at the Bellows Falls petroglyphs. *Northeast Anthropology* 50, 91-107.

Haviland, W. A. & Haviland,A. de L. 1995. Glimpses of the supernatural: altered states of consciousness and the graffiti of Tikal, Guatemala. *Latin American Antiquity* 6, 295-309.

Haviland, W. A. & Power, M. W. 1995.Visions in stone: a new look at the Bellows Falls petroglyphs. *Northeast Anthropology* 50, 91-107.

Hayden, B. 1990. The cultural capacities of Neanderthals: a review and re-evaluation. *Journal of Human Evolution* 24, 113-46.

Hayden, B. 1993. The cultural capacities of Neanderthal: a review and re-evaluation. *Journal of Human Evolution* 24, 113-46.

Hayden, B. 1995. Pathways to power: principles for creating socioeconomic inequalities. In Price, T. D. & Feinman, G. M. (haz.) *Foundations of Social Inequality*, s. 15-86. New York: Plenum Press.

Hedges, K. E. 1976. Southern California rock art as shamanistic art. *American Indian Rock Art* 2, 126-38.

Hedges, K. E. 1982. Phosphenes in the context of Native American rock art. In Bock, F. (haz.) *American Indian Rock Art*,Vols 7-8, s. 1-10. El Toro (CA): American Rock Art Research Association.

Hedges, K. E. 1992. Shamanistic aspects of California art. In Bean, L. J. (haz.) *California Indian Shamanism*, s. 67-88. Menlo Park (CA): Ballena Press.

Hedges, K. E. 1994. Pipette dreams and the primordial snake-canoe: analysis of a hallucinatory form constant. In Turpin, S. (haz.) *Shamanism and Rock Art in North America*, s. 103-24. San Antonio: Rock Art Foundation.

Heizer, R. F. & Baumhof, M. 1959. Great Basin petroglyphs and game trails. *Science* 129, 904-05.

Heizer, R. F. & Baumhof, M. 1962. *Prehistoric Rock Art of Nevada and Eastern California.* Berkeley: University of California Press.

Henshilwood, C. S., & Sealy, J. C. 1997. Bone artefacts from the Middle Stone Age at Blombos Cave, southern Cape, South Africa. *Current Anthropology* 38, 890-95.

Henshilwood, C. S., Sealy, J. C.,Yates, R. J., Cruz-Uribe, K., Goldberg, P., Grine, F. E., Klein, R. G., Poggenpoel, C.,Van Niekerk, K. L., and Watts, I. 2001a. Blombos Cave, southern Cape, South Africa: preliminary report on the 1992-1999 excavations of the Middle Stone Age levels. *Journal of Anthropological Science* 28, 421-48.

Henshilwood, C. S., d'Errico, F., Marean, C. W., Milo, R. G., and Yates, R. 2001b. An early bone tool industry from the Middle Stone Age at Blombos Cave, South Africa: implications for the origins of modern behaviour, symbolism and language. Journal of Human Evolution 41, 631-78.

Henshilwood, C. S., d'Errico, F.,Yates, R., Jacobs, Z., Tribolo, C., Duller, G. A. T., Mercier, N., Sealy, J. C., Valladas, H., Watts, I., and Wintle, A. G., 2002. Emergence of Modern Human Behavior: Middle Stone Age Engravings from South Africa. *Science* 295, 1278-80. http://www.sciencemag.org.

Herskovitz, M. J. 1958. *Acculturation: The Study of Culture Contact.* Gloucester: Peter Smith.

Hewitt, R. L. 1986. *Structure, Meaning and Ritual in the Narratives of the Southern San.* Hamburg: Helmut Buske.

Hindess, B. and Hirst, P. Q. 1975. *Pre-Capitalist Modes of Production.* Londra: Routledge and Kegan Paul.

Hirschfeld, L. A. & Gelman, S. A. 1994. *Mapping the Mind: Domain Specificity in Cognition and Culture.* Cambridge: Cambridge University Press.

Hollis, M. 1985. Of masks and man. In Carrithers, M., Collins, S. & Lukes, S. (haz.) *The Category of the Person: Anthropology, Philosophy, History.* Cambridge: Cambridge University Press.

Horowitz, M. J. 1964. The imagery of visual hallucinations. *Journal of Nervous and Mental Disease* 138, 513-23.

Horowitz, M. J. 1975. Hallucinations: an information processing approach. In Siegel, R. K. & West, L. J. (haz.) *Hallucinations: Behaviour, Experience & Theory*, s. 163-95. New York Wiley.

How, M. W. 1962. *The Mountain Bushmen of Basotoland.* Pretoria: Van Schaik.

Howard, J. 1982. *Darwin.* Oxford: Oxford University Press.

Howell, F. C. 1999. Paleo-demes, species, clades & extinctions in the Pleistocene hominid record. *Journal of Anthropological Research* 55, 191-243.

Hublin, J. J. 2000. Modern-nonmodern hominid interactions: a Mediterranean perspective. In Bar-Yosef, O., & Pilbeam, D. R. (haz.) *The Geography of Neanderthals and Modern Humans in Europe and the Greater Mediterranean*, s. 157-82. Cambridge, Mass.: Peabody Museum of Archaeology and Ethnology.

Hublin, J. J., Spoor, F., Braun, M., Zonneveld, F. & Condemi, S. 1996. A late Neanderthal associated with Upper Palaeolithic artefacts. *Nature* 381, 224-26.

Hultkranz, Å. 1973. A definition of shamanism. *Tenenos* 9, 25-37.

Hultkranz, Å. 1987. *Native Religions of North America*. San Fransisco: Harper Row.

Hultkranz, Å. 1998. The meaning of ecstasy in shamanism, & Rejoinder. In Wautischer, H. (haz.) Tribal epistemologies: essays in the philosophy of anthropology, 163-74, 188-90. Aldershot: Ashgate.

Humphrey, N. 1992. *A History of the Mind*. Londra: Chatto and Windus.

Ingold, T. 1992. Culture and the perception of the environment. In Croll, E. & Parkin, D. (haz.) *Bush Base: Forest Farm. Culture, Environment and Development*, s. 39-56. Londra: Routledge.

Ingold, T. 1993. Technology, language and intelligence: a consideration of basic concepts. In Gibson, K. & Ingold, T. (haz.) *Tools, Language and Cognition in Human Evolution*, s. 449-72. Cambridge: Cambridge University Press.

Jakobsen, M. D. 1999. *Shamanism: Traditional and Contemporary Approaches to the Mastery of Spirits and Healing*. New York: Berghahn Books.

James, W. 1982 (1902). *Varieties of Religious Experience*. Londra: Penguin.

Jilek, W. G. 1982. *Indian Healing: Shamanistic Ceremonialism in the Pacific Northwest Today*. Surrey, British Columbia: Hancock House Publishers.

Jochim, M. A. 1983. Palaeolithic cave art in ecological perspective. In Bailey, G. (haz.) *Hunter-Gatherer Economy and Prehistory: A European Perspective*, s. 212-19. Cambridge: Cambridge University Press.

Johnson, M. 1999. *Archaeological Theory: An Introduction*. Oxford: Blackwell.

Jolly, P. 1986. A first generation descendant of the Transkei San. *South African Archaeological Bulletin* 41, 6-9.

Katz, K. 1982. *Boiling Energy: Community Healing among the Kalahari !Kung*. Cambridge, Mass.: Harvard University Press.

Katz, R., Biesele, M. & St. Denis,V. 1997. *Healing makes our Hearts Happy: Spirituality and Cultural Transformation among the Kalahari Ju/'hoansi*. Rochester,Vermont: Inner Traditions.

Keeney, B. (haz.) 1999. *Kalahari Bushmen Healers*. Philadelphia: Ringing Rocks Press.

Kehoe, T. F. 1989. Corralling: evidence from Upper Palaeolithic cave art. In Davis, L. B. & Reeves, B. O. K. (haz.) *Hunters of the Recent Past*. One World Archaeology Vol. 7, s. 34-45. Londra: Unwin Hyman.

Kensinger, K. M. 1973. *Banisteriopsis* usage among the Peruvian Cashinahua. In Harner, M. (haz.) *Hallucinogens and Shamanism*, s. 9-14. New York: Oxford University Press.

Keyser, J. D. & Whitley, D. S. 2000. A new ethnographic reference for Columbia Plateau rock art: documenting a century of vision quest practices. *International Newsletter on Rock Art* 25, 14-20.

Klein, R. G. 2001. Southern Africa and modern human origins. *Journal of Anthropological Research* 57, 1-16.

Klüver, H. 1926. Mescal visions and eidetic vision. *American Journal of Psychology* 37, 502-15.

Klüver, H. 1942. Mechanisms of hallucinations. In McNemar, Q. & Merrill, M. A. (haz.) *Studies in Personality*, s. 175-207. New York: McGraw-Hill.

Klüver, H. 1966. *Mescal and the Mechanisms of Hallucinations*. Chicago: University of Chicago Press.

Knecht, H., Pike-Tay, A. & White, R. (haz.) 1993. *Before Lascaux: The Complete Record of the Early Upper Palaeolithic*. Boca Raton: CRC Press.

Knoll, M. & Kugler, J. 1959. Subjective light pattern spectroscopy in the encephalographic frequency range. *Nature* 184, 1823.

Knoll, M., Kugler, J., Höfer, O. & Lawder, S. D. 1963. Effects of chemical stimulation of electrically induced phosphenes on their bandwidth, shape, number & intensity. *Confinia Neurologica* 23, 201-26.

Kohn, M. 2000. *As We Know It: Coming to Terms with an Evolved Mind*. Londra: Granta Books.

Kozlowski, J. K. 2000. The problem of cultural continuity between the Middle and Upper Paleolithic in Central and Eastern Europe. In Bar-Yosef, O., and Pilbeam, D. (haz.) *The Geography of Neanderthals and Modern Humans in Europe and the Greater Mediterranean*, s. 77-105. Cambridge, Mass.: Peabody Museum of Archaeology and Ethnology, Bulletin 8.

Krings, M., Geisert, H., Schmitz, R. W., Krainitzki, H. & Pääbo, S. 1999. DNA sequences of mitochondrial hypervariable region II from the Neanderthal type specimen. *Proceeding of the National Academy of Science* 96, 5581-85.

Krings, M., Stone, A., Schmitz, R. W. Krainitzki, H., Stoneking, M. & Pääbo, S. 1997. Neanderthal DNA sequences and the origin of modern humans. *Cell* 90, 19-28.

Kroeber, A. L. 1925. Handbook of the Indians of California. *Bureau of American Ethnology Bulletin* 78. Washington, D.C.: Smithsonian Institution.

Kroeber, A. L. 1939. Cultural and natural areas of Native America. *University of California Publications in American Archaeology and Ethnology* 38.

Kubovy, M. 1986. *The Psychology and Perspective of Renaissance Art*. Cambridge: Cambridge University Press.

Kühn, H. 1955. *On the Track of Prehistoric Man*. Londra: Hutchinson.

Kuhn, L., and Bietti, A. 2000. The Late Middle and Early Upper Paleolithic in Italy. In Bar-Yosef, O., and Pilbeam, D. (haz.) *The Geography of Neanderthals and Modern Humans in Europe and the Greater Mediterranean*, s. 49-76. Cambridge, Mass.: Peabody Museum of Archaeology and Ethnology, Bulletin 8.

Kuhn, T. S. 1970. *The Structure of Scientific Revolutions*. Chicago: University of Chicago Press.

Kurtén, B. 1972. The cave bear. *Scientific American* 226, 60-71.

La Barre, W. 1975 Anthropological perspectives on hallucinations and hallucinogens. In Siegel, R. K. & West, L. J. (haz.) *Hallucinations: Behaviour, Experience & Theory*, s. 9-52. New York: John Wiley.

La Barre, W. 1980. *Culture in Context*. Durham, North Carolina: Duke University Press.

Lakoff, G. & Johnson, M. 1980. *Metaphors We Live By*. Chicago: University of Chicago Press.

Lamb, F. B. 1980. Manual Córdova-Rios. In Halifax, J. (haz.) *Shamanic Voices: A Survey of Visionary Narratives*,s.140-48.Harmondsworth: Penguin.

Lame Deer and Erdoes, R. 1980. Lame Deer. In Halifax, J. (haz.) *Shamanic Voices: A Survey of Visionary Narratives*, s. 70-75. Harmondsworth: Penguin.

Laming, A. 1959. *Lascaux: Paintings and Engravings*. Harmondsworth: Penguin.

Laming-Emperaire, A. 1959. *Lascaux: Paintings and Engravings*. Harmondsworth: Pelican.

Laming-Emperaire, A. 1962. *La signification de l'art rupestre Paléolithique*. Paris: Picard.

Latour, B. and Woolgar, S. 1979. *Laboratory Life: The Social Construction of Scientific Facts*. Londra: Sage.

Laughlin, C. D., McManus & d'Aquili, E. G. 1992. *Brain, Symbol and Experience: Toward a Neurophenomenology of Human Consciousness*. New York: Columbia University Press.

Layton, R. 1987. The use of ethnographic parallels in interpreting Upper Palaeolithic art. In Holy, L. (haz.) *Comparative Archaeology*, s. 210-39. Oxford: Blackwell.

Leach, E. R. (haz.) 1967. *The Structural Study of Myth and Totemism*. Londra: Tavistock.

Leach, E. R. 1961. Golden bough or gilded twig? *Daedalus* 90, 371-87.

Leach, E. R. 1974. *Lévi-Strauss*. Londra: Fontana.

Lee, R. B. 1968. The sociology of !Kung Bushman trance performance. In Prince, R. (haz.) *Trance and Possession States*, s. 35-54. Montreal: R. M. Bucke Memorial Society.

Lee, R. B. 1979. *The !Kung San: Men, Women & Work in a Foraging Society*. Cambridge: Cambridge University Press.

Leroi-Gourhan,A. 1964. *Les religions de la préhistoire*. Paris: Presses Universitaires de France.

Leroi-Gourhan, A. 1968. *The Art of Prehistoric Man in Western Europe.* Londra & New York: Thames & Hudson.

Leroi-Gourhan, A. 1976. Interprétation esthétique et religieuse des figures et symboles dans la préhistoire. *Archives de Sciences Sociales des Religions* 42, 5-15.

Leroi-Gourhan, A. 1982. *The Dawn of European Art: An Introduction to Palaeolithic Cave Painting*. Cambridge: Cambridge University Press.

Leroi-Gourhan, A. 1984. Grotte de Lascaux. In *L'art des cavernes: atlas des grottes ornées paléolithiques françaises*, s. 180-200. Paris: Ministère de la Culture.

Leroi-Gourhan, Arlette & Allain, J. (haz.) 1979. *Lascaux inconnu*. Paris: Éditions CNRS.

Leroi-Gourhan, Arlette. 1982. The archaeology of Lascaux Cave. *Scientific American* 246(6), 80-88.

Levinson, H. 1966. Auditory hallucinations in a case of hysteria. *British Journal of Psychiatry* 112, 19-26.

Lévi-Strauss, C. 1963. *Structural Anthropology*. Harmondsworth: Penguin.

Lévi-Strauss, C. 1966. *The Savage Mind*. Londra: Weidenfeld and Nicolson; Chicago: University of Chicago Press.

Lévi-Strauss, C. 1967a. The story of Asdiwal. In Leach, E. (haz.) *The Structural Study of Myth and Totemism*, s. 49-70. Londra: Tavistock.

Lévi-Strauss, C. 1967b. *The Scope of Anthropology.* Londra: Jonathan Cape.

Lévi-Strauss, C. 1969. *Totemism*. Harmondsworth: Pelican Books.

Lévi-Strauss, C. 1977. *Structural Anthropology*,Vol. 2. Londra: Allen Lane.

Lewis-Williams, J. D. 1981. *Believing and Seeing: Symbolic Meanings in Southern San Rock Paintings*. Londra: Academic Press.

Lewis-Williams, J. D. 1983. *The Rock Art of Southern Africa*. Cambridge: Cambridge University press.

Lewis-Williams, J. D. 1986. The last testament of the southern San. *South African Archaeological Bulletin* 41, 10-11.

Lewis-Williams, J. D. 1987. A dream of eland: a unexplored component of San shamanism. *World Archaeology* 19, 165-77.

Lewis-Williams, J. D. 1990. *Discovering Southern African Rock Art*. Cape Town: David Philip.

Lewis-Williams, J. D. 1991. Wrestling with analogy: a methodological dilemma in Upper Palaeolithic art research. *Proceedings of the Prehistoric Society* 57, 149-62.

Lewis-Williams, J. D. 1992. Ethnographic evidence relating to 'trancing' and 'shamans' among southern and northern San groups. *South African Archaeological Bulletin* 47, 56-60.

Lewis-Williams, J. D. 1995a. Seeing and construing: the making and 'meaning' of a southern African rock art motif. *Cambridge Archaeological Journal* 5, 3-23.

Lewis-Williams, J. D. 1995b. Modelling the production and consumption of rock art. *South African Archaeological Bulletin* 50, 143-54.

Lewis-Williams, J. D. 1996. 'A visit to the Lion's house': structure, metaphors and sociopolitical significance in a nineteenth-century Bushman myth. In Deacon, J. & Dowson, T. A. (haz.) *Voices from the Past: /Xam Bushmen and the Bleek and Lloyd Collection*, s. 122-41. Johannesburg: Witwatersrand University Press.

Lewis-Williams, J. D. 1997a. Agency, art and altered consciousness: a motif in French (Quercy) Upper Palaeolithic parietal art. *Antiquity* 71, 810-30.

Lewis-Williams, J. D. 1997b. The Mantis, the Eland and the Meerkats: conflict and mediation in a nineteenth-century San myth. In McAllister, P. (haz.) *Culture and the Commonplace: Anthropological Essays in Honour of David Hammond-Tooke*, s. 195-216. Special Issue of *African Studies* 56 (2). Johannesburg: Witwatersrand University Press.

Lewis-Williams, J. D. 2000. *Stories that Float from Afar: Ancestral Folklore of the /Xam San.* Cape Town: David Philip.

Lewis-Williams, J. D. & Blundell, G. 1997. New light on finger-dots in southern African rock art: synesthesia, transformation and technique. *South African Journal of Science* 93, 51-54.

Lewis-Williams, J. D., Blundell, G., Challis, W. & Hampson, J. 2000. Threads of light: reexamining a motif in southern African San rock art. *South African Archaeological Bulletin*, 55, 123-36.

Lewis-Williams, J.D. & Dowson, T. A. 1988. The signs of all times: entoptic phenomena in Upper Palaeolithic art. *Current Anthropology* 29, 201-45.

Lewis-Williams, J. D. & Dowson, T. A. 1990. Through the veil: San rock paintings and the rock face. *South African Archaeological Bulletin* 45, 5-16.

Lewis-Williams, J. D. & Dowson, T. A. 1993. On vision and power in the Neolithic: evidence from the decorated monuments. *Current Anthropology* 34, 55-65.

Lewis-Williams, J. D. & Dowson, T. A. 1999. *Images of Power: Understanding Southern African Rock Art.* (Second edition) Cape Town: Struik.

Lewis-Williams, J. D., Dowson, T. A. & Deacon, J. 1992. Rock art and changing perceptions of southern Africa's past: Ezeljagdspoort reviewed. *Antiquity* 67, 273-91.

Lex, B. 1979. The neurobiology of ritual trance. In d'Aquili, E. G., Laughlin, C. D. & McManus, J. (haz.) *The Spectrum of Ritual: A Biogenetic Structural Analysis*, s. 117-51. New York: Columbia University Press.

Librado, F. 1981. *The Eye of the Flute: Chumash Traditional History and Ritual as told by Fernando Librado Kitsepawit to John P. Harrington.* Santa Barbara: Santa Barbara Museum of Natural History.

Lieberman, P. 1989. The origins of some aspects of human language and cognition. In Mellars, P. & Stringer, C. (haz.) *The Human Revolution: Behavioural and Biological Perspectives on the Origins of Modern Humans*, s. 391-414. Edinburgh: Edinburgh University Press.

Lorblanchet, M. 1984a. Grotte de Cougnac. In *L'art des cavernes: atlas des grottes ornées Paléolithiques Françaises*: 467-74. Paris: Ministère de la Culture.

Lorblanchet, M. 1984b. Grotte de Pech-Merle. In *L'art des cavernes: atlas des grottes ornées Paléolithique Françaises*: 467-74. Paris: Ministère de la Culture.

Lorblanchet, M. 1991. Spitting images: replicating the spotted horses of Pech Merle. *Archaeology* 44(6), 25-31.

Lorblanchet, M. 1992. Finger markings in Pech Merle and their place in prehistoric art. In Lorblanchet, M. (haz.) *Rock Art in the Old World*, s. 451-90. New Delhi: Indira Gandhi National Centre for the Arts.

Lorblanchet, M. & Sieveking,A. 1997. The monsters of Pergouset. *Cambridge Archaeological Journal* 7, 37-56.

Ludwig, A. M. 1968. Altered states of consciousness. In Prince, R. (haz.) *Trance and Possession States*, s. 69-95. Montreal: R. M. Bucke Memorial Society.

Lutz, C. 1992. Culture and consciousness: a problem in the anthropology of knowledge. In Kessel, F., Cole, P. & Johnson, D. (haz.) *Self and Consciousness: Multiple Perspectives*, s. 64-87. Hillsdale, NJ: Lawrence Erlman.

Manker, E. 1996. *Seite* cult and drum magic of the Lapps. In Diószegi,V. (haz.) *Folk Beliefs and Shamanistic Traditions in Siberia*, s. 1-14. Budapest: Akadémiai Kiadó.

Marshack, A. 1972. *The Roots of Civilization*. Londra: Weidenfeld and Nicolson.

Marshack,A. 1991. *The Roots of Civilization: The Cognitive Beginnings of Man's First Art, Symbol and Notation*. Mount Kisco, NewYork: Moyer Bell.

Marshall, L. 1962. !Kung Bushman beliefs. *Africa* 32, 221-51.

Marshall, L. 1969. The medicine dance of the !Kung Bushmen. *Africa* 39, 347-81.

Marshall, L. 1976. *The !Kung of Nyae Nyae*. Cambridge, Mass.: Harvard University Press.

Marshall, L. 1999. *Nyae Nyae !Kung: Beliefs and Rites*. Cambridge, Mass.: Peabody Museum, Harvard University.

Martindale, C. 1981. *Cognition and Consciousness*. Homewood, Illinois: Dorsey Press.

McBrearty, S., & Brooks, A. S. 2000. The revolution that wasn't: a new interpretation of the origin of modern human behaviour. *Journal of Human Evolution* 39:453-63.

McClenon, J. 1997. Shamanistic healing, human evolution & the origin of religion. *Journal for the Scientific Study of Religion* 36, 345-54.

McCreery, P. & Malotki, E. 1994. *Tapamveni: The Rock Art Galleries of Petrified Forest and Beyond*. Petrified Forest, AZ: Petrified Forest Museum Association.

McDonald, C. 1971. A clinical study of hypnagogic hallucinations. *British Journal of Psychiatry* 118, 543-47.

McGuire, R. H. 1992. *A Marxist Archaeology*. New York: Academic Press.

McKellar, P. 1972. Imagery from the standpoint of introspection. In Sheehan, P. W. (haz.) *The Function and Nature of Imagery*. New York: Academic Press.

Mead, G. H. 1934. *Mind, Self and Society*. Chicago: Chicago University Press.

Mead, G. H. 1964. (ed. Reck, A. J.) *Selected Writings*. Chicago: Chicago University Press.

Meillassoux, P. A. 1972. From production to reproduction. *Economy and Society* 1, 93-105.

Mellars, P. 1989. Major issues in the emergence of modern humans. *Current Anthropology* 30, 349-85.

Mellars, P. (haz.) 1990. *The Emergence of Modern Humans: An Archaeological Perspective*. Edinburgh: Edinburgh University Press.

Mellars, P. 1994. The Upper Palaeolithic Revolution. In Cunliffe, B. (haz.) *The Oxford Illustrated Prehistory of Europe*. Oxford & New York: Oxford University Press.

Mellars, P. 1996. *The Neanderthal Legacy: An Archaeological Perspective from Western Europe*. Princeton: Princeton University Press.

Mellars, P. A. 2000. The archaeological records of the Neanderthal-modern human transition in France. In Bar-Yosef, O., & Pilbeam, D. R. (haz.) *The Geography of Neanderthals and Modern Humans in Europe and the Greater Mediterranean*, s. 35-47. Cambridge, Mass.: Peabody Museum of Archaeology and Ethnology.

Mellars, P. and Stringer, C. (haz.) 1989. *The Human Revolution: Behavioural and Biological Perspectives on the Origin of Modern Humans*. Edinburgh: Edinburgh University Press.

Méroc, L. & Mazet, J. 1977. *Cougnac*. Gourdon: Éditions des Grottes de Cougnac.

Mithen, S. 1988. Looking and learning: Upper Palaeolithic art and information gathering. *World Archaeology* 19, 297-327.

Mithen, S. 1994. From domain specific to generalized intelligence: a cognitive interpretation of the Middle/Upper Palaeolithic transition. In Renfrew, C. & Zubrow, E. B. W. (haz.) *The Ancient Mind: Elements of Cognitive Archaeology*, s. 29-39. Cambridge: Cambridge University Press.

Mithen, S. 1996a. *The Prehistory of the Mind: A Search for the Origins of Art, Religion and Science*. Londra & New York: Thames & Hudson.

Mithen, S. 1996b. Domain-specific intelligence and the Neanderthal mind. In Mellars, P. & Gibson, K. (haz.) *Modelling the Early Human Mind*, s. 217-29. Cambridge: McDonald Institute Monographs.

Mithen, S. 1998. A creative explosion? Theory of mind, language and the disembodied mind of the Upper Palaeolithic. In Mithen, S. (haz.) *Creativity in Human Evolution and Prehistory*, s. 165-91. Londra & New York: Routledge.

Moorhead, A. 1969. *Darwin and the Beagle*. Londra: Hamish Hamilton.

Mulkay, M. 1979. *Science and the Sociology of Knowledge*. Londra: Allen and Unwin.

Munn, H. 1973. The mushrooms of language. In Harner, M. J. (haz.) *Hallucinations and Shamanism*, s. 86-122. New York: Oxford University Press.

Musi, C. C. 1997. *Shamanism from East to West*. Budapest: Akadémiai Kiadó.

Myerhoff, B. G. 1974. *Peyote hunt: the sacred journey of the Huichol Indians*. Ithaca: Cornell University Press.

Narby, J., & Huxley, F. 2001. *Shamans Through Time: 500 Years on the Path to Knowledge*. Londra: Thames & Hudson.

Needham, R. 1967. Percussion and transition. *Man* 2, 606-14.

Neher, A. 1961. Auditory driving observed with scalp electrodes in normal subjects. *Electroencephalography and Clinical Neurophysiology* 13, 449-51.

Neher, A. 1962. A physiological explanation of unusual behaviour in ceremonies involving drums. *Human Biology* 34, 151-60.

Neihardt, J. G. 1980. Black Elk. In Halifax, J. (haz.), *Shamanic Voices: A Survey of Visionary Narratives*, s. 95-102.

Newcomb, W. W. & Kirkland, F. 1967. *The Rock Art of Texas Indians*. Austin: University of Texas Press.

Noll, R. 1985. Mental imagery cultivation as a cultural phenomenon: the role of visions in shamanism. *Current Anthropology* 26, 443-61.

Norland, O. 1967. Shamanism as experiencing the 'Unreal'. In Edsman, C.-M. (haz.) *Studies in Shamanism*, s. 166-85. Stockholm: Almqvist and Wiksell.

Oppitz, M. 1992. Drawings on shamanic drums. *RES: Anthropology and Aesthetics* 22:62-81.

Orpen, J. M. 1874. A glimpse into the mythology of the Maluti Bushmen. *Cape Monthly Magazine* (n.s.) 9(49), 1-13.

Oster, 1970. Phosphenes. *Scientific American* 222, 83-87.

Pager, H. 1971. *Ndedema*. Graz: Akademische Druck.

Palmer, D. 2000. *Neanderthal*. Londra: Channel 4 Books.

Parkington, J. 1969. Symbolism in cave art. *South African Archaeological Bulletin* 24, 3-13.

Pettitt, P. B. & Pike, A. W. G. 2001. Blind in a cloud of data: problems with the chronology of Neanderthal extinction and anatomically modern human expansion. With a response by J. P. Bocquet and P.Y. Demars. *Antiquity* 75, 415-20.

Pfeifer, L. 1970. A subjective report on tactile hallucinations in schizophrenia. *Journal of Clinical Psychology* 26, 57-60.

Pfeiffer, J. E. 1982. *The Creative Explosion: An Inquiry into the Origins of Art and Religion.* New York: Harper and Row.

Pinker, S. 1994. *The Language Instinct.* New York: HarperCollins.

Plato. 1935. *The Republic*, ed. A. D. Lindsay. Londra: Dent.

Potapov, L. P. 1996. Shamans' drums of Altaic ethnic groups. In Diószegi,V. (haz.) *Folk Beliefs and Shamanistic Traditions in Siberia*, s. 97-126. Budapest: Akadémiai Kiadó.

Price-Williams, D. 1987. The waking dream in ethnographic perspective. In Tedlock, B. (haz.) *Dreaming: Anthropological and Psychological Interpretations*, s. 246-62.

Prins, F. E. 1990. Southern Bushman descendants in the Transkei: rock art and rain-making. *South African Journal of Ethnology* 13, 110-16.

Prins, F. E. 1994. Living in two worlds: the manipulation of power relations, identity and ideology by the last San rock artists of the Transkei, South Africa. *Natal Museum Journal of the Humanities* 6, 179-93.

Ränk, G. 1967. Shamanism as a research subject. In Edsman, C.-M. (haz.) *Studies in shamanism*, s. 15-22. Stockholm: Almqvist and Wiksell.

Raphael, M. 1945. *Prehistoric Cave Paintings.* New York: Pantheon Books, The Bollingen Series IV.

Rappaport, R. A. 1999. *Ritual and Religion in the Making of Humanity.* Cambridge: Cambridge University Press.

Rasmussen, K. 1929. Intellectual culture of the Iglulik Eskimos. Report of the Fifth Thule Expedition 1921-24, 7(1). Copenhagen: Glydendalske Boghandel, Nordisk Forlag.

Reichel-Dolmatoff, G. 1972. The cultural context of an aboriginal hallucinogen. In Furst, P. T. (haz.) *Flesh of the Gods: The Ritual Use of Hallucinogens*, s. 84-113. Londra: Allen and Unwin.

Reichel-Dolmatoff, G. 1978a. *Beyond the Milky Way: Hallucinatory Imagery of the Tukano Indians.* Los Angeles: UCLA Latin America Centre.

Reichel-Dolmatoff, G. 1978b. Drug-induced optical sensations and their relationship applied to art among some Colombian Indians. In Greenhalgh, M. & Megaw,V. (haz.) *Art in Society*, s. 289-304. Londra: Duckworth.

Reichel-Dolmatoff, G. 1981. Brain and mind in Desana shamanism. *Journal of Latin American Lore* 7, 73-98.

Reznikoff, I. & Dauvois, M. 1988. La dimension sonore des grottes ornées. *Bulletin de las Société Préhistorique Française* 85, 238-46.

Richards, W. 1971. The fortification illusion of migraines. *Scientific American* 224, 89-94.

Riches, D. 1994. Shamanism: the key to religion. *Man* (N.S.) 29, 381-405.

Riddington, R. 1988. Knowledge, power and the individual in subarctic hunting societies. *American Anthropologist* 90, 98-110.

Riel-Salvatore, J., and Clark, G. A. 2001. Middle and early Upper Paleolithic burials and the use of chronotypology in contemporary Paleolithic research. *Current Anthropology* 42, 449-79.

Ritter, D. W. & Ritter, E. W. 1972. Medicine men and spirit animals in rock art of western North America. *Acts of the International Symposium on Rock Art* 97-125.

Ritter, E. W. 1994. Scratched art complexes in the desert West: symbols for socio-religious communication. In Whitley, D. S. & Loendorf, L. L. (haz.) *New Light on Old Art: Recent Advances in Hunter-Gatherer Studies*, s. 51-66. Los Angeles: Institute of Archaeology, Monograph 36.

Rose, H. & Rose, S. (haz.). 2000. *Alas, Poor Darwin: Arguments against Evolutionary Psychology*. Londra: Cape.

Ruby, J. (haz.) 1993. *The Cinema of John Marshall*. Reading: Harwood Academic Publishers.

Ruspoli, M. 1987. *The Cave of Lascaux: the Final Photographic Record*. Londra: Thames & Hudson.

Sacks, O. 1970. *Migraine: The Evolution of a Common Disorder*. Londra: Faber.

Sarbin, T. R. 1967. The concepts of hallucination. *Journal of Personality* 35, 359-80.

Sauvet, G. 1988. La communication graphique paléolithique. *L'Anthropologie* 92, 3-16.

Sauvet, G. and Wlodarczyk,A. 1995. Eléments d'une grammaire formelle de l'art pariétal paléolithique. *L'Anthropologie* 99, 193-211.

Savage-Rumbaugh, E. S. 1986. *Ape Language: From Conditioned Response to Symbol*. New York: Columbia University Press.

Scarre, C. 1989. Painting by resonance. *Nature* 338, 382.

Schaafsma, P. 1980. *Indian Rock Art of the Southwest*. Santa Fe: School of American Research.

Schaafsma, P. 1992. *Rock Art in New Mexico*. Sante Fe: Museum of New Mexico Press.

Seddon, D. 1978. *Relations of Production: Marxist Approaches to Economic Anthropology*. Londra: Frank Cass.

Sedman, G. 1966. A comparative study of pseudohallucinations, imagery and true hallucinations. *British Journal of Psychiatry* 112, 9-17.

Segall, M. H., Campbell, D. T. & Herskovits, M. J. 1966. *The Influence of Culture on Visual Perception*. New York: Bobbs-Merrill.

Sept, J. M. 1992. Was there no place like home? A new perspective on early hominid archaeological sites from the mapping of chimpanzee nests. *Current Anthropology* 33, 187-207.

Shaara, L. 1992. A preliminary analysis of the relationship between altered states of consciousness, healing and social structure. *American Anthropologist* 94, 145-60.

Sherratt, A. 1991. Sacred and profane substances: the ritual use of narcotics in later Neolithic Europe. In Garwood, P., Jennings, D., Skeates, R. & Toms, J. (haz.) *Sacred and Profane*, s. 50-64. Oxford: Oxford Committee for Archaeology.

Shreeve, J. 1996. *The Neanderthal Enigma*. New York: William Morrow & Co.

Siegel, R. K. 1977. Hallucinations. *Scientific American* 237, 132-40.

Siegel, R. K. 1978. Cocaine hallucinations. *American Journal of Psychiatry* 135, 309-14.

Siegel, R. K. 1980. The psychology of life death. *American Psychologist* 35, 911-31.

Siegel, R. K. 1985. LSD hallucinations: from ergot to electric kool-aid. *Journal of Psychoactive Drugs* 17, 247-56.

Siegel, R. K. 1992. *Fire in the Brain: Clinical Tales of Hallucinations*. New York: Dutton.

Siegel, R. K. & Jarvik, M. E. 1975. Drug-induced hallucinations in animals and man. In Siegel, R. K. & West, L. J. (haz.) *Hallucinations: Behaviour, Experience & Theory*, s. 81-161. New York: Wiley.

Sieveking, A. 1979. *The Cave Artists*. Londra: Thames & Hudson.

Sieveking,A. 1991. Palaeolithic art and archaeology: the mobiliary evidence. *Proceeding of the Prehistoric Society* 57, 33

Siikala, A.-L. 1982. The Siberian shaman's technique of ecstasy. In Holm, N. G. (haz.) *Religious Ecstasy*, s. 103-121. Stockholm: Almqvist and Wiksell.

Siikala, A.-L. 1992. Shamanistic knowledge and mythical images. In Siikala, A.-L. & Hoppal, M. *Studies on Shamanism* s. 87-113. Budapest: Akadémiai Kiadó.

Siikala, A-L. 1998. *Studies on Shamanism*, Part 1. Helsinki: Finnish Anthropological Society.

Silberbauer, G. B. 1981. *Hunter and Habitat in the Central Kalahari Desert*. Cambridge: Cambridge University Press.

Smith, N. W. 1992. *An Analysis of Ice Age art: Its Psychology and Belief System*. New York: Peter Lang.

Soffer, O. & Conkey, M. W. 1997. Studying ancient visual cultures. In Conkey, M. W., Soffer, O., Stratmann, D. & Jablonski, N. G. (haz.) *Beyond Art: Pleistocene Image and Symbol*, s. 1-16. San Francisco: Memoirs of the California Academy of Sciences, No. 23.

Stephen, M. 1989. Constructing sacred world and autonomous imagining in New Guinea. In Herdt, G. & Stephen, M. (haz.) *The Religious Imagination in New Guinea*, s. 211-36.

Stevens,A. 1975. Animals in Palaeolithic cave art: Leroi-Gourhan's hypothesis. *Antiquity* 49, 54-57.

Steward, J. 1929. Petroglyphs of California and adjoining states. *University of California Publications in American Archaeology and Ethnology* 33, 423-38.

Stoffle, R.W., Loendorf, L.,Austin, D. E., Halmo, D. B., Bulletts,A. 2000. Ghost dancing in the Grand canyon: southern Paiute rock art, ceremony & cultural landscapes. *Current Anthropology* 41, 11-38.

Stow, G. W. 1905. *The Native Races of South Africa*. Londra: Swan Sonnenschein.

Stow, G. W. & Bleek, D. F. 1930. *Rock Paintings in South Africa: From Parts of the Eastern Province and Orange Free State; Copied by George William Stow; With an Introduction and descriptive notes by D. F. Bleek*. Londra: Methuen.

Straus, L. 1993. Preface. In Lévêque, F., Backer, A. M. & Guilbaud, M. (haz.) *Context of a Late Neanderthal: Implications of Multidisciplinary Research for the Transition to Upper Palaeolithic Adaptations at Saint-Césaire, Charente-Maritime, France*, s. xi-xii. Madison, Wisconsin: Prehistory Press, Monographs in World Archaeology 16.

Stringer, C. & Gamble, C. 1993. *In Search of the Neanderthals*. Londra & New York: Thames & Hudson.

Sulloway, F. J. 1982. Darwin's conversion: the *Beagle* voyage and its aftermath. *Journal of the History of Biology* 15, 325-96.

Taborin,Y. 1993. Shells of the French Aurignacian and Périgordian. In Knecht, H., Pike-Tay, A. & White, R. (haz.) *Before Lascaux: The Complete Record of the Early Upper Palaeolithic*, s. 211-28. Boca Raton: CRC Press.

Taçon, P. S. C. 1983. An analysis of Dorset art in relation to prehistoric culture stress. *Inuit Studies* 7, 41-65

Tattersall, I. 1999. *The Last Neanderthal: The Rise, Success and Mysterious Extinction of our Closest Human Relatives*. New York: Westview Press.

Taylor, F. K. 1981. *On pseudo-hallucinations. Psychological Medicine* 11, 265-71.

Thomas, E. M. 1959. *The Harmless People*. New York: Knopf.

Thomas, J. 1990. Monuments from the inside: the case of the Irish megalithic tombs. *World Archaeology* 22, 168-89.

Thomas, J. 1991. *Rethinking the Neolithic*. Cambridge: Cambridge University Press.

Thomas, N. & Humphrey, C. 1996. *Shamanism, History and the State*. Ann Arbor: University of Michigan Press.

Tomásková, S. 1997. Places of art: art and archaeology in context. In Conkey, M. W., Soffer, O., Stratmann, D. & Jablonski (haz.) *Beyond Art: Pleistocene Image and Symbol*, s. 265-88. San Francisco: Memoirs of the California Academy of Sciences, No. 23.

Trevarthen, C. 1986. Brain science and the human spirit. *Zygon* 21, 161-82.

Turner,V. 1967. *The Forest of Symbols: Aspects of Ndembu Ritual*. Ithaca: Cornell University Press.

Turpin, S. 1994. On a wing and a prayer: flight metaphors in Pecos River art. In Turpin, S. (haz.) *Shamanism and Rock Art in North America*, s. 73-102. San Antonio: Rock Art Foundation.

Tuzin, D. 1984. Miraculous voices: the auditory experience of numinous objects. *Current Anthropology* 25, 579-96.

Twemlow, S. W., Gabbard, G. O. & Jones, F. C. 1982. The out-of-body experience: a phenomenological typology based on questionaire responses. *American Journal of Psychiatry* 134, 450-55.

Ucko, P. J. & Rosenfeld, A. 1967. *Palaeolithic Cave Art*. Londra: Weidenfeld & Nicolson; New York: McGraw Hill.

Ucko, P. J. 1992. Subjectivity and recording of Palaeolithic cave art. In Shay, T. and Clottes, J. (haz.) *The Limitations of Archaeological Knowledge*, s. 141-80. Liège: Etudes et Recherches Archéologiques de l'Université de Liège, No. 49.

Vajnštejn, S. I. 1996. The Tuvan (Soyot) shaman's drum and the ceremony of its 'enlivening'. In Diószegi,V. (haz.) *Folk Beliefs and Shamanistic Traditions in Siberia*, s. 127-34. Budapest: Akadémiai Kiadó.

Valiente-Noailles, C. 1993. *The Kua: Life and Soul of the Central Kalahari Bushmen*. Rotterdam: Balkema.

Varagnac, A. & Chollot, M. 1964. *Musée des Antiquités Nationales: Collection Piette Art Mobilier Préhistorique*. Paris: Éditions des Musées Nationaux, Ministère d'État Affaires Culturelles.

Vastokas, J. M. & Vastokas, R. K. 1973. *Sacred Art of the Algonkians: A Study of the Peterborough Petroglyphs*. Peterborough: Mansard Press.

Vialou, D. 1982. Niaux, une construction symbolique magdalénienne exemplaire. *Ars Praehistorica* 1, 19-45.

Vialou, D. 1986. *L' art des grottes en Ariège Magdalénienne*. XXIIe Supplément à Gallia Préhistorique. Paris: CNRS.

Vialou, D. 1987. *L'art des cavernes: les sanctuaires de la préhistoire*. Paris: Le Rocher.

Vialou, D. 1991. *La préhistoire*. Paris: Gallimard. Vinnicombe, P.V. *People of the Eland: Rock Paintings of the Drakensberg Bushmen as a Reflection of their Life and Thought*. Pietermaritzburg: University of Natal Press.

Vitebsky, P. 1995a. From cosmology to environmentalism: shamanism as local knowledge in a global setting. In Fardon, R. (haz.) *Counterworks*, s. 182-203. Londra & New York: Routledge.

Vitebsky, P. 1995b. *The Shaman: Voyages of the Soul, Ecstasy and Healing from Siberia to the Amazon*. Londra: Macmillan.

Walker, J. 1981. The amateur scientist: about phosphenes. *Scientific American* 255, 142-52.

Waller, S. J. 1993. Scientific correspondence: Sound and rock art. *Nature* 363, 501.

Watson, R. A. 1990. Ozymandias, King of Kings: postprocessual radical archaeology as critique. *American Antiquity* 55, 673-89.

Wedenoja,W. 1990. Ritual trance and catharsis: a psychobiological and evolutionary perspective. In Jordan, D. K. & Schwartz, M. J. (haz.) *Personality and the Cultural Construction of Society: Papers in Honour of Melford E. Spiro*, s. 275-307.

Wellmann, K. F. 1978. North American Indian rock art and hallucinogenic drugs. *Journal of the American Medical Association* 239, 1524-27.

Wellmann, K. F. 1979a. *A Survey of North American Indian Rock Art.* Graz: Akademische Druck.

Wellmann, K. F. 1979b. North American Indian rock art: medical connotations. *New York State Journal of Medicine* 79, 1094-1105

White, R. 1986. *Rediscovering French Ice Age art. Nature* 320, 683-84.

White, R. 1989a. Toward a contextual understanding of the earliest body ornaments. In Trinkaus, E. (haz.) *The Emergence of Modern Humans: Biocultural Adaptations in the Later Pleistocene,* s. 211-31. Cambridge: Cambridge University Press.

White, R. 1989b. Production complexity and standardization in early Aurignacian bead and pendant manufacture: evolutionary implications. In Mellars, P. & Stringer, C. (haz.) *The Human Revolution: Behavioural and Biological Perspectives on the Origins of Modern Humans,* s. 366-90. Edinburgh: Edinburgh University Press.

White, R. 1993a. Technological and social dimensions of 'Aurignacian-age' body ornaments across Europe. In Knecht, H., PikeTay, A. and White, R. (haz.) *Before Lascaux: The Complex Record of the Early Upper Paleolithic,* s. 277-99. Boca-Raton: CRC Press.

White, R. 1993b. A social and technological view of the Aurignacian and Castelperronian personal ornaments in SW Europe. In Cabrera-Valdés (haz.) *El origen del hombre moderno en el suroeste de Europa,* s. 327-57. Madrid: Universidad de Educación a Distancia.

Whitley, D. S. 1992. Shamanism and rock art in far western North America. *Cambridge Archaeological Journal* 2, 89-113.

Whitley, D. S. 1994. By the hunter, for the gatherer: art, social relations and subsistence in the prehistoric Great Basin. *World Archaeology* 25, 356-77.

Whitley, D. S. 1998a. Cognitive neuroscience, shamanism and the rock art of native California. *Anthropology of Consciousness* 9, 22-37.

Whitley, D. S. 1998b. Meaning and metaphor in the Coso petroglyphs: understanding Great Basin rock art. In Younkin, E. (haz.) *Coso Rock Art: New Perspectives,* s. 109-76. Ridgecrest (CA): Maturango Museum.

Whitley, D. S. 1998c. To find rain in the desert: landscape, gender and rock art of far western North America. In Chippindale, C. & Taçon, P. S. C. (haz.) *The Archaeology of Rock Art,* s. 11-29. Cambridge: Cambridge University Press.

Whitley, D. S. 2000. *The Art of the Shaman: Rock Art of California.* Salt Lake City: University of Utah Press.

Whitley, D. S., Dorn, R. I., Simon, J. M., Rechtman, R. & Whitley, T. K. 1999. Sally's rock shelter and the archaeology of the vision quest. *Cambridge Archaeological Journal* 9, 221-47.

Wiessner, P. 1982. Risk, reciprocity and social influences on !Kung San economics. In Lee, R. & Leacock, E. (haz.) *Politics and History in Band Societies,* s. 61-84. Cambridge: Cambridge University Press.

Wiessner, P. 1986. !Kung San networks in a generational perspective. In Biesele, M., Gordon, R. & Lee, R. (haz.) *The Past and Future of !Kung Ethnography: Critical Reflections and Symbolic Perspectives: Essays in Honour of Lorna Marshall,* s. 103-36. Hamburg: Helmut Buske Verlag.

Wilbert, J. 1997. Illuminative serpents: tobacco hallucinations of the Warao. *Journal of Latin American Lore* 20, 317-32.

Wilbert, W. 1981. Two rock art sites in Calaveras County. In Meighan, C. W. (haz.)

Messages from the Past: Studies in California Rock Art, s. 107-22. Los Angeles: Institute of Archaeology, UCLA.

Willis, R. 1994. New shamanism. *Anthropology Today* 10(6), 16-18.

Windels, F. 1949. *The Lascaux Cave Paintings*. Londra: Faber and Faber.

Winkelman, M. J. 1990. Shamans and other 'magico-religious healers': a cross-cultural study of their nature & social transformations. *Ethos* 18, 308-52.

Winkelman, M. 1992. *Shamans, Priests and Witches: A Cross-Cultural Study of Magico-Religious Practioners*. Tempe, Arizona: Arizona State University Anthropological Research Papers, No. 44.

Winters, W. D. 1975. The continuum of CNS excitatory states and hallucinations. In Siegel, R. K. & West, L. J. (haz.) *Hallucinations: Behaviour, Experience & Theory*, s. 53-70. New York: John Wiley.

Wolpoff, M. H. 1989. Multiregional evolution: the fossil alternative to Eden. In Mellars, P. and Stringer, C. (haz.) *The Human Revolution: Behavioural and Biological Perspectives on the Origins of Modern Humans*, s. 62-108. Edinburgh: Edinburgh University Press.

Wong, K. 2000. *Trends in paleoanthropology. Scientific American* April, 79-87.

Wylie, A. 1989. Archaeological cables and tacking: the implications of practice for Bernstein's 'Options beyond objectivism and relativism'. *Philosophy of Science* 19, 1-18.

Wynn, T. 1996. The evolution of tools and symbolic behaviour. In Lock, A., & Peters, C. R. (haz.) Handbook of symbolic evolution, s. 263-87. Oxford: Clarendon Press.

Yates, R. & Manhire, A. 1991. Shamanism and rock paintings: aspects of the use of rock art in the south-west Cape, South Africa. *South African Archaeological Bulletin* 46, 3-11.

York, A., Daly, R. & Arnett, C. 1993. *They Write their Dreams on the Rock Forever: Rock Writings in the Stein River Valley of British Columbia.*Vancouver: Talonbooks.

Zigmond, M. 1986. Kawaiisu. In D'Azevedo, W. L. (haz.) *Handbook of North American Indians, Vol. 11: Great Basin*, s. 398-411. Washington, D. C.: Smithsonian Institution.

Zimmerman, L. J. 1996. *Native North America: Belief and Ritual, Visionaries, Holy People and Tricksters, Spirits of Earth and Sky*. Londra: Duncan Baird.

Zubrow, E. 1989. The demographic modelling of Neanderthal extinction. In Mellars, P. & Stringer, C. (haz.) *The Human Revolution: Behavioural and Biological Perspectives on the Origin of Modern Humans*, s. 212-31. Edinburgh: Edinburgh University Press.

Teşekkür

Pek çok kişi yıllar boyu çok farklı şekillerde bana yardımcı oldu. Hepsine minnettarım. Bölüm taslaklarını okuyan meslektaşlarım ve arkadaşlarım arasında Patty Bass, Geoff Blundell, William Challis, Paul den Hoed, David Hammond-Tooke, Jamie Hampson, Jeremy Hollmann, Marthina Mössmer, Ghilraen Laue, Siyakha Mguni, Bill Sheehan, Benjamin Smith ve David Whitley var. Pek çok aydınlatıcı sohbetinden yaralandığım Meg Conkey'e de minnettarım. William Challis, David Pearce, Rory McLean ve Wendy Voorveldt şekilleri hazırladı. Norbert Aujoulat, Jean Clottes, Robert Bégouën, David Whitley ve Maison René Ginouvès (Archéologie et Ethnologie), CNRS'e resim temin etme lütfunu gösterdikleri için minnettarım. Marthina Mössmer sabırla kaynakçayı düzenledi ve bilgisayarla metinle ilgili başka harikalar yarattı.

Güney Afrika Sanlarıyla ilgili çalışmaları Lorna Marshall, Megan Biesele, Mathias Guenther ve Ed Wilmsen'e borçluyum. Kuzey Amerika'da, David Whitley, Larry Loendorf, Megan Biesele, Polly Schaafsma, Ekkehart Malotki, Carolyn Boyd, Janet Lever ve John Miller çok sayıda kaya sanatı alanlarına götürdü. David Whitley bana büyük ölçüde bilgi temin etti.

1972, 1989, 1990, 1995 ve 1999'da Fransa'da Üst Paleolitik mağaralarını incelememi sağlayan ve çok değerli tartışmalar yaptığım pek çok kişiye özellikle minnettarım. Jean Clottes, özellikle, her zaman bir bilgi hazinesi ve pek çok açıdan yardım kaynağı olmuştur. Beni Chauvet Mağarası Uluslararası Danışma Kurulu'na davet ettiği için ona minnettarım. Fransa'da ihtiyacım olan yardımları sağlayan diğer kişiler arasında Norbert Aujoulat, Paul Bahn, Robert ve Eric Bégouën, Brigette Delluc, Jean Gaussen, Yanik Le Guillou, André Leroi-Gourhan, Michel Lorblanchet, Jaques Omnès, Aleth Plenier, Jean-Philippe Rigaud, Yoan Runeau, Dominique Sacchi, Georges Simonnet, Denis Vialou ve Luc Wahl var.

Johannesburg Witwatersrand Üniversitesi Kaya Sanatı Araştırma Enstitüsü, üniversitenin kendisi, Ulusal Araştırma Vakfı, Turizm Bakanlığı, Anglo American, De Beers ve Ringing Rocks Vakfı tarafından desteklenmektedir..

Son olarak, ihtiyaç anında cesaret ve her zaman ihtiyaç duyulan tavsiye ve öneriler veren Thames & Hudson yazı kuruluna teşekkür ederim.

Resim Kaynakları

Başka türlü belirtilmediği sürece şekiller Witwatersrand Üniversitesi Kaya Sanatı Araştırma Enstitüsü'nden temin edilmiştir.

Metin Resimleri

4 The Royal College of Surgeons of England.

10 Kaya Sanatı Araştırma Enstitüsü Arşivleri.

11 R. Bégouën izniyle.

13 Maison René Ginouves (Archéologie et Ethnologie) CNRS.

15 Leroi-Gourhan 1968, Tablo XV.

19 Mellars 1996, Resim 13.6.

20 Mellars 1996, Resim 13.13.

22 McBrearty & Brooks 2000, Resim 13.

24 Mithen 1996, 67.

27 Jagger Kütüphanesi, Cape Town Üniversitesi izniyle.

41-43 D. Whitley.

44 Breuil in Bégouën & Breuil 1958.

56 Ruspoli 1987, 200, ve Leroi-Gourhan 1979.

57 Leroi-Gourhan 1979.

58 Leroi-Gourhan 1979.

59 Leroi-Gourhan 1979.

60 Leroi-Gourhan 1979.

64 Halifax 1982, iç kapak resmi.

66 Goya, "*El sueño de la razón produce monstruos*" 1798.

Renkli resimler

1 N. Aujoulat izniyle.

2-3 Fotoğraf Rosselló.

4-5 J. Clottes izniyle.

6 C. Henshilwood izniyle.

7-9 Fotoğraf Witwatersrand Üniversitesi Kaya Sanatı Araştırma Enstitüsü.

10-11 D. Whitley izniyle.

12-19 J. Clottes izniyle.

20-23 N. Aujoulat izniyle.

24-25 R. Bégouën izniyle.

26-28 N. Aujoulat izniyle.